De pers over *Jens*

'Kundig gecomponeerd. Luchtig, bruut, af en
Lapidus kan op eigen benen staan.' -

'★★★★ *Bloedlink* is ernstiger van toon dan *Snel geld* en de karakters worden
wat meer uitgediept. Knap hoe Lapidus zich een geheel eigen plek aan het
veroveren is.' – VN'S DETECTIVE & THRILLERGIDS

'Lapidus zou regelrecht uit de Verenigde Staten kunnen komen.
Een rauwe kijk op een rauwe stad. Fascinerend!'
– DAGBLAD VAN HET NOORDEN

'Jens Lapidus, de Zweedse strafpleiter die schrijver is geworden, biedt ons een
pulserende, angstaanjagende odyssee van ellendelingen die (zo te zien) niet te
stoppen zijn, geen enkel ethisch gevoel hebben en als een *silverback* je kop van
je romp afrukken als je ze in de weg loopt.' – NU.NL

'★★★★ Jens Lapidus is de nieuwe Zweedse belofte. Een strafrechtadvocaat die
de beruchtste misdadigers van Zweden heeft verdedigd en die dus heel goed
weet wat er gebeurt in de donkere krochten van de onderwereld. Bovendien
kan Lapidus schrijven. Zijn stijl is ruw (korte zinnen, straattaal) en zijn verhaal
is verontrustend realistisch.'
– VERONICA MAGAZINE

'*Snel geld*, het eerste deel van de Stockholm-trilogie, is een sensatie. [...] Met zijn
hamerende stijl wekt de schrijver een zeer geloofwaardig universum tot leven,
dat bij vertaler Jasper Popma en diens gevoel voor Nederlandse straattaal in
goede handen is.' – BOEK MAGAZINE

'Stilistisch hoogstandje. Nerveus geschreven, krakend harde doorlichting van de
verrotte onderkant die de Zweedse verzorgingsstaat moet schragen; doordacht
samenspel van nood, vereenzaming, afpersing, brutaliteit en omkoperij.
De nieuwe Sjöwall & Wahlöö.' – KNACK.BE

'★★★★ Het is werkelijk fantastisch geschreven. Waar James Ellroy over de
pagina's heen mitrailleert en je de samenhang soms kwijtraakt, is dat bij Lapidus
absoluut niet het geval. Het resultaat mag meer dan voortreffelijk worden
genoemd.' – CRIMEZONE.NL

'★★★★★ Opnieuw speelt Lapidus met straattaal en korte, rauwe zinnen in
een verhaal dat ook maatschappijkritisch is (net als bij Larsson).
Bloedlink is weer een geweldige Lapidus!'
– HET PAROOL

'Lapidus' originaliteit zit hem in de taal: die is even meedogenloos als de
moorden die worden gepleegd. "Kapot wreed", om het met Lapidus te zeggen.'
– ELSEVIER

Bezoek onze internetsite www.awbruna.nl
voor informatie over al onze boeken en dvd's.

Jens Lapidus

Bloedlink

A.W. Bruna Uitgevers B.V., Utrecht

Oorspronkelijke titel
Aldrig fucka upp
© Jens Lapidus 2008
Published by agreement with Salomonsson Agency
Vertaling
Jasper Popma, via het Scandinavisch Vertaal- en Informatiebureau Nederland
Omslagbeeld
Trevillion Images
Omslagontwerp
Studio Jan de Boer
© 2010 A.W. Bruna Uitgevers B.V., Utrecht

ISBN 978 90 229 9445 0
NUR 332

Zesde druk, november 2011

Dit boek is gedrukt op papier dat het keurmerk van de Forest Stewardship Council (FSC) mag dragen. Bij dit papier is het zeker dat de productie niet tot bosvernietiging heeft geleid. Een flink deel van de grondstof is afkomstig uit bossen en plantages die worden beheerd volgens de regels van FSC. Van het andere deel van de grondstof is vastgesteld dat hiervoor geen houtkap in de laatste resten waardevol bos heeft plaatsgevonden. Daarom mag dit papier het FSC Mixed Sources label dragen. Voor dit boek is het FSC-gecertificeerde Munkenprint gebruikt. Dit papier is 100% chloor- en zwavelvrij gebleekt en wordt geleverd door Arctic Paper Munkedals AB, Zweden.

Voor Jack

'I'm a copper,' he said. 'Just a plain ordinary copper.
Reasonably honest. As honest as you could expect a man
to be in a world where it's out of style.'

– Raymond Chandler

Deel 1

1

De smaak van metaal in zijn bek klopte niet. Zoals wanneer je je tanden hebt gepoetst en per ongeluk sinaasappelsap drinkt. Volslagen verwarring. Maar nu – eigenlijk – klopte het wel. Vermengd met schrik. Paniek. Doodsangst.

Een bosje. Mahmud op zijn knieën in het gras met zijn handen op zijn hoofd als zo'n fokking Vietcongnees in een oorlogsfilm. De grond nat, het vocht drong door zijn spijkerbroek heen. Negen uur misschien. De lucht was nog licht.

Om hem heen stonden vijf kills. Allemaal van het model levensgevaarlijk. Jongens die nergens voor terugdeinsden. Die hadden gezworen hun *gang* altijd te dekken. Die gangstertjes als Mahmud opvraten bij het ontbijt. Elke dag.

Chara.

Kou in de lucht midden in de zomer. Toch rook hij zweet op zijn huid. Hoe was hij in deze kankerzooi terechtgekomen? Hij zou er toch op los leven? Eindelijk uit de bak – zo vrij als een vogel. Klaar om Zweden bij de kloten te grijpen en om te draaien. Toen kwam dit. Zou game over kunnen zijn. Nu echt. De hele-fucking-boel.

De revolver knarste tegen zijn tanden. Echode in zijn kop. Flashende lichtflitsen voor zijn ogen. Beelden van zijn leven. Herinneringen aan maatschappelijke zeikwijven, pseudobegrijpende sociaal werkers, verholen racistische klassenleraren. Per-Olov, zijn meester in de bovenbouw: 'Mahmud, zo doen we dat niet in Zweden, begrijp je dat?' En Mahmuds antwoord – in een andere situatie had hij gegrijnsd bij de herinnering: 'Lik m'n reet, zo doen we het in Alby.' Meer filmfragmenten: betonsmerissen die geen flikker begrepen van wat de gestoorde staatsopvoeding van het witte Zweden deed met gozers als hij. Papa's betraande ogen op mama's begrafenis. Al het geouwehoer met de kills op de sportschool. De eerste keer dat ie hem erin mocht hangen. Perfecte treffers met waterballonnen vanaf het balkon op hondenbaasjes beneden. Jatwerk in de stad. De kantine in de bak. Hij: een echte buitenwijker uit de programmatisch geplande flats, op weg naar boven als een gangster-de-luxe. Nu ineens op weg naar beneden. Weg.

Ondanks de blaffer in zijn bek probeerde hij de geloofsbelijdenis te fluisteren:

'Asjhadoe anna la ilaaha ill-Allah.'

De vent die de pipa in zijn mond duwde, keek op hem neer.

'Zei je wat?'

Mahmud durfde zijn hoofd niet te bewegen. Loerde naar boven. Kon natuurlijk niks zeggen. Was die vent dom of zo? Hun blikken kruisten elkaar. De gast leek het nog steeds niet te snappen. Mahmud kende hem wel. Daniel: bezig iemand te worden, maar nog niet een van de grote mannen. Vet 18-karaats gouden kruis om zijn nek – typisch Syrisch. Op dit moment was hij misschien de baas. Maar als zijn hersens van coke waren geweest, zou de opbrengst nauwelijks genoeg zijn geweest voor een pennywafel.

Uiteindelijk: Daniel begreep de situatie. Haalde de revolver eruit. Herhaalde: 'Had je wat?'

'Nee. Laat me gewoon gaan. Ik regel wat ik jullie schuldig ben. Ik zweer het. Kom op nou.'

'Bek houden. Denk je dat je me af kunt leiden? Je wacht maar tot Gürhan wil praten.'

Weer die blaffer in zijn mond. Mahmud hield zich stil. Durfde niet eens aan de geloofsbelijdenis te denken. Hoewel hij niet gelovig was, wist hij dat hij dat wel zou moeten doen.

Bonkende gedachte: was het nu afgelopen met hem?

Het leek alsof het bos om ze heen draaide.

Hij probeerde niet te hyperventileren.

Fuck.

Fuck, fuck, fuck.

Een kwartier later. Daniel werd het zat. Bewoog onrustig, zag er ongeconcentreerd uit. De pipa knarste erger dan de ouwe metrowagens. Het gevoel alsof hij een honkbalknuppel in zijn bek had.

'Jij denkt zeker dat je alles kunt flikken, hè?'

Mahmud kon niets zeggen.

'Dacht je dat je van ons kon nakken of zo?'

Mahmud probeerde nee te zeggen. Het geluid kwam vanuit diep in zijn keel. Onduidelijk of Daniel het snapte.

De gozer zei: 'Niemand nakt van ons. Dat is duidelijk.'

De kills verderop leken door te krijgen dat er geluld werd. Kwamen dichterbij. Vier stuks. Gürhan, de legendarische, levensgevaarlijke dealerkoning. Tatoeages tot in zijn nek: ACAB en een marihuanablad. Op zijn ene onderarm: de Syrische adelaar met gespreide vleugels. Op zijn andere arm in zwarte gotische letters: BORN TO BE HATED. Vicepresident van de gang met dezelfde naam. De snelst opkomende liga van Stockholm-Zuid. Een van de gevaarlijkste mensen die Mahmud kende. Mythisch, explosief, gestoord. In Mahmuds wereld: hoe gestoorder, hoe meer macht.

De drie andere kerels had Mahmud nooit eerder gezien, maar ze droegen allemaal dezelfde tatoeage als Gürhan: BORN TO BE HATED.

Gürhan gebaarde naar Daniel: haal die pipa eruit. De vicepresident pakte hem zelf, richtte hem op Mahmud. Een halve meter van hem af. 'Luister goed. Het is heel simpel. Jij zorgt voor onze poet en houdt op met dat gezeik. Als jij niet vals was gaan spelen, hadden we dit niet hoeven doen. Capish?'

Mahmuds mond was droog. Hij probeerde te praten. Staarde Gürhan aan. 'Ik betaal. Sorry voor het gedoe. Het was allemaal mijn fout.' Hoorde de trilling in zijn eigen stem.

Gürhans antwoord: een vette oplawaai met de rug van zijn hand. Knal in zijn kop als een schot. Maar het was geen schot – duizend keer beter dan een schot. Toch: als Gürhan flipte was het echt afgelopen.

De nekspieren van de man rekten de gelobde structuur van het marihuanablad op zijn huid uit. Hun blikken ontmoetten elkaar. Bleven hangen. Lang. Gürhan: enorm breed – breder dan Mahmud. En Mahmud was verre van mager. Gürhan: beruchte agressiviteitsbandiet, geweldsliefdesprofeet, gangsteratleet. Gürhan: meer littekens in zijn wenkbrauwen dan Mike Tyson. Mahmud dacht: als je iemands ziel in zijn ogen kan zien, dan heeft Gürhan er geen.

Het was stom geweest überhaupt iets te zeggen. Hij had zijn blik neer moeten slaan. Moeten buigen voor de vicepresident.

Gürhan brulde: 'Fokking eikel. Eerst verneuk je de hele zooi en beland je in de lik. Dan neemt de skotoe de partij in beslag. We hebben het vonnis gelezen, weet je. We weten dat er meer dan tienduizend ampullen misten in de beslaglegging. Dat betekent dat je van ons hebt gejat. En nu, een halfjaar later, begin je moeilijk te doen als we de poet die je ons schuldig bent terug willen hebben. Probeer je de harde jongen uit te hangen alleen omdat je in de bak hebt gezeten? Je hebt godverdomme drieduizend pakken Winstrol van ons gejat. Van ons wordt niet gepikt. Heb je dat nou nog niet begrepen?'

Mahmud in paniek. Wist niet wat hij moest zeggen.

Zacht: 'Het spijt me. Alsjeblieft. Het spijt me. Ik zal betalen.'

Gürhan aapte hem na met verdraaide stem. '"Het spijt me. Het spijt me." Doe niet zo *gaylish*. Denk je dat dat helpt? Waarom begon je met dat gezeik?'

Gürhan nam de revolver in beide handen. Klapte de loop open. De patronen vielen een voor een in zijn linkerhand. Mahmud merkte dat hij ontspande. Ze konden hem afranselen. Hem tot bloedens toe slaan. Maar zonder blaffer – dan waren ze niet van plan hem de pijp uit te jagen.

Een van de andere gasten draaide zich om naar Gürhan. Zei kort iets in het Turks. Mahmud begreep het niet: was dat de manier van die gast om een bevel te geven of zijn waardering uit te drukken?

Gürhan knikte. Richtte de pipa weer op Mahmud. 'Oké. Het zit zo. Er zit nog één kogel in het magazijn. Ik ben aardig voor je. Normaal gesproken zou ik je meteen afgeknald hebben. Je weet toch, we kunnen van die sukkels als

jij niet tolereren. Losers die meteen stennis beginnen te schoppen zodra er iets misloopt. Je bent ons vet veel schuldig. Maar ik ben vanavond in een goed humeur. Ik draai dit rond en als je geluk hebt, is dat het lot. Dan laten we je gaan.'

Gürhan hield het magazijn omhoog tegen de avondlucht. Duidelijk zichtbaar: vijf lege gaten en één met een kogel erin. Hij draaide het magazijn rond. Het geluid klonk als de roterende schijf van een roulettetafel. Hij grijnsde breed. Richtte op Mahmuds slaap. Een tik toen de haan werd gespannen. Mahmud sloot zijn ogen. Begon de geloofsbelijdenis weer te fluisteren. Daarna raakte hij in paniek. De lichtflitsen voor zijn ogen kwamen terug. Zijn hart bonkte haast oorverdovend hard.

'Eens kijken of je een geluksgozer bent.'

Een klikgeluid.

Er gebeurde niets.

ER GEBEURDE NIETS.

Hij deed zijn ogen weer open. Gürhan grinnikte. Daniel lachte. De andere jongens schaterden. Mahmud volgde hun blikken. Keek naar beneden.

Zijn knieën waren nat van de vochtige grond. En nog iets: langs de linkerpijp van zijn spijkerbroek. Een lange vlek.

Bulderlach. Hoongelach. Leedvermaak.

Gürhan gaf de pipa terug aan Daniel.

'De volgende keer bown ik je in je sterretje. Meisje.'

Chaotische gevoelens. Hoop versus vermoeidheid. Vreugde versus haat. Opluchting – tegelijkertijd schaamte. Het ergste was nu voorbij. Hij zou blijven leven.

Met dit.

Doek.

*

Mishandeling van vrouwen

Het aantal gevallen van vrouwenmishandeling waarvan aangifte wordt gedaan bij de politie, is de afgelopen tien jaar met ongeveer 30% gestegen tot 24.100 aangiften per jaar, aldus de statistieken van de Raad voor Misdaadpreventie. Deze toename komt waarschijnlijk ten dele doordat er tegenwoordig vaker dan vroeger aangifte van mishandeling wordt gedaan en ten dele doordat het feitelijke geweld is toegenomen. Tegelijkertijd wordt een groot aantal gevallen van mishandeling niet gemeld. Volgens de schattingen in eerder onderzoek van de RvM wordt in slechts een op de vijf gevallen van mishandeling aangifte gedaan bij de politie.

In circa 72% van de aangiften is de dader een bekende van de vrouw. Vaak hebben de man en de vrouw een relatie of hebben ze een relatie gehad. In 21% van alle gevallen van mishandeling van vrouwen wordt na het politieonderzoek een aannemelijke verdachte gevonden en besluit de officier van justitie een aanklacht in te dienen, de zaak te seponeren (bijvoorbeeld als de verdachte jonger is dan 18 of het misdrijf onbeduidend is) of een schikking te treffen (boete en/of voorwaardelijke veroordeling).

Mishandeling van vrouwen en kinderen is een maatschappelijk probleem dat de afgelopen jaren relatief veel aandacht heeft gekregen. Dit zowel door nieuwe wetgeving (onder andere over bezoekverboden en schending van het recht op lichamelijke integriteit binnen relaties) als door andere maatregelen, bijvoorbeeld de oprichting van het Landelijk Vrouwencentrum en scholingsinitiatieven. Ook de aandacht van afzonderlijke organisaties is aanzienlijk toegenomen. Zo zijn er bijvoorbeeld in ongeveer de helft van de Zweedse gemeenten opvanghuizen voor vrouwen en meisjes opgericht. Ondanks het grote aantal activiteiten blijft het probleem bestaan – elk jaar worden duizenden vrouwen mishandeld en vernederd.

Raad voor Misdaadpreventie

2

Niklas was terug.

Hij woonde bij zijn moeder, Catharina. Probeerde af en toe te slapen, tussen de nachtmerries door – in die wereld: opgejaagd, geteisterd, gestraft. Maar net zo vaak hield hij zelf het wapen vast, of trapte hij weerloze mensen. Precies zoals het daarginds was geweest. In werkelijkheid.

De bank was te kort om op te slapen dus hij had de leren kussens op de vloer gelegd. Zijn voeten staken de kou in, maar dat was oké – beter dan in elkaar geklapt als een Leatherman op een driezitsbank te liggen – al was hij dat soort dingen gewend.

Niklas zag het licht onder de deur. Zijn moeder lag daar waarschijnlijk damesbladen te lezen – zoals ze altijd had gedaan. Biografieën, memoires en roddels. Een voortdurende belangstelling voor de mislukkingen van anderen. Ze leefde op nieuws over de waardeloze scheidingen, het alcoholisme en de affaires van tweederangs beroemdheden. Door hun trieste levens voelde ze zich misschien beter. Maar het was één grote leugen. Net als haar eigen leven.

's Ochtends bleef hij liggen. Hoorde hoe ze zich klaarmaakte om naar haar werk te gaan. Dacht aan hoe zijn leven in Zweden zou worden, het leven als burger. Wat zou hij hier eigenlijk gaan doen? Hij wist welk werk geschikt was: bewaker, lijfwacht, soldaat. Dat laatste zou niet gaan. De krijgsmacht zou een man met zijn achtergrond nooit in dienst nemen. Anderzijds: dat was wat hij kon.

Hij bleef zo veel mogelijk thuis. Keek tv en maakte omelet met aardappels en Zweedse faluworst. Echt eten – geen droogvoer, conserven of ravioli uit blik. Het eten in de zandbak had zijn gevoel voor echte worst haast verknald, maar nu kwam het terug. Een enkele keer kwam hij buiten de flat. Om hard te lopen, boodschappen te doen, dingen te regelen. Midden op de dag, weinig mensen buiten – hij rende uitzinnig hard. Wist de gedachten kwijt te raken.

Hij woonde in geleende tijd. Het was niet goed voor zijn moeder om hem bij zich in huis te hebben. Het was niet goed voor hem om bij haar in huis te zitten. Het was niet goed dat ze allebei wisten dat het niet goed was. Hij moest er iets aan doen. Een andere woonplek vinden. *Make a move.* Het moest goed komen.

Hij was immers terug – in het makkelijke, veilige Zweden. Waar alles te regelen valt met een beetje goede wil, doorzettingsvermogen, geld of contacten met de sociaal-democraten. Dat laatste had Niklas niet. Hij had daarentegen zijn wil – harder dan de bepantsering van een M1A2 Abrams pantserwagen. Zijn moeder noemde hem arrogant. Daar zat misschien wel wat in, daarginds was hij in elk geval cocky genoeg om het te rooien met gasten die je te grazen namen voor minder dan een komische verspreking in het Engels. En geld? Hij had geen vermogen om de rest van zijn leven mee voort te kunnen – maar genoeg voor nu.

Hij stond in de keuken na te denken. Het geheim van een goede omelet was hem onder een deksel te bakken. Dan stolde het ei aan de bovenkant sneller en kreeg je geen slijmerig, geleiachtig eiwit bovenop terwijl de onderkant was aangebakken. Hij schepte blokjes aardappel, ui en stukjes worst op het ei. Kaas eroverheen. Wachtte tot die gesmolten was. De geur was geweldig. Zoveel beter dan al die *chow* die hij daar te eten kreeg, zelfs op Thanksgiving.

Zijn gedachten maakten trieste rondjes. Hij was terug – het voelde goed. Maar terug bij wat eigenlijk? Zijn moeder was aanwezig afwezig. Hij wist niet meer wie hij nog kende in Zweden. En hoe ging het eigenlijk met hemzelf? Als hij er nou echt bij stilstond. Verwarring/herkenning/angst. Er was niets veranderd. Behalve hij. En dat maakte hem doodsbang.

De eerste jaren dat hij weg was geweest, was hij elk jaar weleens thuis gekomen, vaak kreeg hij verlof rond kerst of Pasen. Maar nu was het meer dan drie jaar geleden. Irak was te intensief. Je kon niet zomaar naar huis. In die tijd had hij zijn moeder nauwelijks gesproken. Ook niets van zich laten horen aan anderen. Hij was wie hij was. Zonder dat iemand het wist. Maar aan de andere kant – had iemand dat ooit geweten?

De dag ging traag. Hij zat voor de televisie toen ze thuiskwam. Nog steeds vol van de omelet. Keek naar een documentaire over twee jongens die op ski's Antarctica zouden oversteken – het meest zinloze dat hij ooit had gezien. Twee prutsers die probeerden te fake-overleven – er was natuurlijk ook een filmteam mee, dat was duidelijk. Hoe redden die zich dan als het nu zo koud en verschrikkelijk was? Pathetische types die eigenlijk totaal geen verstand van overleven hadden. En nog minder van het leven.

Zijn moeder zag er veel ouder uit dan de laatste keer dat hij thuis was geweest. Afgepeigerd. Moe. Grijs geworden, leek het wel. Hij vroeg zich af hoeveel ze dronk. Hoe vaak ze zich 's nachts ongerust over hem had gemaakt nadat ze het nieuws had gezien. Hoe vaak ze Hem met hoofdletter H had gezien – de man die hun leven had verwoest. De laatste keer dat hij thuis was geweest, had ze beweerd dat ze elkaar niet meer zagen. Niklas geloofde dat ongeveer net zoveel als Muqtada al-Sadr geloofde dat de VS het beste met zijn volk voorhad. Maar nu zou dat allemaal afgelopen zijn.

In zekere zin was ze sterk. Voedde in haar eentje een lastige zoon op. Weigerde hulp vanuit de maatschappij. Weigerde op te geven en net als al haar vriendinnen in de wAo te belanden. Ploeterde het leven door. Aan de andere kant had ze Hem in haar leven laten komen. Controle over haar laten krijgen. Haar laten vernederen. Slopen. Hoe konden ze zo verschillend zijn?

Ze zette een tas met eten op de grond. 'Hoi, hallo. Wat heb je vandaag zoal gedaan?'

Hij zag aan haar hoeveel pijn ze had. Dat had hij de eerste dag in Zweden al begrepen – haar rug wou niet meer. Toch bleef ze werken, halve dagen weliswaar, maar toch, waar was dat eigenlijk goed voor? Haar gezicht had nooit echt vreugde uitgestraald. De rimpels tussen haar ogen waren tegenwoordig diep, maar die hadden er altijd al gezeten. Gaven haar een constant zorgelijke uitdrukking. Ze liet haar wenkbrauwen als het ware zakken, trok ze samen, en haar ergste rimpels verdiepten zich haast een centimeter.

Hij bleef naar haar kijken. Roze vest – haar lievelingskleur. Strakke spijkerbroek. Om haar nek een ketting met een gouden hartje. Ze had een coupe soleil. Niklas vroeg zich af of ze dat nog steeds bij Sonja Östergrens Dameskapsalon liet doen. *Some things just never change*, zoals Collin altijd zei.

Eigenlijk was ze de liefste mens die er bestond. Te lief. Het was niet eerlijk.

Catharina. Zijn moeder.

Van wie hij hield.

Die hij tegelijkertijd verachtte.

Daarom – omdat ze zo lief was.

Ze was te zwak.

Dat was niet goed.

Maar ze zouden het nooit over alles kunnen hebben.

Niklas zette de tas met eten in de keuken. Liep de woonkamer weer in.

'Ik ga gauw verhuizen, mama. Ik ga een contract kopen.'

Daar had je die rimpels weer. Als barsten in een weg door de woestijn.

'Maar Niklas, is dat niet illegaal?'

'Nee hoor, dat is het niet. Het is illegaal om huurcontracten te verkopen, maar niet om ze te kopen. Het gaat zeker goed. Ik heb geld en niemand zal me bedonderen. Dat garandeer ik je.'

Catharina mompelde iets ten antwoord. Liep de keuken in. Begon het eten klaar te maken.

De slapeloosheid maakte hem kapot. Zelfs tijdens de ergste nachten daar, als de granaten meer herrie maakten dan wanneer je midden in de woonkamer vuurwerk zou afsteken, sliep hij niet zo belazerd als nu. Oorbeschermers waren dan een zegen. De cd-speler een redding. Nu hielp er niks.

Hij keek naar de streep licht onder de deur van zijn moeder. Om halfeen deed ze het licht uit. Om de een of andere reden wist hij nu al dat hij niet zou kunnen

slapen. Draaide zich keer op keer om. Elke keer gleed het laken verder naar de ene kant van de kussens van de bank. Verkreukelde. Verknalde de mogelijkheid om te slapen.

Hij dacht na over zijn aankopen van afgelopen week. Zonder wapen was hij niet veilig. Nu voelde hij zich rustiger. Op dit moment had hij alles geregeld wat hij nodig had. Zijn gedachten stroomden verder. Hij overwoog mogelijkheden voor werk. Hoeveel van zijn cv zou hij laten zien? Hij lachte bijna hardop in het donker: gedetailleerde kennis van meer dan veertig wapentypes werd in Zweden waarschijnlijk niet zo gewaardeerd.

Hij dacht aan Hem. Hij moest weg uit de flat, uit de huurwoning. Het bezorgde hem slechte vibes. Vervelende herinneringen. Gevaarlijke nabijheid.

Niklas was van plan nu volgens zijn eigen filosofie te leven. Een gedachtetempel waaraan hij de afgelopen jaren zorgvuldig had gebouwd. Ethische regels waren alleen van belang voor jezelf. Als je ze kwijt kon raken, was je vrij. Daarginds in de *sandpit* viel dat soort dingen weg. De moraal kromp er tot een schaafwond die na een paar weken vanzelf verdween. Hij was vrij – vrij om zijn leven aan te pakken zoals het hem het beste uitkwam.

Hij dacht aan de andere mannen. Collin, Alex, de anderen. Ze wisten waar hij het over had. In een oorlog wordt de mens bewust van zichzelf. Jij bent de enige die telt. Regels zijn er voor de anderen.

De volgende dag approachte hij een zwarte makelaar. De stem van die gast klonk louche aan de telefoon. Vast een smerig type. Niklas had het nummer gekregen van een oude klasgenoot, Benjamin.

Eerst moest hij een bericht achterlaten op het antwoordapparaat van die vent. Vier uur later werd hij teruggebeld vanaf een afgeschermd nummer.

'Hallo, ik ben makelaar. Ik begreep van je bericht dat je graag naar een object zou willen kijken. Klopt dat?'

Niklas dacht: sommige mensen leven goed van de crisissituaties van anderen. Die vent was een rat. Vermeed de woorden flat, contract of zwart – wist dat hij dingen geen dingen moest noemen die tegen hem gebruikt konden worden.

De zwarte makelaar instrueerde hem: ik bel jou, jij belt mij nooit.

Ze spraken af voor de volgende dag.

Hij stapte de McDonald's binnen. Gruwelijk moe, maar klaar voor de makelaar. De plek zag eruit zoals hij zich hem herinnerde. Ongemakkelijke metalen stoelen, kersenhoutkleurige lambrisering, kunststof vloer. Klassieke McDonald's-geur: een mengeling van rans en hamburgervlees. Ronald McDonald's-collectebussen bij de kassa's, reclame voor een Happy Meal op de papieren placemats op de dienbladen, jonge donzige gastjes en donkere meisjes achter de kassa's.

Het verschil met de laatste keer dat hij hier at: het gezondheidsfascisme. Miniworteltjes in plaats van patat, volkorenbrood bij de hamburgers in plaats van

traditioneel wit, Caesarsalade in plaats van een extra cheeseburger. Wat deden mensen moeilijk. Als ze niet genoeg bewogen om normaal eten te kunnen verbranden, moesten ze goed nadenken voor ze hier überhaupt naar binnen gingen. Niklas bestelde mineraalwater.

Er kwam een man naar zijn tafeltje. Gekleed in een lange jas die bijna over de grond sleepte, daaronder een grijs pak en een wit overhemd. Geen stropdas. Achterovergekamd haar en lege ogen. Een glimlach zo breed dat zijn hoofd bijna in twee stukken uiteenviel.

Dat moest de makelaar zijn.

De man reikte hem de hand. 'Hallo, je ritselaar hier.'

Niklas knikte naar hem. Betekenis: jij bent misschien de ritselaar die ik nodig heb – maar dat betekent niet dat ik ga kontlikken.

De makelaar zag er verbaasd uit. Aarzelde een seconde. Ging daarna zitten.

Niklas kwam meteen ter zake: 'Wat heb je voor me en hoe gaat het in zijn werk?'

De zwarte makelaar boog zich naar hem toe. 'Nou, je windt er geen doekjes om. Wil je niet iets eten?'

'Nee, nu niet. Vertel me liever wat je hebt en hoe het in zijn werk gaat.'

'Zoals je wilt. Ik heb objecten waar je maar wilt. Ik kan iets versieren in Zuid, Noord, op Östermalm, op Kungsholmen. Ik kan zelfs iets versieren op het koninklijke Drottningholm als je zou willen. Maar zo zie je er niet uit.' De makelaar lachte om zijn eigen grap.

Niklas zei niets.

'Maar vergeet niet, als je ooit met praatjes aan komt zetten dat we elkaar hier hebben gezien en besproken hebben wat we gaan bespreken, dan is dit nooit gebeurd. Op dit moment zit ik met een paar collega's te vergaderen, dat je het weet.'

Niklas hoorde noch begreep waar de makelaar het over had.

'Nou, ik heb me goed ingedekt tegen mensen die gaan lopen klooien. Dan weet je dat. Doen zich vervelende dingen voor, dan heb ik mensen die getuigen dat ik op dit moment op een andere plaats bezig was met andere dingen.'

'Oké. Fijn voor je. Maar je hebt geen antwoord gegeven op mijn vraag.'

De vent glimlachte weer. Stak van wal. Praatte snel en onduidelijk. Niklas moest hem meerdere keren vragen het te herhalen. Het zelfverzekerde stijltje van de man paste niet bij zijn manier van praten. Hij vertelde tot in detail over de objecten: in alle wijken van de binnenstad. Samenwerking met huisbazen van luxe appartementen, gezinswoningen, volkshuisvesting. Herenhuizen in de binnenstad, tweekamerappartementen in Södermalm of eenkamerwoningen in de buitenwijken. Volgens hem: betrouwbare, schappelijk geprijsde objecten.

Niklas wist al wat hij wilde hebben. Een tweekamerwoning even buiten de binnenstad. Het liefst in de buurt van zijn moeder.

De makelaar legde de werkwijze uit. De voorbereidingen. Het tijdschema.

Het proces. De vent zag eruit alsof hij het allemaal maar een leuk spelletje vond.

'Eerst schrijven we je een paar maanden in voor een flat ver weg waar maar een korte wachtlijst voor is. Alles ziet er in de papieren uit zoals het hoort. Dat wordt dan het adres waar je officieel staat ingeschreven en omdat er een korte wachtlijst was voor die flat, vraagt niemand zich af hoe je eraan gekomen bent. Ik onderhoud de contacten met de huurbaas. Na een paar maanden ruilen we deze flat voor de woning waarvoor je het huurrecht gaat kopen. Op die manier is de ruil helemaal clean. Daarna moet degene die zijn contract verkoopt, minstens twee maanden blijven wonen in de woning waarmee we hebben geruild, in jouw fictieve flat dus. Alles draait om geloofwaardigheid in mijn branche, dat begrijp je vast wel.'

Probleem. Het was niet goed genoeg – Niklas moest deze week al een eigen dak boven zijn hoofd hebben. Hij moest weg uit de flat van zijn moeder. Snel.

De makelaar grijnsde. 'Oké, ik geloof dat ik je probleem begrijp. Ben je er uitgezet door je vriendin of zo? Verscheurde kleren? Gecrashte stereo? 't Is vaak een beetje *high chaparral* als ze boos zijn.'

Niklas liet hem niet los met zijn blik. Staarde twee seconden te lang om het volgens de sociale code uit te kunnen leggen als een grap.

De makelaar begreep het uiteindelijk – dit was niet de situatie om de lolbroek uit te hangen. Hij zei: '*Whatever*. Ik kan je toch helpen. We regelen een onderhuurcontract voor de drie maanden die je moet wachten. Is dat oké? Ik kan je volgende week al in een leuk tweekamerflatje van vijftig vierkante meter in Aspudden zetten als je wilt. Maar dat kost natuurlijk wel wat extra. Wat zeg je ervan?'

Hij wilde het nog sneller geregeld hebben. 'Als ik nog iets meer betaal, is die flat dan sneller te regelen?'

'Nog sneller? Je komt wel echt op het laatste moment moet ik zeggen. Maar ja hoor, je kunt hem overmorgen al krijgen.'

Niklas glimlachte inwendig. Dat klonk goed. Hij moest weg.

Beter dan verwacht zelfs.

Zo snel kunnen verdwijnen.

3

Zuid had misschien niet de meeste incidentenrapporten per hoofd van de bevolking – maar wel altijd het grootste percentage ernstige incidenten. De binnenstad had er de meeste in absolute getallen, dat wist iedereen, maar dat kwam doordat het geteisem uit de zuidelijke buitenwijken de stad introk en daar een heleboel rottigheid uithaalde. Jatte, mobieltjes rolde, bedreigde, vocht in kroegen.

Thomas dacht: Zuid – de heftige getto's die de politici links lieten liggen. Fittja, Alby, Tumba, Norsborg, Skärholmen. Van de noordelijke ellende kende iedereen de namen: Rinkeby en Tensta. Diversiteitssubsidies en culturele verenigingen. Concentratie van steunactiviteiten. Regen van projectgelden. Invasie van integratie-instituten. Maar in Zuid regeerden de bendes echt. Irakezen, Koerden, Chilenen, Albanezen. Bandidos, Fucked For Life, Born to be hated. Je kon de problemen urenlang op blijven dreunen. Hoogste in Zweden: aantal vuurwapens, percentage jongens dat weigerde met agenten te praten, aantal gemelde pogingen tot afpersing. De criminelen organiseerden zich, kopieerden de hiërarchie van motorclubs, bouwden hun eigen bikkelharde gangs. Jonge buitenwijkkills volgden het platgetreden spoor van de oudere bankrovers/drugsdealers/geweldenaars. Een uitgezet parcours. Naar een rotleven. Je kon oneindig veel feiten opsommen. In Thomas' ogen maakte het geen flikker uit welk etiket je die apen en losers opplakte, het was allemaal uitschot.

Hij kende alle theorieën waar die maatschappelijk werkstertjes en jeugdpsychologen over kwekten. Maar wat wilden ze eigenlijk met al die cognitieve, dynamische, behaviouristische, bla-bla-istische hypotheses? Er waren toch geen methodes die hielpen. Niemand kon ze in de hand houden. Ze verspreidden zich. Vermenigvuldigden zich. Verdeelden zich. Namen de boel over. Ooit had hij misschien ook geloofd dat het te stoppen was. Maar dat was lang geleden.

Vroeger was het beter. Een cliché. Maar zoals Lloyd Cole zingt: de reden dat het een cliché is, is dat het waar is.

Weer een nacht in de surveillancewagen. Thomas reed rustig. Liet zijn handen op het stuur rusten. Wist dat hij thuis een heleboel gezeik over zich heen zou

krijgen omdat hij de hele week nachtdienst draaide. Hij had de onregelmatig-heidstoeslag eigenlijk niet eens nodig – al zei hij dat wel tegen Åsa. Het gewone loon van een hoofdagent bedroeg nog geen tien procent van de waarde van de drugs die hij op een doorsnee avond in beslag nam. Het was een aanfluiting. Een belediging. Een rochel in de smoel van alle fatsoenlijke kerels die wisten wat er eigenlijk gedaan moest worden. Het was niet meer dan rechtvaardig om een beetje terug te pakken.

Ze waren met vijf, zes mannen die deze ritten om beurten met zijn tweeën deden. Ze reden rond in de wijken rond Skärholmen, Sätra, Bredäng. Vervloek-ten de ontwikkelingen. Skipten politiek correcte bullshit en zogenaamd begrip-vol communistengeouwehoer. Ze wisten allemaal waar het om ging – breek ze of crepeer zelf.

Thomas' collega van vanavond, Jörgen Ljunggren, zat op de passagiersstoel. Om een uur of twee wisselden ze meestal van plaats.

Thomas probeerde te rekenen. Hoeveel keer hij en Ljunggren zo onder de langzaam donker wordende zomeravondlucht rond hadden gezoefd. Zonder meer te praten dan nodig was. Ljunggren met zijn papieren bekertje koffie, veel te lang – tot de koffie koud geworden was en hij gejaagd naar de dichtstbijzijnde kiosk ging om bij te tanken. Thomas vaak ergens anders met zijn gedachten. Meestal bij de auto thuis: de zinkbehandeling van de nieuwste originele details, onderdelen voor het differentieel in de achteras, de nieuwe toerenteller. Een eigen project om naar uit te kijken. Anders keek hij uit naar de schietbaan. Hij had net een nieuw pistool gekocht – een Strayer Voigt Infinity, aangepast aan zijn wensen. In sommige opzichten was Thomas een geluksvogel, hij had meer dan één thuis. Op de eerste plaats kwam de surveillancewagen met de man-nen. Dan zijn eigen auto thuis. Dan de schietvereniging. En daarna, misschien, thuis-thuis – het huis in Tallkrogen.

Jörgen Ljunggren paste goed bij Thomas – het was lekker als mensen niet te veel lulden. Er kwam toch meestal onzin uit. Dus waren ze stil. Wierpen elkaar soms blikken van verstandhouding toe, knikten of wisselden korte zinnen. Dat was genoeg. Zo voelden ze zich lekker. Ze deelden een begrip. Een manier om naar de wereld te kijken. Geen gecompliceerde shit: ze waren hier om de bagger op te ruimen die de straten van Stockholm overstroomde.

Ljunggren was een goeie. Iemand om naast je te hebben als de gemoederen hoog opliepen.

Thomas was ontspannen.

De politieradio spoot commando's. De politie van Stockholm werkte met twee frequenties in plaats van een: het 80-systeem voor Centrum/Zuid/West en het 70-systeem voor de rest. Dat was tekenend voor de hele organisatie. Inefficiënt was nog zacht uitgedrukt – twee systemen in plaats van een. Ze kwa-men maar niet tot het besef dat er een nieuwe tijd voor de deur stond. Je kon niet meer op de oude voet voortgaan. Hij dacht het steeds weer: het schorem

organiseerde zich in heel andere structuren dan vroeger. Het waren niet alleen meer een stelletje Joego's en uitgeputte Finnetjes die tekeergingen. Het uitschot was gemoderniseerd. Professioneel, internationaal, multicrimineel. Dat vereiste nieuwe middelen. Sneller. Slimmer. Grover. En zodra iemand iets wilde doen, begonnen de media over de nieuwe wetten te zeiken alsof die er waren om mensen te benadelen.

De radio knetterde. Iemand had hulp nodig bij een winkeldief in een avond-winkel in Sätra.

Ze keken elkaar aan. Grijnsden. Echt niet dat ze zulke kutklusjes op zich na-men – dat moest een groen agentje maar doen. Ze vertikten het te antwoorden. Reden verder.

Kwamen in de buurt van Skärholmen.

Thomas schakelde in zijn twee, remde af. 'We denken erover om weer weg te gaan met kerst.'

Ljunggren knikte. 'Goed idee. Waar willen jullie heen?'

'Weet ik niet. De vrouw wil de warmte opzoeken. Vorig jaar zijn we naar Sicilië geweest. Taormina. Helemaal geweldig.'

'Ik weet het. De drie maanden erna had je het nergens anders over.'

Lachpauze.

Thomas sloeg af naar de Storholmsschool, even buiten het centrum van Skär-holmen. Altijd de moeite waard om een kijkje te nemen op het schoolplein. De hangjongeren peerden hem 's avonds vaak hierheen – om op de rugleuning van de bankjes te gaan zitten, jonko's te smoken en van hun korte leventjes te genieten.

Vette ironie: dezelfde jongeren die hun dagen verspijbelden, zwermden nu over het schoolplein – om hun hersens kapot te roken. Het was hun eigen schuld als ze over vijf jaar nog steeds zonder werk op dezelfde bankjes zaten. Klaagden dat het de fout van de maatschappij was. Ze begonnen met zwaarder spul: illegaal gestookte drank, hasj, amfetamine. Of erger: horse. Het effect was altijd raak. Ze werden ziek, gedeprimeerd, gingen naar de klote. Uitkering en maatschappelijk werk. Kleinschalig gedeal en inbraken in rijtjeshuizen. Hun ouders hadden het aan zichzelf te wijten – ze hadden hun verantwoordelijkheid lang geleden al moeten nemen. De politie had het aan zichzelf te wijten – je moest ze meteen aanpakken. De samenleving had het aan zichzelf te wijten – als je zoveel tuig op één plek liet wonen, vroeg je om problemen.

De verlichting van de school was van verre te zien. Het schoolgebouw van grijs beton lag als een reusachtige legosteen in het donker achter het school-plein.

Ze parkeerden de auto. Stapten uit.

Ljunggren pakte de witte wapenstok. Volkomen onnodig – maar terecht. De dunne, uitschuifbare wapenstok volstond niet altijd.

Het schoolplein leek leeg.

'Maria wil altijd van die ontzettend culturele dingen doen. Naar Florence, Kopenhagen, Parijs, weet ik het. Er is daar niet eens wat leuks om naar te kijken.'

'Je kunt toch naar de Mona Lisa kijken?'

Weer lachen.

'Nou, 't is maar wat je lekker vindt.'

Thomas dacht: Ljunggren zou minder moeten schelden en zijn vrouw meer moeten laten merken wie er de baas was.

Hij zei: 'Ze lijkt me prachtig.'

'Wie bedoel je, m'n vrouw of Mona Lisa?'

Meer gelach.

Voor één keer was het schoolplein leeg. Behalve onder een van de baskets. Daar stond een rode Opel geparkeerd.

Thomas deed zijn Maglite aan. Hield hem ter hoogte van zijn hoofd. Scheen op het nummerbord: OYU 623.

Hij zei: 'Dat is de auto van Kent Magnusson, die hoef ik niet eens na te trekken. Hebben we hem samen al een keer gepakt?'

Ljunggren hing zijn wapenstok terug aan zijn riem. 'Wat zijn dat voor grappen. We hebben hem minstens tien keer gepakt. Begin je soms seniel te worden?'

Thomas zei niets. Ze liepen naar de auto. Er kwam een zwak schijnsel uit. Op de voorbank bewoog iemand. Thomas boog voorover. Klopte op de autoruit. Het werd donker binnen.

Een stem. 'Rot op!'

Thomas schraapte zijn keel. 'We gaan niet weg. Ben jij dat, Magnusson? De politie hier.'

Ze hoorden zijn stem vanuit de auto. 'Godverdomme zeg. Ik heb niks vanavond. Ik ben zo zuiver als wodka.'

'Oké, Kent, niets aan de hand. Maar kom toch even naar buiten, dan kunnen we praten.'

Onduidelijk gevloek bij wijze van antwoord.

Thomas klopte weer, ditmaal op het dak. Iets harder.

Het portier ging open – stank uit de auto: rook, bier, pis.

Thomas en Ljunggren stonden wijdbeens. Wachtten.

Kent Magnusson kwam naar buiten. Ongeschoren, klitterig haar, gore tanden, herpeswondjes rond zijn mond. Oude spijkerbroek die halfstok hing – de vent moest hem minstens een halve meter optrekken om niet te hoeven strompelen. Een T-shirt met reclame voor het Waterfestival van Stockholm dat honderd jaar oud moest zijn. Een openhangend geruit houthakkershemd over zijn T-shirt.

Een junkie ten voeten uit. Nog afgeleefder dan de vorige keer dat Thomas hem zag.

Hij scheen hem in zijn ogen.

'Ha Kent. Hoe high ben je?'

Kent mompelde: 'Nee, nee, helemaal niet. Ben aan het afkicken.'

Zijn ogen zagen er nog helder uit ook. Pupillen een normaal formaat – trokken samen toen het licht van de zaklamp erin scheen.

'Tjonge, wat ben jij aan afkicken, zeg. Wat heb je bij je?'

'Echt waar, man. Ik heb niks bij me. 'k Probeer te stoppen. Zeker weten.'

Ljunggren raakte geïrriteerd. 'Lul niet, Kent. Pak gewoon wat je hebt, dan handelen we dit soepeltjes af. Geen gedoe, gezeur en slechte leugens. Ik ben godsgruwelijk moe vanavond. Speciaal van waardeloze leugens. Misschien kunnen we een beetje coulant zijn, als je begrijpt wat ik bedoel.'

Thomas dacht: vreemd toch met die Ljunggren, met criminelen ouwehoert hij meer dan op een hele avond in de surveillancewagen.

Kent trok een grimas. Leek af te wegen.

'Echt, joh, ik heb niks.'

De junk maakte het zichzelf niet makkelijk. Thomas zei: 'Kent, we gaan je auto doorzoeken. Dat je het weet.'

Kent trok een nog erger grimas. 'Jezus man, jullie mogen mijn auto niet zonder toestemming doorzoeken. Jullie hebben geen spul of niks gezien. Jullie hebben het recht niet om in mijn auto te gaan snuffelen, dat weten jullie best.'

'Dat weten we best, en daar hebben we schijt aan. Dat weet je best.'

Thomas keek Ljunggren aan. Ze knikten naar elkaar. Geen probleem om achteraf in het rapport te schrijven dat ze Kentje ergens mee zagen rommelen toen ze het portier opendeden. Of dat ze gezien hadden dat hij stoned was. Of wat dan ook – ze hadden altijd wel een goede reden. Niks aan de hand. Stockholm schoonvegen was belangrijker dan de protesten van een drenzerige junk.

Ljunggren kroop de auto in en begon te zoeken. Thomas ging een eindje verderop staan met de junk. Hield hem in de smiezen.

Kent brieste: 'Waar zijn jullie verdomme mee bezig? Dit mogen jullie helemaal niet. Dat weten jullie toch.'

Thomas bleef rustig. Dit was niets om je over op te winden. 'Effe dimmen,' zei hij alleen.

De junk siste iets. Misschien: 'Vuile smerissen.'

Thomas kon kerels als hij niet uitstaan. 'Wat zei je?'

Kentje bleef mompelen. Het was één ding dat die gast zeurde en tegenstribbelde. Maar hij noemde ze geen vuile smerissen.

'Ik vroeg wat je zei.'

Kent draaide zich naar hem om. 'Vuile smerissen.'

Thomas gaf hem een trap, hard in zijn knieholte. Hij zakte als een lucifertorentje in elkaar.

Ljunggren stak zijn hoofd uit de auto. 'Alles oké?'

Thomas draaide Kent om. Buik tegen de grond, armen op zijn rug. Deed de handboeien om. Zette één voet op zijn rug. Riep naar Ljunggren: 'Ja hoor, alles cool.'

Daarna richtte hij zich tot de junk.

'Schoft.'

Kentje lag stil.

'Kom op hé, kun je de boeien niet wat losser doen. Het doet hartstikke pijn.'

Nu was het blijkbaar het goeie moment om te mokken.

Na vijf minuten riep Ljunggren. En ja hoor, hij had twee sealtjes met hasj in de auto gevonden. Niet onverwacht. Ljunggren gaf de zakjes aan Thomas. Hij controleerde ze – een tientje en een met een gram of veertig.

Thomas trok Kents hoofd omhoog.

'En wat heb je nu te zeggen?'

De stem van de junk nu in een hoger register. Klonk als Vanheden uit de Jönssonligan-films. 'Kom op agent, iemand anders moet het daar hebben neergelegd. Ik wist niet dat het in de auto lag. Zeg, waar heeft hij het eigenlijk gevonden? Kunnen jullie me niet een beetje matsen?'

Geen probleem. Vijftig gram hasj was niet veel in dit verband. Voor deze keer zouden ze het door de vingers zien. Thomas zei: 'Vooruit.'

Hij pakte de sealtjes. Stopte ze in zijn eigen binnenzak.

'Maar je liegt nooit meer tegen me. Begrepen?'

'Nee. Nooit meer. Hartstikke bedankt. Jezus, wat tof van jullie. Echt super. Jullie zijn oké, weet je.'

'Zo hoeft het nou ook weer niet. Hou gewoon op met liegen. Gedraag je als een man.'

Twee minuten later. Kentje krabbelde overeind.

Thomas en Ljunggren liepen terug naar de surveillancewagen.

Ljunggren keek Thomas aan. 'Heb je het spul weggeflikkerd?'

Thomas knikte.

Kentje ging weer in de Opel zitten. Startte. Zette de stereo vol open. Ulf Lundell: 'Olala, ik wil jou.' De junk was net ontsnapt aan een maand in de bak – ondanks het hasjverlies was hij zo blij als een kind op pakjesavond.

Terug in de surveillancewagen. Thomas trok zijn handschoenen uit. Ljunggren wilde naar een open koffietent om zijn beker bij te vullen.

Oproep op de radio: 'Gebied twee, is er iemand die een bewusteloze man in Axelsberg kan nemen? Ernstig gewond. Waarschijnlijk onder invloed. Hij ligt in een kelder aan de Gösta Ekmansväg 10. Over.'

Echt zo'n smerig klusje. Stilte. Ze reden verder over de weg.

Niemand anders beantwoordde de oproep. Wat een rotpech.

De radio weer: 'We krijgen geen antwoord voor de Gösta Ekmansväg. Iemand moet erheen. Over.'

Twee toffe hoofdagenten als Thomas en Ljunggren zouden vanavond toch verdorie niet nog meer kutklusjes hoeven opknappen. 't Was al erg genoeg dat Ljunggren rond had moeten kruipen in die ranzige auto van die vieze junk. Ze hielden hun bek. Tuften verder.

De radio verordonneerde: 'Oké. Er is niemand die de Gösta Ekmansväg neemt. Dan wordt het wagen 2930, Andrén en Ljunggren. Begrepen? Over.'

Ljunggren keek Thomas aan. 'Typisch.'

Niets aan te doen. Thomas drukte het knopje van de microfoon in, 'Ja, begrepen. Wij nemen het. Heb je meer info? Het was een zuiplap, toch? Denk je dat er nog wat drank voor ons over is? Over.'

De radiostem was van een van de saaie meiden. Een zuur wijf volgens Thomas. Je kon geen geintjes met haar maken zoals met de meeste andere radiomeiden.

'Hou op met die onzin, Andrén. Ga erheen. Ik kom bij jullie terug als we meer weten. Over en sluiten.'

Een paar minuten later zaten ze in de auto voor de Gösta Ekmansväg 10. Ljunggren zanikte dat hij nog geen koffie had gehad.

Mensen stonden in een rij voor de buitendeur van het gebouw alsof het een soort show was. Veel mensen – het gebouw had acht verdiepingen. De lucht begon lichter te worden.

Ze stapten uit.

Thomas voorop. De buitendeur door. Ljunggren dreef de mensen uit elkaar. Thomas hoorde nog dat hij zei: 'Beste mensen, ik geloof niet dat hier iets bijzonders voor jullie te zien is.'

Binnen: het gebouw zag er ontzettend jaren zestig uit. De vloer van een soort betonplaten. De liftdeur leek afkomstig uit een *Startrek*-ruimteschip. Vanuit de kleine entree leidde een deur naar de tuin en een trap naar beneden. Een metalen trapleuning langs de trap naar de eerste verdieping. Hij zag bovenaan wat mensen staan. Een vrouw op sloffen in een ochtendjas, een man met een bril in een trainingspak, een jongere jongen die hun zoon wel zou zijn.

De vrouw wees naar beneden.

'Wat fijn dat u er bent. Hij ligt beneden.'

Thomas antwoordde: 'Het is beter dat jullie weer naar binnen gaan. Dit handelen wij wel af. Ik kom later langs om met jullie te praten.'

Ze leek gerustgesteld omdat ze haar burgerplicht had gedaan. Misschien had zij 112 wel gebeld.

Thomas liep naar beneden. De trap was smal. Een papiertje op het luik van de stortkoker geplakt: HELP ONZE VUILNISMANNEN – SLUIT DE ZAK!

Hij dacht weer aan zijn auto. Dit weekend zou hij misschien een nieuw motortje voor de elektrische ramen kopen.

Hij bestudeerde het slot van de kelderdeur. Een Assa Abloy van begin jaren negentig. Hij zou een loper moeten hebben die paste, anders moest hij dat gezin van de eerste verdieping vragen.

Een paar seconden: de loper ratelde. Het slot klikte. Het was donker binnen. Hij deed de Maglite aan. Zocht met zijn rechterhand naar het lichtknopje.

Bloed op de vloer, op de tralies van de kelderboxen, op de spullen in de opslagruimtes.

Hij trok zijn handschoenen aan.

Bekeek het lichaam. Een man. Vieze kleren, inmiddels ook ontzettend bloederige kleren. Overhemd met korte mouwen en een ribbroek. Onder het braaksel. Bergschoenen met losse veters aan zijn voeten. Rare knik in zijn arm. Thomas dacht: nog een Kentje.

Het bovenlichaam lag voorovergebogen. Gezicht tegen de vloer.

Thomas zei: 'Hallo, hoor je mij?'

Geen reactie.

Hij tilde de arm op. Die voelde zwaar. Nog steeds geen reactie.

Trok zijn handschoen uit. Voelde de pols – morsdood.

Hij tilde het hoofd op. Het gezicht was volkomen verwoest – onherkenbaar stukgeslagen. De neus leek niet meer te bestaan. De ogen waren zo gezwollen dat ze niet meer zichtbaar waren. De lippen leken meer op spaghetti met gehaktsaus dan op een mond.

Maar er was iets vreemds. De wangen leken ingevallen. Hij stopte twee vingers in de mond, tastte rond. Zacht als een babyverhemelte – de dode had geen tanden. Dit was overduidelijk geen zuiplap die op eigen kracht buiten bewustzijn was geraakt – dit was een moord.

Thomas maakte zich niet druk.

Overwoog een stabiele zijligging maar liet hem zo liggen. Liet de pogingen om zijn leven te redden zitten. Het had toch geen zin meer.

Hij volgde het protocol. Alarmeerde de regionale communicatiecentrale. Bracht de walkietalkie naar zijn mond, sprak zacht om niet het hele gebouw op de kast te krijgen. 'Ik heb hier een moord. Flink gruwelijk. Gösta Ekmansväg 10. Over.'

'Begrepen. Heb je meer wagens nodig? Over.'

'Ja, stuur er minstens vijf. Over.'

Hij hoorde de oproep naar iedereen in Zuid.

De radio kwam terug. 'Heb je een piketman nodig? Over.'

'Ja, dat denk ik wel. Wie is dat vanavond? Hansson? Over.'

'Klopt. We sturen hem. Ambulance? Over.'

'Graag. En stuur flink wat keukenpapier mee. Er moet hier schoongemaakt worden. Over en sluiten.'

Volgende stap volgens het protocol. Hij sprak Ljunggren via de radio. Vroeg hem de boel af te zetten, de omstanders om legitimatie te vragen, adresgegevens en telefoonnummers op te nemen voor eventuele getuigenverklaringen. Daarna moest hij de mensen laten wachten tot de andere surveillancewagens kwamen met agenten die de gebruikelijke controlevragen konden stellen. Thomas keek rond in de kelder. Hoe was die kerel doodgemaakt? Hij zag geen wapen, maar dat had de dader vast meegenomen.

Wat zou hij nu doen? Hij bekeek het lijk weer. Tilde zijn arm op. Bracht het niet op om het protocol te blijven volgen – moest eigenlijk op de technici en ambulance wachten.

Hij bekeek de handen. Daar was iets raars mee – er ontbraken geen vingers, ze waren niet speciaal schoon of vies – nee, er was iets anders. Hij draaide een hand om. Nu zag hij het – de vingertoppen van de dode man waren kapot. Op elke vingertop: bloed. Het leek alsof ze waren ingesneden, uitgesmeerd, afgesleten, weggevaagd.

Hij liet de arm los. Het bloed op de vloer was gestold. Hoe lang zou hij hier al liggen?

Snel onderzocht hij de broekzakken. Geen portemonnee, geen mobieltje. Geen geld of identiteitsbewijs. In een van de achterzakken: een papiertje met een vaag mobiel nummer. Hij stopte het terug. Onthield de vondst.

Het T-shirt plakte vast. Hij keek beter. Draaide het lichaam een beetje om, al zou hij dat niet moeten doen. Dat ging zo tegen alle regels in als maar kon. Eigenlijk moesten ze foto's nemen en de ruimte onderzoeken voor iemand het lijk verplaatste – maar nu was hij nieuwsgierig.

Toen zag hij nog iets raars, op zijn arm. Sporen van naalden. Blauwe plekjes rond elk gaatje. Zeker weten: er lag hier een vermoorde junk.

Hij hoorde geluid van de andere kant van de kelderdeur.

Er was versterking onderweg.

Ljunggren kwam binnen. Twee jonge agenten in zijn kielzog. Thomas kende ze, goede jongens.

Ze bekeken het lijk.

Ljunggren zei: 'Potverdomme man, die vent moet een smak gemaakt hebben door al dat bloed dat iemand heeft gemorst.'

Ze grijnsden. Politiehumor – zwarter dan deze kelder voor Thomas het licht aan had gedaan.

De radio begon orders uit te braken – Hansson, de piketman, was ter plaatse, regelde de afzetting van het gebied. Deed wat hij altijd deed: donderde, organiseerde, brulde. Toch was dit een kleine actie. Als de man in de kelder geen junkie was geweest, hadden ze alle surveillancewagens die ze hadden kunnen krijgen, hierheen gestuurd. De halve stad afgezet. Treinen, auto's, metro's aangehouden. Nu was het geen immense klopjacht.

De ambulancemannen verschenen na zeven minuten.

Lieten het lijk nog even liggen. De technici kwamen, namen wat foto's met een digitale camera. Bloedspatanalyse. Bewijsveiligstelling. Plaatsdelictonderzoek.

De ambulancemannen klapten de brancard open. Legden het lijk erop. Bedekten het met dekens.

Verdwenen.

Als er *action* is amuseer je je. Als je je amuseert gaan de avonden snel. Maar ze boekten geen resultaat. Ljunggren verzuchtte: 'Waarom hebben we hier überhaupt een actie van gemaakt? Het is gewoon weer een loser minder die anders stennis had lopen schoppen omdat de slijter drie minuten te laat opengaat op een zaterdagochtend, waarop je toch al helemaal niet op gezeik zit te wachten.' Thomas dacht: soms gaat hij maar door, die Ljunggren.

Hapsnap verhoorden ze wat omwonenden. Maakten her en der in de kelder wat foto's. Zetten het gebouw af. Stuurden twee mannen naar het metrostation. Noteerden naam en telefoonnummer van andere mensen in het gebouw ernaast, beloofden de volgende dag terug te komen. De technici zochten vingerafdrukken en namen DNA-sporen af in de kelder. Een paar surveillancewagens zetten de straat af en hielden steekproefsgewijs verkeer op de Hägerstensvägen aan. Nauwelijks iemand op straat op dit uur.

Onderweg terug naar het bureau in Skärholmen zwegen ze. Moe. Hoewel er niks was gebeurd – een inspannende ervaring. Lekker om zo meteen te kunnen douchen.

Thomas kon het lijk in de kelder niet loslaten. Het vernielde gezicht en de vingertoppen. Niet dat hij misselijk was of het vervelend vond – er had al te veel smerigheid zijn pad gekruist om nu nog geraakt te worden. Het was iets anders. Het verdachte van de hele zaak – dat de junk op een wat al te geavanceerde manier vermoord leek te zijn.

Maar wat was er eigenlijk zo vreemd? Iemand was om wat voor reden dan ook waarschijnlijk gewoon flink boos op hem geworden. Misschien een ruzietje over een paar milligram, een onbetaalde schuld of gewoon een kwaaie dronk. Het was vast niet moeilijk geweest die gast flink op zijn lazer te geven. Hij moet stoned geweest zijn als een school garnalen. Maar die ontbrekende tanden? Misschien was dat ook niet zo gek. Junkielichamen gaven het al snel op – te veel van de goede dingen des levens vraten de bijtertjes aan. Het wemelde van de veertigjarigen met een kunstgebit.

Toch: het gezicht dat tot onherkenbaarheid was geranseld, de bewerkte vingertoppen, dat iemand zijn kunstgebit er misschien uitgehaald had. Het zou weleens heel lastig kunnen worden om deze figuur te identificeren. Iemand had even extra goed nagedacht.

Alles schreeuwde: klus geklaard door een semiprof. Misschien zelfs een echte prof.

In de verste verte geen andere junkie.

Verdacht.

4

Mahmud ergerde zich aan Erika Ewaldsson. Irritant, zeikerig. Bleef maar door-gaan. Maar eigenlijk had hij schijt aan haar, ze betekende niets. Als hij de regels van de reclassering maar een beetje overtrad, zou er niet veel gebeuren. Het probleem was wat ze zich allemaal in hun hoofd konden halen. Het kwam hierop neer: ze dachten dat ze de baas over hem konden spelen, konden beslis-sen wanneer hij de stad in ging en wanneer hij mocht chillen in de betongetto's. Gevaar dat het leek alsof hij pikte dat die sukkels hem onder druk zetten. Voor-waarden stelden. Een allochtoon met heftig eergevoel onder controle probeer-den te krijgen – ze konden de kanker krijgen.

Toch: de rode metrolijn, op weg naar de stad. Van Alby naar de reclassering bij Hornstull. Van zijn matties – Babak, Robert, Javier, de anderen – naar Eri-ka, reclasseringsinspecteur, rolronde saboteur, reteleipe marodeur. Ze gaf hem geen break. Weigerde te snappen dat hij van plan was fatsoenlijk te worden, of dat hij het in elk geval echt meende toen hij dat tegen haar zei. Zat hem nog meer achter de vodden dan zijn mentor op school toen hij dertien was – de Zwedo die vond dat Mahmud ruziezoeker nummer één was.

Bitch.

De metro bonkte voort. Mahmud bijna alleen in de wagon. Bestudeerde het patroon op de stoelen tegenover zich. Wat stelden die dingen eigenlijk voor? Oké, dat bolletje herkende hij wel. Stadion Globen. En die toren met drie hoed-jes erop – het staatshuis of Stadshuis of hoe het ook maar heette. Maar die an-dere dingen. Wie tekende er zo lelijk? En wie probeerde Connex te belazeren? De metro was niet gezellig en zou het ook nooit worden.

Toch een kapot goed gevoel om in de wagon te zitten chillen. Vrij te zijn. In en uit te kunnen stappen wanneer hij wilde. Zomaar te flirten met de twee smatjes verderop. Het leven in de bak was als het leven buiten maar dan in *fast forward*. De tijd ging sneller, elk deel was compacter, zeg maar – dus het was net of zijn laatste bezoekje nooit had bestaan. Het enige wat hem stoorde: de nacht-merries van de afgelopen twee nachten. Russische roulettetafels die draaiden. Pisvlekken die zich over zijn been verplaatsten. Gürhans glinsterende gouden tanden. Hij moest proberen het te vergeten. *Born to be hated.*

De metro reed het station binnen. Hij stapte uit. Had trek in iets. Liep naar de Selecta-automaat. Op tien meter afstand zag hij dat die gecrasht was. Wat een amateurs. Als ze iets wilden beroven, konden ze wel iets groters nemen. Wat had je nou aan een paar muntjes uit een snoepautomaat? Waren vast junkies. Sneue losers. Waarom behandelde Erika die niet in plaats van hem? Niemand had last van Mahmud zolang hij geen last van hun had. Omgekeerde prioriteiten.

Hij liep richting roltrap. De witte bakstenen muren van het station deden hem aan Asptuna denken. Anderhalve maand geleden was hij eruit gekomen – een halfjaar achter slot en grendel. En nu moest hij één keer per week naar die hel van Hornstull om zich te laten vernederen. Glashard zitten liegen – zich voelen alsof hij weer op de lagere school zat. Het werkte niet. Sommige gozers sloten zich op in eenkamerflatjes die de reclassering voor ze had geregeld als ze weer vrij kwamen. Konden te grote flats niet aan, wilden dat hun huis zo veel mogelijk op de gevangenis leek. Anderen trokken in bij hun ma. Konden het leven niet echt aan als er niemand voor een warme hap zorgde en schoonmaakte. Zo was Mahmud niet – hij zou dit voor elkaar boksen. Eigen flat, reizen, in beweging zijn. Kapot veel batsen, vet veel cash verdienen. HET MAKEN. Midden in de gedachtegang: Gürhans bakkes verstoorde zijn dromen als een klap in zijn smoel.

Hij beende de Långholmsgatan over. Op de achtergrond: het langs denderende verkeer. De lucht was grijs. De straat was grijs. De gebouwen het grijst van allemaal.

De reclassering deelde de entree met de sociale tandartspraktijk Stockholm en de sociale verzekeringsbank. Hij dacht: was dit rotgebouw soms alleen voor sociale losers? Een schoonmaker was de kunststofvloer in de was aan het zetten. Had zijn vader Beshar kunnen zijn. Maar zijn aboe zou zo niet meer hoeven leven. Daar zou hij voor zorgen. *Promise.*

Bij de receptie schoven ze het loketraampje niet eens voor hem opzij. In plaats daarvan moest hij zich naar de microfoon buigen.

'Hallo, ik heb een afspraak met Erika Ewaldsson. Tien minuten geleden.'

'Oké, ga maar even zitten, ze komt zo.'

Hij ging in de wachtkamer zitten. Waarom moesten ze hem altijd laten wachten? Ze gedroegen zich als cipiers in de nor. Machtsgeile vernederingsexperts: flikkers.

Hij bladerde door de waardeloze tijdschriften. *Dagens Nyheter, Esquire, Eigen huis en interieur.* Grijnsde voor zichzelf: welke loser kwam er nou naar de reclassering om *Eigen huis en interieur* te lezen?

Toen hoorde hij Erika's stem.

'Hoi Mahmud. Fijn dat je er bent. Bijna op tijd zelfs.'

Mahmud keek op. Erika zag eruit zoals altijd. Gele broek en een bruinig, ponchoachtig ding erboven. Ze was niet bepaald slank – haar reet was ongeveer

zo groot als Saudi-Arabië. Ze had groene ogen en droeg een eenvoudig gouden kruisje om haar nek. Kut, hij kreeg weer een metaalsmaak in zijn mond.

Mahmud liep met Erika mee naar haar kamer. Daarbinnen: de luxaflex zorgden voor lichtstrepen. Posters aan de muren. Het bureau boordevol papieren, ordners, plastic mapjes. Hoeveel gasten had ze eigenlijk?

Ieder z'n stoel. Rond tafeltje tussen hen in. De bekleding van de stoelen zag er pluizig uit. Hij leunde achterover.

'Zo, Mahmud, hoe gaat het met je?'

Mahmud wilde alleen dat het allemaal snel zou gaan. Lette goed op zijn taal.

'Het gaat prima met me. Alles gaat goed.'

'Prachtig. Hoe is het met je vader? Beshar heet hij toch?'

Mahmud woonde nog steeds thuis. Dat was balen, maar die racistische verhuurders stonden overduidelijk sceptisch tegenover een bajesallochtoon.

'Met hem gaat het ook prima. Al is het niet echt ideaal om daar te wonen. Maar het komt wel goed.' Mahmud wilde het probleem relativeren. 'Ik zoek werk en heb afgelopen week twee sollicitatiegesprekken gehad.'

'Wauw, wat leuk! Hebben ze je iets aangeboden?'

'Nee, ze zouden me terugbellen. Maar dat zeggen ze altijd.'

Mahmud dacht aan het laatste gesprek. Hij was er expres heen gegaan in een shirt zonder mouwen. De tatoeages goed zichtbaar. De tekst VERTROUW ALLEEN OP JEZELF op zijn ene arm, en ALBY FOREVER op de andere. De tattoos spraken hun eigen agressieve taal: als je moeilijk doet – je hebt een vet probleem. *For real.*

Wanneer zou ze het snappen? Geen baantje zou zijn vrijheid van hem afpakken. Hij was niet gemaakt voor een negen-tot-vijf-leven, dat wist hij al sinds hij als jongetje naar Zweden was gekomen.

Ze keek hem aan. Te lang.

'Wat heb je met je wang gedaan?'

Absoluut foute vraag. Gürhans tik zou zijn wang normaal gesproken niet verneukt hebben – maar die gast had een vette zegelring gedragen. Had zijn halve gezicht opengehaald. De wond bedekt met pleisters. Wat zou hij zeggen?

'Niks. Beetje met een vriend lopen sparren, je weet wel.'

Niet de beste verklaring ter wereld, maar misschien slikte ze het.

Erika leek na te denken. Mahmud probeerde door de luxaflex naar buiten te kijken. Er onaangedaan uit te zien.

'Ik hoop dat het niets ernstigs is, Mahmud. Mocht dat zo zijn, dan kun je het gewoon aan me vertellen. Je weet dat ik je kan helpen.'

Mahmud ironisch in zijn hoofd: ja, wat kun jij me ontzettend goed helpen.

Erika liet het onderwerp rusten. Ging maar door. Vertelde over een project voor werkzoekenden waar het Arbeidsmarktsmobilisatiemarktswerkeloosheidsfonds of iets dergelijks mee bezig was. Voor jongens zoals hij. Mahmud zette zijn aandacht uit. Jaren van training. Alle gesprekken met sociaal werkers,

bijeenkomsten met maatschappelijke wijven en verhoren met smerissen hadden hun vruchten afgeworpen. De specialist der specialisten in het afsluiten van zijn oren als het nodig was – en er belangstellend uit blijven zien.

Erika praatte maar door. Blablabla. Zo saaaaai.

'Mahmud, lijkt het je niet wat om iets in de sportbranche te gaan doen? Je traint immers heel veel. We hebben het er eerder al over gehad. Hoe gaat het daar trouwens mee?'

'Nou, dat gaat prima. Ik heb het naar mijn zin op de sportschool.'

'En je komt nooit in de verleiding om weer wat van je weet wel te nemen?'

Mahmud wist wel wat. Erika kwam er elke keer weer op terug. Daar moest hij maar aan wennen.

'Nee, Erika, ik ben opgehouden met "je weet wel". Daar hebben we het al honderd keer over gehad. Magere kip, tonijn en proteïnedrankjes zijn net zo goed. Ik heb geen illegaal spul meer nodig.'

Onduidelijk of ze eigenlijk luisterde naar wat hij zei. Ze schreef iets op een papiertje.

'Mag ik je iets anders vragen? Met wie ga je overdag eigenlijk om?'

Het begon uit te lopen. Het idee van deze shit: een kort gesprekje zodat hij zijn hart kon luchten over problemen die het vrije leven veroorzaakten. Maar over het echte probleem kon hij natuurlijk geen woord zeggen.

'Ik ga veel om met mensen van de sportschool. Het zijn goeie gasten.'

'Hoe vaak ben je daar?'

'Ik train serieus. Twee keer per dag. Eén keer 's ochtends, dan zijn er niet zo veel anderen. Verder één keer 's avonds laat, om een uur of tien.'

Erika knikte. Babbelde verder. Hield het dan nooit op?

'En hoe is het met je zussen?'

Zijn zussen waren heilig, onderdeel van zijn waardigheid. Wat voor straf de Zweedse maatschappij ook verzon – niets kon hem ervan weerhouden ze te beschermen. Twijfelde Erika op een of andere manier aan zijn zussen?

'Hoe bedoel je?'

'Nou, zie je haar weleens, je oudste zus bedoel ik? Haar man zit toch vast?'

'Erika, laat één ding duidelijk zijn. Mijn zussen hebben niets te maken met wat ik heb uitgehaald. Ze zijn schoon als sneeuw, onschuldig als lammetjes. Begrijp je? Mijn oudste zus begint aan een nieuw leven. Gaat trouwen en zo.'

Stilte.

Was Erika nu gekwetst?

'Maar Mahmud, ik bedoelde het niet kwaad. Dat moet je begrijpen. Het is belangrijk voor me dat je haar en de rest van je familie ziet. Als je uit een instelling komt, is het vaak goed om contact te hebben met vertrouwde personen uit je nabije omgeving. Voor zover ik heb begrepen is de relatie met je zussen heel goed, verder niets.'

Ze pauzeerde even, nam hem op. Bekeek ze de wond van Gürhans dreun

weer? Hij zocht oogcontact met haar. Even later legde ze haar handen op haar knieën.

'Oké, dan zijn we wat mij betreft klaar voor vandaag. Je mag deze brochure meenemen over het project van de Raad voor de Arbeidsmarkt waar ik je over vertelde. Ze zitten in Hägersten en ik denk dat ze echt iets voor je kunnen doen. Cursussen over hoe je sollicitatiegesprekken voert en zo. Dat kan je helpen.'

Op straat. Nog steeds hongerig. Geïrriteerd. De Seven Eleven bij de ingang van de metro in. Kocht een Fanta en twee powerbars. Ze verkruimelden tegen zijn gehemelte. Hij dacht aan Erika's vervelende vragen.

Zijn telefoon ging. Afgeschermd nummer.

'Ja, hallo.'

De stem aan de andere kant: 'Spreek ik met Mahmud al-Askori?'

Mahmud vroeg zich af wie het was. Iemand die niet zei hoe hij heette. Vaag.

'Yes. En wat wil je van me?'

'Ik heet Stefanovic. Ik denk dat we elkaar weleens gezien hebben. Ik train soms ook bij Fitness Center. Je hebt vroeger met ons samengewerkt.'

Mahmud telde een en een bij elkaar op: Stefanovic – de naam zei het meeste al. Niet zomaar iemand aan de lijn: iemand die op de sportschool trainde, iemand die kouder klonk dan het ijs in Gürhans aderen, iemand die Serviër was. Mahmud herkende de stem niet. Zag geen gezicht. Maar toch, het betekende maar één ding: een van de zware kills wilde iets van hem. Of hij zat dieper in de shit dan hij wist, of er zat iets interessants aan te komen.

Hij wachtte met antwoorden. Moest Stefanovic niet wat meer zeggen?

Ten slotte zei hij: 'Ik ken je naam. Werk je voor je-weet-wel?'

'Dat kun je misschien wel zeggen. We willen je graag spreken. We denken dat je ons met iets belangrijks kunt helpen. Je hebt een goed netwerk. Bent goed in die dingen die je eerder hebt gedaan.'

Mahmud onderbrak hem.

'Ik ben niet van plan om de bak weer in te draaien. Dat je het weet.'

'Rustig maar. We willen niet dat je iets doet waarvoor je de bak in zou kunnen draaien. Helemaal niet. Het is iets heel anders.'

Eén ding zeker: doodnormaal werk was het natuurlijk niet. Aan de andere kant: klonk als simpele cash.

'Oké. Vertel.'

'Niet nu. Niet via de telefoon. We doen het volgende. We hebben een kaartje voor zondag in je brievenbus gegooid. Kom om twee uur, dan leggen we het daar uit. Tot ziens.'

De Joego hing op.

Mahmud liep de trap naar het metrostation af. Nam de roltrap naar het perron.

Hij dacht: no way dat ik de bak weer in ga. Zouden de Joego's hem erin pro-

beren te luizen? – weinig kans dat het ze lukte. Maar het kon voor een profkill als Mahmud nooit kwaad om ze te spreken. Te horen wat ze wilden. Hoeveel ze dokten.

En belangrijker: een man van de Joego's worden zou een uitweg kunnen zijn uit de stront waarin hij met Gürhan was beland. Zijn humeur was al wat beter. Dit kon het begin van iets goeds zijn.

5

Het ging niet zoals Niklas het zich had voorgesteld. De dag nadat hij de nieuwe flat had betrokken, kwam zijn moeder langs. Vroeg of ze mocht blijven slapen.

Daar ging het nou net om – dat ze elkaar niet op de zenuwen zouden werken, te diep in elkaars territorium door zouden dringen, elkaars persoonlijke ruimte zouden schenden. Maar hij kon geen nee zeggen. Ze was bang, ontzettend bang. Volkomen terecht. Ze belde hem direct van haar werk op zijn mobiel.

'Hallo Niklas, ben jij dat?'

'Natuurlijk ben ik het, mama, je hebt mijn nummer toch gebeld.'

'Ja, maar ik ken het nog niet zo goed. Wat fijn toch dat je weer in Zweden bent. Er is iets vreselijks gebeurd.'

Niklas hoorde aan haar stem dat het iets ongewoons was.

'Wat dan?'

'De politie heeft een vermoord iemand in het gebouw gevonden. Het is echt afschuwelijk. Er heeft de hele nacht een dode in de kelder gelegen.'

Niklas verstijfde. Zijn gedachten op scherp. Tegelijkertijd: zijn gedachten ondersteboven. Dit was lastig.

'Shit, mam, dat klinkt echt ziek. Wat zeggen ze?'

'Wie? De buren, bedoel je?'

'Nee, de politie.'

'Ze zeggen niks. Ik heb de halve nacht buiten in de kou gestaan. Daar stonden we allemaal. Berit Vasquéz was helemaal overstuur.'

'Jezus christus. Maar heb je de politie verder nog gesproken?'

'Ik moet vanmiddag na m'n werk naar een verhoor. Maar ik durf niet alleen thuis te slapen. Kan ik niet bij jou slapen?'

Zo had hij het zich helemaal niet voorgesteld. Dit was niet goed.

'Natuurlijk. Ik slaap wel op een matras of een matje. Waarom ben je vandaag naar je werk gegaan? Je zou je een paar dagen ziek moeten melden.'

'Nee, dat kan niet. En ik wil weg thuis. Het is fijn om op mijn werk te zijn.'

Een vraag in Niklas' hoofd. Hij moest het haar vragen.

'Weten ze wie het is?'

'De politie heeft er niks over gezegd. Ik weet het in elk geval niet. Ze hebben niets gezegd. Kan ik na mijn werk komen?'

Hij zei dat dat geen probleem was. Legde uit hoe ze er moest komen. Zuchtte inwendig.

Niklas trok zijn shorts en T-shirt aan. Het Dyncorp-logo in zwarte letters op zijn borst. Hij was erg blij met zijn uitrusting. Hardloopsokken zonder naden om schuurwondjes te voorkomen en elastiek aan de zijkanten om ze op hun plek te houden. De schoenen: Mizuno Wave Nirvana – nerdy naam maar de beste schoen die je bij de Run Shop kon krijgen.

Het eerste wat hij na thuiskomst had gedaan – en een van de weinige keren dat hij relatief ver van huis was geweest – was die schoenen en andere hard-loopspullen kopen. Proefrennen op de loopband van de Run Shop, praten over de breedte van de leest, de invloed van de overpronatie op zijn passen en de opbouw van de voetholte. Veel mensen vonden joggen een fijne sport omdat het simpel en goedkoop was en je geen overbodige spullen nodig had. Zo niet Niklas: de spullen maakten het leuker. De sokken, de shorts met extra splitten tegen het schuren over je benen, de hartslagmeter, en natuurlijk, de schoenen. Meer dan vijftienhonderd piek. Elke kroon meer dan waard. Hij had zeker al tien keer gelopen sinds hij terug was. Daarginds had hij ook gelopen, maar be-perkt. Als je een paar meter de verkeerde straat in liep, kon dat eindigen in een tragedie. Twee Britse gozers uit zijn groep: gevonden met opengesneden hals. De schoenen gestolen. De sokken nog warm aan hun voeten.

Hij ging voor de spiegel staan om zijn hartslagmeter om zijn borst te doen. Bekeek zichzelf. Goed getraind. Pas geknipt, kort getrimd kapsel – je zag nau-welijks hoe blond hij eigenlijk was. Maar zijn blauwe ogen verraadden hem. Glimpen van een ander gezicht in de spiegel: zwarte strepen onder de ogen, viezig haar, stalen blik. Toegerust voor de strijd.

Hij deed de polshartslagmeter als laatste om. Zette hem op nul. Die gaf hem een gevoel van intensiteit, het juiste tempo. En het beste: hij gaf onmiddellijk feedback over de training.

Hij ging naar buiten. Jogde de trappen af. Deed de buitendeur open. Een lek-kere dag.

Hardlopen: zijn controle over de eenzaamheid. Zijn medicijn. Zijn ontspan-ning in de verwarring na zijn thuiskomst.

Hij begon langzaam. Voelde een lichte pijn in zijn dij tijdens zijn laatste rondje, in Örnsberg. Hij rende naar de school van Aspudden. Groot, van geel baksteen met een vlaggenstok op het schoolplein. Ernaast stond een lager hou-ten gebouw, misschien de naschoolse opvang of de lagere klassen. Hij rende erlangs. De bomen begonnen tere blaadjes te krijgen. Het groen was mooier dan wat dan ook. Hij was blij dat hij weer thuis was.

De heuvel liep steiler af. Naar beneden naar iets wat op een dal leek. Aan de

andere kant: een heuvel met bos. Beneden in het dal ontvouwde zich een volks-tuincomplex. De grote droom van alle huurflatmoeders: zo'n lapje grond te be-machtigen. Huisjes, tuinslangen en bouwland waar het flink begon te groeien. De begroeiing in Zweden was zo groen.

Hij kon het niet laten om het terrein te analyseren. Zag het als een FEBA – *Front Edge* op een *Battle Area*. Een strijdtheater. Perfect voor een hinderlaag, een onverwachte aanval van beide zijkanten neerwaarts naar een oprukkende vijand of een vijandelijk konvooi in het dal. Eerst: AH-64 Apaches – 30 mm M230 snelvuurkanon, 2000 schoten per minuut. Maaiden de vrachtwagens en jeeps neer. Brak ze. Bracht ze tot stilstand. Het daaropvolgende bombardement met *Hellfiremissiles* van de helikopters maakte de meeste pantserwagens on-schadelijk. Daarna: de granatenjongens op de hellingen mochten het hunne doen met hun 20 millimeter pantserbrekende munitie en de granaatwerpers op hun automatische wapens. Schakelden de tanks voorgoed uit. Last but not least: het voetvolk – zorgde dat de jeeps goed brandden, legde vuurtapijten voor vijanden die nog steeds weerstand boden, zorgde dat er geen militieleden onnodig verdwenen. Ontfermde zich over de overblijfselen. De wrakken. De gevangenen.

Hij kende het klappen van de zweep. De situatie was glashelder. Midden tus-sen de volkstuintjes. Hij verlangde haast terug.

Hij rende verder, naar de heuvel aan de andere kant. Bleef oorlogsscènes zien. Andere beelden. Bloedige mensen. Brandwonden op gezichten. Weggebla-zen lichaamsdelen. Mannen in kapotte, halfmilitaire uniformen die Arabisch schreeuwden. Hun leiders met pistolen in hun handen en emblemen op hun epauletten die '*Imshi*', – voorwaarts – brulden.

Kruipende soldaten. Gewonde mensen. Dampende lichamen.

Overal.

In paniek.

Verwrongen uitdrukkingen. Gapende wonden. Lege ogen.

Shit.

Hij rende. Naar het water.

De takken hingen als een dak boven het pad. Hij rende verder naar een woon-wijk.

Voelde de vermoeidheid opkomen. Keek op zijn horloge. Hij had eenentwin-tig minuten gelopen. Onthield de tussentijd. Tijd om terug te gaan. Ademha-ling licht. Kon hij dat volkstuintjesterrein weer aan?

Hij dacht: hoe gaat het eigenlijk met me? De tijd bij Dyncorp had zo zijn invloed, dat wist hij. Er waren zat story's over gasten die het veilige bestaan in hun eigen land niet volhielden.

Nog maximaal tweehonderd meter naar de flat. Hij vertraagde. Wandelde het laatste stuk. Liet zijn bloedsuiker dalen. Zijn ademhaling rustiger worden. Hij

was dol op zijn spullen. Ademend materiaal, zijn shirt was nauwelijks vochtig van het zweet.

De lucht helderblauw. De bladeren van de gemeentelijke bomen heldergroen.

Toen zag hij hem. Op een elektriciteitskastje.

Godverdomme.

Hij had niet gedacht dat die er nog waren in Zweden

Daarginds waren ze in overvloed. Maar er was een verschil. Toen droeg hij een met kevlar versterkte camouflagebroek in hoge, harde militaire kistjes. Voorzien van wapens – als ze te dichtbij kwamen was hij genadeloos. Liet de substantie van hun hersentjes het grind bespatten. Dan waren ze bijna oké.

Maar nu.

De rat staarde.

Niklas stond stil.

Geen kisten – lage Mizuno-hardloopschoenen.

Geen versterkte broek – alleen shorts.

Geen pistool.

Het beest stond stil. Zo groot als een kat, vond hij.

De paniek bekroop hem.

Iemand bewoog zich in het portiek.

De rat reageerde. Sprong van het kastje.

Verdween langs de rand van het gebouw.

Niklas deed de buitendeur open en ging naar binnen. Daar was een meisje vuilnis aan het weggooien. Een jaar of vijfentwintig, lang donker haar, gitzwarte wenkbrauwen, bruine ogen. Knap. Misschien was ze een *haji*, zoals de Amerikanen de burgers daar noemden.

Hij begon de trap op te lopen. Bezweet. Maar hij had niet het gevoel dat dat door het hardlopen kwam. Eerder door de ratshock.

Het meisje liep achter hem. Hij prutste met de sleutel van zijn deur.

Zij stond bij haar deur, op dezelfde verdieping. Nam hem op. Deed haar deur open.

Gekleed in joggingbroek, grote sweater en slippers.

Toen besefte hij – het was natuurlijk zijn buurmeisje. Hij hoorde haar te groeten, al wist hij niet hoe lang hij hier nog zou blijven.

'Hoi, ik zal me even voorstellen,' zei hij.

Zonder dat hij het zelf in de gaten had, hoorde hij zijn eigen stem zeggen: *'Salam aleikum. Keef haalik?'*

Haar gezicht kreeg opeens een heel andere uitdrukking – een brede, verbaasde glimlach. Tegelijkertijd: ze keek naar de vloer. Hij herkende het gedrag. Daarginds keek een vrouw een man nooit aan, behalve de hoeren.

'Spreek je Arabisch?'

'Ja, een beetje. Ik kan in elk geval een praatje met de buren maken.'

Ze lachten.

'Leuk je te ontmoeten. Ik heet Jamila, we zien elkaar vast weleens in de waskelder of zo.'

Niklas zei zijn naam.

Jamila begon de deur dicht te doen. Zei: 'Tot de volgende keer.' Daarna ging ze naar binnen, naar huis.

Niklas stond nog voor zijn deur.

Op een of andere manier blij. Ondanks de rat die hij net had gezien.

Vier uur later in de keuken: hij en zijn moeder. Niklas dronk Coca-Cola. Ze had een fles wijn meegebracht. Op tafel: een zak met bitterkoekjes die ze ook had gekocht. Ze wist: Niklas was dol op deze koekjes, de droge zoete smaak als de koek aan je gehemelte bleef kleven. Ouwemannenkoekjes, vond zijn moeder. Hij lachte.

De flat was schaars gemeubileerd. In de keuken stond een oude houten tafel. Lelijk, met ronde afdrukken van te hete kopjes. Vier eettafelstoelen – extreem oncomfortabel. Niklas had een T-shirt over de rugleuning van zijn moeders stoel gehangen om het wat zachter te maken.

'Vertel eens. Wat is er nou eigenlijk gebeurd?'

Het was alsof hij op een knop had gedrukt. Zijn moeder leunde over de tafel alsof hij het dan beter zou horen. Het verhaal gutste eruit. Onsamenhangend en emotioneel. Wazig en geschrokken.

Ze vertelde dat een buurman haar wakker had gemaakt. Hij zei dat er iets gebeurd was in de kelder. Daarna verscheen de politie. Lichtte iedereen in. 'Jullie hoeven niet ongerust te zijn.' Ze stelden rare vragen. De mensen uit de flat stonden buiten, op straat. Ze praatten met zachte, angstige stemmen. De politie zette de boel af. Sirenes op straat. Bewapende politieagenten in de weer. Ze fotografeerden het trappenhuis, de kelder, buiten. Vroegen haar zich te legitimeren. Haar telefoonnummer op te schrijven. Later zagen ze een in een deken gewikkeld lichaam op een brancard uit de kelder komen.

Tussen de woorden door slurpte ze wijn. Haar hoofd hing over het glas. Zelfs als ze zat zag je hoe slecht haar houding was.

En vandaag hadden ze haar dus voor verhoor laten komen. Hadden vragen gesteld. Of ze enig idee had wie de dode kon zijn. Waarom er een vermoorde man in haar flatgebouw lag. Of ze iets had gehoord, had gezien. Of een van haar buren zich de laatste tijd vreemd had gedragen.

'Was het vervelend?'

'Ontzettend. Moet je je voorstellen. Verhoord worden door de politie alsof je betrokken bent bij een moord of zo. Ze vroegen steeds maar weer of ik wist wie het kon zijn. Hoe zou ik dat nou moeten weten?'

'Dus ze weten niet wie het is?'

'Ik heb geen idee, maar ik denk het niet. Dan hadden ze daar toch niet zoveel

over gevraagd? Het is echt afschuwelijk. Hoe kan het dat ze dat nog niet weten? De politie heeft geen enkel nut tegenwoordig.'

'Heb je de dode gezien?'

'Ja. Of, nee, eigenlijk niet. Ik zag iets wat een gezicht zou kunnen zijn, maar ze hadden zoveel bedekt. Ik weet het niet. Ik denk dat het een man was.'

'Mama, ik zou je iets willen vragen. Het klinkt misschien een beetje gek, maar ik zou echt graag willen dat je eraan denkt. Je begrijpt wel, met mijn achtergrond zou het het beste zijn als...'

Hij onderbrak zichzelf. Schonk meer cola in. Het stroomde klokkend uit het blik.

'... Ik wil niet dat je de politie over mij vertelt. Vertel ze niet dat ik thuis ben gekomen. Vertel niet dat ik bij je heb gelogeerd. Wil je me dat beloven?' Niklas keek Catharina in de ogen.

Ze zweeg. Staarde hem aan.

6

Ze gingen koffiedrinken, Thomas en Ljunggren, zoals gewoonlijk. Hoewel het nog maar twee uur was, zat Ljunggren al aan zijn achtste kop voor die dag. Thomas vroeg zich af: was Ljunggrens maag van staal?

De koffietent: een taxichauffeurskroeg bij Liljeholmen. In de ene hoek een tv met een Italiaanse competitiewedstrijd keihard aan. Ongemakkelijke metalen stoelen en tafels met geruite kleden. Op de tafels lagen sensatiekranten en postordercatalogi. Perfecte plek voor wachtende politieagenten om te ontspannen – ze wachtten op een opdracht die die naam waardig was.

Ljunggrens handset van de radio lag op tafel. De oproepen van de centrale waren nauwelijks te horen door de opgewonden commentaren van de voetbalverslaggevers. Fiorentina liet zien dat ze mee wilden doen aan de top van de Italiaanse competitie, was Cagliari er van langs aan het geven. De Deen Martin Jørgensen maakte net 2-1. Goed geplaatst, mooi.

Ze lazen ieder een krant. Zoals altijd – weinig geouwehoer. Ze onderhielden hun rustige gewoontes goed.

Maar Thomas was ongeconcentreerd. De krantenartikelen gingen langs hem heen. Hij zat lusteloos te bladeren. Had ook geen zin om naar dat Fiorentina-gewauwel te luisteren. Hij kon die toestand in de kelder niet loslaten. Normaal gesproken was hij alles vergeten zodra hij terug was op het bureau. Douchte, droogde zich af, trok zijn burgerkloffie aan. Mishandeling, moord, verkrachtingen, alles liep samen met het doucheschuim van hem af. Maar dit knaagde. Het beeld van het verwoeste gezicht kwam terug. Bij elke bladzij die hij omsloeg zag hij de lappen huid, de ingedrukte, kapotte neus, de zwellingen rond de ogen. De injectiesporen in de arm. De bloedige, afgepelde vingertoppen. Het lege gehemelte.

Thomas vond het een merkwaardige routine voor echte politiemannen – zodra het spannend werd, werd de hele zooi aan de rechercheratten overgedaan. De bureauagenten, oftewel de rechercheurs. Die figuren die vanaf de straat de papierverschuiving in waren gekropen. Het waren vaak oudere agenten met rugpijn of knieproblemen – alsof je rug er beter van werd als je de hele dag stil achter een bureau zat. Of ze hadden een zogenaamde burn-out achter de rug.

Iedereen wist dat dat lulkoek was. Maar soms: jonge grappenmakers die direct van de politieacademie kwamen, maar die te schriel waren om echt te werken. Dachten dat ze Kurt Wallander of Martin Beck zouden worden. Thomas wist: negentig procent van het onderzoek dat ze deden, bestond uit winkeldiefstalletjes en gejatte fietsen. Reuzespannend, echt wel.

De radio meldde: 'We hebben op de E4 naar het zuiden een dronken chauffeur die denkt dat hij Ayrton Senna is. Iemand in de buurt van Liljeholmen? Over.'

Het was rust in de voetbalwedstrijd. Thomas hoorde de radio duidelijk.

Zag aan Ljunggrens gezicht dat hij het ook had gehoord.

Ze grijnsden hun gebruikelijke grijns.

Antwoordden: 'Wij kunnen het niet doen. Zitten bij Älvsjö. Over.'

Een leugentje om bestwil om niet te hoeven gaan. De centrale had geen idee hoe dichtbij ze eigenlijk waren.

Thomas dacht: noem het waardeloze arbeidsmoraal. Noem het luiheid. Noem het oplichterij. Maar Ljunggren en hij hadden groot gelijk. Als ze nooit in de politie investeerden, kregen ze niks terug. En een dronkenlap die dacht dat de snelweg een racebaan was, zou toch nooit meer dan een maand krijgen, dus waar had je het dan over?

Ljunggren schonk zijn negende kop in. Slurpte.

Ljunggren moest de laatste uren van de dienst alleen doen. Thomas ging naar een onderzoeksoverleg. Of, zoals het informeel heette, de eindrapportage. Verslag uitbrengen over zijn vibes in de nacht van 3 juni. De rechercheur een breder, beter, uitvoeriger verhaal vertellen. Ze hadden meer nodig dan alleen foto's van technici, schriftelijke rapporten en verhoorverslagen.

Hij moest naar het hoofdkwartier, dat wil zeggen Kronoberg. Dat wil zeggen: het paradijs voor rechercheratten/bureauagenten/mietjes. Hij kreeg een lift van een vrouwelijke collega die hij nooit eerder had gezien. Had geen zin om te praten. Groette beleefd – de rest van de rit hielden ze hun kop.

Thomas had een half A4'tje geschreven, zijn incidentenrapport. Het was bullshit, standaardformuleringen, afkortingengebruik. *Brig Andrén en Brig Ljunggren werden om 00.10 u betr. nacht opgeroepen. 00.16 u tp op Gösta Ekmansväg 10. Enig publiek buiten plus ± 8 pers in trappenhuis.* Een reeks tijdstippen, namen van de andere agenten die gekomen waren, de piketman, versperring, gegevensopname, enzovoort. Daarna korte beschrijvingen: *ondergetekende als 1e op pl del. 1e hulp verleend. Pl del gefotografeerd. Observaties: bloedsporen en braaksel op muur/vloer. Positie vh gezicht omlaag, hevige zwelling en verwondingen. In achterzak: bonnetje, ongespecificeerde papiertjes. Ambulance ter pl ± 00.26 u. Technici tp ± 00.37 u.*

Thomas had om twee redenen een hekel aan het schrijven van incidentenrapporten. Ten eerste: hij kon niet omgaan met toetsenborden. Simpele pro-

bleempjes maakten het tot een ramp. Hij drukte de caps-lock-toets per ongeluk in. Duurde drie minuten voor hij doorhad wat er gebeurd was. Hij drukte op insert als hij moest backspacen – elke letter die hij typte, wiste de tekst die er al achter stond. Het lukte hem niet de hele zooi goed te krijgen. Kreeg een woede-uitbarsting. Herschreef het halve rapport vanaf scratch omdat het gewist werd terwijl hij het veranderde. Schuimbekte haast van irritatie. Wie had die toetsen eigenlijk uitgevonden?

Ten tweede: het ging niet om wat er eigenlijk was gebeurd. Het ging erom dat je liet zien dat je de regels had gevolgd. Hij had de eerste hulp eigenlijk laten zitten. Maar dat zou iedereen hebben gedaan. Je moest jezelf in bescherming nemen, zo was het politieleven – wat er later in het politierapport terechtkwam, was een tweede.

De hoofdingang aan de Polhemsgatan was pas gerenoveerd. Glanzende marmeren vloer, geborsteld metaal en enorme, witte designlampen. Thomas begreep niet hoe bepaald werd waar het geld naartoe ging. Sommige mannen in Zuid hadden al twintig jaar hetzelfde dienstwapen, maar hier, bij de chique politie, staken ze miljoenen in de verbouwing van een ingang. Op welke manier droeg zo'n luxe-ingang bij aan een betere stad voor de Zweedse burgers? De verkeerde prioriteiten kenden geen grenzen.

Hij liet zijn politiepenning zien bij de receptie. Vroeg ze de vooronderzoeksleider te bellen, Martin Hägerström. Kamer 547. Vijfde verdieping. Vast een goed uitzicht.

De lift naar boven stond vol met papiervreters, vooral vrouwen. Hij kende geen enkel gezicht. Vulden ze het hele politiekorps tegenwoordig met meisjes? Hij richtte zijn blik op de knoppen, om precies te zijn op de knop met een vijf erop. Volgde de strikte Zweedse liftetiquette: stap in, laat je blik over de mensen in de lift gaan, richt je blik vervolgens op een punt op de wand, het knoppenpaneel of het controlecertificaat. Hou je blik daar. Beweeg je niet. Beweeg je hoofd niet. Kijk niet meer om je heen. Vooral: kijk je medepassagiers onder geen beding aan.

Alle knoppen lichtten op. Op elke verdieping moest er iemand uit. Dat schoot niet echt op.

Vijfde verdieping: hij zocht de kamer. De deur was gesloten. Hij klopte. Iemand riep: 'Binnen'.

Binnen: chaos – zo'n bende dat je met gemak een motorfiets in de kamer had kunnen verstoppen. Tegen de ene wand een boekenkast met boeken, tijdschriften en, vooral, ordners. Dossiermappen bomvol papieren in stapels op de grond. Incidentenrapporten, beslagleggingsformulieren, informatiemateriaal, informantengegevens, onderzoeksverslagen met en zonder plastic mapjes op de rest van de vloer. Het bureau was volgestouwd met vergelijkbare papieren: uitgeprinte getuigenverklaringen, vooronderzoeksmemo's en andere zooi. Overal koffiekopjes, half leeggedronken flesjes mineraalwater en sinaasappelschillen.

Toffees, pruimtabakdoosjes en pennen lagen op een hoop vlak voor een computerscherm. Ergens onder alle papieren moest een toetsenbord liggen. Ergens in de wanorde moest een rechercheur zitten.

Er stapte een magere kerel tevoorschijn. Hij moest achter de deur hebben gestaan.

Stak zijn hand uit.

'Welkom. Thomas Andrén, toch? Ik ben Martin Hägerström. Rechercheur.'

'Je bent nieuw?' Thomas moest die piasstijl van de man niet: de ribbroek, het groene overhemd met de twee bovenste knoopjes open, de rotzooi in de kamer, het warrige kapsel. De ongeüniformeerde ongedwongenheid.

'Niet echt. Ik ben hier zes maanden geleden naartoe gekomen van Interne. Het werk hoopt zich hier ontzettend op. Ze hadden versterking nodig, begrijp je. Hoe is het bij jullie? Skärholmen, toch?'

Hägerström haalde een paar documenten weg van een Mier-stoel. Gebaarde Thomas te gaan zitten. In zijn hoofd weerklonk één woord: Interne – Martin Hägerström was een van Hen. De collaborateurs, de verraders, de quislings – de interne onderzoekers. Lui die zich erop toelegden andere politiemannen, collega's, broeders, in de val te laten lopen. De afdeling waar ze altijd mensen uit andere districten neerzetten zodat ze geen vrienden zouden hebben in het gebied waar ze werkten. Punt van onrust numero uno voor alle dienders. De aartsvijand van alle normale mannen. De laagste trede van alle hiërarchieën.

Thomas keek hem in de ogen met een harde blik.

'Aha. Jij bent er zo eentje.'

Hägerström staarde terug, met een nog hardere blik.

'Precies. Ik ben er zo eentje.'

Hägerström pakte ergens een leeg schrijfblok en een pen vandaan.

'Dit zal niet lang duren. Ik wil alleen dat je kort vertelt wat je hebt gezien, met wie je hebt gesproken, hoe je de situatie in het trappenhuis en de kelder eergisteren hebt ervaren. Ik heb je rapport natuurlijk gekregen en zo, maar we zijn nog niet klaar met het onderzoek op de plaats delict en hebben nog maar ongeveer een derde van de mensen ter plaatse gehoord. We weten in feite niet eens zeker of de kelder inderdaad de plaats delict was. Soms heb je wat aanvullingen nodig om een goed beeld te krijgen.'

Thomas ging zitten. Keek door het raam naar buiten.

'Wat heb je voor aanvullingen nodig? Ik weet niet meer dan wat er in het rapport stond.'

De snelste manier om aan slepende eindrapportages te ontkomen was over het algemeen om gewoon naar het rapport te verwijzen. Thomas wilde weg, dit was tijdverspilling.

'Laten we beginnen met wat er gebeurde toen jullie aankwamen. Hoe heb je het lijk ontdekt?'

'Staat dat niet in het rapport?'

'Er staat hier dat je, en ik citeer, "vond de dode in de kelder, voor box nr 14".
Dat is het enige.'

'Maar zo was het. In de hal, op de eerste verdieping, stond een gezin in och-
tendjassen dat zich afvroeg wat er aan de hand was. Ze zeiden tegen me dat hij
daar beneden lag. Ik ging naar beneden. De deur was op slot en ik heb hem
opengemaakt met een loper. Zag eerst bloed en kots op de vloer van de kelder.
Daarna zag ik het lichaam. Hij lag met zijn gezicht naar beneden. Maar daar
heb je toch wel foto's van?'

De rechercheur gaf zich niet gewonnen. Bleef detailvragen stellen. Hoe het
gezin in het trappenhuis eruit had gezien. Hoe de kelder gebouwd was. Hoe het
lichaam had gelegen. Thomas besefte dat hij de verkeerde tactiek had toegepast
– hij had van het begin af aan uitvoeriger moeten zijn. Dit zou verdomme de
hele avond duren. Na een uur ondervraging stond Hägerström op.

'Wil je koffie?'

Thomas bedankte. Bleef zitten. Hägerström verdween de gang op.

Thomas' gedachten dwaalden af. Hij dacht aan de schietvereniging. Zijn In-
finity-pistool, zijn andere pistolen. Hij verlangde naar de club – de machtige
afsluiting/concentratie als hij, met zijn gehoorbeschermers op, tien negenmil-
limeters recht in de bakkes van de kartonnen mannen afvuurde. Hij kon het
zeggen zonder zich te schamen: hij was een van de beste schutters van de politie
van Stockholm.

Hägerström kwam weer binnen. Leek even te willen kletsen.

'Weet je, jullie van de patrouillerende politie worden onderschat. Ik denk
vaak dat jullie eerste indrukken belangrijk zijn. De meeste daders van zware
misdrijven krijgen we immers te pakken door recherchewerk. Al onze informatie bij elkaar zorgt ervoor dat ik vanuit deze kamer alle draadjes aan elkaar
kan knopen en ze voor de rechter kan krijgen. Vanachter mijn bureau zeg maar.
Maar we hebben input van de straat nodig, van de werkelijkheid. Van jullie.'

Thomas knikte alleen.

'Ik heb allerlei ideeën over nieuwe manieren van samenwerking. De papiermensen samen met de mensen die echt de straat op gaan. Rechercheurs met
hoofdagenten. Ze zouden een team op moeten zetten waarin beide groepen
vertegenwoordigd zijn. Er gaat zoveel kennis verloren tegenwoordig.'

'Zijn we nu klaar? Kan ik gaan?'

'Nee, nog niet. Ik wil nog iets met je bespreken.'

Thomas zuchtte.

Hägerström vervolgde: 'Er wordt vaak gesproken over verschillende soorten
gewelddadige criminelen. Dat weet je ongetwijfeld nog wel van je opleiding.
De beroepscriminelen en de psychisch gestoorden. Zo zijn beroepscriminelen bijvoorbeeld goed georganiseerd, manipulatief, soms met psychopathische
trekken. In veel gevallen relatief intelligent, in elk geval *street smart*. De psychisch gestoorden, anderzijds, zijn vaak einzelgängers, ze hebben problemen

of hebben iets meegemaakt in hun jeugd. Ze kunnen jaren leven zonder een misdaad te plegen, maar dan is de maat vol en begaan ze een ernstig seksueel of gewelddadig misdrijf. Het punt is dat hun daden verschillend zijn. Ze bewegen zich in verschillende gebieden, doen andersoortige shit. Totaal verschillende soorten moord. Beroepscriminelen, misdadigers die gedreven worden door geld, moorden vaak snel en schoon, laten hun slachtoffers achter op een plek waar ze niet in verband gebracht kunnen worden met het misdrijf en maken er geen onnodig bloederige boel van. Psychisch zieke misdadigers hebben andere motieven. Er kan een seksueel aspect aan zitten, dan kan het een echte smeerboel worden, ze richten zich vaak op mensen uit hun omgeving, of beschadigen meerdere mensen tegelijk. Ze kunnen hun slachtoffers zo achterlaten dat ze ontdekt moeten worden, als een boodschap aan de omgeving. Of een schreeuw om hulp. Met het oog op deze moord kun je waarschijnlijk al raden wat mijn vraag zal zijn. Puur spontaan, wat is jouw beeld van deze moord, beroepscrimineel of een gek?'

De vraag kwam als een verrassing. Thomas voelde zich op een merkwaardige manier gevleid – deze rechercherat hechtte waarde aan zijn mening en intuïtie. Daarna duwde hij die gedachte van zich af. Die gozer zat te slijmen. Hij antwoordde zoals het hoort – hooghartig.

'Tja, hij zag er niet bepaald vrolijk uit, dus het was waarschijnlijk nogal pijnlijk.'

Hägerström begreep de grap niet.

'Hoe bedoel je?'

'Nou, ik bedoel dat hij er niet vrolijk uitzag, hij had zo'n vreemde gezichtsuitdrukking. Bloederig is misschien het juiste woord.'

Hun blikken bleven weer aan elkaar hangen. Geen van beiden keek weg.

'Andrén, ik kan jouw soort humor niet waarderen. Geef alsjeblieft gewoon antwoord op mijn vraag.'

'Heb ik dat niet net gedaan? Het was zo gruwelijk bloederig in de kelder, daar moet een echte psycho killer bezig zijn geweest.'

Dertig seconden stilte – erg lang voor twee mannen die elkaar niet kenden.

'Je mag zo weg, wees maar gerust. Ik heb nog maar één vraag. Wat is je spontane, voorlopige idee van de doodsoorzaak?'

Het had geen zin om moeilijk te doen. Misschien zou de man hem hier dan alleen nog maar langer houden om te etteren. Hij zei eerlijk wat hij dacht: 'Ik weet het eigenlijk niet. Die vent had flinke injectiesporen op zijn arm dus voor hij zo mishandeld werd, kan hij uitgeschakeld zijn door een overdosis.'

Hägerströms mond viel open, hij zag er heel even oprecht verbaasd uit. Hernam zich. Terug naar dat hautaine: 'Zei ik niet dat ik geen prijs stel op jouw soort humor?'

Nu was het Thomas' beurt om verbaasd te zijn. Wat bedoelde die gast? Dit was immers geen grapje.

'Hägerström, ik zal heel eerlijk zijn. Ik heb het niet op mensen van Interne. Volgens mij moeten we een eenheid vormen en niet andere goeie vakmensen het leven zuur zitten maken. Maar ik zal bereidwillig antwoord geven op je vragen, alleen om hier weer weg te kunnen. Het probleem is dat ik nu niet begrijp wat je bedoelt.'

'Niet? Ik bedoel dat ik een antwoord op mijn vraag wil. Wat is je spontane, voorlopige idee van de doodsoorzaak? En kom alsjeblieft niet weer aanzetten met injectiesporen.'

'Maar ik zei toch dat ik het niet weet. Waarschijnlijk was het mishandeling, maar het kan ook een overdosis geweest zijn. Met het oog op de in-jec-tie-spo-ren.'

Hägerström leunde voorover. Articuleerde: 'Er waren geen injectiesporen of steekwonden. Dat soort beschadigingen zijn niet op het lijk aangetroffen.'

Opnieuw stilte. Beiden probeerden de situatie in te schatten. Hun gezichten: minder dan een meter van elkaar.

Ten slotte zei Thomas: 'Je hebt mijn rapport niet gelezen begrijp ik. De rechterarm van het lichaam zag er namelijk uit als een zeef. Als hijzelf of iemand anders drugs door al die gaten in zijn lichaam heeft gepompt, kan hij net zo goed het loodje hebben gelegd door een overdosis. Kun je me volgen?'

Hägerström graaide tussen de papieren op tafel. Viste er eentje uit, het was Thomas' rapport. De rechercheur overhandigde het hem. Een half kantje. Korte zinnen die hij herkende. Maar aan het eind klopte er iets niet. Er misten wat woorden. Had hij vergeten die laatste zinnen op te slaan? Hadden die problemen met die rottige toetsencommando's ervoor gezorgd dat er tekst was weggevallen of had iemand anders ze weggehaald?

Hij schudde zijn hoofd. Geen woord in het rapport over naaldsporen op de arm.

Thomas keek op van het rapport.

'Dit klopt niet.'

*

Obductierapport
Forensische Dienst   4 juni
Afdeling Forensische Geneeskunde
Retziusväg 5
171 65 Solna
E 07-073, K 58599-07

A. Inleiding

In opdracht van de Regionale Politie van de provincie Stockholm is een uitgebreide forensische obductie verricht op een onbekend lichaam, in

het vervolg 'X' genoemd, dat op 3 juni is gevonden op Gösta Ekmans-väg 10 te Stockholm.

Het onderzoek is verricht door ondergetekende van de afdeling Forensische Geneeskunde in Stockholm in aanwezigheid van obductieassistent Christian Nilsson.

De identiteit van de overledene is volgens de Regionale Politie van de provincie Stockholm nog niet vastgesteld, maar in dit stadium van het onderzoek kan het volgende geconstateerd worden:

1. X is een man;
2. X is blank;
3. X is tussen de 45 en 55 jaar oud;
4. X is op 3 juni tussen 21.00 en 24.00 uur overleden.

B. Overige omstandigheden
De overige omstandigheden van de zaak staan beschreven in een preliminair rapport van de Regionale Politie van de provincie Stockholm, zaaknummer K58599-07, ondertekend door Martin Hägerström, rechercheur.

C. Uitwendige schouwing
1. Het stoffelijk overschot is 185 cm lang en weegt 79 kilo.

2. Er is algehele lijkstijfheid opgetreden.

3. Het gezicht, de slapen en de hals tonen diverse diepe huidwonden.

4. Het hoofdhaar is ongeveer 10 cm lang en blond, iets grijzend aan de slapen. In het haar is ingedroogd bloed aangetroffen.

5. Op de rechterslaap is de huid op een oppervlakte van 10 x 10 cm geschaafd.

6. Het linkeroor is sterk gezwollen. Er ontbreekt een stukje van de oorlel van ongeveer 1 x 1 cm. Rafelige wondranden. Aan de bovenkant van het oor is de huid geschaafd op een oppervlakte van 0,5 x 0,3 cm. Verder is de huid geschaafd op een oppervlak van 1 x 0,3 cm onder het rechteroor.

7. Het voorhoofd, met als ondergrens de wenkbrauwen, toont sterke

zwellingen, blauwrode verkleuringen en diepe schaafwonden op een lange strook van 16 x 6 cm. Boven de wenkbrauwen is de huid volledig weggeschaafd op een scherp afgegrensd gebied van 3 x 1,5 cm.

8. 1 cm boven de rechterwenkbrauw is een diepe wond van 4 x 4 cm zichtbaar, de huid eromheen is diffuus blauwachtig verkleurd.

9. De oogleden zijn sterk gezwollen en blauwrood verkleurd. Op beide bovenste oogleden bevinden zich wonden met rafelige randen.

10. De wangen zijn overdekt met ernstige wonden, diepe schaafwonden en zwellingen plus verkleuringen die doorlopen over de onderkaak en naar de hals.

11. Het bindvlies van de ogen toont krachtige, samenvloeiende zwartrode bloedingen. Het bindvlies heeft losgelaten.

12. Het neusbeen is op drie plaatsen gebroken en de neuswortel is verbrijzeld. Op het bovenste gedeelte van de neus is de huid op een oppervlak van 4 x 2 cm geschaafd. Verder ontbreekt de linkerneusvleugel geheel, in plaats daarvan zit er een 1 cm diepe wond.

13. De boven- en onderlip zijn sterk gezwollen. Aan de binnenkant van de lippen zijn gedeeltelijk samenvloeiende zwartrode bloedingen te zien. Ook toont de bovenlip twee rafelige wonden van 1 x 0,5 cm groot en enkele millimeters diep. De buitenkant van de onderlip en de slijmvliezen tonen een aantal grote wonden met rafelige randen alsmede omringende bloedingen.

14. In de mond ontbreken alle tanden behalve drie kiezen in de linkerbovenkaak en twee kiezen in de linkeronderkaak. Het is zeer waarschijnlijk dat de man een prothese gebruikte. In de mond is met bloed vermengd schuim en braaksel aangetroffen.

15. Alle vingertoppen van beide handen zijn beschadigd. Over het onderste gedeelte van elke vingertop loopt een ongeveer 0,7 cm diepe wond die ondieper wordt en aan de onderkant ongeveer 0,2 cm diep is.

Stockholm, zoals boven vermeld,

Bengt Gantz, chef de clinique Forensische Geneeskunde

7

Aboe – Mahmud was onder de indruk. Volgens hemzelf: Mahmud geen type dat zich liet overrompelen door vette wagens, genakte blingbling of ongevouwen floes. Hij: de kill die een Audi had gereden voor het fout was gelopen. De swa die voor honderd ruggen per maand preparaten had verkocht. De spierbundel. De pussypiranha. De miljonairlegende.

Maar hier voelde hij zich een beginneling. Ze zaten op de duurste plaatsen aan de ringside. Alleen al om dat soort plaatsen te kunnen kopen, moest je iemand zijn in Fighter-Zweden. En de *king* die dit had geregeld was zeker iemand – de *king of kings*, Radovan.

Zou cool zijn als de Joegoboss himself er was. Vanavond zouden er wat beslissende wedstrijden uitgevochten worden. De odds waren hoog, met andere woorden: hier ging vette floes om. Tuurlijk wilde de boss van dichtbij zien hoe het voorhoofdsbeen van de jongens in de ring werd ingeslagen en de poet binnenrolde.

Masters Cup, ongedeelde klasse in K-1. De naam K-1 vanwege de vier k's: karate, kungfu, kickboksen en knockdown karate die onder gemeenschappelijke regels gebruikt werden. Maar eigenlijk waren de meeste stijlen toegestaan. Bikkelharde beesten die op hun eigen sportclub de meesters van hun ring waren, kwamen hier kapotgeslagen de ring uit strompelen. Fighters met ontbloot bovenlichaam sloegen elkaar zo hard dat je het tot op de bovenste tribunes voelde. Oost-Europese reuzen mepten Zweedse immigrantenjongens aan de lopende band knock-out: knalden knieën tegen kinnen, draaiden armen uit de kom, sloegen ellebogen tegen neuzen. Het publiek joelde. De vechtjassen brulden. De scheidsrechters probeerden slagenreeksen te onderbreken die een neushoorn zouden kunnen vellen.

De fighters kwamen uit Zweden, Roemenië, voormalig Joegoslavië, Frankrijk, Rusland en Nederland. Vochten om de titels – en om wie door zou gaan naar de grote K-1-wedstrijden in Tokyo.

Acht plaatsen verder in dezelfde rij, Mahmud ving een glimp van Radovan op. Geestdriftig als alle anderen. Tegelijkertijd behield *il padre* zijn rust, zijn waardigheid – hij wond zich niet zichtbaar op. Het handelsmerk van de

Joego's was waardigheid, en dat stond gelijk aan respect. Punt uit.

Mahmud was op tijd naar de arena gekomen, twintig voor zes. Mensen stonden buiten in de rij voor niet afgehaalde biljetten. De veiligheidscontroles waren strenger dan op het vliegveld. Het enige voordeel: hier maakte het niet uit dat hij moslim was. Hij moest onder poortjes door, zijn riem, sleutels en mobieltje op een lopende band leggen, ze veegden over hem heen met een metaaldetector. Knepen in zijn kruis als een stelletje boelers.

Om zes uur plofte hij neer op de stoel met zijn nummer. Om hem heen zat nog niemand. Veel te vroeg. De Serviërs lieten hem wachten. Mahmuds gedachten gingen ervandoor in een richting waar hij niet heen wilde. Die hel in het bos was bijna een week geleden. De korst op zijn wang zou wel weer genezen. Maar die knauw in zijn eergevoel – dat wist hij niet. Maar eigenlijk wist hij het wel, er was maar één manier. Een man die iemand anders over zich heen laat lopen, is geen man. Maar hoe moest je zo'n vendetta aanpakken? Gürhan was vicepresident van Born to be hated. Als Mahmud ook maar een beetje zelfverzekerdheid zou uitstralen, was hij net zo de lul als Luca Brasi.

Bovendien: Daniel, de Syriër die de revolver in zijn mond had gedrukt, had twee dagen geleden gebeld. Had gevraagd waarom Mahmud nog niet begonnen was met afbetalen. Het antwoord lag eigenlijk voor de hand: no way dat Mahmud binnen drie dagen genoeg doekoes bij elkaar kon scharrelen. Die eikel van een Daniel had hem gezegd z'n reet te likken – dat was Gürhans probleem niet. Mahmud kon toch lenen? Mahmud kon zijn ma en zijn zussen toch verkopen? Ze gaven hem een week de tijd. Daarna wilden ze de eerste afbetaling hebben: honderdduizend contant. Daar was geen ontkomen aan. Hij bevond zich op de maximale belabberdheidsgraad. De Joego's zouden zijn kans kunnen zijn.

Tegelijkertijd: afkeer. Hij dacht aan het gesprekje met zijn vader een paar dagen gelden. Beshar zat in de WAO. Daarvoor had hij tien jaar geploeterd als metroreparateur en schoonmaker. Zijn knieën en rug verknald. Geknokt voor de Zwedo's, voor niets. Trots. Zo trots. 'Ik heb elke kroon belasting betaald die ik moest betalen en dat voelt goed,' zei hij vaak.

Mahmuds klassieke antwoord: 'Papa, je bent een loser. Begrijp je dat niet? De Zwedo's hebben je geen bal gegeven.'

'Zo noem je me niet, begrepen. Het gaat niet om Zweden zus en Zweden zo. Je zou een baan moeten zoeken. Je plicht moeten doen. Je maakt me te schande. Kun je niet iets regelen via die reclassering?'

'Negen-tot-vijf-banen zijn niet oké. Wacht maar, ik zal iets bereiken zonder allerlei banen en dat soort onzin.'

Beshar schudde zijn hoofd alleen maar. Hij begreep het niet.

Mahmud had het al geweten toen Babak en hij hun eerste pennywafels jatten. Hij voelde het in zijn hele lijf toen hij de brugklassers op de gang van hun mobiele telefoons beroofde en toen ze hun eerste joint bouwden achter de

naschoolse opvang. Hij was niet gemaakt voor een ander leven. Hij ging nooit op de knieën. Niet voor de reclassering. Niet voor Gürhan. Voor niemand in Zwedonië.

Vijfentwintig minuten later, halverwege de eerste fight, een juniorendemonstratie: Stefanovic kwam geruisloos naast hem zitten. Ze gaven elkaar geen hand, de vent keek hem niet eens aan. In plaats daarvan zei hij: 'Fijn dat je gekomen bent.'

Mahmud bleef naar de wedstrijd kijken. Wist niet of hij Stefanovic aan moest kijken of dat het gesprek op gedempte toon gevoerd zou worden.

'Natuurlijk. Als jullie het vragen, dan kom je. Ja toch?'

Stefanovic bleef ook naar de fight kijken.

'Zo gaat het meestal wel, ja.'

Ze zaten zwijgend in het kabaal.

Af en toe draaide Stefanovic zich om naar een gast aan zijn andere kant. Mahmud wist wie het was. Ratko. Hij was een mattie van een andere Joegoreus waar Mahmud mee om was gegaan voor hij de bak in ging, Mrado. Het was vaag, als ze elkaar op de sportschool zagen, groetten deze gasten Mahmud altijd, maar hier vertrokken ze geen spier. In normale gevallen zou Mahmud dit soort shit niet slikken. Maar vandaag had hij de Joego's nodig.

Mahmud nam de ruimte op. De Solnahal: op de tribunes verdrongen zich zeker vierduizend man. Bodybuilders – een paar ervan groette hij – jonge allochtoontjes met te veel adrenaline in hun lichaam en gel in hun haar, vechtsportfreaks die dol waren op de geur van bloed. Goedkopere versies van hemzelf – hij vond het kicken dat hij niet tussen hen op de tribunes zat. Hier bij de ringside zat een ander slag volk. Meer kostuums, meer glamour, meer dure Cartier-horloges. Ouder, netter, rustiger. Gemengd met vijfentwintigjarige meiden met laag uitgesneden decolletés en blonde highlights. Grimmige bodyguards en ondergeschikten. Mahmud hoopte dat hij niemand van Gürhans gang tegen zou komen.

De schijnwerpers schenen op iedere nieuwe fighter die binnenkwam. Aan de ene korte zijde: de vlaggen van de strijdende landen in groot formaat aan de wanden. De andere korte zijde: het K-1-logo en de hele naam van de wedstrijd op een spandoek: MASTER CUP – RUMBLE OF THE BEASTS. De luidsprekers riepen de naam, club en nationaliteit van de mannen om. 50 Cent op het hoogste volume tussen de wedstrijden door. Meiden met siliconentieten, hotpants en strakke T-shirts met reclame hielden in de pauzes borden omhoog met de nummers van de volgende ronde. Wiebelden met hun kont als ze de ring in kwamen zodat het publiek harder joelde dan bij een knock-out.

In de ring stond de spreekstalmeester van de avond in een tophumeur: Jon Fagert, full-contact-legende, tegenwoordig vechtsportlobbyist in pak.

'Dames en heren, dit is de avond waarop we allemaal hebben gewacht. De avond waarop ware sportiviteit, zware training en vooral keiharde fightingspirit

de uitslagen bepalen. Onze eerste echte titelwedstrijd van vanavond is er eentje binnen de K-1 Max. Zoals u allemaal ongetwijfeld weet, mogen de deelnemers in deze vederklasse van de K-1 hoogstens zeventig kilo wegen. In de ring wil ik twee fighters met flinke successen op hun conto verwelkomen. De ene, drie jaar achter elkaar winnaar van de nationale kampioenschappen van de Nederlandse Thaiboksvereniging, beangstigend snel met gevreesde achterwaartse trappen en welbekende rechtsen. De ander, een legendarische Vale-Tudo-fighter met meer dan twintig knock-outs op zijn naam. Ernesto Fuentes van Club Muay One in Amsterdam tegen Mark Mikhaleusco van NHB Fighters Gym in Boekarest – geef ze een hartelijk welkom!'

Midden in het applaus zei Stefanovic zomaar voor zich uit, alsof hij tegen zichzelf praatte: 'Die ouwehoer daaro, Jon Fagert. Hij is een loser. Wist je dat?'

Mahmud speelde het spel mee – het was duidelijk, Stefanovic wilde niet dat de hele arena zou zien dat ze met elkaar zaten te lullen. Hij keek naar Ernesto Fuentes en Mark Mikhaleusco die de laatste keer voor de wedstrijd stretchten. Daarna zei hij voor zich uit: 'Waarom?'

'Hij heeft niet begrepen wie dit hele spektakel bekostigt. Hij denkt dat het een soort liefdadigheid is. Maar zelfs een sukkel als hij moet toch begrijpen, als je er poet ingepompt hebt, wil je ook iets terug. Ja toch?'

Mahmud luisterde eigenlijk niet, knikte maar wat mee.

Stefanovic ging door. 'Wij hebben deze branche opgezet. Volg je me? De sportschool waar jij traint, Pancrease, HBS Haninge Fighting School en de andere sportscholen. Daar rekruteren we de goeie jongens. Zorgen dat hij daar en alle andere fans hun lolletje krijgen. Heb je trouwens ingezet?'

Vaag gesprek. Ze hadden over wat dan ook kunnen ouwehoeren. Stefanovic vertrok geen spier. De hele tijd: ijskoud.

Mahmud antwoordde: 'Nee, wie is de hotste?'

'De Hollander, ik heb veertig mille ingezet op de Hollander. Hij heeft dynamiet in zijn handen.'

Het publiek zat in opperste spanning. De wedstrijd begon.

Mahmud wist een beetje hoe het ging. Hij keek weleens wedstrijden op Eurosport. Gewone sport interesseerde hem niet, dat leverde hem niks op. Maar fights op tv gaven hem adrenaline.

De Roemeen had een schitterende techniek, speed, timing en voetenwerk. Vette round kicks en jump kicks à la Bruce Lee. Stootseries zo snel als Keanu Reeves in *The Matrix*. Wereldklasse blocks. Geen gelul – Stefanovic zou vet nat gaan.

Hij behield de overmacht tot het einde van de eerste ronde.

De muziek begon: gangstarap op het hoogste volume. De coaches betten de gezichten van de vechtersbazen. Smeerden ze in met vaseline zodat de slagen beter van ze af zouden glijden. Een chick kruiste de ring. Hield een bord met een twee omhoog.

De gong ging. De vechters klommen in de ring. Wachtten een paar seconden. Daarna barstte het los. De Roemeen bleef indrukwekkend. Een perfecte round kick tegen Fuentes' hoofd. De gozer viel op zijn knieën. De scheidsrechter telde.

Een, twee.

Het publiek brulde.

Het spuug van de Hollander: als een draad van een spinnenweb van zijn mond tot de grond.

Drie, vier.

Mahmud had veel vechtpartijen meegemaakt in zijn leven. Maar dit – perfectie.

Vijf, zes.

Fuentes kwam overeind. Langzaam.

Het publiek joelde.

Nog een paar seconden in de tweede ronde. De slagen echoden. De Roemeen probeerde drie keer uit te halen. De Hollander liet zijn kin zakken, hield beide handschoenen voor zijn gezicht. Hield zich staande.

Mahmud wierp een blik op Stefanovic. De Joego uitdrukkingsloos. Geen enkel teken van paniek over zijn veertig ruggen die hier door de plee werden gespoeld.

De derde ronde begon.

Er was iets gebeurd. De Roemeen leek in slow motion te trappen. Zag er moe uit. Maar Mahmud zag het van dichterbij dan de meeste anderen – die gozer was niet eens buiten adem. Dit moest op een of andere manier doorgestoken kaart zijn. Kon dit echt waar zijn? Twee minuten geleden absoluut de sterkste en nu zag het eruit alsof hij degene was die bijna uitgeteld was. Iemand moest reageren.

Fuentes nam de wedstrijd langzaam maar zeker over. Zware slagen, vette low kicks en snelle trappen tegen het hoofd. De Roemeen vocht als een meid. Trok zich bij elk offensief terug naar de ringside. Wapperde met zijn armen voor zijn gezicht zonder de neus van de Hollander ook maar te aaien.

Het was suf. Net American Wrestling. Nep.

De rondes volgden elkaar op. De gasten in de ring werden moe.

Mahmud moest bijna lachen. Zelfs als de Roemeen met opzet verloor, zou Stefanovic rijk worden – en waarschijnlijk zou zijn baas, R., nog rijker worden.

De gong ging. De wedstrijd was afgelopen. De Roemeen kon maar nauwelijks op zijn benen staan. De scheidsrechter pakte hun handschoenen vast.

Trok Ernesto Fuentes' arm omhoog.

Voor de eerste keer draaide Stefanovic zich naar Mahmud. De glimlach op zijn lippen was maar nauwelijks te zien – maar zijn ogen gloeiden.

'Oké, we gaan het zo over business hebben. De volgende wedstrijd is een echte superfight. Echt man, het zijn reuzen, supermannen. Dat is de match

waarvoor iedereen gekomen is. Het publiek zal in extase zijn. Oorverdovende support voor de Zweed. Dan praten we. Als alle aandacht op de ring gericht is en niemand ons hoort. Snap je?'

Mahmud snapte het. Zo meteen was zijn kans. Die flikker van een Gürhan moest eens weten. Mahmud was een deal aan het sluiten met de Joego's.

Een halfuur later: het was weer zover. Mahmud zat op zijn plaats te wachten. In de pauze had hij rondgelopen. Bekenden gegroet, met kills van de sportschool geouwehoerd. Ze waren blij hem op vrije voeten te zien. 'Welkom terug, spillebeen. Nu is het tijd om weer groot te worden.' Ze hadden gelijk – de bak was geen goeie plek om te trainen. Het zou er perfect moeten zijn: veel tijd, geen drank, geen ongezond eten. Maar je kon er geen kuren doen, in het gevangeniswinkeltje kon je zelfs geen voedingssupplementen krijgen. Plus: de fitnessapparaten van Asptuna zogen. Maar het grootste verschil was dat het daar niet hetzelfde was. De bak zoog je leeg. Mahmud was twintig kilo kwijtgeraakt.

De Joego's waren de juiste move voor hem. Hij wilde hogerop – hij zou hogerop. Een halfjaar in de bak kon hem niet tegenhouden. No way dat hij op de bank ging zitten. En iedereen die hogerop wilde wist één ding: vroeg of laat kreeg je met R. te maken – dan was het maar beter dat je dat op de juiste voorwaarden deed. In hetzelfde team spelen als de Joegobaas. Mahmud: de Arabier die ze niet konden naaien, de man die zijn eigen weg ging. Dit was zooo oké. Hij vroeg zich alleen af wat ze hem wilden laten doen.

Radovan kwam een trap af. Een hele kliek achter hem aan. Mahmud kende er een paar: Stefanovic natuurlijk. Goran: bekend als king drank- en sigarettensmokkelaar van de stad. Die Ratko. Een paar andere brede gasten die hij uit de sportschool kende. Een sleep smatjes.

Stefanovic ging weer naast Mahmud zitten.

Jon Fagert stapte de ring in. Keek uit over de zee van mensen. Het werd stiller.

'Hooggeëerd publiek. Vandaag is een grote dag. Een van de twee mannen die elkaar zo meteen tegen zullen komen in de ring, zal verdergaan. En niet naar zomaar iets. Niet naar de volgende toernooifinale in zijn eigen sport. Nee, naar iets veel groters. Naar de ultieme finale van alle sporten. Waar maar één kan zegevieren. Waar maar één de winnaar kan zijn. Ik heb het natuurlijk over de K-1-finale in de Tokyo Dome in december, waar meer dan honderdduizend toeschouwers zullen zijn. Het prijzengeld voor goud is meer dan vijfhonderdduizend dollar. Eén man zal vanavond doorgaan. Eén man is sterk genoeg. Eén man heeft de beste fightingspirit. Zo meteen zullen we zien wie.'

Sissend stroomde er van twee kanten rook de ring in.

In elke hoek verschenen twee silhouetten.

Uit de luidsprekers klonk de soundtrack van de film *2001*.

Fagert sprak luider: 'Dames en heren, ik heb de eer om twee giganten aan te

kondigen. Uit Rusland hebben we, direct van de Rude Academy in Moskou, de voormalig Spetsnaz-soldaat met meer dan twintig overwinningen in K-1 op zijn erelijst. De man met de ijzeren handen, het beest, de doodsmachine, oftewel: Vitali Akhramenko.'

Het publiek brulde.

Een van de silhouetten bewoog zich naar voren. Kwam uit het rookgordijn. De schijnwerpers volgden zijn zware stappen. Het beeld van een god die zijn entree maakte in het rijk der duisternis.

Het was de grootste man die Mahmud ooit had gezien en Mahmud trainde nog wel bij Fitness Center. Minstens twee meter tien. Spieren in reliëf als bij een stripfiguur. Borstomvang van een sumoworstelaar. Biceps dikker dan Mahmuds bovenbenen.

Jon Fagert vervolgde, overstemde de muziek: 'En in de andere hoek staat onze eigen, Zweedse superfighter, direct van HBS Haninge Fighting School, met meer dan tien knock-outs achter zich. De krachtbundel, de pantserma- chine, de fightergod, oftewel, onze Jörgen Ståhl.'

De stemming als op een kapot goed hardrockconcert. De muziek daverde. De schijnwerpers speelden. Jon Fagerts ogen vlamden. De jochies op de tribunes waren in extase.

Jörgen Ståhl kwam langzaam naar voren. Liet het hoerageroep langzaam aan- zwellen. Gekleed in een badjas met het HBS-logo op de rug. De zwarte *tribal tattoos* bedekten bijna zijn hele bovenlijf. Op zijn ene onderarm in zwarte, ge- tatoeëerde letters: STÅHL IS KING. Mahmud dacht aan Gürhans tatoeage.

Stefanovic opende zijn mond, zijn blik nog steeds op de ring gericht.

'De mensen zijn door het dolle. Een paar klappen en een druppeltje bloed en die jongetjes op de tribunes denken dat er een wereldoorlog is uitgebroken. Ze hebben geen idee. Heb je ingezet?'

'Ik heb de vorige keer niet ingezet, ik heb deze keer niet ingezet. Maar jij lijkt goed gecasht te hebben.'

'Absoluut. Nu heb ik een ton gepitcht. Op de Rus. Hij is een beest, ik zweer het je. Dit kan legendarisch worden. Wat denk jij ervan?'

Mahmud dacht: probeert Stefanovic me onzeker te maken? Hij sluit elke zin af met een domme vraag.

'Ik denk er helemaal niets van. Je lijkt te weten wat je doet. Superieur.'

'Luister, die Rus is een vent van honderdveertig kilo met de techniek van iemand van negentig kilo. En niet alleen snelheid bepaalt wie wint – timing is nog belangrijker. Je zult het zien. De hel zal losbarsten voor die Zweed. En we kennen hier ook wat mensen.'

Mahmud vroeg zich af wanneer Stefanovic ter zake zou komen.

In de ring begon de wedstrijd. Akhramenko probeerde Ståhl te raken met een linkeruppercut. De Zweed blokte mooi. Dit was net zwaargewicht boksen maar dan met low kicks tegen de benen.

'Mahmud, we vertrouwen je. Begrijp je wat dat betekent?'

Nog een vraag. Kon de inleiding zijn op waar ze het eigenlijk over zouden hebben.

'Jullie kunnen me vertrouwen. Ook al hing ik wat rond met Mrado, ik weet dat hij moeilijkheden heeft veroorzaakt voor jullie. En ook al ben ik geen Servier. Jullie gebruiken toch ook Arabieren. Hier hebben onze volkeren niets tegen elkaar.'

'Inderdaad. Een van hun ken je misschien al, Abdulkarim. Hij is even uit de running op het moment, maar een betere vent is ver te zoeken. Ben jij zoals hij?'

'Zoals ik zei, jullie kunnen me vertrouwen.'

'Dat is niet genoeg. We hebben mannen nodig die honderdvijftig procent loyaal zijn. Het komt voor dat we op de verkeerde fighters wedden, zeg maar.'

Mahmud wist waar hij het over had – dat wist iedereen. De laatste tijd was er een hoop onrust geweest in de onderste regionen van Stockholm. Die dingen gebeurden: iemand haalde het in zijn hoofd om te proberen de nieuwe boss te worden, iemand wilde de mannen aan de top uitdagen, iemand werd op zijn eer getrapt. Voorbeelden genoeg. De oorlog tussen de Albanezen en de Original Gangsters, de schietpartij in de Västberga koelhallen tussen verschillende vleugels van de Joegomaffia, de liquidaties in Vällingby afgelopen maand.

In de ring voerde Ståhl series trappen uit tegen het scheenbeen van de Rus en richtte snelle slagenwisselingen op zijn hoofd. Misschien zou de Zwedo dit toch weten te winnen.

Stefanovic ging verder. 'Je kunt onze man worden. Om te zien of je goed genoeg bent, zou ik je om een dienst willen vragen. Luister goed.'

Mahmud draaide zich niet om. Hij bleef de wedstrijd bekijken. De eerste ronde was voorbij. De Zweed bloedde uit zijn wenkbrauw.

'Heb je gehoord van de overval op Arlanda? Die ging kapot goed maar ook hartstikke mis. We hadden alles net zo goed voorbereid als altijd. Je weet denk ik wel wat ik bedoel. Kenden de bewakers. Kenden de procedures, de bewakingscamera's, het tijdstip waarop de vracht met biljetten binnen zou komen, de branddeuren, de vluchtwegen, de verwisselbare auto's, de haken, de ogen, alles. Er zaten vier gasten in het team, twee van ons en twee van jouw kant van de stad, Botkyrka Noord. Drie van hen gingen het terrein van Arlanda op, naar het magazijn waar de spullen lagen. Eentje bleef buiten. Alles verliep helemaal volgens plan. Toen ze de zakken naar de klaarstaande auto hadden gebracht, werden ze opgewacht door gast nummer vier. Met een pistool in zijn hand. Op hun gericht. Snap je?'

'Jullie waren genaaid.'

'We werden recht in onze reet genaaid, keihard. Dat was voor meer dan vijfenveertig miljoen papier. En die gozer nam de hele zooi mee. Liet de drie anderen de shit in de auto laden. Daarna smeerde hij hem.'

'Dat meen je niet. Wie was het?'

Het duurde even voor Stefanovic antwoordde. Ståhl en de Rus dansten langzaam om elkaar heen. De Rus zag er moe uit. Ståhl stuiterde weg alsof hij wist hoe Akhramenko zou gaan slaan. Pareerde. Dook weg. Ze gingen in de clinch. Ståhl kreeg er bijna een knie tussen. De scheidsrechter haalde ze uit elkaar. De mannen terug in positie.

'Wisam Jibril heet ie. Libanees. Goed in waardetransporten. Herinner je je hem nog? Een soort van goeroe in jouw kringen, geloof ik. Sinds die Arlanda-overval is hij verdwenen. Doodverklaard in de tsunamiramp, net als veel anderen hebben laten doen. Met vijfenveertig van Radovans miljoenen.'

Plotseling was het glashelder waarom ze hem hadden gekozen. Wisam Jibril: een van Mahmuds goden in zijn jeugd. Drie jaar ouder. Zelfde school. Uit dezelfde hood. Zelfde gang. Bovendien had zijn vader Wisams moeder gekend. Het was net alsof ze hem vroegen een familielid te verraden. Kut.

Toch hoorde hij zichzelf zeggen: 'Waarom denk je dat ik hem kan vinden?'

'We denken dat hij weer in Zweden is. Hij is gesignaleerd in de stad. Maar hij weet dat we niet blij zijn. Niemand lijkt te weten waar hij woont. Hij is voorzichtig. Nooit alleen buiten. Heeft geen contact met zijn familie gehad, in elk geval niet voor zover wij weten.'

Stefanovic liet de woorden even in de lucht hangen. Daarna zei hij haast fluisterend: 'Vind hem.'

In de ring vochten de reuzen. Ståhl wisselde uppercuts af met directen. De guard van de Rus zakte langzaam omlaag. Hij liet zijn hoofd hangen, leek ongeconcentreerd. Na twee minuten: vol erop. De Zweed wist hem keihard te raken. De Rus stuiterde in de elastieken. Ståhl vlak bij hem. Pakte Akhramenko's nek vast. Drukte de reusachtige man naar beneden. Stootte zijn knie met volle kracht omhoog. De kaak van de Rus kraakte. Zijn bitje vloog eruit. Een halve seconde: stilte in de hal. Daarna zakte de Rus in elkaar op de mat.

Mahmuds gedachten een wirwar van tegenstrijdigheden. Op de eerste plaats: het aanbod van de Joego's was in vele opzichten een eitje. Het kon niet onmogelijk zijn een kill als Wisam te vinden, als hij echt in Stockholm was. Tegelijkertijd: die gozer was een vriend van de familie. Een jongen uit zijn hood, een Arabier. Wat zei dat over Mahmuds eer? Tegelijkertijd: hij had dit harder nodig dan ooit. Met die schuld aan Gürhan. En zijn geknakte eergevoel.

Stefanovic stond op. Die vent had zojuist honderdduizend verloren. Misschien bestond er toch nog onaangetaste sport – de Joego's leken in elk geval niet alles in deze stad te kunnen sturen. Mahmud bestudeerde zijn smoel. Volkomen uitdrukkingsloos.

Stefanovic keek hem aan.

'Bel me als je eruit bent. Voor maandag.'

Daarna vertrok hij.

8

Niklas stond al veertig minuten te douchen. Zijn ma was naar haar werk dus het maakte niet uit: hij kon zo lang in de badkamer blijven als hij wou.

Hoe lang zou ze bij hem blijven logeren? Oké, natuurlijk was het rot voor haar, een dooie in de kelder. Maar het was ook goed. Zou haar misschien aan het denken zetten, haar misschien veranderen.

Helaas was Niklas er zelf bij betrokken geraakt. Later die dag moest hij voor verhoor naar politie. De vragen tolden rond in de stoom onder de douchekop. Hij vroeg zich af wat ze uit hem dachten te krijgen. Hoe zou hij met al te indiscrete vragen omgaan? Het was vreemd – hoe wisten ze überhaupt dat hij bij zijn moeder had gelogeerd? Misschien had iemand uit het gebouw gekletst of had zijn moeder zich versproken.

Kut – het betekende gedoe. Hij had eigenlijk verwacht dat dit hem bespaard zou blijven. Het moest een van de buren van zijn moeder zijn. Bang, gechoqueerd, nerveus. Die ook dingen uitkraamde die niets met de zaak te maken zouden moeten hebben. Had vast aan de smerissen verteld dat er een jongeman bij haar had gelogeerd, haar zoon misschien. Hij kon alleen niet bedenken wie hem in het gebouw had gezien.

De douche was wrakkig. Roestbruin vuil tussen de tegeltjes. Witte aanslag op de doucheslang die op oude tandpasta leek. De afvoer werkte maar nauwelijks. Die schoft van een zwarte makelaar liet hem vast niet zo vaak schoonmaken. Een gedachte in Niklas' hoofd: zonder holtes hield de geciviliseerde mens het niet lang vol. Holtes waren de basis voor hoe schoon alles was. Een verstopt afvoerputje in de douche en het bestaan werd lastig. Te veel papier in de wc-pot of haar in de wastafel – een badkamer kon zomaar ontsporen. En de keuken – dingen spoelden weg door kleine gaatjes in de gootsteen, verdwenen voor eeuwig uit de wereld van het gemaksvolk. Zonder dat ze erbij stil hoefden te staan waar het heen ging, niemand maakte zich druk over wat er eigenlijk gebeurde met alles wat niet thuishoorde in zijn geordende leefruimte: haar, tandpastaspuug, etensresten, zure melk, ontlasting. De gaten vormden het voornaamste bestanddeel van comfort. Ze waren verantwoordelijk voor het pijnlijke gebrek aan kennis van echt vuil bij de westerse mens. Eigenlijk was

het gek dat er nooit iets door de gaten omhoogkwam. De pseudoreinheid binnendrong. De privéoppervlaktes van het huis belegerde. Maar Niklas wist – hij vertrouwde de gaten niet. Had ze niet nodig. Had zich zonder gaten staande gehouden onder veel zwaardere omstandigheden dan een doorsnee Zweedje ook maar kon verzinnen.

Hij huiverde bij de gedachte aan wat er door gaten omhoog kon komen. Griezelverhalen uit zijn kindertijd. Echte ervaringen uit Basra, Falluja, de woestijn, de bergen. Alle jongens die te lang in een barak hadden gewoond, wisten waar hij aan dacht. Zodra je daarginds een voet buiten de militaire zone zette, dreef de stront rond in de overgelopen afvoerpijpen.

Gedoucht en schoon, voor de tv. Nieuwe dvd-speler in glanzend plastic. Vermoeidheid en sufheid door elkaar. Sliep 's nachts nog steeds kut. Acht jaar in tenten, kazernes, kampen, krappe eenkamerwoninkjes met andere mannen had zijn sporen achtergelaten. De eenzaamheid trof hem elke avond als de terugslag van een snelvuurwapen dat je verkeerd vasthield. Niet dat hij helemaal flipte – het was eerder een bonzen in zijn ziel dat zijn balans verstoorde.

Hij liet de pillen die zijn moeder gister mee had genomen zitten: nitrazepam. Goed spul voor kalmere zenuwen, fijnere gedachten, betere slaap. Maar vandaag moest hij scherp zijn. Die lui die hij te spreken zou krijgen, zagen het meteen aan je pupillen als je iets gebruikte.

Hij keek naar *Taxi Driver*. Op dit moment echt geen goeie film voor hem. Robert de Niro met psychotische schietoefeningen voor de spiegel. De Niro in een café met het hoertje – een gruwelijk jonge Jodie Foster. De psychopaat in de shoot-out in het trappenhuis. Overal bloed. Het zag er niet echt uit. Rare kleur rood, te vloeibaar of zo.

De eenzaamheid tikte door. Hij dacht: eigenlijk is een mens altijd eenzaam. Je komt niet dichter bij een medemens – hoe goed je ook bevriend met hem bent – dan bij je buurman in de tent. Fysiek kan het zo dichtbij zijn dat zijn gore adem een hele nacht slaap verknalt. Maar in de praktijk is het nooit zo dichtbij dat je niet op kunt staan, je broek en overhemd aan kunt trekken en voor altijd kunt verdwijnen. En je buurman in de tent zou het geen jack shit kunnen schelen.

Niklas was eenzaam. Hij alleen.

Tegen de rest.

Hij deed zijn ogen even dicht. Luisterde naar de dialogen in de film.

De tijd ging zo traag als tijdens een wacht daarginds. Het was ssDD – *Same Shit, Different Day*. Dezelfde angstgedachten maar dan in een woonkamer.

Zo meteen zou hij naar de politie gaan voor het verhoor.

In de ondergrondse naar de stad. Zweden was een ander land dan toen hij wegging – anoniemer, tegelijkertijd jachtiger. Hij voelde zich indertijd vaak alsof hij op bezoek was. Nu was hij echt op bezoek. Constant.

Hij dacht aan zijn oefeningen. De messen. Wapens poetsen. Bekende situaties. Ontspannende bezigheden. Hij maakte zich eigenlijk geen zorgen over het verhoor. Smerissen waren over het algemeen sufferds.

Tien minuten later stapte hij het politiebureau binnen. De bewaakster bij de receptie had grijs haar en een scheiding. Gedroeg zich als een stijve militair. Geen glimlach, korte, bondige vragen. Met wie heb je een afspraak? Hoe laat? Heb je een telefoonnummer?

Vijf minuten later kwam de politieman hem halen.

De verhoorruimte: kaal op een poster na. Op de poster stonden wat mensen om een tafel vrolijk te proosten. Misschien dronken ze een borrel. Misschien was het midzomer. Het was al honderd jaar geleden dat Niklas midzomer had gevierd. De smerissen hadden duidelijk geprobeerd de sfeer wat op te krikken. Twee houten stoelen met pluchen kussens, een tafel aan de vloer vastgeschroefd, een computer met een kaartlezertje, een snoer dat van het plafond naar beneden hing met helemaal onderaan een lavaliermicrofoontje. De poging tot gezelligheid was maar matig geslaagd.

De politieman stelde zich voor: 'Hallo, ik ben Martin Hägerström. En jij bent Niklas Brogren?'

'Dat klopt.'

'Mooi. Welkom. Neem plaats. Wil je koffie?'

'Nee hoor, bedankt.'

Martin Hägerström ging tegenover hem zitten. Logde in op de computer. Niklas nam de man op. Ribbroek, gebreide trui. De kraag van zijn overhemd stak er bovenuit. Te lang haar voor een echte smeris. Onrustige blik. Conclusie: in de woestijn zou deze gozer het niet meer dan drie uur volgehouden hebben.

'Om te beginnen enkele formaliteiten. Je wordt gehoord ter informatie. Dat betekent dat je nergens van verdacht wordt. We nemen wel alles op wat hier gezegd wordt. Daarna schrijf ik het uit en kun jij het goedkeuren. Op die manier hoeft niemand verkeerd begrepen te worden. Als je even pauze wilt kun je dat zeggen. Op de gang zijn koffieautomaten en toiletten. Hoe het ook zij, ik neem aan dat je weet waarom je hier bent. Op 3 juni is er op de Gösta Ekmansväg een dode man gevonden. We zijn nu bezig zo veel mogelijk informatie over deze gebeurtenis te verzamelen. De man is niet geïdentificeerd en hij was er vrij ernstig aan toe. Aangezien jij een paar weken bij je moeder hebt gelogeerd, vroeg ik me af of je iets bijzonders is opgevallen.'

De politieman typte iets op de computer terwijl hij sprak.

De situatie deed Niklas denken aan zijn werkzoekerij van de afgelopen dagen. Hij had zijn cv naar verschillende bedrijven gestuurd. Mocht op gesprek komen bij Securicor. Maar eigenlijk zou hij op veel interessantere plekken werk moeten kunnen krijgen. Het hoofdkwartier lag in Västberga. Drie meter hoge hekken. Drie bewaakte entrees waar hij langs moest voor hij de nerd van Personeelszaken te spreken kreeg. Maar met zes kogels in een halfautomatische Heckler &

Koch Mark 23 zou hij doodsimpel langs al hun barrières gekomen zijn.

Soms werd hij bang van zijn eigen gedachten – hij kon die focus op veiligheid nooit loslaten. Maar dat was ook meteen de reden waarom hij meer waard was dan een gewoon bewakersbaantje.

Het sollicitatiegesprek was slaapverwekkend. De dikke personeelsman had stekeltjes maar hij wist vast niet hoe het was om zoveel luizen in je kazernebed te hebben dat het niet uitmaakte hoeveel tenutexkuren je nam. Het enige wat hielp was alles eraf scheren. Hij ging maar door over persoonlijke en technische bewaking in opdracht van het bedrijfsleven en de overheid in heel Zweden. Bla, bla, bla. Bewaking van fabrieken, kantoren, winkels, ziekenhuizen en andere panden om een veilige werkomgeving te creëren en de risico's van onrechtmatige toegang te verminderen. Whatever.

Het was niks voor Niklas. Hij stelde geen enkele vervolgvraag. Deed zich slapper voor dan hij was. Speelde intens verlegen. Kreeg de baan niet.

Terug uit zijn gedachten. Hij keek op. Martin Hägerström was klaar met zijn verhaal. Het was Niklas' beurt om te praten. Hij ademde in, probeerde te ontspannen.

'Eigenlijk heb ik niks bijzonders te melden over het gebouw. Ik heb een paar jaar in het buitenland gewerkt en moest ergens wonen tot ik iets voor mezelf had gevonden. Ik was meestal thuis bij mijn moeder, ging soms joggen en had een paar sollicitatiegesprekken, dus ik heb eigenlijk niemand anders in dat gebouw gezien. Voor zover ik weet zijn ze allemaal normaal.'

'En hoe was het om op jouw leeftijd weer bij je moeder te wonen?'

'Nogal vermoeiend eigenlijk, maar dat hoef je niet tegen haar te zeggen. Ik heb niks tegen mijn moeder of zo, maar je weet hoe het is.'

'Ja, zelf zou ik het niet meer dan vier uur volhouden, daarna zou ik doen alsof ik een belangrijk verhoor of zoiets had.'

Ze grijnsden.

De smeris ging verder: 'Wat deed je voor werk in het buitenland?'

'Ik heb een paar jaar gestudeerd. Daarna heb ik in de bewaking gewerkt, vooral in de VS.'

Niklas hield de reactie van de smeris goed in de gaten. Sommige politiemannen konden leugens bijna ruiken.

'Interessant. Weet je of er een slechte onderlinge sfeer heerste in het gebouw? Of er sprake was van oud zeer of iets dergelijks?'

'Nee, daarvoor heb ik er te kort gewoond en mijn moeder heeft er nooit iets over gezegd.'

'Kun je de andere mensen in het gebouw beschrijven?'

'Ik ken ze niet. Het is al zo lang geleden dat ik er woonde. Ik was toen nog vrij jong. Mijn moeder heeft nooit iets raars over ze verteld. Geen criminelen of zo. Niet meer in elk geval.'

'Niet meer?'

'Nou, toen ik klein was woonden we daar dus ook al. Toen was het niet bepaald het rustigste gebouw van de stad.'

'Waren er problemen? Wat voor soort?'

'Axelsberg begin jaren tachtig, voordat er een heleboel jonge hippe mensen waren komen wonen. Toen woonden de echte arbeiders er nog, als je begrijpt wat ik bedoel. Veel alcoholisten ook.'

'Oké, je dacht dus niet aan specifieke personen?'

'Een paar van hun wonen er trouwens nog. Engström bijvoorbeeld. En dan had je nog wat rare figuren. Lisbet bijvoorbeeld, Lisbet Johansson. Die was echt raar.'

'Op welke manier?'

'Ze liep te schreeuwen in het trappenhuis en zo. Ik weet nog dat ze bij de wasmachines een keer ruzie met mijn moeder begon te maken. Probeerde haar met een wasmand te slaan. De politie is er zelfs bijgehaald.'

Niklas zweeg. Had het gevoel dat hij te veel had verteld. Maar dat kon ook goed zijn. Hij moest die Hägerström toch iets geven.

'Nou, dat klinkt niet echt leuk. Wat gebeurde er daarna?'

'Niets. Mijn moeder probeerde haar alleen te ontlopen. En ik weet niet meer wat ik deed. Ik was nog klein.'

'Een merkwaardige toestand. Maar woont ze er nog steeds?'

'Ik geloof het niet. Ik weet niet waar ze woont.'

'We zullen het nakijken.'

Hägerström typte als een bezetene.

'Dan heb ik eigenlijk nog maar één vraag voor je.'

'Oké.'

'Waar was je op 3 juni tussen acht en elf uur 's avonds?'

Niklas was erop voorbereid. Had verwacht dat de vraag ergens tijdens het verhoor op zou duiken. Hij probeerde te glimlachen.

'Ik heb het nagekeken. Ik zat bier te drinken bij een vriend van vroeger.'

'De hele avond?'

'Ja, we hebben een filmpje gekeken, geloof ik.'

'Oké. En hoe heet hij?'

'Benjamin. Benjamin Berg.'

Op het perron om terug te gaan naar zijn zwarte flatje. Connex riep om: 'De metro rijdt volgens de dienstregeling.' Niklas dacht: Zweden is vaag. Toen hij acht jaar geleden vertrok, ging men ervan uit dat de metro op tijd reed. Nu, na de uitverkoop, privatisering, zogeheten professionalisering – die shit werkte nooit – was het blijkbaar nodig mee te delen dat de metro voor één keer op tijd reed.

Hij wist beter dan wie ook: particuliere alternatieven zagen er op papier schitterend, efficiënt, rationeel uit. PMC's – *Private Military Companies*, ook bekend

als *security contractors*. Particuliere oplossingen. Kosteneffectief. Perfect voor laagintensieve brandhaarden. Hoogrisico-operaties buiten de staat om. In het Irakese zand en vuil konden ze catastrofaal zijn. De gewelddadigheid ging elke fantasie te boven. Hij probeerde de gedachten van zich af te schudden. Hoe hij, Collin en de anderen zich vanuit de helikopter naar beneden hadden laten zakken. Hun waarschuwingen hadden geroepen en daarna door de nauwe steegjes waren gestormd. Het had geregend – de rode modder spatte op tot op zijn *flak jacket*. Hoe ze de houten deur van het huis hadden ingeramd.

Het politieverhoor was goed gegaan. Ze zouden zijn moeder en hem niet in de problemen brengen. Hij hoopte dat zijn ma er snel overheen zou zijn. Weer thuis zou gaan slapen. Hem met rust zou laten.

Benjamin had hem een megadienst beloofd: als iemand zou vragen hoe lang Niklas op 3 juni bij hem was geweest, zou hij 'de hele avond' zeggen.

Aspudden, hij stapte uit.

Lange, ferme stappen over het perron. Niet veel mensen in de buurt. Het was vier uur 's middags.

Toen, een beweging. Links beneden.

Op het spoor.

Hij keek naar beneden. Bleef staan.

Foute keus.

Wat hij niet wilde zien: een groot beest achter de voedingskabel. Zwarte kraaloogjes zonder mededogen.

Niet goed zichtbaar. Misschien al helemaal niet meer zichtbaar. Maar hij wist dat ie daar zat. Daar beneden. Uit de tunnel.

Wachtte op hem.

Vijf minuten later: hij was thuis. Zijn ma was nog op haar werk.

De slaapkamer in de flat was nauwelijks gemeubileerd. Een twijfelaar in de hoek. Een kussen en een dekbed. Een poster van het Moderne Museum aan de muur – een tentoonstelling van vijftien jaar geleden – raar geschilderde vrouwengestalten. Helemaal onder aan de poster stond het woord 'non-figuratief'. Catharina had hem meegenomen na dat gedoe in de kelder. Onnodig grote witte Ikea-kasten. Bij een ervan hing de kastdeur scheef.

Hij ging op bed liggen. De pot pillen op de grond.

Dacht: fokking ratten in deze buurt. Smerige ratten op zijn hardlooprondje. En nu: godverdomde ratten in de metro.

Hij viste twee tabletten van vijf milligram uit het potje. Brak er eentje in zijn hand. Legde een hele en een halve op zijn tong. Liep naar de keuken. Nam een slok water. Spoelde ze weg.

Ging op de bank in de woonkamer liggen.

Zette de tv aan. Probeerde te ontspannen.

Schrok na een paar minuten weer wakker.

Hij hoorde stemmen. Een geluid van de televisie? Nee.

Weer harde stemmen, vlakbij.

Ze kwamen van de andere kant van de muur. Iemand gilde.

Hij herkende iets. Arabische diftongen.

Hij luisterde. Zette het geluid van de tv zachter.

Even later begreep hij het. Ruzie in de flat naast hem. Dat moest dat meisje zijn dat hij op de trap had ontmoet. Ja, hij hoorde een vrouwenstem. En nog iemand. Misschien haar vriendje, vader, minnaar. Ze schreeuwden. Brulden. Stoorden.

Hij probeerde te horen waar ze over bekvechtten. Niklas' Arabisch: basic, maar goed genoeg om scheldwoorden te verstaan.

'Sjarmoeta,' riep de mannenstem aan de andere kant. Dat was grof: hoer.

'Kh'at oem'n!' Grover: neuk je moeder.

Ze schreeuwde weer. Harder. Agressiever. Tegelijkertijd met paniek in haar stem.

Niklas ging rechtop op de bank zitten. Drukte zijn hoofd dichter naar de muur.

Voelde dat de stress hem bekroop – het ongemakkelijke gevoel onuitgenodigd deelgenoot te worden van andermans privéleven. En erger nog: het onbehagen in de stem van het meisje.

Ze brulde. Daarna klonk een scherper geluid. Het meisje werd stil. De man schreeuwde: 'Ik maak je dood!'

Meer bonzende geluiden. Het meisje dat smeekte. Soebatte. Kermde dat hij op moest houden.

Daarna een andere toon, zonder agressiviteit.

Alleen angst. Een toon die Niklas al zo vaak had gehoord.

Het geluid kwam hem bekender voor dan iets wat hij in het Arabisch had gehoord.

Vertrouwder.

Meer als de herhaling van zijn eigen geschiedenis.

De meid in de flat naast hem kreeg op haar lazer.

9

Avondeten: varkenshaas met gebakken aardappels. Knoflokige roomsaus en sla. Thomas liet de sla liggen. Eerlijk gezegd: groente was iets voor vrouwen en konijnen. *Real men don't eat* sla, zoals Ljunggren zei.

Åsa, zijn vrouw, zat tegenover hem en praatte aan één stuk door, zoals altijd. Vandaag ging het over de tuin. Hij ving hier en daar een woord op. Strobloemen, zaaien in mei, licht geurende bloemen in verschillende kleuren in de zomer, Iberis.

De enige geur die hij kende: de lucht van vuil, geweld en dood. De geur die een patrouillerende politieman altijd vergezelde. Hoe hard je ook aan andere dingen probeerde te denken – de stank van de stad bleef aan je kleven. De enige kleuren die hij zag: betongrijs, politieblauw en bloedrood van slecht geplaatste injectienaalden en fikse mishandelingen. Hoeveel bloemen Åsa ook plantte, de primaire kleuren in zijn kop waren altijd die van geweld.

Voor sommige mensen was Stockholm een fijne, knusse, authentieke stad. Schilderachtig met beleefde en welwillende mensen, schone straten en interessante winkelmogelijkheden. Voor dienders was het een stad vol drank, kots en pis. Voor veel mensen betekende Stockholm geëmancipeerde openbare instellingen, spannende cultuurprojecten, trendy koffiebars en mooie façades. Voor anderen – alleen façades. Daarachter: biertenten, logementen, bordelen. Mishandelde vrouwen wier vriendenkring hun blauwgeslagen gezichten negeerde, heroïnejunkies die een halfuurtje roes bij elkaar jatten in de plaatselijke supermarkt, buitenwijkhooli's die ongehinderd huishielden – die bejaarden met hun huur op weg naar de bank neertrapten. Stockholm: het mekka van de dieven, drugsdealers en gangs. De ontmoetingsplaats voor hoerenlopers. De markt voor huichelaars. De verzorgingsstaat had zijn laatste rochelende adem ergens in de jaren tachtig uitgeblazen en geen hond die het wat kon schelen. De enige plek waar die twee werelden elkaar ontmoetten, leek de staatsslijterij te zijn. De ene kant wilde een wat chiquere *bag-in-box* voor een gast bij het avondeten, de andere kant zocht naar een kwartflesje sterkedrank voor de zuippartij die avond. Maar binnenkort had je vast ook twee verschillende slijterijen – eentje waar alleen welgemanierde burgers welkom waren en eentje

voor de rest. Een tweederdesamenleving in de rijen van de alcoholconsumptie.

Thomas dacht aan zijn pa, Gunnar. De ouwe was drie jaar geleden overleden aan prostaatkanker, nog maar zevenenzestig jaar oud. Op een bepaalde manier was Thomas blij dat zijn vader deze zooi niet mee hoefde te maken. Hij was een echte arbeidersheld geweest, een man die in Zweden had geloofd.

Maar iemand moest opruimen. De vraag was of dat zijn taak was. Hij twijfelde te veel aan het systeem. Ging te vaak over de schreef. Shit, hij leek net een verbitterde rechercheur in een slaapverwekkende Zweedse politieserie. Kankeren op de maatschappij en misdaden oplossen. Dat was zijn ding toch helemaal niet?

'Zouden we eigenlijk geen kasje moeten nemen? Wat vind jij, Thomas?'

Hij knikte. Werd wakker uit zijn gedachten. Hoorde de pijn in haar stem. Hoe ze ernaar verlangde dat hij zou ontdooien. Hoe hun problemen via hem opgelost zouden worden. Hij hield van haar. Maar het probleem omvatte hen alle twee. Ze konden geen kinderen krijgen. Angst in het kwadraat. Nee, goddomme tot de derde macht.

Ze hadden alles geprobeerd. Thomas had maandenlang niet gedronken, ze probeerden zo vaak ze maar konden seks te hebben, Åsa slikte hormonen. Twee jaar geleden kwamen ze in de buurt. Ziekenhuis Huddinge had wonderen verricht. Åsa kreeg zijn zaad via een katheter ingespoten – kunstmatige inseminatie. De weken verstreken. De zwangerschap verliep volgens plan. Ze passeerde de twaalfwekengrens, het moment waarna de meeste mensen het begonnen te vertellen. Als het zeker zou moeten zijn. Maar er ging iets fout – in de vijfde maand kreeg Åsa een miskraam. Ze moesten haar opensnijden om het kind eruit te krijgen. In zijn fantasie zag hij voor zich hoe ze de dode foetus, zijn kind, eruit haalden. Zag armen, benen, een lichaampje. Hij zag een hoofd, een neus, een mond. Alles.

Hij wilde het zo graag. Een voorwaarde, iets vanzelfsprekends. Een vereiste voor het goede leven. Je had altijd de mogelijkheid om te adopteren. Ze zouden toestemming krijgen. Kinderloos, middenklasse, stabiel, ordelijk – in elk geval op papier. Bereid zo'n kleintje boven alles lief te hebben. Maar het idee werkte niet – de gedachte stond Thomas niet aan. Zijn hele lichaam jeukte van de weerstand. Soms schaamde hij zich voor de reden. Soms stond hij er principieel achter. Het was niet goed. Op geen enkele manier. Maar de reden dat hij niet wilde adopteren, was dat hij een kind wilde dat eruitzag als Åsa en hij. Geen Chinees, Afrikaan of Roemeen. Hij wilde een kind dat zou passen in het gezinsleven dat hij op wilde bouwen. Ze mochten hem een racist noemen. Een bevooroordeelde klootzak. Een holbewoner. Het kon hem geen ruk schelen, hoewel hij zijn gevoelens hierover natuurlijk niet rondbazuinde op zijn werk – hij zou nooit iets anders adopteren dan een Scandinavisch kind.

Åsa vergaf het hem niet.

Hun huis was hoe dan ook te klein voor een gezin. Tallkrogen. Honderdtien vierkante meter. Een witgeschilderd houten huis. Twee verdiepingen. De hal, keuken, wc en woonkamer op de begane grond. Op de bovenverdieping: twee slaapkamertjes, een kleine televisiekamer en de badkamer. De televisiekamer gebruikten ze als kantoortje/fitnessruimte. Een hometrainer en een gewatteerd bankje op de grond. Een paar haltertjes en een grote halter in een kast samen met mappen, een naaimachine, stoffen en sportkleding. Een bureau met een computer en een stapeltje van een paar patronen voor jurken. Een bureaustoel die Thomas mee had mogen nemen toen het district reorganiseerde. Verder leeg. Thomas hield er niet van zooi te verzamelen.

Hij noemde het een poppenhuisgevoel. Het huis had niet eens een grotere speelruimte of een echte kelder. Het zou niet gaan, zeker niet als ze meerdere kinderen zouden adopteren. Waar moesten ze in godsnaam plek vandaan halen voor een ledikantje, een commode en een pingpongtafel?

Na het eten ging hij naar de computer. Deed de deur achter zich dicht. Zette de bak aan. Het Windows-logo sprong als een verdoemde geest rond over het scherm.

Klikte op het icoontje van Explorer. Werd herinnerd aan zijn grote angst – dat Åsa op een dag zoveel van computers zou weten dat ze doorkreeg dat zijn gesurf naar porno te zien was in de geschiedenis van de browser. Hij moest iemand op zijn werk vragen of je dat kon wissen.

Maar dat was niet waar hij hier nu voor zat. Hij groef in zijn broekzak. Haalde er een USB-stick uit. Thomas: als er iemand geen computernerd was dan was hij het wel, maar hij nam wat hij nodig had liever in fysieke vorm mee dan het te mailen. Af en toe had hij nerveus gevoeld of de stick er nog zat. Als hij hem kwijt zou raken, iemand hem zou vinden, zou kijken wat erop stond en ontdekte dat het van hem was – er zouden meer vragen op hem worden afgevuurd dan bij het ergste kruisverhoor in de rechtbank.

Hij stopte het in de computer. Een plopgeluid. Er verscheen een kadertje op het scherm. Een file op de USB met de naam 'obd.rapport'.

De computer ratelde. Adobe werd geopend. Het obductierapport was nog geen drie pagina's. Eerst scrolde hij naar het einde – correct ondertekend door Bengt Gantz, gerechtsarts. Hij begon bij het begin te lezen. Het ging langzaam. Hij las het nog een keer.

En weer.

Er was iets raars. Gruwelijk raar – in het obductierapport stond helemaal niets over de injectiesporen op de arm of dat ze het lijk onderzocht hadden op verhoogde waarden van drugs of andere shit.

Dit kon geen toeval zijn. Toen Thomas zijn rapport bij Hägerström had gezien en begreep dat de laatste regels over de potentiële doodsoorzaak waren weggevallen, was hij verbaasd geweest. Had het vreemd gevonden, maar hij had er verder niet bij stilgestaan. Maar nu – gerechtsartsen misten dat soort

dingen niet. De injectiegaatjes waren heel duidelijk. Of de arts wilde ze om een of andere reden niet noemen, of – de gedachte kwam in hem op en bleef meteen hangen – iemand anders had het geschrapt. En die persoon moest hetzelfde onderdeel uit zíjn rapport geschrapt hebben.

Hij moest bedaren. Overwegen wat hij moest doen. Hoe hij moest handelen. In al zijn jaren bij de politie had hij nog nooit zoiets meegemaakt.

Åsa ruimde de keuken op. Keek niet eens op toen hij de buitendeur opendeed en de garage inging. Dat was routine. Zo vaak er tijd over was, werkte Thomas aan zijn Cadillac. Bovendien was het een investering. Hij kon wat van het extra geld dat hij tijdens zijn werk opstreek in de auto stoppen zonder dat iemand zich iets afvroeg. Maar belangrijker: die wagen was zijn meditatie in het leven. De plaats waar hij, net als op de schietbaan, ontspande. Zich thuis voelde. Dit was zijn kleine nirwana.

Er was nog iets in de garage: de grote, afgesloten, grijze metalen kast. Åsa en hij noemden het de gereedschapskast, maar alleen zij dacht dat er gereedschap in zat. Hij bewaarde er weliswaar wat gereedschap en spullen voor de auto, maar tachtig procent van de kast bevatte belangrijker zaken: in beslag genomen marihuana van een groep Arabieren in Fittja, hasj die was afgepakt van een Turkse junk in Örnsberg, amfetamine die een Zweedse dealer in de metro had verloren, een paar pakjes Russische groeihormonen die in een garage in Älvsjö waren gevonden, contanten van diverse overvallen langs de hele rode metrolijn. En meer. Zijn goudmijntje. Een soort pensioenverzekering.

De auto glansde. Een Cadillac Eldorado Biarritz uit 1959. Een schoonheid die hij zes jaar geleden op internet had gevonden. Hij had in Los Angeles gestaan maar hij had niet geaarzeld. Alle inbeslagnames die hij bij het gespuis had gedaan, hadden deze auto als doel gehad. Zonder het spaargeld dat hij naast zijn belabberde politieloontje had opgebouwd, zou die auto nooit van hem zijn geweest. Maar dat was hij nu wel. Hij was hem samen met zijn vader gaan halen, zijn vader was toen nog goed in vorm. Ze reden in één ruk van Los Angeles naar Virginia. Achtenveertighonderd kilometer. Vijfenvijftig uur autorijden. Åsa vroeg zich af hoe hij het had kunnen betalen en dan wist ze nog niet eens dat hij dubbel zoveel had gekost als hij tegen haar had gezegd.

Hij was geweldig. De originele V8-motor van de Cadillac, bij autoliefhebbers beter bekend als Q – 345 pk – het had hem alleen al een halfjaar gekost om de klepspeling zo af te stellen dat hij liep als nieuw. Hij zoop benzine als een vrachtwagen.

De auto die nu voor Thomas stond, kwam van een andere planeet vergeleken bij de rotzooi van tegenwoordig. Hij was bijna klaar. Had het chroom opgeknapt, een nieuw interieur gekocht, elektrische stoelverstelling plus paars metallic stoelen geïnstalleerd, achterschermen gemonteerd, een nieuwe grille geïmporteerd vanuit de States, de gesynchroniseerde versnellingsbak versleuteld. Voor de juiste banden met witte wangen, mistlampen, airconditioning,

getint glas in de zijraampjes gezorgd. Aan de achteras, carburateur en remmen gesleuteld. Elk metalen onderdeel een zuurbad gegeven en gegalvaniseerd.

Eldorado Biarritz: de auto die de staartvinnen en dubbele achterlichten introduceerde. Een stijlicoon zonder weerga, een kunstwerk, een legende onder de auto's. Meer rock-'n-roll was er niet te koop. Met de meeste van deze auto's kon je niet eens rijden. Maar Thomas' auto reed heerlijk. Hij was uniek. En hij was van hem.

De enige grote klus die nog te wachten stond, was de hydraulische vering. Thomas wist wat hij wilde: de oorspronkelijke vering moest er weer in terug, zo simpel was het. Hij had dat tot het laatste bewaard. Verder was de auto perfect.

Thomas trok zijn overall aan, deed zijn hoofdlamp op. Rolde onder de auto. De lekkerste positie. Het werd donkerder om hem heen. In de lichtkring van zijn hoofdlamp was het onderstel van de auto een wereld op zich, met eigen continenten en geologische formaties. Een kaart die hij beter kende dan welke plaats ook. Hij wachtte met het tevoorschijn halen van de schroefsleutel. Bestudeerde de onderdelen van de auto. Lag daar zomaar een tijdje.

Iemand had zowel in zijn eigen rapport als in dat van de gerechtsarts de beschrijving van de injectiesporen en een mogelijke doodsoorzaak geschrapt. De gerechtsarts zelf? Iemand van de politie? Hij moest iets doen. Tegelijkertijd – het ging hem niet aan. Waar zou hij zich druk over maken? Als die arts niet wilde dat er iets over die prikken zou staan, had hij misschien zijn redenen. Lastig om er allemaal extra shit over op te schrijven in het obductierapport. Of het was een collega van Thomas die niet wilde dat het bekend werd dat een onbekende vent uitgerekend door injecties was vermoord. Dan moest het misschien maar zo zijn. Hij was niet iemand die liep te klikken, saboteren, snuffelen als het om andere politiemannen ging. Hij was niet zoals die Martin Hägerström.

Aan de andere kant – hij zou zelf misschien in de problemen komen. Als de vergissing in het obductierapport boven water kwam, konden er vragen ontstaan over de redenen waarom hij relevante feiten had weggelaten. Dat risico wilde hij niet nemen. En hij wist niet wie zijn tekst had gewist. Het was niet zo dat hij iets verpestte voor een collega die hij kende. Als je iets wou verbergen, moest je in elk geval open kaart spelen tegen de medewerkers.

Dit was niet oké. Hij moest met iemand praten. Maar met wie? Jörgen Ljunggren was natuurlijk uitgesloten. Die gast was haast nog stommer dan een docusoapbimbo. Hannu Lindberg, een van de mannen met wie Thomas vaak diensten draaide, hij zou het misschien begrijpen, maar de vraag was of hij het met hem eens zou zijn. Volgens Hannu was alles wat niets met geld of je waardigheid als politieman te maken had, niet interessant. De andere kerels van de surveillance kende hij niet goed genoeg om ze te vertrouwen. Het waren goeie jongens, daar niet van, maar het waren geen mannen die al te diep na wilden denken. Hij dacht aan Hägerströms opmerking: 'De papiermensen samen met

de mensen die echt de straat op gaan. Er gaat tegenwoordig zoveel kennis verloren.'

Thomas bracht het niet op er nog meer over na te denken. Hij zette zijn hoofdlamp uit. Bleef nog drie minuten liggen voor hij onder de auto vandaan rolde.

Stond op. Spoelde zijn handen af onder een slangetje in de garage.

Haalde zijn mobieltje tevoorschijn. Hij had Hägerströms nummer bewaard.

'Hägerström,' zei Martin Hägerström.

'Hallo, met Andrén. Zit je op een rustige plek?'

Thomas hoorde de interesse in Hägerströms stem.

'Absoluut. Je bent niet aan het surveilleren?'

'Nee, ik ben vrij. Bel van huis. Er is iets waar ik het met je over wil hebben.'

'Brand los.'

Thomas ging monotoon verder. Wilde niet dat Hägerström zou denken dat hij hem nu gunstig gezind was.

'Ik heb het obductierapport mee naar huis genomen. Ik weet dat het materiaal is dat bij een onderzoek hoort en dat daarom niet meegenomen mag worden van het bureau, maar daar heb ik lak aan. Ik wilde het namelijk niet printen en op het bureau lezen. En je had gelijk, de injectiesporen worden niet genoemd. Dat zal jou wel niet verbazen, want je zegt immers dat er ook niets over die sporen in mijn incidentenrapport stond, maar ik weet dat ik ze wel genoemd heb. Het is niet waarschijnlijk dat deze gerechtsarts, Gantz, die altijd in lijken staat te snijden, ze gemist zou hebben. Want om heel eerlijk te zijn, niemand, zou ze gemist hebben, zelfs jij niet. Heb je het lijk wel gezien?'

Stilte aan de andere kant.

'Hägerström?'

'Ik ben er nog. En ik denk na. Wat je me hier vertelt klinkt heel eigenaardig. Er zijn volgens mij maar twee mogelijke verklaringen. Of je houdt me voor de gek. Je hebt geen bal over gaatjes of doodsoorzaken geschreven en wilt mijn onderzoek saboteren. Dat is de meest waarschijnlijke verklaring voor dit mysterietje van je. Of er is iets gruwelijk mis. Iets wat ik tot op de bodem uit ga zoeken. En ik heb het lijk niet gezien. Maar nu ben ik van plan dat te gaan doen. Dan weet je dat.'

Thomas wist niet wat hij terug moest zeggen. Hägerström hoorde bij de andere kant. Maar eigenlijk deed die gast het perfect. Eigenlijk zou hij gewoon op moeten hangen. Het niet pikken dat een collaborateur als Hägerström zo tegen hem sprak. Bovendien hoorden straatagenten als Thomas zich niet met het onderzoek van rechercheurs te bemoeien. Zonder te weten waarom flapte hij er toch uit: 'Dan is het denk ik het beste als ik met je meega. Zodat ik iemand kan laten zien waar die gaatjes zaten.'

10

Lentetekens: kleine witte bloemetjes in de bruine grasvelden, opbouw van terrasjes, ontdooide hondenstront. Dertienjarige meisjes in te korte minirokjes hoewel het nog maar veertien graden was. Binnenkort was het zover: de Zweedse zomer. Warm. Licht. Vol meiden. Mahmud keek ernaar uit. Tot die tijd hoefde hij alleen maar zijn spieren opnieuw op te kweken en de shit waarin hij terecht was gekomen op te lossen.

Hij hing bij het gat in de muur. Nat haar van de training. Pijnlijke spieren. Lekkere uitputting.

Wachtte op zijn homie, Babak. Het was zes uur en ze zouden nu moeten sluiten. Irritant dat hij niet naar buiten kwam. Mahmud probeerde te bellen. Geen gehoor. Stuurde een sms'je, een standaardgrapje: 'Weet je nog die keer in de trein: ik stak mn kop naar buiten jij je reet. Dachten ze dat we n tweeling waren. Bel me!'

Geïrriteerd. Eigenlijk niet door Babak, zijn mattie was altijd laat, maar door de hele situatie. Het was fout aan het lopen. Minder dan vijf dagen nog. Mahmud had niet meer dan vijftienduizend cash bij elkaar geschraapt. Dat was nog geen twintig procent van wat Gürhan wou hebben. Wat moest hij goddomme doen? Dezelfde gedachte herhaalde zich als een gesamplede loop: de Joego's zijn mijn enige kans.

Hij bekeek het elektriciteitskastje waar hij tegenaan leunde. Volgekliederd: sporen van Ernesto Guerra-stickers, gespoten Giant-koppen, aanplakbiljetten voor veertigduizend verschillende cd-winkels. Hij dacht: Zwedo's houden zich met zoveel onzin bezig. Dat was hun luxe – ze konden zich bezighouden met overbodig, onbegrijpelijk, onmannelijk vermaak: demonstreren om de winkels van kleine zelfstandigen te trashen bij *Reclaim-the-streets*-rellen, vage gothfeesten houden waar iedereen erbij liep als een lijk, hele dagen studeren in een café. Maar die softies wisten niks over het leven met een hoofdletter L. Hoe het was als je bij de sociale dienst voor tolk moest spelen omdat je ouders uit moesten leggen dat ze geen geld hadden voor winterjassen. Hoe het was om zonder toekomst op te groeien in de betonnen hoogbouwwijken van het miljoenenprogramma. Te zien hoe de waardigheid van je vader elke keer als

hij door overheidsmensen werd gewantrouwd, een knauw kreeg – een zeer ge-respecteerd man in het land waar hij vandaan kwam, werd door het Zweedse slijk gehaald als een hoer die in zijn vaderland over een plein werd gesleurd. Ze vroegen argwanend waarom hij geen beter werk kreeg hoewel hij afgestudeerd ingenieur was, waarom hij niet beter Zweeds sprak – gaven hem formulieren om in te vullen hoewel ze wisten dat hij het Zweedse alfabet niet eens kon lezen. Fuck hun moeders.

Mahmud hield van zijn vader en zussen. Hij digde zijn homies, Babak, Ro-bert, Javier en de anderen. De rest kon oprotten.

Hij zou ze allemaal overwinnen. De Born-to-be-hated-leden. De fokking Fittjasukkels. De Stockholmkids. De Ernesto-Guerra-clowns. Terugkomen. La-ten zien we er de baas was. Cashen. De allochtoon uit de hoogbouwhood zou *the king* zijn. Ze breken. Kaalplukken. Als de Joego's hem maar hielpen.

Vier uur geleden had hij Stefanovic gebeld en het aanbod geaccepteerd – hij was van plan Wisam Jibril voor ze te vinden. Mahmud *the king* – als dat ge-beurd was, zou Gürhan gruwelijk in de stront bijten.

Mahmud dacht aan zijn opdracht. Iemand zijn bij de Joego's betekende overal iemand zijn. Als dit hem lukte, als hij die Libanees wist te vinden, Radovans wens vervulde, dan zou zijn naam 'Mahmud the Man' worden. Niet zoals nu: 'Mahmud-de-swa-die-hogerop-wil-maar-nog-nergens-is'.

Meteen na het gesprek met Stefanovic had Mahmud Tom Lehtimäki gebeld – een mattie van vroeger. Tom was bezig met economie en dat soort dingen. Werkte voor een incassobedrijf of zo. Een gouden contact dat meteen aan de slag ging. Twee uur na hun gesprek vroeg Tom een rechtbank om alle papieren in de zaak van de Arlanda-beroving te faxen. Ze weigerden zoveel papier te faxen. Stuurden de hele zooi per post. De zaak bleek afgesloten – de officier van justitie had het opgegeven om de overvallers te pakken te krijgen. Maar er was nog steeds ruzie tussen de bank en het transportbedrijf. Mahmud kon het maar nauwelijks geloven – de rechtbank gaf hem vet goeie service. Soms hield hij intens van Zwedonië.

Hij schrok op uit zijn gedachten. Keek op het klokje van zijn mobiel. Waarom kwam Babak niet naar buiten?

Ze zouden uit vanavond. De stad in. Hun ding doen – de smatjes waren van-avond van hen. Wham-bam. Hij neuriede een Arabisch liedje voor zich uit: *Ana biddi kiss*. Ik hou van kut.

Hij kon niet nog langer wachten, hij liep het trapje op en de winkel in.

Binnen: propvol mensen.

De winkel was zo klein als een worstenkraampje. Zweetlucht en een boel ge-leuter. Achter de glazen toonbank stond Babak. Baardschaduw op zijn wangen, netjes gewaxte scheiding, opengeknoopt overhemd. Mahmud zou het nooit hardop zeggen, maar Babak zag er kapot goed uit. Achter Babak: zijn vader en nog wat familieleden. Zijn pa gekleed in een fake-Armani-shirt. De oom

en neven in overhemden. Ze stonden boven op elkaar, verkochten en kletsten. Mahmud hield van deze plek. De sfeer super onsuédi: een andere wereld, een ander land. Mensen waren als gekken aan het afdingen, schreeuwden om hun stem te laten horen. Drie jonge zwarte swa's soebatten om de beste prijs voor een doos gestolen mobieltjes. Babaks pa spreidde zijn armen, zag eruit alsof ze gevraagd hadden of ze zijn dochter mochten daten. 'Ik gemaakt van geld? Maximaal ik geef honderd per stuk.' Mahmud glimlachte in zichzelf. Deze vent was zo Irak als maar kon. Een eiland in Zwedo-Zweden.

Op de planken lagen tweedehands mobieltjes, mp3-spelers, opladers, draadloze telefoons, telefoonkaarten, wekkers. Onder de toonbank had je frontjes voor mobieltjes in verschillende kleuren, horloges en ontgrendelde iPods. Op de toonbank: borden met avondeten van Babak en zijn vader. Tomaten, rauwe ui, feta en pitabrood. Echt.

Minstens vijftien personen in de rij. Mensen die hun oude gejatte mobieltjes verkochten, hulp wilden bij het verwijderen van een simlock, horloges inleverden voor reparatie. Maar vooral: telefoonkaarten kochten om übergoedkoop naar de hele wereld te bellen. Aan de muren hing reclame van diverse telefoonfabrikanten, alles van oude Ericsson-legendes, zwarte telefoons zo zwaar als bakstenen – nu met dual band – tot iPhones. Maar vooral: prijslijsten van telefoonkaarten. Jedda, Jericho, Jordanië. *You name it.*

Babak was klaar met de klant. Tegen Mahmud: 'Geef me vijf minuten, *ashabi*. We moeten alleen de winkel nog even sluiten.'

Een halfuur later: ze stonden samen op straat. Liepen naar metrostation Skärholmen.

Mahmud lachte. 'Ik ben gek op de winkel van je pa. Voelt echt, zegma.'

Babak spreidde zijn armen, imiteerde zijn vader. 'Zag je hoe hij die broers tackelde, ze hadden geen schijn van kans.'

Ze sprongen over de poortjes. Hoorden de controleur ze naroepen. Sukkel – hij zou daar in zijn hokje kunnen zitten schreeuwen tot hij zijn stem kwijt was.

Ze liepen over het perron. Oude kauwgum vormde patronen op de vloer. Mahmud raakte in een beter humeur.

De metro kwam binnenrijden. Naar Babaks huis. Ze zouden infeesten voor vanavond.

Later bij Babak: Mahmud, Babak en Robert in de flat in Alby. Een tweekamerwoning van achtenveertig vierkante meter. Foto's van de familie en diverse Egyptische plaatjes aan de muren. Babak had geen fuck met Egypte te maken, maar om de een of andere reden digde hij sfinxen, hiërogliefen en piramides. Babak zei altijd: 'Je weet toch, Egyptenaren hadden het heftigste imperium ooit. Ze hebben alles uitgevonden waarvan jullie denken dat Europa het heeft

bedacht. Schrijftaal, papier en zo, oorlogsvoering. Alles, man.'

In de woonkamer: twee leren banken met lichte bekleding plus bijbehorende glazen salontafels – vol met lege colablikjes, afstandsbedieningen voor de stereotoren, de tv, de dvd, de digitale box en de projector. Hoesjes voor X-box 360 games: *Halo 3*, *Infernal*, *Medal of Honor*. Vloeitjes, wapentijdschriften, pornoblaadjes, een sealtje met een paar gram wiet.

Babak haalde een fles cola uit de koelkast. Ging op een van de banken zitten. Mahmud bladerde in een wapentijdschrift, *Soldier of Fortune*. Bestudeerde geile legermessen die de Gurkha-soldaten gebruikten. Naar hardere jongens kon je lang zoeken. Robert bouwde een joint. Likte langzaam over het vloeitje. Propvol shag en marihuana. Draaide de ene kant niet dicht, het gras puilde eruit als bij een echte bob. Schroeide de joint aan de buitenkant.

Hij stak hem aan. Inhaleerde een paar keer diep. Op de achtergrond The Latin Kings. Dogges doordringende stem legde de boel uit: 'Ga toch lekker jonko's pakken, je hebt toch geen cent te makken.'

Robban gaf de joint door aan Mahmud. Tussen duim en wijsvinger. Zoog flink. Proefde. Pufte. Zweefde. Zooo super.

Langzaam blies hij de rook uit door zijn neus.

'Weten jullie nog op school? Er zat daar een gozer die Wisam heette. Wisam Jibril, geloof ik. Hij was een paar jaar ouder dan wij. Ik heb dope shit over hem gehoord.'

Robert leek helemaal van de wereld. Knikte alsof hij sliep.

Mahmud gaf hem een por.

'Kop erbij, man. Je hebt geen hasj zitten roken.'

Hij keek nu naar Babak.

'Herinner je hem nog? Wisam Jibril?'

Babak keek op.

'Ik kan me geen Wisam herinneren. Wat maakt dat nou uit?'

'Hé, kom op nou, man. Hij was vrij klein. Een paar jaar ouder dan wij. Trok op met De Kogel en Ali Kamal en die gasten. Weet je het weer?'

'O ja, die kill. Hij heeft kapot veel cash gescoord, geloof ik. Zijn pa en ma gingen terug naar Libanon, je weet toch.'

'Waarheen dan?'

'Geen idee.'

'Maar heb je hem de afgelopen tijd nog wel es gezien?'

Mahmud dacht na over wat Babak had gezegd: Wisams familie was het land uit – balen. Dat maakte het waarschijnlijk lastiger hem te vinden.

'Da's lang geleden. Hij hing rond in de stad. Het was vlak nadat ik die kraak bij Coop had gezet, weet je nog? Ik ben hem een paar keer in de stad tegengekomen.'

Een kans. 'Waar dan?'

'In de stad zei ik toch.'

'Maar waar in de stad?'

Babak zag eruit alsof hij echt nadacht.

'Volgens mij heb ik hem elke keer in de Blue Moon Bar gezien.'

'Owkay.' Mahmud imiteerde Tony Montana's uitspraak in *Scarface*.

'Als je iets over hem hoort, laat dan vallen dat ik hem wil spreken.'

Hij gaf Robban een duwtje.

'Heb jij het ook gehoord? Ik wil Wisam Jibril spreken.'

't Voelde goed. Mahmud had een leidraad. Het voortgezegd. Was dichterbij gekomen. Maar nu was het tijd om even op te houden met vragen.

Na een uurtje staken ze een nieuwe jonko op. Discussieerden, fantaseerden. Ze konden uren praten. Over oude matties uit de betonjungle, trainingsmethodes, de winkel van Babaks pa, de coole wapens in het tijdschrift, de pathetische pogingen van Zwedo-Zweden om hun te integreren. Mahmud vertelde over het gala in de Solnahal: Vitali Akhramenko's gruwelijke directen, het vliegende bitje. Maar hij hield zijn bek over de opdracht van de Joego's – Babak en Robban waren goeie kills, maar dit soort dingen hield je voor je.

Vooral: lulden over wegen naar succes. Robert vertelde over vier matties van hem uit Stockholm-Noord. Echt scherpe gozers die een kapot wreed plan hadden gesmeed. Hij liet zich meeslepen door zijn eigen tori: 'Dus, die gasten deden een betaling aan die veerbootmaatschappij, Silja Line geloof ik, vijfendertigduizend contant. Op dezelfde dag belden ze Silja en zeiden dat ze per ongeluk hadden betaald, dat het niet klopte, dat Silja geen floes zou krijgen. Die Silja-figuren betaalden hun natuurlijk terug met een postcheque. De broer van een van die kills had bij de postgiro of zo gewerkt, dus hij wist dat het voor bedrijven als Silja een paar dagen duurde om de betalingen geregistreerd te krijgen. Als je op donderdag of vrijdag geld opnam, was het kansloos om het voor maandag te ontdekken. Daarom konden ze twee dagen zonder probleem hun gang gaan. Ze vervalsten de postcheque, wat heel makkelijk is, je gooit ze gewoon in een kleurenkopieerapparaat, en gingen op pad. Ze verdeelden de postkantoren onderling en prikten op een kaart alle kantoren waar ze langs zouden gaan. Ze dachten dat het sneller zou gaan als ze zich opsplitsten in twee teams. Maar ze hebben het verneukt.'

Mahmud onderbrak hem.

'Hoe kan dat nou? Die gasten waren kapot scherp als ik het zo hoor.'

'Klopt, maar dat komt nu. Luister. Een van de postkantoren was dicht wegens verbouwing, maar er stond dat je naar een ander kantoor kon gaan. Dat andere postkantoor lag in de wijk die het andere team af zou werken. Ze kwamen dus twee keer op hetzelfde postkantoor. Het had kunnen lukken, maar ze bleken geholpen te worden door dezelfde vrouw. Vatten jullie hem? Ze begon argwaan te krijgen. Postcheques met zulke grote bedragen komen niet zo vaak langs bij kleine postkantoortjes. En allebei ook nog voor Silja.'

Mahmud grijnsde. 'Weet je wat dat bewijst, *ashabi*?'

Robban schudde zijn hoofd. Nam een slok cola.

'Dat bewijst dat het altijd mis kan lopen, hoe slim je ook bent. Het enige wat je zekerheid geeft is geweld. Of niet dan, als ze een wapen bij zich hadden gehad, hadden ze die bitch kunnen dwingen haar bek te houden.'

Robert nam de laatste haal van de jonko. 'Je hebt gelijk. Wapens en springstof. Wanneer gaan wij eens iets groots doen?'

Mahmud knipoogde. 'Gauw.' Hij wilde echt gauw iets doen.

Ze belden een taxi. Mahmud gekleed in z'n gebruikelijke uitgaanstenue: wit overhemd met de bovenste knoopjes open, iets te strakke spijkerbroek – mooi omdat zijn bovenbeenspieren goed uitkwamen – en zwarte leren schoenen.

Mahmud voelde de floesbundel in de binnenzak van zijn jack – dertig vijfhonderdjes die hij niet kon gebruiken vanavond. Gürhans geld. Maar Babak had beloofd te trakteren. Vanavond zouden ze het breed laten hangen.

De E4 naar het noorden. Vooral taxi's en bussen. Het was halftwaalf. Ze vroegen de chauffeur om The Voice te draaien. Mahmud en Robert wipten op de maat heen en weer op de achterbank. Babak zong mee: '*She break it down, she take it low, she fine as hell, she about the dough.*' Justin, 50 Cent en meer dan genoeg chickies.

Mahmud was gek op deze *feeling*. Opgeladen zijn. De kameraadschappelijkheid. De Zweedse samenleving had elke dag van hun hele leven geprobeerd op ze te trappen. Toch hadden ze nog zoveel plezier over voor het weekend.

Twintig minuten later waren ze op Stureplan. Ze gaven de chauffeur tweehonderd fooi. Als koningen.

De rij voor Hell's Kitchen had nog het meest weg van fans die zich helemaal vooraan bij het hek staan te verdringen bij een vet concert. Mensen worstelden zich naar voren, zwaaiden met hun armen, hielden hun handtassen stevig vast, sprongen omhoog om beter zichtbaar te zijn, schreeuwden naar de uitsmijters, drongen naar voren. Op een elektriciteitskastje stond de hoofduitsmijter – wees mensen aan die binnengelaten werden. De andere uitsmijters patrouilleerden heen en weer, de oortjes in hun oren alsof ze echte secret service-agenten waren. De echte rijkeluisgasten gleden langs de kluit mensen. Bruin-zonder-zonmeiden met platinageblondeerd haar in hun kielzog. De rest moest verkreukelde vijfhonderdjes ophouden. Beloven voor minstens duizend piek te drinken, bezweren dat ze beroemd en rijk waren, dat ze meetelden. De allochtone swa's dreigden met klappen – ze wisten dat ze toch geen kans maakten. Meiden duwden hun borsten naar voren en tuitten hun lippen, paaiden met pijpbeurten, vrijpartijen, groepsseks. Alles om maar binnen te komen.

In negentig procent van de ogen in de rij zag Mahmud hetzelfde: wanhoop. Met andere woorden: alles was zoals altijd in de stad.

Mahmud, Babak en Robert – ze waren nog geen loodzware jongens. Normaal gesproken waren ze kansloos bij luxe-Zwedo-kroegen als Sturecompagniet en Hell's Kitchen. Maar vanavond had Babak het in zijn hoofd gehaald dat ze naar binnen zouden. Mahmud wilde eigenlijk liever naar de Blue Moon Bar aan de Kungsgatan, Wisam zoeken. De barkeepers wat vragen stellen. Bovendien: hij begreep niet dat Babak kon geloven dat ze binnen zouden komen.

Maar Babak wou geen middel schuwen. Oogcontact met de hoofduitsmijter op zijn verhoging: hij stak zijn vingers op. De uitsmijter trok zijn wenkbrauwen op, snapte de boodschap niet. Babak deed een stap naar voren, stond tegen de versperring gedrukt. Boog zich voorover naar de uitsmijter. 'Ik regel tien gram voor je.' De uitsmijter knipoogde. Tilde de zijden band op.

Ze mochten doorlopen naar de kassa. Tweehonderdvijftig kronen de man. Shit, het kostte wel wat om mee te doen aan de top. Maar dat maakte nu geen fuck uit – ze waren binnengelaten.

Wat een fokking wonder. Mahmud en Robert keken naar Babak. Hij grijnsde. 'Wist je het niet? Ik ben chic spul gaan dealen.'

Binnen: overwegend rijke stinkerds. Overal magnumflessen en gewone champagneflessen in ijsemmers. Kerels met pochetjes in hun borstzakjes, achterovergekamd gelhaar, en de allerhotsten: minder strak achterovergekamd haar. Opengeknoopte gestreepte overhemden met blinkende manchetknopen, colbertjes die er duur uitzagen, strakke, versleten spijkerbroeken van designermerken, leren riemen met gespen in de vorm van een monogram: Hermès, Gucci, Louis Vuitton. Sommigen met stropdas, maar de meesten liepen zonder stropdas, dat bood meer mogelijkheden om de borst te laten zien. Bovendien: een behoorlijk aantal afgetakelde rockers met bakkebaarden en truckerspetjes. Mahmud begreep niet waarom die binnengelaten waren.

De mooie meisjes zaten in boxen wodka-tonic te slurpen of ze lieten de jongens op bubbels trakteren. Rijkeluiskinderen, de jonge society, boeren als wannabes.

Maar ook een mengeling van een ander type figuren: de halve beroemdheden. Docusoapsterretjes, presentatoren, artistieke types. Omringd door chicks met merkhandtassen over hun schouder en Playboy-sieraden om hun nek die naar iedereen in de club toe dansten.

Last but not least: Jetset Carl, de nummer een op de lijstjes van Stureplanmeiden met de jongens die ze nooit een pijpbeurt zouden weigeren. Zelfs Mahmud en zijn homies wisten wie hij was. Die vent had drie bars in de stad, hij heette eigenlijk Carl nog iets, Mahmud wist niet hoe. Het enige wat hij wist was: die kakker was vet jetset. Vandaar die naam.

Niet veel echte allochtonen hier. Misschien een paar geadopteerde en geïntegreerde. Van die figuren die iets met muziek, media of andere onzin deden. Eerlijk gezegd: Mahmud voelde zich zo onthuis als maar kon – hoewel de chickies spang waren. Hij maakte een knoopje van zijn overhemd los. Babak bestelde een flesje Dom Pérignon aan de bar.

Mahmud bekeek zichzelf in de spiegelende ijsemmer met Babaks champagne.

Digde zijn eigen uiterlijk. Brede wenkbrauwen, achterovergekamd zwart haar met zoveel gel erin dat hij hetzelfde kapsel drie weken achter elkaar zou kunnen hebben zonder dat er een haartje verschoof. Volle lippen, krachtige kaken, perfect gelijkmatig stoppelbaardje.

Hij zag het spiegelbeeld van Babak en Robert achter zijn rug naar hem toe komen. Draaide zich om voor ze er waren.

Babak verbaasd: 'Hoe zag je ons?'

Mahmud zei: 'Yo ouwe, als je in een kroeg met zoveel chimeiden bent, dan moet je ogen in je nek hebben om niemand te missen.'

Een glimlach op zijn lippen.

Ze schaterden. Sloegen champagne achterover. Deden hun best om oogcontact te krijgen met de meiden om hen heen. Zonder succes – het was alsof ze die onzichtbare kids uit het antipestspotje waren. Ten slotte ging Robban naar een paar smatjes toe. Zei iets. Bood ze champie aan.

Ze poeierden hem vet af.

Kh'tas. Kutwijven. Het was onrechtvaardig.

'We gaan.'

Mahmud wilde naar de Blue Moon Bar. Rondvragen naar de Libanees.

Babak lachte hard. 'Ja man, we gaan ieder een lijntje snorkelen.' Ha ha ha.

Een uur later: de c-roes was gaan liggen. Maar nog steeds: Mahmud voelde zich de pooierigste buitenwijkallochtono van de stad, de scherpste betondetective van de wereld, nummer één – Sherlock fokking Holmes. Hij zou die Wisam vinden. Hem laten bekennen waar ie Radovans Arlanda-cash had verstopt. Hem dwingen het op te hoesten. Mahmud de kans geven indruk te maken. Protectie van de Joego's te krijgen.

Robert gleed rond over de dansvloer met een chick die er minderjarig uitzag. Mahmud en Babak nog aan de bar, zoals gewoonlijk.

Toen zag hij iets wat hij niet wilde zien. Het geluid om hem heen stierf weg. Het brandde in zijn kop. Om hem heen een eilandje van paniek – vijf meter verderop aan de bar: Daniel plus twee andere gasten van die nacht.

Mahmud verstijfde. Staarde naar de flessen aan de andere kant van de bar. Probeerde zijn blik te fixeren. Kut. Wat moest hij doen? De paniek in golven tegen de binnenkant van zijn schedel. De herinneringen speelden op: het geknars in zijn mond. Het roulettegeluid van het ronddraaiende magazijn. Daniels grijns.

Hij probeerde niet te gluren. Moest rustig blijven. Zagen ze hem? Als ze naar hem toe kwamen, wist hij niet hoe hij zou reageren. Babak leek het niet te merken. De mensen op de achtergrond leken vaag.

Toen Mahmud achteraf terugdacht aan de situatie, wist hij niet hoe lang hij

zo had gestaan. Misselijk. Stijf. Hoeveel angstige gedachten er door zijn harses waren gevlogen.

Maar na een flinke tijd keek hij op. Ze waren weg.

Hij liet Babak en Robert zitten. Zag dat Babak probeerde een sweetie te strikken. Cokeringen om de neus van het kind. Lippenstiftsporen op Babaks wangen. Leuk voor hem.

Mahmud wilde weg. En hij moest naar de Blue Moon Bar. Nu. Sneakte weg uit Sturecompagniet. De rij buiten drie keer zo lang als toen ze kwamen. De angst in de ogen van de mensen – dertig keer zo heftig. De hoofduitsmijter nog steeds op zijn post, bepaalde binnen of buiten, winnaar of verliezer, leven of dood.

De Kungsgatan door. Koudere lucht. Waar was de zomer gebleven?

Hij overwoog een hamburgertje te scoren, maar liet het zitten. Moest zijn ding bij Blue Moon doen. Verderop zag hij de tent.

Blue Moon Bar: pochte ook met een flinke rij.

Korte, al te brede uitsmijters in overvloed. Mahmud dacht: moet je dwerg zijn om hier te mogen werken?

Mahmud liep meteen door naar de vip-ingang. Langs de rij. Naar een superbrede uitsmijter. Keek Mahmud aan. Een bepaalde verstandhouding van grote jongens onder elkaar.

Hij paste een klassieker toe, deze bar was niet zo moeilijk als die in Sturecompagniet – legde een vijfhonderdje neer zonder iets te zeggen.

De vierkante uitsmijter vroeg: 'Ben je alleen?'

Mahmud knikte.

De uitsmijter schoof het vijfhonderdje terug. 'Het is oké zo.'

Hij liep naar binnen. Betaalde een honderdje entreegeld, een veel normalere prijs dan bij de vorige bar. Verbaasd over de klasse van de uitsmijter. Mahmud werd zowaar sympathiek behandeld.

Hij nam de bar op. Op de begane grond: overschot aan kerels – Syriërs met een trendy hockeykop en de bovenste knoopjes van het overhemd open zodat hun geschoren borst te zien was, Zwedo's met goed verzorgde hippe stoppelbaardjes, bradda's met hun petjes scheef en nepblingbling in hun oren.

Blauw licht dat knipperde in de maat van de techno: *'This is the rhythm of the night.'*

Hij liep verder. Volgende verdieping: evenwichtiger sekseverdeling – een vleesmarkt. Mensen die kronkelden op de dansvloer, gasten die borsten knepen op de bankjes in de hoek, meiden die de oorlelletjes van diezelfde gasten likten en hun pikken door hun broek heen masseerden. Fanfokkingtastisch – Mahmud had het geweldig gevonden om een grietje aan de haak te slaan.

Maar niet nu.

Hij liep naar de bar. Bestelde een mojito. Normaal: niet zijn stijl om te zuipen, behalve misschien bubbels vanwege de meiden. Prima om lekker te roken –

maar niet zat worden en de controle kwijtraken. Alleen Zwedo's verbrasten hun waardigheid op die manier. En als het op vechten uitdraaide was je kansloos. Plus: veel te veel calorieën in drank.

Tegen de bar geleund. De mojito met stampertje in zijn hand. Roerde. De ijsklontjes zorgden voor pijnscheuten in zijn tanden. Telde vrijende stelletjes.

Boog zich voorover naar de barman die zijn drankje had gemaakt. Een gozer van een jaar of vijfentwintig met een Aziatisch uiterlijk.

'Ken jij Wisam toevallig? Wisam Jibril, stoere gast uit Botkyrka. Dikke doekoes. Kwam hier vaak. Herinner je je hem?'

De barman haalde zijn schouders op.

'Geen idee. Komt hij hier vaak?'

'Weet ik niet. Maar een paar jaar geleden hing hij hier altijd rond. Werkte je hier toen al?'

De jongen droogde een glas af. Leek na te denken. 'Nee, maar vraag het eens aan Anton. Die is hier al vijf jaar lang elk fokking weekend geweest. Echt niet normaal.' Hij wees naar een andere gozer achter de bar.

Mahmud probeerde een minuut of vijf de aandacht van die Anton te trekken. Zonder succes. Had tijd hem uitvoerig te bestuderen. Strak T-shirt waarbij de zwarte tribal tattoos op zijn bovenarmen zichtbaar waren, pseudo-onverzorgd kapsel, brede leren armbanden om beide polsen, metalen ringen om zijn vingers. De gast was geen bodybuilder maar wel redelijk getraind.

Ten slotte: Mahmud deed een ander trucje. Wapperde weer met zijn vijfhonderdje. Anton reageerde. Een klassieker.

Hij probeerde de muziek te overstemmen. Wees naar de eerste barman. 'Hij zei dat je hier al een hele poos werkt. Herinner je je Wisam Jibril? Die hing hier vroeger altijd rond.'

Anton smilede: 'Tuurlijk herinner ik me Wisam nog. Een legende indertijd.'

Mahmud legde zijn vijfhonderdje op de bar.

'Hier kunnen we niet praten. Heb je zin om vijf minuten naar een wat rustiger plek te gaan? Deze is dan voor jou.'

Anton leek het niet te snappen. Bleef een drankje maken voor een chick die er stoned uitzag. Reageerde hij niet op de bekendste geheugenstimulans van allemaal?

Maar een paar seconden later kwam Anton achter de bar vandaan. Liet Mahmud voor zich uit lopen. Naar de herenplees.

De kill ging bij een pissoir staan. Haalde zijn snikkel tevoorschijn.

Mahmud ernaast: deed hetzelfde. *Bad move* – hij kreeg pissoirplankenkoorts, er kwam geen druppel uit. Dat was nog nooit eerder gebeurd. Normaal gesproken was hij een kapot goeie piskoning. Maar hij wist waarom – de herinnering aan de pisvlekken in het bos kwam terug.

Hij keek naar beneden: de pisgoot lag stampvol tabak en kauwgom.

'Zeg eens. Heb je hem hier de laatste tijd nog gezien?'

Anton ritste zijn gulp dicht.

'Ja zekers. Wisam hing hier vroeger altijd rond. Wist dametjes mee naar huis te krijgen alsof hij een echte basketbalprof à la Dennis Rodman was. Hij heeft met meer dan vijfentwintighonderd meisjes gesekst, weet je. Moet je je voorstellen, vijfentwintighonderd.'

'Wie? Dennis Rodman of Wisam.'

'Rodman natuurlijk. Maar Wisam was stoer. Hij had dat beetje extra, weet je. Als hij er echt voor ging, kon geen dametje hem weerstaan.'

Mahmud dacht: 'Zekers' en 'dametjes' – deze gast was een nog ergere Zwedorukker dan hij op het eerst gezicht leek.

'Oké. Maar heb je hem de laatste tijd nog gezien?'

'Yep. Voor het eerst in drie jaar volgens mij. Er deden zoveel geruchten de ronde. Dat hij miljoenen had verdiend op de beurs. Dat hij spul verkocht. Dat hij de man was met de handleiding voor het opblazen van waardetransporten. Je weet wel, van alles en nog wat. Maar mensen zeggen zoveel.'

Bingo – Anton had dingen over Jibril gehoord.

'Het enige wat ik weet is dat hij zijn poet royaal liet rollen. Ik heb natuurlijk wel het een en ander gezien.'

Vette bingo.

Mahmud moest nu voorzichtig zijn, wilde voorkomen dat de barman zijn belangstelling voor Wisam Jibril wat al te groot vond.

Mahmud keek om zich heen. 'O, kut', was het enige wat hij uit kon brengen.

Anton zag er niet-begrijpend uit. Was er nog niets? Mahmud pakte zijn arm vast.

De barjongen keek op. Mahmud staarde terug. Hield zijn onderarm stevig vast. Voelde dat de jongen zijn spieren aanspande. Gaf hem duidelijke signalen: als je nu naar buiten gaat krijg je problemen.

Mahmud aarzelde niet. Trok Anton een hokje in.

'Kom op, vertel meer. Wat weet je?'

De barman draaide met zijn lichaam. Ogen wijd open. Verzette zich toch niet. Mahmud voelde aan het pak bankbiljetten in zijn zak. Viste er een duizendje uit.

Anton stil. Leek te denken. Toen vertelde hij.

'Hij was hier misschien twee uur, versierde twee meiden. Een paar weekenden geleden was dat. Weet bijna zeker dat het de avond van Walpurgisnacht was. Ik weet niet zoveel meer. Eerlijk gezegd heb ik geen idee'.

Mahmud pikte de voorlaatste zin op: 'zóveel meer'. Wat bedoelde die gozer? Blijkbaar wist hij meer.

'Anton, vertel alles. Je weet iets.' Hij spande de spieren van zijn onderarm. Zwarte letters op olijfkleurige huid. ALBY FOREVER. Had effect.

'Oké, oké. Die meiden waren hier afgelopen weekend weer. Ik heb een paar minuutjes met ze gekletst en ze waren vet onder de indruk. Wisam schijnt met

geld gesmeten te hebben als een oliesjeik. Had de meiden meegenomen naar zijn appartement, maar ik weet niet waar dat ligt. En die meiden vast ook niet, want ze zeiden tegen me dat ze knetterbezopen waren. Hij reed met ze rond in zijn nieuwe auto. Een Bentley.'

Mahmud zag er vragend uit.

Anton spelde: 'Een bee, ee, en, tee, el, ee, i-grec. Echt ziek. En meer weet ik niet, echt niet.'

Iemand bonkte op de deur: 'Hé jongens, het is hier Patricia niet. Kom eruit.'

Mahmud had genoeg informatie voor vanavond. Hij had een paar sporen om te volgen.

Deed de deur open. Stapte de wc uit. Gaf de gast die had lopen zeiken een duw.

Liet Anton achter bij de lachers.

*

Advocatenkantoor Settergrens

Aan de rechtbank Sollentuna

VERZOEK TOT DAGVAARDING

VERZOEKER Barclays Bank Plc, George St. 34, Londen, Engeland

GEMACHTIGDE advocaten Roger Holmgren en Nathalie Rosenskiöld, Advocatenkantoor Settergrens, Strandvägen 12

VERWEERDER Airline Cargo Logistics AB

ZAAK Eis tot schadevergoeding

BEVOEGDHEID VAN HET GERECHT H9 paragraaf 28 1e alinea punt 3 Luchtvaartwet (1957:297)

Barclays Bank Plc ('Barclays') verzoekt hierbij om dagvaarding van Airline Cargo Logistics AB ('Cargo Logistics') wegens het volgende.

VERZOEKEN
Barclays verzoekt de rechtbank om Cargo Logistics te verplichten tot betaling van 5.569.588 Amerikaanse dollar aan Barclays, vermeerderd met wettelijke rente, met ingang van 30 dagen na kennisgeving van het verzoek tot dagvaarding tot aan de betaling.

Barclays eist schadeloosstelling voor de proceskosten met een bedrag dat later zal worden vastgesteld.

RECHTSGRONDEN

Barclays en Cargo Logistics hebben een overeenkomst gesloten inzake luchtvervoer van een aantal postzakken met verschillende valuta's met een totale waarde van 5.569.588 Amerikaanse dollar. Deze postzakken zijn, toen ze onder de verantwoordelijkheid van Cargo Logistics vielen op luchthaven Arlanda, voorwerp geworden van een gewapende overval. Hierbij zijn postzakken verloren gegaan met valuta's die overeenkomen met bovengenoemd bedrag.

Volgens hoofdstuk 9, paragraaf 18 van de Luchtvaartwet is de transporteur verantwoordelijk voor schade als de geregistreerde bagage, in dit geval de postzakken, geheel of gedeeltelijk zoekraakt of beschadigd wordt, terwijl de goederen zich onder de verantwoordelijkheid van de vervoerder op een vliegveld bevinden.

Barclays stelt dat Cargo Logistics door ernstige nalatigheid in de vereiste zorgvuldigheid en oplettendheid, volledig verantwoordelijk is voor de ontstane schade.

DE FEITEN

Barclays' overeenkomst met de Zweedse banken en Cargo Logistics
Barclays koopt geregeld verzendingen met diverse valuta's in bij de drie Zweedse banken SEB, Svenska Handelsbanken en FöreningsSparbanken (Swedbank).

Volgens een contract van 2001 had Cargo Logistics de opdracht op zich genomen om op regelmatige basis op verzoek van Barclays Bank te zorgen voor het ophalen en transporteren van postzakken met valuta van banken in Stockholm, en het organiseren van luchttransport naar Londen.

Het transport in deze zaak volgde de procedure die normaal gesproken door Cargo Logistics gevolgd wordt. Barclays stuurde een faxbericht naar Cargo Logistics met de opdracht aan Cargo Logistics om een aantal postzakken met valuta van drie Zweedse banken op te halen en luchttransport van Stockholm naar Londen te organiseren, alsmede zo spoedig mogelijk een kopie van de vrachtbrief te sturen, zie Bijlagen 1-5. Volgens de instructies zouden de verzendingen klaargemaakt worden voor luchttransport en de gemiddelde waarde

per zak zou niet meer dan 500.000 Amerikaanse dollar bedragen. De dollarkoers bedroeg op dat moment 7,32 Zweedse kronen.

Het ophalen van de goederen door Cargo Logistics van luchthaven Arlanda

Cargo Logistics heeft op de ochtend van 5 april 2005 in totaal 19 postzakken opgehaald bij de drie Zweedse banken in het centrum van Stockholm volgens het schema in <u>Bijlage 6</u>. De opdracht is uitgevoerd door twee werknemers van Cargo Logistics, Göran Olofsson en Roger Boring, met een voertuig dat is aangepast aan waardetransporten. Olofsson is 20 jaar in dienst van Cargo Logistics, Boring 5 jaar. Conform de standaardprocedure waren Olofsson en Boring niet op de hoogte van de waarde van de postzakken die ze zouden ophalen.

Olofsson en Boring kwamen om circa 14.15 uur die middag aan bij het kantoor van vrachtagent Wilson & Co op luchthaven Arlanda en haalden daar de vrachtbrief en bijbehorende documenten op. Olofsson en Boring reden vervolgens ongeveer 50 meter naar het magazijn van Cargo Logistics op het vliegveld, waar ze de 19 postzakken afleverden.

De overhandiging aan Cargo Logistics

Het magazijn van Cargo Logistics bevestigt de ontvangst van de 19 postzakken om ongeveer 15.00 uur dezelfde dag door het verstrekken van het *Handling Report – Cargo Logistics – Valuable Cargo*, zie <u>Bijlage 7</u>. De postzakken werden door personeel van Cargo Logistics in afgesloten geldkisten gestopt en naar de ruimte in het magazijn gebracht die *'strong room'* wordt genoemd (in het vervolg: 'de kluis'), waar de waardepapieren op een afgesloten plek worden bewaard.

Gewapende overval

De vlucht waarmee de geldkisten vervoerd zouden worden, zou op 5 april om 18.25 uur vertrekken. Rond 18.00 uur was Fredrik Öberg, werknemer van de Cargo Logistics Groep, in het magazijn bezig met het verplaatsen van de geldkisten van de kluis naar de vrachtauto van Cargo Logistics. De vrachtauto, een Nissan King Cab, zou de postzakken naar het vliegtuig vervoeren. Tijdens de verplaatsing van de goederen was de deur naar de kluis open, evenals de garage-ingang van het magazijn die uitkomt op het vliegveld. Ook de branddeur naar de straat buiten het vliegveld stond open in verband met een net gearriveerde koerier van het koeriersbedrijf Box Delivery. De branddeur bevindt zich vlak bij de kluis.

Op dit moment, om ongeveer 18.10 uur, kwamen drie mannen, van wie twee gewapend met een handvuurwapen, het magazijn binnen via de open branddeur. De overvallers bedreigden zowel de koerier van Box Delivery als Öberg, die gedwongen werden op de grond te gaan liggen terwijl de overvallers zich in de kluis negen geldkisten toe-eigenden. Terwijl Öberg op de grond lag, pakte hij zijn mobiele telefoon en belde Falck Security, het beveiligingsbedrijf op Arlanda, en meldde dat er een overval gaande was. Merkwaardig genoeg liet de Falck-medewerker die opnam, weten dat Öberg contact op moest nemen met de politie.

Na de overval verdwenen de daders in een niet teruggevonden BMW 528 en een gestolen Jeep Cherokee, die naderhand op 2 à 3 kilometer van de plaats delict werd aangetroffen met één geldkist. Er werd onmiddellijk aangifte van de overval gedaan bij de luchthavenpolitie.

Geen camerabewaking
Het magazijn van Cargo Logistics wordt bewaakt door in totaal 75 CCTV (video) bewakingscamera's die 24 uur per dag in bedrijf zijn. Na de overval bleek dat de videoband in de camera in het gedeelte van het magazijn waar de overval plaatsvond, niet volgens de geldende instructies vervangen was (de lengte van de videoband is 27 uur). De videoband in de camera in kwestie was daarom op 5 april om ongeveer 13.00 uur gestopt, en de overval is zodoende niet opgenomen.

Open branddeur
De kluis in het magazijn van Cargo Logistics ligt vlak bij de branddeur die uitkomt op de straat buiten het terrein van het vliegveld. De branddeur kan niet van buitenaf opengemaakt worden en volgens de geldende instructies bij Cargo Logistics moet hij gesloten blijven. Desondanks stond de branddeur op het tijdstip van de overval open, waardoor het voor de overvallers mogelijk was het magazijn binnen te gaan vanaf de straat buiten het vliegveld. De reden dat de branddeur na de komst van de koerier van Box Delivery niet gesloten was, bleek niet te achterhalen.

Open kluis
Volgens de geldende instructies bij Cargo Logistics zou de deur naar de kluis alleen opengemaakt kunnen worden door twee personen tegelijk, van wie een (met een leidinggevende functie) een elektronische sleutel bezat. In de hier beschreven situatie stond de deur van de kluis open,

waardoor de overvallers toen ze het magazijn via de open branddeur inkwamen, direct toegang hadden tot de open kluis. De reden dat de kluisdeur openstond, bleek niet te achterhalen.

Vooronderzoek gesloten

Er zijn nog geen verdachten opgepakt. De officier van justitie heeft besloten het vooronderzoek te beëindigen.

De aansprakelijkheid van Cargo Logistics

Barclays stelt dat Cargo Logistics in het onderhavige geval ofwel opzettelijk schade heeft veroorzaakt of zich schuldig heeft gemaakt aan gekwalificeerde nalatigheid zoals beschreven in hoofdstuk 9 §24 van de Luchtvaartwet, wat in grote lijnen overeenkomt met het begrip grove nalatigheid in zakelijke overeenkomsten. Van belang zijn onder meer de volgende omstandigheden:

(i) De overvallers hadden toegang tot het magazijn vanaf de straat buiten de luchthaven doordat de branddeur, in strijd met de geldende regels bij Cargo Logistics, openstond.

(ii) De deur naar de kluis stond open, in strijd met de geldende regels bij Cargo Logistics, waardoor de overvallers onmiddellijk toegang hadden tot de open kluis nadat ze via de open branddeur het magazijn binnen waren gekomen.

(iii) Cargo Logistics heeft verzuimd de geldende veiligheidsmaatregelen in acht te nemen en de videoband te verwisselen in de bewakingscamera in het gedeelte van het magazijn waar de overval plaatsvond, waardoor de overval niet is opgenomen.

(iv) Het betreft een zakelijke relatie en de eisen die aan de organisatie, veiligheid en professionaliteit van Cargo Logistics worden gesteld, mogen daarom hoog zijn.

(v) Er is aanzienlijke schade ontstaan.

Namens advocatenkantoor Settergrens,

Roger Holmgren

11

Niklas deed na zijn hardlooprondje oefeningen in zijn flat. Routine was zijn motor. Zijn filosofie: alle training is gebaseerd op gewoonte, herhaling, repetitie. Vier keer vijftig push-ups afgewisseld met wat beenoefeningen. Vier sets met de halters voor de biceps en tussendoor vier keer zestig sit-ups. Hij zweette als een otter in een legertent. Stretchte uitvoerig. Wilde de beweeglijkheid van zijn spieren bewaren. Rustte een kwartiertje uit op de bank.

Ging staan. Tijd voor het hoogtepunt – kata's van Tanto Jitsu, vechten met een mes. Het hardlopen was om zichzelf te meten, conditie te krijgen en vet te verbranden. Het opdrukken en de spiertraining waren noodzakelijk om zijn kracht te behouden en er enigszins oké uit te zien. Hij gaf het meteen toe: ijdelheid tekende hem. Maar Tanto Dori ging over iets anders: ontspanning en macht. Hij kon uren doorgaan. Als meditatie. Vergat verder alles. Ging op in zichzelf. Ging op in de bewegingen. Ging op in het mes. De halen, de stappen. De steken.

Hij had de technieken zes jaar geleden geleerd van een paar eliteofficieren in een eenheid waarmee hij in Afghanistan aan het werk was. Sindsdien oefende hij zo vaak hij maar kon. Had ruimte nodig voor de bewegingspatronen, het was een soort dansen. In het veld ging dat niet altijd. Maar dit, deze lege flat, leek wel gemaakt voor man-tegen-man-vechttechnieken.

Eerst rustig. Hielen tegen elkaar. Voeten naar buiten in een onderlinge hoek van negentig graden. Armen naar beneden, voor de romp. Mes in de rechterhand met de duim rustend tegen de vlakke kant van het blad. Linkerhand in een ontspannen greep over de rechterhand. Hoofd naar beneden, kin op de borst. Diep inademen door de neus. Dan een uitval. Alle spieren in explosie. Een stap naar voren met het rechterbeen. Zwaartepunt heel laag. Uitademen door de mond. Lucht en spieren vulden de buik. Belangrijk: niet te grote bewegingen – dan zag je tegenstander meteen wat je wilde doen. Zijn messteek maakte een suizend geluid. Bij het terugtrekken draaide hij het om.

Hij voerde de kata geconcentreerd uit.

Deze duurde vierenhalve minuut. Elke beweging afzonderlijk had hij minstens vijfhonderd keer geoefend. Buiksteek. Snijtechniek. Chop-chop-methodiek.

Oorspronkelijk was het iets Japans. Maar de soldaten die hem de technieken in Afghanistan hadden geleerd, hadden ze aangepast. De technieken van alle kata's bij elkaar dekten alles. Krappe ruimtes als liften, gevangeniscellen en wc's. Technieken voor gevechten in auto's, boten, vliegtuigen. Instabiele omgevingen, gevechten in dichte vegetatie, op gladde oppervlakken, in stilte. Watertechnieken waarbij de traagheid van de bewegingen nieuwe mogelijkheden gaf om de volgende move van je tegenstander te zien aankomen, man-tegen-man-gevechten op trappen – speciale technieken om slagen of houwen van schuin boven je te pareren. Zolang Niklas een mes bij zich had, hoefde hij nooit ongerust te zijn over vijanden die dichtbij kwamen.

Tegelijkertijd: ongerust zijn was in de zandbak een gezond teken. De mannen die zelfs in de strijd geen spoortje angst meer voelden, raakten het spoor vaak bijster. De legioensoldatenbranche duldde geen echte gekken. Die konden naar huis gaan. Of eraan gaan.

Hij was blij dat hij de mogelijkheid had gehad. Er waren niet veel Zweden op de wereld die mochten vechten in een echte oorlog. De watjes van de VN waren vooral vluchtelingenkampen aan het bewaken. Hij kon het weten, hij had geprobeerd een van hen te zijn.

Na het douchen nam hij twee Nitrazepams. De eenzaamheid vrat aan hem. Hij had vrienden nodig. Benjamin, de gast die het contact met de zwarte makelaar voor hem versierd had, was voor zover hij zich kon herinneren de enige vriend die hij op de middelbare school had gehad, vóór zijn tijd als tirailleur in Arvidsjaur. Misschien was hij de enige vriend die hij ooit had gehad. Niklas had hem vorige week voor het eerst sinds eeuwen weer gezien. Vandaag hadden ze weer afgesproken.

Hij werkte nog een kalmerend pilletje naar binnen. Ging naar buiten. Liep naar de metro. Speurde naar ratten.

De metrowagon was getroffen door een graffiti-aanval. Niklas deed zijn ogen dicht. Probeerde te slapen. Dacht weer aan het gegil dat hij in de flat naast de zijne had gehoord. Het meisje met het Irakese accent moest het zwaar te verduren hebben gehad. Hij had de vent die haar aanpakte nog niet gezien. Maar Niklas betwijfelde of hij zich in zou kunnen houden als hij hem zag.

Hij dacht na. De mens leefde in de wereld van Hobbes. Dat wist Niklas beter dan wie dan ook. Het was niet mogelijk de goeien en de slechten aan te wijzen. Niet mogelijk het leven te overgieten met een moralistisch sausje. Te doen alsof er juist en fout bestond, goed en kwaad. Dat was bullshit. Het was een strijd van iedereen tegen iedereen. Iemand moest de boel in de hand houden. Iemand moest ervoor zorgen dat mensen niet vochten, schoten, elkaar kapotmaakten. Iemand moest de macht grijpen. Niemand had het recht over het systeem te zeuren zonder zelf eerst iets proberen te doen, uit alle macht. Daarom moesten

de Moedjahedien gerespecteerd worden. Het was een oorlog. Het waren geen slechtere mensen dan de soldaten in zijn eenheid. Het enige verschil was dat zijn mannen betere wapens hadden. Dus grepen ze de macht.

In zekere zin ging dit ook op voor die meid in de flat naast hem. Haar vent deed zijn ding. Zij zou het hare moeten doen – hem dood meppen. Direct.

Hij stapte uit. Ze hadden afgesproken op het plein Mariatorget. Café Tivoli. Een biertje drinken. Niklas ging aan een tafeltje zitten.

Na een tijdje kwam hij. Benjamin: geschoren kop maar een baard als een ZZ Top-figuur. Stierennek. Platte neus die in de loop der jaren waarschijnlijk wat klappen had gekregen. Zonnebril nog steeds op. Niklas dacht aan hoe de yanks hun lelijke gratis zonnebrillen noemden: BCD – *Birth Control Device* – met zo'n ding op kwam je niet eens in de buurt van een meisje. Benjamins waggelende loopje was hetzelfde als altijd. Op en top kapsones: handen in de zakken van het open jack, draaiend bij elke stap die hij zette.

Niklas' eerste gedachte toen hij Benjamin de vorige keer zag, was dat hij echt was veranderd sinds hun kinderjaren. Toen: Benjamin was de jongen die het spel nooit echt doorzag. Die over oninteressante dingen vertelde – zoals over zijn moeder die de witte was per ongeluk blauw had gemaakt – altijd wat te lang. Die geen schoon T-shirt aantrok na gymnastiek. Aan wie de meiden nooit verkering vroegen, maar die zelf toch briefjes stuurde naar de coolste meid waarin hij vertelde hoe geweldig hij haar vond en of ze een keertje wilde zoenen. Hij werd nooit gepest, daar waren redenen voor. Maar hij hoorde er ook niet bij. Af en toe ging hij helemaal over de rooie. Als iemand hem uitlokte, treiterde vanwege zijn zweethanden, pestte met zijn naam of gewoon wat lulligs over zijn moeder verzon. Het was eng. Hij was dan net een dier in het nauw. Kon jongens die twee jaar ouder waren in elkaar meppen. Hun hoofd op het grind van het voetbalveld bonken, ze met stenen bekogelen. En dat had Niklas aangetrokken. Op de middelbare school ging het beter. Benjamin hield ermee op achter meisjes aan te zitten die hem toch niet wilden hebben. Ging op tae-kwondo. Vier jaar later haalde hij brons op het nationaal kampioenschap voor junioren. Iemand om rekening mee te houden.

Ze gaven elkaar een hand. Benjamins handdruk: de greep van een overspannen bodybuilder. Probeerde hij iets te bewijzen?

'Yo Benjamin. Alles oké?'

'Absoluut.'

'Nog vragen over mij gehad de laatste tijd?'

'Ja, de smerissen belden me vanmorgen zowaar en vroegen hoe lang je vorige week op een bepaalde avond bij me was geweest.'

'En?'

'Ik zei dat we de hele avond samen voor de tv hadden gehangen en *God-father*-films en zo hadden gekeken.'

'Echt hartstikke bedankt, man. *I owe you one*.'

Ze liepen naar de bar en bestelden wat. Benjamin probeerde Niklas af te zeiken omdat hij zoveel Engels door zijn Zweeds gooide. Niklas lachte niet.

Hij nam een Guinness. Benjamin bestelde spa rood. Niklas betaalde voor allebei.

'Hoef je verder niks?' vroeg Niklas.

Benjamin schudde zijn hoofd. 'Nee. Ben bezig vet kwijt te raken.'

Niklas snapte het niet. Na die acht jaar in de bush, vaak zonder bier, sterkedrank of lekker eten, snakte hij naar goed spul.

Ze gingen zitten.

Kletsten. Niklas begreep niet goed wat Benjamin tegenwoordig eigenlijk deed. Eerder had hij kennelijk als bewaker gewerkt. Daarna als schilder. Daarna werkloos. Nu iets obscuurs.

Niklas dacht aan zijn eigen levensloop. De cv van zijn leven: een paar lichtpuntjes – het grootste deel van zijn jeugd doortrokken van treurigheid, buitenstaanderschap en angst. Zo saai als het was om de hele zaterdag alleen thuis te zijn en te wachten tot zijn moeder terugkwam van haar werk. Er niet bij te horen op school. Hoe iedereen begrepen moest hebben dat er iets niet klopte bij Niklas Brogren thuis, maar toch nooit iets zei. De angst dat die klootzak zijn moeder dood zou slaan. Angst om 's avonds in slaap te vallen, angst voor alle nachtmerries, zijn moeders smeekbedes, gegil, gehuil. Voor de ratten. Dan de lichtpuntjes. In dienst. Het jaar bij de infanterie. De kicks van het gevecht. De eerste keren dat hij in Afghanistan in een echt vuurgevecht terecht was gekomen. De feesten met de mannen in Irak na een goed uitgevoerde opdracht.

Benjamin onderbrak zijn geklets.

'Hallo. Astronaut Fuglesang hier. Ben je er nog?'

'Geen probleem, ik was een beetje afgedwaald,' lachte Niklas.

'O ja, waarheen dan?'

'Je weet wel, mijn ma en zo.'

'O, nou, dan kan ik je wat vertellen dat je op zal vrolijken. Ik ben lid geworden van een schietclub. Had ik dat al verteld? Het is echt kicken. Binnenkort krijg ik een vergunning en mag ik een tweeëntwintig voor mezelf kopen. Met revolvers moet je nog even wachten. Maar voor jou is het misschien niet zo bijzonder. Je hebt vast ontzettend veel geschoten.'

'Dat kun je misschien wel zeggen ja. Maar daarginds oefenen we vooral voor de lol met pistolen.'

'Cool. Maar je kunt je er flink in vergissen, toch? Je ziet duizenden van die Amerikaanse films waar ze zo'n ding op de raarste manieren vasthouden. Het pistool scheef in één hand alsof hij niks weegt.'

'Ja, ik weet het, dat gaat niet goed.'

'Dat gaat kut.'

'Yes. Dat is een beetje stoerdoenerij. Je trefzekerheid is waardeloos als je je

pistool zo vasthoudt. Je hele hand trilt na elk schot, als bij een bejaarde. Net als wanneer je rent. Dat zie je ook in al die films, dat ze rennend schieten. Maar iedereen die dat ooit heeft geprobeerd, weet dat dat niet werkt.'

'Je moet trainen. Wat voor blaffer hadden jullie?'

Over dat soort dingen wou Niklas het eigenlijk niet hebben. Hij probeerde van het onderwerp af te stappen: 'Ik weet het niet precies meer. Maar zeg, heb jij op het moment eigenlijk een vriendinnetje?'

'Hoe kan dat nou dat je niet meer weet welk pistool je had? Kom op zeg.'

Het was een soort ereding. Over sommige dingen lulde je gewoon niet met buitenstaanders: het arsenaal, waar je op missie was geweest, wie de andere mannen in je eenheid waren – en hoeveel mensen je had gedood. Ook als je weg was bij een privéleger moest je je aan de regels houden. De zwijgplicht gold zolang je leefde. Niklas lekte nooit. Zo was hij niet. Waarom kon Benjamin dat niet gewoon accepteren?

Benjamin nam hem op.

Niklas zei kortaf: 'Over dat soort dingen heb je het gewoon niet.'

Benjamin kneep zijn ogen tot spleetjes. Fronste zijn wenkbrauwen. Was hij pissig?

'Oké. Ik begrijp het. *Nemas problemas.*'

Alles chill. Ze kletsten nog wat. Het was lekker weer. Benjamin vertelde dat hij een vechthond had gekocht. Hij was trots op de naam: Arnold. Trainde hem met fenders die hij op de binnenplaats van zijn flatgebouw over de matten-klopstellages hing. Zijn kaken gingen op slot, soms bleef hij meer dan twintig minuten hangen. Kon niet loslaten. Hulpeloos vernederd door zijn eigen kop-pigheid.

Midden in het gesprek ging Niklas' mobiel. Hij leefde in de muzieksmaak van de yanks – zijn ringtone was dat nummer van Taylor Hicks.

'Hoi mam.'

'Hallo. Wat doe je?'

'Ik zit wat te drinken met een oude vriend, Benjamin. Ken je hem nog? Kunnen we later niet bellen?'

Hij deed niets om de irritatie in zijn stem te verhullen.

'Nee, ik moet je iets vertellen.'

'Kan dat niet over twintig minuten?'

'Alsjeblieft. Luister. Ik denk dat ik weet wie ze in de kelder gevonden heb-ben.'

Niklas kreeg kippenvel. Voelde zich koud. Hoopte dat Benjamin niet begreep of hoorde waar ze het over hadden. Drukte de hoorn steviger tegen zijn oor.

'Volgens mij probeerde Claes me die dag te bellen. We hadden elkaar al meer dan een jaar niet gezien. Dat kon me toen niets schelen, zo is hij. Ik weet dat je Classe nooit hebt gemogen, maar hij betekende veel voor me, dat weet je. In elk geval, sinds die dag heeft hij niks meer van zich laten horen. Dat is toch raar?

Ik bedacht het me gisteren en toen probeerde ik hem te bellen. Niemand nam op. Maar hij heeft zoveel verschillende nummers dat ik niet goed weet welke hij gebruikt. Ik heb ook geprobeerd wat oude bekenden van Claes te bellen. Maar ze maakten zich helemaal geen zorgen, zeiden dat het altijd moeilijk is Claes te pakken te krijgen. Ik heb hem zelfs gesms't. Maar hij heeft niks van zich laten horen. Het is verschrikkelijk, Niklas. Afschuwelijk.'

'Mam, dat heeft misschien niets te betekenen. Misschien is hij in het buitenland.'

'Nee, dat zou iemand dan wel geweten hebben. En Claes belt meestal wel terug. Hij moet het zijn. Ik weet het zeker. Hij is weg. Vermoord. Wie kan zoiets nou gedaan hebben?'

'Mam, ik bel je over drie minuten.'

Niklas hing op. Was kotsmisselijk. Stond op. Benjamin keek hem weer aan met van die toegeknepen ogen.

'Ik moet gaan. Sorry. Maar het was leuk je weer eens te zien. Misschien spreken we elkaar binnenkort wel weer een keer.'

Benjamin zag er verbaasd uit.

Onderweg naar het metroperron. Zijn gedachten tolden nu nog erger: krankzinnig, bizar. Niklas belde zijn moeder terug. Zei dat ze zich niet zo druk moest maken. Dat het vast prima ging met Claes. Dat Claes trouwens een schoft was, dus dat ze zich geen zorgen over hem moest maken.

Toch huilde ze.

Hij dacht: Claes verdient wat er gebeurd is. Ten slotte had het recht gesproken. God de gebeden verhoord.

Hij zei: 'Mama, je moet me iets beloven. Vertel dit aan niemand. Het is niet goed. Wil je me dat beloven?'

12

Als een tatoeage op Thomas' netvlies: het totaal verwoeste gezicht van die kel-
dervent, opengereten als een kraslot dat met een vleesbijl is bewerkt. Het was
grof en goor. Tegelijkertijd geniaal uitgevoerd. Als hij niet zo nieuwsgierig was
geweest, de regels niet had overtreden en de arm van die kerel niet had bekeken,
was alles zo simpel geweest. Nu: er klopte iets niet. Oké, per ongeluk een paar
regels van zijn rapport deleten – dat kon gebeuren. Maar de gerechtsarts? Dat
was niet waarschijnlijk. Hij vroeg zich af of Hägerström hem of de rapporten
geloofde. Waarschijnlijk het laatste.

Meestal was het omgekeerd. Iemand sloeg een junk neer, maar als iedereen
de injectiesporen op de armen zag en er onderzoek werd gedaan naar de hoeveelheid narcotica in het bloed, nam men aan dat het een overdosis was, en
werd het onderzoek binnen een paar weken afgesloten. Hier: de mishandeling
overduidelijk. De injectiesporen verborgen.

Hij trof Hägerström bij de ingang van Ziekenhuis Danderyd. Ljunggren bleef in
de surveillancewagen zitten. Mokkend – hij had de hele weg vanaf Skärholmen
zitten zeiken omdat ze hierheen moesten. 'Kom op zeg, ze kunnen je toch niet
dwingen om weer naar die zwerver te kijken.' Thomas zei dat een rechercheur
het hem gevraagd had, dat hij wel moest. Ljunggren hield maar niet op: 'Waar
is die Hägerström op uit? Je weet toch wel waar hij eerder werkte?' Thomas
mompelde alleen: 'Ik weet het, een collaborateur.'

Hägerström kwam hem tegemoet bij de entree van het ziekenhuis. Hij was
kleiner dan Thomas zich herinnerde. Wikkelde zijn voeten rollend af, kwam
aan het eind van elke stap op zijn tenen omhoog. Thomas dacht dat de puber
Hägerström deze tred ontwikkeld moest hebben om een paar centimeter lengte
te winnen en dat die daarna was blijven hangen. Hij was gekleed in burger: jack,
spijkerbroek en schoudertas. Thomas dacht: typisch rechercheurs, ze begrepen
niet hoe belangrijk het is om mensen tegemoet te treden met de autoriteit die
een uniform je geeft. Als ze al een uniform hadden.

Het mortuarium van Ziekenhuis Danderyd lag een heel eind van het gewone ziekenhuisterrein af. Eerst liepen ze door de keldergangen van het ziekenhuis. Kwamen aan de achterkant weer naar buiten. Tussen kleinere gebouwen, aparte klinieken, oude zusterwoningen, een revalidatiefitnesscentrum. Een soort park. Voetgangerstunnel onder een weg door. Verder over een grindweg in de buurt van het water.

Ze liepen zwijgend tot Thomas zei: 'Je had misschien even kunnen zeggen dat het een halve dagmars lopen was. Dit is toch een beetje verspilling van de tijd van de belastingbetaler.'

Hägerström keek hem aan. Bleef staan.

'Ik dacht dat we de tijd wel konden gebruiken om te praten.'

'O?'

'Je weet dat ik van Interne kom. Ik ken jouw type agenten wel. Jullie zitten overal in de Zweedse politie. Van die agenten die zich overal mee bezighouden.'

Dat was een aanval. Iedereen bij de politie wist wat er bedoeld werd met een diender die zich 'overal' mee bezighield. Sommige agenten op straat waren soms wat te hardhandig. Velen van hen richtten zich op demonstraties – ranselden dierenactivisten en antifascisten tot bloedens toe af. Anderen zorgden ervoor dat heroïnejunkies, alcoholisten en daklozen het pak slaag kregen dat ze verdienden. Een aantal dienders zag lichtere vormen van criminaliteit door de vingers als ze bepaalde aanbiedingen kregen – zwarte contracten voor appartementen, gestolen goederen, vrijkaartjes voor de Derby in Råsunda. Anderen skipten de aangifte van prostitutiewerkzaamheden als ze zelf af en toe een wip mochten maken. Verder waren er een paar, niet veel, die zich 'overal' mee bezighielden – die niet alleen af en toe te hardhandig waren of andermans overtredingen door de vingers zagen in ruil voor wederdiensten – ze waren zelf crimineel bezig. Onfrisse zakenmannen. Rotte appels. Gevallen dienders.

Het punt was dat het niet eens waar was. 'Dat was niet bepaald een aardige opmerking,' antwoordde Thomas koel.

Hägerström negeerde het commentaar. Ging gewoon door: 'Maar je bent tegelijkertijd een handige speler. *Street smart* zou je misschien kunnen zeggen. Ik ken jouw soort, jullie nemen geen onnodige risico's. En daarom kan ik het idee dat je deze keer toevallig wél eerlijk bent, niet loslaten. Je reactie op mijn kamer in Kronoberg leek spontaan. Je telefoontje van gisteravond was nergens voor nodig tenzij je echt iets wilde. En daarom zijn we nu hier, samen op weg naar het mortuarium. Ik acht het niet onmogelijk dat je iets gezien hebt wat niet in het rapport terecht is gekomen.'

Thomas was meer onder de indruk dan hij wilde toegeven. Hägerström had het weliswaar bij het verkeerde eind – hij hield zich niet 'overal' mee bezig. Toch raak: hij hield niet van risico's.

Hägerström zei: 'Het onderzoek van een misdrijf is vijfennegentig procent

recherchewerk aan het bureau en vijf procent veldwerk. Maar als het misgaat in die vijf procent, zoals bijvoorbeeld in het rapport van de gerechtsarts, dan kan het hele onderzoek verknald zijn. Het is de moeite waard om elk feit te dubbelchecken.'

Thomas knikte alleen maar.

'Deze moord is niet zomaar een moord. Moorden waarbij de verdachte nog ontbreekt zijn natuurlijk altijd lastig, maar hier weten we niet eens wie de dode is. Dat is heel ongebruikelijk. Het gezicht was onherkenbaar verminkt, dus de gebruikelijke identificatie is niet mogelijk. De vingertoppen zijn bewerkt, dus ook nazoeken in de dactyloscopische database is onmogelijk. Wat er ook op wijst dat de dader weet dat ons oude programma voor vingerafdrukken geen handpalmafdrukken leest, in tegenstelling tot in veel andere Europese landen. Shit, wat lopen we toch achter in Zweden.'

'Verrassend.'

'Geen ironie nu. Het is echt een probleem.'

'Ja, dat begrijp ik. En aan zijn gebit heb je ook niks, vermoed ik.'

'Helaas. Die man had nauwelijks nog tanden in zijn mond, dus het heeft geen zin om er een dentaal register bij te halen. Hij had waarschijnlijk een kunstgebit en dat heeft de moordenaar meegenomen. We hebben zijn bloedgroep onderzocht, maar hij heeft A+, de meest voorkomende bloedgroep in Zweden. Dat leidt nergens toe.'

Thomas dacht aan de tandeloze mond van de man. Het klonk echt onmogelijk, er moest toch wel iets zijn om mee verder te gaan. Hij zei: 'Kunnen ze zijn DNA niet checken? We nemen tegenwoordig toch wangslijm af van elke figuur die we oppakken.'

'Klopt. Je kunt het DNA onderzoeken maar dat werkt alleen als hij al in onze registers zit. Verder kun je de lever, littekens, levervlekken, et cetera bekijken. Maar het is moeilijk op basis van levercirrose en littekens te zoeken, het is te algemeen. Er is iets meer nodig. En als deze dooie voorkomt in het DNA-register, dan is er niets aan de hand, maar het register is nog zo nieuw, vanaf 2003. En zoals je zegt, tegenwoordig nemen we bij iedereen wangslijm af. Maar daar zijn we pas een paar jaar geleden mee begonnen.'

'Dat is ook zo. Dat kwam toch door zo'n antiterreurwet?'

'Ja inderdaad. Maar om opgenomen te zijn in het register van 2003, moet hij vrij ernstige dingen hebben gedaan. Ik zal het heel eerlijk zeggen – ik voel het aan m'n water – ik denk niet dat we hem in het DNA-register zullen vinden.'

'Maar omdat iemand de moeite heeft genomen om de vingerafdrukken van die dooie weg te halen, komt hij waarschijnlijk wel voor in het vingerafdrukkenregister. Of niet?'

'Precies, dat denk ik ook. Anders zou dat nergens voor nodig zijn. En wat betekent dat?'

'Allerlei onduidelijke dingen. Degene die die vent heeft omgebracht wist dat

zijn vingerafdrukken bekend waren. Maar de moordenaar wist ook dat hij de afgelopen jaren niet opgepakt was voor een ernstig misdrijf, want dan zou hij zeker in het DNA-register zitten.'

'Zoiets ja. Maar het is niet zeker dat de dader of de daders hem persoonlijk kenden. Het kunnen ingehuurde moordenaars zijn. Dat maakt de boel er niet makkelijker op.'

'Dus wat doen jullie nu?'

'Tja, de gebruikelijke dingen. Om te beginnen hebben de technici natuurlijk sporen veiliggesteld in de hele kelder en het halve trappenhuis. Maar dat levert niet altijd zoveel op als je zou verwachten.'

'Waarom niet?'

'Omdat er altijd een heleboel slordige stomkoppen rondlopen. Iemand zet een raam open waardoor eventuele vezelsporen wegwaaien door de tocht of wandelt rond binnen de versperring zodat DNA-materiaal vermengd raakt. Maar we doen ook andere dingen. We doen buurtonderzoek, bekijken de registers van verdwenen personen en proberen uit te vinden of er iemand matcht. Wachten op verdere uitslagen van het forensisch lab in Linköping. We hebben de mensen gehoord die als eerste ter plaatse waren, plus de buren die belden over de moord, jou, de andere agenten. De gewone dingen, je kent het wel. Het gaat erom de juiste vragen te stellen. Open vragen, de antwoorden niet veronderstellen, zorgen dat mensen zich dingen echt herinneren en ze niet verzinnen. Dat is het belangrijkste.'

Thomas had deze rechercheurspraatjes eerder gehoord. Martin Hägerström klonk net als de anderen – probeerde te doen alsof hij alles onder controle had.

'Op dit moment is het interessantste spoor een onvolledig telefoonnummer. In de achterzak van het slachtoffer zat een oud, opgevouwen papiertje met een mobiel nummer. Helaas is het een beetje uitgelopen, het papiertje moet er al een hele tijd gezeten hebben. Eén cijfer is onleesbaar geworden. Dat geeft ons statistisch gezien tien mogelijke nummers die we nu checken. Hopelijk weet de persoon van het telefoonnummer wie de man is.'

Hägerström hield op met praten. Voor hen: een langwerpig, laag gebouw van baksteen. Wit, plaatijzeren dak. Kleine, vierkante ramen en een brede ingang. Boven de ingang grote zwarte letters tegen een grijze achtergrond: MORTUARIUM DANDERYD – KOELRUIMTE.

Ze gingen naar binnen.

Een kleine wachtruimte. Een lege receptie. Hägerström pakte zijn mobiel. Belde iemand.

Het duurde even. Thomas en Hägerström stonden met hun armen over elkaar. Stil. Na tien minuten kwam er een man in blauwe ziekenhuiskleding de wachtkamer in. Hij reikte hen de hand.

'Hallo, Christian Nilsson, obductieassistent. Sorry dat ik jullie heb laten

wachten. We zijn enigszins onderbemand vandaag. Jullie wilden kijken naar de man die via de politie van Zuid is binnengekomen, toch?'

In de obductiezaal was het fris, als in een koelkast. Nilsson legde uit: in de eigenlijke koelruimtes was het echt koud, onder nul. Thomas dacht: zag die vent er daarom uit alsof hij net uit een sneeuwstorm kwam? Er lag een dikke laag roos op zijn schouders.

De eerste keer dat Thomas in een mortuarium was. Een duidelijk gevoel van onbehagen in zijn buik – er bewoog daar iets. Hij keek om zich heen. Witte tegelmuren. Midden in de ruimte stonden twee obductietafels van roestvrij staal. Boven elke tafel: een sterke lamp, net als bij de tandarts, maar dan groter. Enorme afvoerputten in de vloer. Thomas dacht aan alles wat ze na een geslaagde sectie waarschijnlijk wegspoelden via die putten. Op de planken: bakken, instrumenten, gereedschap, weegschalen. Alles van roestvrij staal.

Net toen ze naar binnen zouden gaan, ging Nilssons telefoon. Hij nam op. Ging een stukje verderop staan. Sprak een minuut of wat in de hoorn. Thomas en Hägerström bleven zwijgend staan.

Nilsson bracht ze naar de koelruimte. Op de metalen deur zat een sticker: OP DEZE WERKPLEK IS DE SFEER GOED, GEMOEDELIJK EN ONTSPANNEN – MAAR EEN BEETJE STIJFJES. Thomas dacht: gevat – net politiehumor.

De koelruimte was ijskoud. Dezelfde witte tegelmuren als eerder. Ze kwamen binnen via de korte zijde van de ruimte – de twee lange zijden bestonden uit rolbare lades voor lichamen. Luchtverfrissers aan de wanden. Het hielp niet. De lijkenlucht was niet sterk maar hing wel duidelijk in de ruimte als een prikkend gevoel in zijn neus – hij ademde door zijn mond.

Nilsson trok een lade open. Roestvrij staal. Het lijk lag in een witte doek met het logo van het ziekenhuis erop. Er staken twee voeten uit. Aan de grote teen hing op klassieke wijze een identiteitskaartje. Nilsson hield het omhoog, liet het aan Thomas en Hägerström zien: *Nr. E 07 – 073. Identiteit onbekend. Binnengekomen op bovenstaande datum. Dossiernummer K58599-07 van politie Zuid. Notitie mort. Drd.: obductie verricht. Verantw. obductieassistent:* CNI. Hägerström knikte en zette zijn schoudertas op de grond.

Hägerström tilde het doek over het gezicht op.

Thomas had het koud. Voor ieders mond verschenen wolken als op een winterdag buitenshuis, behalve dan bij het lijk.

Er was niet zoveel te zien. Het hele gezicht – één grote slachtpartij. Thomas had veel doden gezien. Doden onderzocht. In doden geknepen. Geprobeerd doden mond-op-mondbeademing te geven. Hij had nog veel meer foto's van doden gezien. In elkaar geslagen, mishandeld, verkracht, verwond. Vleeswonden, kogelgaten, messteken. Hij beschouwde zichzelf als ervaren. Toch – het gevoel hier in het mortuarium deed hem walgen. De misselijkheid overviel hem. Hij wendde zijn gezicht af. Een snik.

Zijn radio begon geluid te maken. Eerst snapte hij het niet, de ontvanger was

erop ingesteld om alleen zijn eigen auto te kunnen ontvangen. Hägerström zei: 'Het is de jouwe.'

Thomas antwoordde: 'Andrén hier, over.'

'Hallo, Ljunggren hier. Je moet nu terugkomen. Er is veel haast bij. Een winkeldief in Mörby Centrum. Wij zitten blijkbaar het dichtst bij.'

'Ik kom over vijf minuten. Moet dit even afmaken.'

'Nee, je moet nu komen. Prio 1.'

'Het gaat snel. Het is toch maar een winkeldief.'

'Kop erbij, man. Waar ben je?'

'Ik ben nog steeds bij Martin Hägerström. We bekijken het lijk.'

Het was even stil.

'Laat die Hägerström zitten. Hij kan zelf wel kijken. Ik wacht niet op je. Kom naar buiten.'

Hägerström keek naar Thomas.

'Ljunggren, ik spreek je later. Over en sluiten.' Thomas zette de radio uit.

Hägerström zei niks. De obductieassistent haalde langzaam het doek weg. Dat zat vast met klemmetjes. Het kostte tijd. Thomas vroeg zich af of ze hier echt onderbemand zouden zijn als die kerel zou leren wat sneller te werken.

Thomas voelde de spanning in zijn buik groeien, onderdrukte de misselijkheid.

Op de uitschuifbare brits zagen ze nu het volledige witte lichaam. Je zag de wonden op het lichaam alleen als je goed keek. De obductieassistenten hadden goed werk geleverd.

Hägerström vroeg: 'In welke arm zag je de injectiegaatjes?'

Thomas ging naar de rechterarm toe. Wees.

Hägerström tilde de arm op. Er waren geen sporen te zien. Hij wreef met zijn hand over de arm van de dode. Thomas vroeg zich af hoe dat voelde. Toen keek hij naar de plek waar Hägerström overheen had gewreven: de gaatjes.

Hägerström zei: 'Soms moet je de huid een beetje opentrekken om het te kunnen zien. Lamlullen.'

Thomas voelde zich net een professionele csi-agent.

Hägerström pakte zijn tas van de vloer. Zocht erin. Haalde er een digitale camera uit.

'Tijd om te documenteren wat de gerechtsarts blijkbaar niet heeft gezien.'

Er kwamen geluiden uit de obductiezaal. De deur vloog met een klap open. Er kwam een man in pak binnen. Het was Stig Adamsson, commissaris, hoofd van de ordepolitie in Zuid. Baas van Thomas.

Stig Adamsson zei autoritair: 'Hägerström, je bent niet bevoegd om hier te zijn. Dat geldt ook voor jou, Andrén. Stop die bevroren dooie weer terug.'

Hägerström deed rustig aan. Stopte zijn camera langzaam terug in het hoesje.

'Waar gaat dit over, Adamsson? Ik leid dit onderzoek. Ik onderzoek wat ik wil en waar ik wil.'

'Nee, voor dit soort dingen heb je de toestemming van de officier van justitie nodig. Jezus, Hägerström, hier kun je een aanklacht voor ambtsovertreding voor krijgen. Op dat lijk is al sectie gepleegd en de gerechtsarts heeft gedaan wat hij moest doen. Dan kun je niet zomaar binnen komen stampen om lijken tevoorschijn te halen.'

'Sorry, maar ik ben het niet met je eens.'

'In welke zin niet, als ik vragen mag?'

Voor het eerst verhief Hägerström zijn stem een beetje.

'Ik weet niet waar je mee bezig bent. Maar ik ben hier de hoofdrechercheur, dat betekent dat dit onderzoek van mij is. Of ik hier nu zou mogen zijn of niet, het is niet jouw zaak om je ermee te bemoeien. Begrepen?'

Adamsson keek op. Was er niet aan gewend zo toegesproken te worden.

Stiller dan de dood in het mortuarium.

Nilsson schoof het lijk de muur weer in. Het galmde in de koelruimte.

Er kwam rook uit Adamssons neusgaten.

'Ik ben je meerdere, Hägerström, vergeet dat niet.'

Daarna liep hij weg. Lange, nadrukkelijke, verontwaardigde passen.

Ze zwegen tot ze weer op het voetpad liepen. Thomas ging ervan uit dat Ljunggren vertrokken was met de surveillancewagen en hij dus met Hägerström mee zou gaan.

'We zaten zojuist in een film, vond je ook niet?' vroeg Hägerström. Grijnsde.

Thomas kon een grijns ten antwoord niet onderdrukken.

'Ik heb geen idee.'

'Als ze een film over jouw leven zouden maken, wie zou jou dan mogen spelen?'

'Waarom zou iemand een film over mij willen maken?'

'Tja, wat er zonet gebeurde bijvoorbeeld. Je reinste thrillerspanning.'

Thomas barstte bijna in lachen uit. Hield zich in. Wilde afstand houden.

'Het is echt een oude mannetjesputter, die Adamsson. Maar ik snap niet wat hij hier deed.'

'Inderdaad. Dit klopt ergens niet.'

'Nee, maar wat klopt er niet?'

'Ik heb geen idee,' zei Hägerström. 'Nog niet.'

13

De sportschool: gemarineerd met stieren, geoccupeerd door gorilla's, gefixeerd door spieren. Fitness Center, de plek waar de bigste gasten van Stockholm dag en nacht rondhingen. De plek waar je niet langsging als de diameter van je bovenarm in opgepompte toestand onder de veertig centimeter lag. Maar ook – de plek waar de saamhorigheid niet alleen gebaseerd was op de belangstelling voor bodybuilding en Russische vijfjes. De sportschool was zeven dagen per week, vierentwintig uur per dag open, het hele jaar door. Misschien was het daarom de ontmoetingsplek voor veel van Radovans jongens. Lievelingen met de juiste instelling: proteïnedrankjes waren belangrijk, vette biceps nog belangrijker, de Joegoboss het allerbelangrijkste.

Altijd sportschooltechno uit de luidsprekers. Opdringerig, jachtig, monotoon, vonden sommigen. Volgens Mahmud: het enige tempo waarmee je de zin om gewichten omhoog te krijgen aanwakkerde. Plastic planten in witte potten op de vloer. Oude affiches van Arnold Schwarzenegger en Christel Hansson aan de muren. Afgeragde apparaten waar de verf soms vanaf bladderde. Doorzwete handgrepen, gerepareerd met zwarte isolatietape. Maakt geen flikker uit – alle serieuze sporters droegen handschoenen. Bovendien: apparaten waren voor spillepootjes. Zware swa's trainen met vrije gewichten.

Mahmud was er een paar jaar voor hij de bak indraaide gaan trainen. Nu was hij terug. Hield van deze plek. Vond het geweldig dat hij hier de mogelijkheid had gekregen voor de Joego's te werken. Het was een verzamelplaats van goede contacten. Mannen vertelden tori's over R.'s legendarische leven. De boss die van scratch af was begonnen, die met twee lege handen naar Scania in Södertälje was gekomen toen Mahmud nog niet eens geboren was. Twee jaar later had hij zijn eerste miljoen binnengehaald. De man was een mythe, net een god. Maar Mahmud wist meer: er waren gasten in de sportschool geweest die niet met Rado samen hadden kunnen werken. Een paar daarvan waren oude vrienden van hem. Hun leven was tegenwoordig geen pretje. Als ze al leefden.

Vandaag: Mahmud deed zijn borst. Honderd kilo aan de stang op de drukbank. Langzame, beheerste bewegingen. Spiertraining was een puur technische

sport. Simpel om de beginners van de gevorderden te onderscheiden – de gratenbalen tilden te snel, maakten de verkeerde hoek met hun arm.

Hij probeerde aan de kuur waar hij binnenkort mee zou beginnen te denken, een snellere weg kon nooit kwaad.

Onmogelijk zich te concentreren. Nog twee dagen tot Gürhans deadline en Mahmud had er nog geen peseta bij weten te krijgen. Zijn vader kon hem niks lenen. Plus, Mahmud wilde zijn aboe er niet bij betrekken. Zijn zus had hem al vijfduizend geleend. Misschien kon haar vent aan meer komen, maar hij was niet thuis. Hij probeerde gisteravond in de stad met Babak en Robert te takken. Zijn homies, jongens die hij kon vertrouwen – maar ze misten grof geld. Babak beloofde dertig ruggen op donderdag. Robert kon hem er tien lenen, maar Mahmud kon het pas later vandaag krijgen. Hij had ook nog andere matties: Javier, Tom Lehtimäki, vrienden van vroeger die hij echt digde. Maar geld lenen? Nee, dat deed een man met eer in zijn donder niet bij iedereen.

Alles bij elkaar: hij kwam nog steeds vijfentwintigduizend tekort. Wat moest hij in fucking godsnaam doen? Een buurtwinkel overvallen? Bakpoeder verkopen op Sergels torg? Uitstel van betaling vragen? Veel succes. Hij moest die kill vinden die hij moest vinden. Protectie van de Joego's krijgen.

Mahmud liet de halter op de standaard liggen. De gedachte hield aan: WAT MOEST HIJ IN GODSNAAM DOEN? Hij werd gegrepen door hetzelfde paniekgevoel als toen hij Daniel en de andere Born-to-be-hated-gasten in Hell's Kitchen had gezien. Het gevoel alsof alles draaide. Zijn hoofd bonsde.

Hij keek naar het plafond. Sloot zijn ogen. Deed alles om niet te denken aan wat er zou gebeuren als Gürhan zijn poet niet op het afgesproken tijdstip kreeg.

Later kalmeerde hij. Deed zijn biceps. Eén arm tegelijk boven zijn hoofd. Een halter van dertig kilo in zijn hand. Langzaam achter zijn rug laten zakken. De elleboog bleef omhoog wijzen. Nog langzamer omhoog in uitgestrekte houding. Soepele bewegingen. Pijn in de spieren. Helemaal goed.

Hij dacht verder na over de opdracht. Had niet alles begrepen van het verzoek tot dagvaarding dat Tom voor hem had opgevraagd. Maar één ding was duidelijk: iemand in de bewakingsfirma die verantwoordelijk was voor de Arlanda-kluis had zulke vieze handen dat hij smeergeld moest schijten. Tom had hem geholpen aan contactgegevens van een paar bewakers van wie bekend was dat ze soms speciaaltjes deden.

Mahmud had een van die bewakers al gebeld, was zo beleefd geweest als hij maar kon. Het hielp niet. De Zwedo-bewaker hing de harde bink uit. Irritant, onwillig, arrogant. Beweerde dat hij nog nooit van ene Wisam Jibril had gehoord – of zelfs maar van een overval op Arlanda. Met de andere gasten van wie hij het nummer van Tom had gekregen, ging het niet beter – niemand wou zelfs maar toegeven dat hij Jibril kende. Misschien spraken ze de waarheid.

Maar dat ze zelfs niet van de overval op Arlanda gehoord zouden hebben. Heel aannemelijk. *Not.*

Wisam Jibril: gettosuperstar, buitenwijkheld. Hield zich schuil. Probeerde niet gezien te worden. Ontdekt te worden. Ontmaskerd te worden. Maar niet als een prof – om te beginnen was hij teruggekomen naar Zweden. Bovendien: de swa leefde la dolce vita, smeet met geld. Liet zijn kronen blijkbaar harder rollen dan de oplichters van Trustor in de Rivièra. Mahmud was van plan Wisams cashspoor te volgen.

Afgelopen week: Mahmud had op alle plekken die hij maar kon verzinnen naar Wisam gevraagd. De clubs rondom Stureplan, de pizzeria's in Tumba, Alby en Fittja, de sportscholen in het centrum. Had geïnformeerd bij oude bekenden van Wisams familie, buitenwijkkills die nooit echt gevaarlijk waren geworden en meiden die in hun pubertijd met Wisam rond hadden gehangen. Hij was zelfs naar wat moskeeën en gebedsruimtes geweest. Geen enkel resultaat. Maar hij had de Bentley nog.

Babak parkeerde de auto in de Jungfrugatan. BMW M5: vijfhonderd vette pk's onder de blauwe lak. Sportstoelen, kersenhouten panelen, gps. Alles extra. Babak had hem weliswaar van zijn broer geleend, maar toch – vet sweet. Het coolste van dit alles: Babaks broer woonde in een huurflatje van tweeëndertig vierkante meter. Zelfs Babak lachte erom. Maar iedereen wist: wij zijn niet zoals de Zwedo's die dromen van een saai vrijstaand huis in een burgerlijke schijtvoorstad. Wij geven niet zo om hoe we wonen. Wij geven om klasse. En een man zonder mannelijke auto is geen man met waardigheid.

'Jalla, nu is het zover.' Mahmud grijnsde.

Ze stapten uit.

Östermalm in de zomerzon. Onder hen lag de Strandvägen. Aan de andere kant liepen mensen in de richting van het park Djurgården. Een heleboel boten en meeuwen op het water. Wat deden al die mensen hier? Werkten Zwedo's overdag niet?

Hij richtte zich tot Babak. 'Snap jij dat nou? Ze lopen te zeiken dat wij niet werken en kijk hun nou eens.'

'Mahmud, de gedachten van de Suédi's zijn niet te volgen. Ze zeggen dat we niet werken. Alleen maar uitkering trekken. Maar dezelfde Zwedo's beweren ook dat we hun baantjes afpakken. Hoe kan dat nou?'

Dertig meter verderop zag hij de Bentley-dealer. De tekst BENTLEY SHOWROOM met zwarte letters op de gevel boven de ramen die doorliepen tot op de stoep. De entreedeur stond open.

Geen mensen binnen. Hij voelde met zijn hand in zijn zak: de boksbeugel lag goed. Keek naar Babak. Knikte. Babak klopte met zijn hand op zijn borstzak. Mahmud wist wat er aan de rechterkant onder zijn jack zat: een ingekorte honkbalknuppel.

Mahmud stapte naar binnen. Babak bleef op straat staan, goed zichtbaar van-uit de showroom.

Witgeschilderde muren en vloer. Spotlights in het plafond. Vier grote auto's op de vloer: twee Continental GT's, een Arnage en een Continental Flying Spur. Normaal gesproken: Mahmud zou zich uren aan die schitterende bakken kun-nen vergapen. Vandaag keurde hij ze geen blik waardig.

Nog steeds geen mensen binnen. Werkte hier soms niemand? Hij riep: 'Hallo?' Er verscheen een gozer door een deur achter een witte, barachtige toonbank. Rode plooibroek, licht colbertje met pochetje in het borstzakje. Onder het col-bertje een overhemd met brede strepen, de bovenste knopen open. Manchet-knopen in de vorm van een B van het Bentley-logo. Instappers met dunne leren zolen en vergulde gespen aan zijn voeten. Kakker tot de duizendste macht. Het leek wel een grap. Mahmud dacht: wie zou er van deze rukker nou een auto willen kopen?

'Hallo. Wat kan ik voor je doen?'

Opgetrokken wenkbrauwen. Was dat een dis of een spoortje angst? Mahmud paste niet in deze showroom.

'Ik wou alleen even naar jullie Bentleys kijken. Hebben jullie nog meer dan wat hier staat?'

'Wat we hebben staat hier.'

De kakker wilde de man van weinig woorden uithangen. Straalde uit: jij ziet er niet uit als een koper. Het kon Mahmud geen ruk schelen, hij was hier niet om te shoppen.

'Maar jullie hebben toch wel een magazijn ergens?'

'Jazeker, we hebben een magazijn in Denemarken en wij maken de auto af. Het duurt twee tot acht weken om daar een auto vandaan te halen.'

'Kun je een Continental GT met 19 inch velgen van Alloy krijgen?'

'Absoluut.'

'Hebben jullie er de afgelopen maanden zo een verkocht?'

Mahmud wierp een blik naar buiten. Zag Babak voor de deur staan. Oog-contact. De kakker volgde Mahmuds blik. Zag Babak ook. Keek weer naar Mahmud. Zag hij daar ongerustheid in zijn ogen?

'Ik geloof het wel,' zei de jongen.

Mahmud stopte met zijn act van geïnteresseerde klant.

'Dat vraag ik omdat ik wil weten of je zo'n auto verkocht hebt aan een gast die Wisam Jibril heet.'

Stilte in de showroom.

'Hé, ik vroeg je wat.'

'Ja, dat heb ik gehoord. Maar ik weet niet of we er een hebben verkocht aan iemand met die naam. We vragen niet hoe onze klanten heten.'

'Kan me niet schelen. Heb je de laatste tijd zo'n model aan een Arabier ver-kocht?'

'Zou ik een tegenvraag mogen stellen? Waarom wil je dat weten?'

'Hou op.'

'Maar ik weet toch niet wie Arabier is en wie niet. Bovendien heb ik geen reden om informatie te verstrekken over onze klanten. Velen van hen willen dit soort aankopen niet van de daken schreeuwen, als je begrijpt wat ik bedoel.'

Mahmud keek weer naar buiten. Babak op zijn plaats. Mahmud liep naar de entreedeur. Sloot hem. 'Oké kakmadammetje, het zit zo.' Hij liep terug naar de winkeljongen, of wat het ook voor iemand was. 'Ik moet weten of Wisam Jibril hier een auto gekocht heeft, rechtstreeks of via iemand anders. Zo simpel is het. Begrepen?'

Mahmud was een grofgebouwde kerel. Zijn brede testokaken gaven hem een vierkant gezicht. Vandaag droeg hij een strak mouwloos T-shirt met V-hals. Een trainingsbroek eronder. De vers opgepompte arm-, schouder- en borstspieren waren goed zichtbaar onder de dunne stof. De tatoeages deden hun gebruikelijke werk. Duidelijk voor iedereen: deze jongen hoefde je niet onnodig te provoceren.

Toch zei die gast: 'Luister, ik geef daar geen antwoord op. Ik weet niet wat je hier wilt, maar ik wil je verzoeken de winkel nu te verlaten.'

De jongen liep naar de entreedeur om die open te doen. Mahmud liep hem voorbij. Drie grote stappen. Pakte zijn arm vast. Hard. De boksbeugel om zijn vuist, hand in zijn zak.

'Kom mee, jochie.'

De kakker leek eerst nauwelijks te begrijpen wat er gebeurde. Babak kwam binnen door de entreedeur. De bal vroeg: 'Waar zijn jullie in godsnaam mee bezig?' Ze negeerden zijn gepiep. Mahmud hield zijn hand met de boksbeugel tegen zijn been. Het hoefde niet van buitenaf te zien te zijn.

'Hé, meekomen naar binnen nu. We zullen niks stoms uithalen.'

Die kakker – geen fighter. Ze trokken hem mee naar de ruimte achter de auto's. Deden de deur dicht. Een kantoortje: protserig eikenhouten bureau, computer en pennen die er flashy uitzagen. Flessen met inkt of zo. Hier tekenden ze zeker die koopcontracten voor meer dan een miljoen per auto. Mahmud zei tegen de winkeljongen dat hij moest gaan zitten. De gozer: angstiger outlook dan een zevenjarige die betrapt wordt bij een winkeldiefstalletje.

'Het is simpel. We zullen je verder niet pesten. Ik zeg het nog één keer, ik wil alleen weten of je een Continental GT hebt verkocht aan een Arabier die Jibril heet. Het kan ook zijn dat hij erbij was toen iemand anders hem kocht, op papier zeg maar. Maar je weet het, jullie zijn de enigen in de stad die zulke auto's verkopen en zoveel zijn het er ook weer niet per maand. Toch?'

'Maar wat willen jullie eigenlijk? Dit kunnen jullie niet doen.'

'Bek houden. Geef gewoon antwoord.'

Mahmud deed een stap naar voren. Sperde zijn ogen wijd open. Glashelder hoe hij door deze bevooroordeelde kakker werd gezien: een gruwelijk brede,

levensgevaarlijke allochtoon uit een ver land waar ze oorlog voerden en elkaar vermoordden voor het ontbijt. Een bloeddorstige schoft.

Ten slotte bracht hij uit: 'Twee maanden geleden hebben we zo'n auto verkocht. Maar niet aan een Arabier.'

'Beter je best doen.'

'Nee, maar het was geen Arabier. Het was een bedrijf.'

Mahmud reageerde meteen. Die jongen hield iets achter.

'Ophouden met die spelletjes, balletje, je weet meer. Kunnen Arabieren soms geen bedrijf hebben?'

Mahmud deed de deur open. Keek de ruimte in. Niemand in de showroom. Hij gaf de jongen een klap voor zijn kop. Zette zijn krankzinnigste blik op.

'Racist.'

De jongen bleef op de bureaustoel zitten. Zijn wang zo rood als een stoplicht. Keek Mahmud recht aan. Babak met de honkbalknuppel in zijn hand.

Mahmud trok hem weer naar zich toe. Wat een scène dit – je reinste Amerikaanse verhoormethode.

De ogen van de kakjongen vulden zich met tranen. Bloeddruppels uit zijn neus. Maar hij hield zijn janken tenminste in.

'Ik weet het niet. Echt niet.'

Mahmud explodeerde. Trapte de jongen tegen zijn borst. Geïnspireerd door Vitali Akhramenko's dope kicks in de Solnahal. De bureaustoel knalde tegen de muur. De jongen viel op de grond. Schreeuwde. Trillende oogleden. Misschien een traan.

'Jezus, je bent echt hartstikke gestoord.'

Mahmud gaf geen antwoord. Sloeg de kill recht op zijn smoel. Voltreffer. Het gevoel alsof er iets kapotging.

De jongen beschermde zijn gezicht. In elkaar gekropen. Mahmud boog zich voorover.

'Vertel het nu. Want het wordt alleen maar erger voor je.'

De kakker snikte: 'Oké, oké.'

Mahmud wachtte.

De jongen zei moeizaam: 'Het zit zo. Twee maanden geleden hebben we een Continental verkocht. Ik geloof dat ze met zijn tweeën waren. Formeel, op papier, was de koper een bedrijf, maar die auto was voor een van hen twee. Dat was duidelijk.'

Mahmud zei rustig: 'Kunnen we dat papier eens zien.'

*

De buitendeur sloeg hard dicht. Het klonk alsof er iets op de vloer van de hal kletterde – misschien was het mama's paraplu, misschien was het de fietspomp die altijd tegen het kastje in de hal stond.

Zeker weten dat hij het was.

Niemand kwam doordeweeks bij hen thuis zonder eerst aan te bellen, en niemand deed deuren met zo'n beslist geluid dicht.

Het moest Claes zijn.

Niklas zette de televisie harder. Het was de derde keer deze week dat hij deze film keek: Lethal Weapon. *Eigenlijk vond zijn moeder het niet prettig dat hij naar die, zoals zij ze noemde, 'akelige en gewelddadige' video's keek, maar ze kon zijn gezeur niet weerstaan. Dat had hij al lang geleden geleerd – als hij maar vaak genoeg vroeg, gaf mama altijd toe.*

Maar Claes, die gaf niet toe. Niklas wist dat het geen zin had om mama iets te vragen als Claes er was. Niet omdat mama dan moeilijker over te halen was, maar omdat Claes zich ermee bemoeide en alles verpestte. Hij verbood Niklas te doen wat hij zelf wou – video's kijken, 's avonds buiten zijn, autosnoepjes krijgen in de supermarkt. Claes bedierf alles. En die vent was niet eens zijn echte vader.

Maar soms was hij aardig. Niklas wist wel wanneer, dat was als Claes geld van zijn werk had gekregen. Hij hield niet precies bij wanneer dat gebeurde, maar het gebeurde niet vaak genoeg. Op die dagen kwam Claes thuis met chips en Coca-Cola, een paar video's en snoepkettingen. Om de een of andere reden altijd snoepkettingen, hoewel er veel lekkerder snoep was. Voor zichzelf en mama had hij zwaardere tasjes bij zich. Niklas herkende die witte tasjes met de tekst STATIEGELD BIJ DE SLIJTER. Hij wist wat het geluid van tegen elkaar stotende flessen betekende. Soms ontkurkten ze de fles dezelfde avond. Soms wachtten ze tot het weekend. Het resultaat hing af van Claes' humeur.

Claes kwam de woonkamer binnen en ging voor de tv staan, net op het moment dat Mel Gibson zijn eigen schouder uit de kom aan het slaan was. Hij keek naar Niklas die onderuitgezakt op de bank zat. Een van de kussens van de bank hing ver over de rand en viel bijna op de grond.

'Niklas, zet die film uit,' zei hij.

Niklas ging rechtop zitten en pakte de afstandsbediening. De cijfertjes op de harde knoppen waren afgesleten. De televisie was oud en zag eruit alsof hij in een houten bak stond. Maar hij had in elk geval een afstandsbediening.

Hij zette de tv uit. De video bleef stil door draaien.

'Zet de video ook uit. Die hoeft niet aan te blijven staan. Kan het je niet schelen dat je moeder het vervelend vindt dat je naar zulke rommel kijkt?'

Niklas opende zijn mond om iets te zeggen, maar er kwam geen geluid uit.

Mama kwam binnen en ging in de deuropening staan.

'Hoi Classe. Hoe was je dag vandaag? Mag hij niet even naar die film kijken? Dan kunnen jij en ik eten maken.'

Claes draaide zich naar haar om.

'Ik ben ontzettend moe, weet je.'

Daarna ging hij naast Niklas op de bank zitten en zette de tv weer aan. Er was nieuws.

Niklas stond op en liep naar de keuken. Naar mama.

Ze was aardappels aan het schillen, maar hield op toen hij binnenkwam. Ze pakte een biertje uit de koelkast.

'Niklas, kun je deze niet even naar Classe brengen? Dan wordt hij wel weer wat vrolijker.'

Niklas keek naar het koude biertje. Er zaten druppeltjes op het blikje, alsof het zweette. Hij vond het er grappig uitzien en dacht: het is toch koud in de koelkast – waarom zweet ie dan? Daarna zei hij: 'Ik wil niet. Claes hoeft geen bier, mama.'

'Waarom kun je hem geen Classe noemen? Dat doe ik toch ook.'

'Maar hij heet Claes.'

'Ja, dat is zo, maar Classe is mooier.'

Niklas vond Classe nog lelijker dan het woord 'ribbroek'.

Mama pakte het biertje zelf en bracht het naar Claes.

Niklas ging op het bed in zijn kamer liggen. Het was te kort, zijn tenen staken over de rand. Soms schaamde hij zich er een beetje voor dat hij nog in een kinderbedje sliep, al was hij bijna negen. Het bed dat hij zijn hele leven al had, zei mama. Ze hadden geen geld voor een nieuw, groter bed. Maar aan de andere kant, er kwamen toch haast nooit vriendjes spelen. Hij pakte een oud nummer van Superman van de vloer en begon erin te lezen. Zijn maag knorde. Dat betekende dat hij honger had – dat had hij op de naschoolse opvang geleerd.

Ja, hij had hartstikke honger.

Ze kregen geen echt eten, hoewel het steeds later werd. In plaats daarvan at hij geroosterd brood met jam en dronk hij Nesquik. De aardappels die mama had geschild, lagen ongekookt in de pan. In de woonkamer lagen twee lege pizzadozen, veel lege bierblikken en Claes en mama op de bank. Ze keken naar een andere film. Zijn cassette van Lethal Weapon, die de vader van een klasgenootje voor hem had gekopieerd, lag op de vloer voor de video.

Maar wat hem pijn deed was niet de onrechtvaardigheid dat hij de film niet uit had mogen kijken. Het was het volume van Claes' stem. Niklas wist wat dat betekende.

Soms als hij zo dronken was, was hij aardig. Maar meestal was hij eng.

Het was nog maar acht uur.

Hij ging weer naar zijn eigen kamer. Probeerde zich op Spiderman te concentreren. Hij was in een supergevecht verwikkeld met Juggernaut. Spiderman spande zijn net over de hele straat en hoopte dat dat de pantserman zou tegenhouden.

Hij hoorde Claes' gelach en mama's gegiechel door het lezen heen.

Juggernaut trok zich niks aan van het net van Spiderman. Hij bleef doorlopen met lange passen die afdrukken maakten in het asfalt van New York. Het net werd steeds verder opgerekt.

Plotseling ging de deur van zijn kamer open.

Niklas keek niet op. Probeerde er onbewogen uit te zien.

Las een paar plaatjes verder: het net van Spiderman scheurde niet. De gebouwen stonden te schudden.

Het was Claes.

'Niklas, zou je niet even naar de kelder kunnen gaan? Je kunt wel even met het hockeyspel gaan spelen of zo. Mama en ik hebben wat tijd voor onszelf nodig.'

Het was geen vraag, al klonk het zo. Dat wist Niklas.

Toch bleef hij doorlezen. Juggernaut liep door. Het net hield het. Maar het beton van de gebouwen waaraan Spiderman het had vastgemaakt hield het niet.

'Heb je me niet gehoord? Kun je even naar beneden gaan.'

Hij haatte het als dit gebeurde. Hij vroeg zich af wat ze deden als hij naar de kelder gestuurd werd. Claes kwam het af en toe vragen. Het ergste was dat mama altijd aan de kant van die vent stond. Omdat ze vanavond vrolijk leek, ging Niklas akkoord.

Hij stond op. Rolde het stripblad op in zijn hand, pakte de huissleutels met zijn andere hand en vertrok. Het was donker in het trappenhuis dus hij moest het licht aandoen.

Hij drukte op het knopje van de lift.

Het duurde meestal niet langer dan een halfuur. Daarna zou zijn moeder naar beneden komen om hem te halen.

14

Vannacht: Niklas in een tunnel. Lichtpuntjes in het plafond. Het hijgen weer-
galmde. Hij draaide zich om. Werd niet achternagezeten. Hij was degene die
achternazat. De Tanto in zijn hand. De tunnel werd lichter. Wie zat er voor
hem? Een man. Misschien was het zo'n baardkrijger van daarginds. Misschien
de zwarte makelaar. Toen zag hij het: Claes draaide zijn hoofd om. Sperde zijn
ogen wijd open. Spuug om zijn mond. Niklas nam grote stappen. De Mizuni's
voldeden aan zijn verwachtingen. De vent staarde hem aan. Een wit schijnsel
vulde de tunnel. Hij kon niets zien.

De tweede keer *Taxi Driver* die dag. Twee uur lang kata's met zijn mes. Niklas
met ontbloot bovenlichaam. Als Travis. Het zweet droogde op. De concentratie
voor de kata's vergde veel. Hij liep de keuken in en dronk een paar slokken water. Een luxe: direct uit de kraan kunnen drinken. In Irak kwam er rioolwater
uit de kranen, als er al iets kwam.
 Hij was walgelijk moe. De nachtmerries verstoorden veel.
 Hij ging zitten. Keek om zich heen. Ontmoedigd.
 Zijn moeder was weer vertrokken naar haar eigen huis. Dat versterkte de eenzaamheid. Acht jaar met de mannen. Nu: zes weken eenzaamheid. Het nekte
hem haast. Hij had werk nodig. Moest iets te doen hebben. Een doel in het
leven. Heel snel. Dan waren daar ook nog zijn moeders vermoedens. Ze had
hem verteld dat ze heel zeker wist dat die dooie vent Claes was. Niklas dacht
weer aan zijn nachtmerrie.
 Buiten regende het. Wat was dit eigenlijk voor zomer? *Thank God for the rain
to wash the trash off the sidewalk.*
 Hij at uit een zak chips. Zag Claes' gezicht voor zich. Brak de geribbelde ge-
frituurde stukjes aardappel tussen zijn voortanden. Ze kraakten. Claes was nu
weg. Dat verhaal had een gelukkig einde gekregen. Niklas was opgelucht.
 Hij zette de dvd weer aan. Spoelde vooruit naar een van zijn lievelingsscènes.
Travis probeerde werk als taxichauffeur te krijgen. De sollicitatieman vroeg:
'*How's your driving record? Clean?*' Travis' rake antwoord: '*It's clean, real clean.
Like my conscience.*'

Niklas was het met hem eens. Wat hij ook gedaan had. Zijn geweten was schoon. Daarbuiten was het oorlog. Verzonnen definities van moraal stortten onder extreme omstandigheden net zo makkelijk in elkaar als betonnen Irakese gebouwen onder granaataanvallen. Alleen het betonijzer bleef over, stak als treurige armen omhoog uit de ruïnes.

Hij zette de film uit. Pakte zijn echte messen, niet het oefenwapen. Legde ze op de salontafel. Een MercWork Equatorian, een zwaar mes met fikse stootplaat. Heerlijk om mee te steken, de kracht kwam vanzelf. Ernaast, een CBK, of, zoals het eigenlijk heette, *Concealed Backup Knife*. Een rakkertje. Het handvat was een halve cirkel dat verticaal ten opzichte van het snijvlak stond zodat het in je handpalm kon rusten en het mes korter werd, makkelijker te verstoppen. De schede was speciaal ontworpen en had een vergrendeling zodat je het overal kon bevestigen: achter je rug, onder je arm, om je bovenbeen. Last but not least zijn kindje – een Cold Steel Recon Tanto. Vervaardigd volgens Japanse traditie met een enkelzijdig snijblad van laag over laag Damascus-staal – de Rolls Royce onder het messenmetaal. Griezelig uitgebalanceerd, de bloedgleuf in perfecte souplesse langs het snijvlak, het handvat van ebbenhout met een pasvorm alsof het voor zijn hand gemaakt was. Hij spiegelde zich in het blad. De definitie van schoonheid. Zo mooi. Zo puur.

Een mes gebruiken in een oorlog was ongebruikelijk. Maar eigenlijk was het het ultieme gevecht. Man tegen man. Geen warmtezoekende hightechwapens met nachtkijkers. Alleen jij en de tegenstander. Alleen jij en het koude staal.

Niklas leunde achterover op de bank. Claes was dood. De wereld was een spatje beter geworden. Mama een miljoen keer vrijer.

Hij zette de film weer aan.

'*It's clean, real clean. Like my conscience.*'

Niklas overwoog haar te bellen, te vragen hoe het met haar was. Maar hij bracht het nu niet op.

Er stoorde hem iets. Geluid. De buren weer. Hij zette de televisie zachter. Stond op. Luisterde. Hetzelfde Arabisch als de vorige keer dat hij geschreeuw had gehoord. Hij zette de tv helemaal uit. Legde zijn oor tegen de muur. Stopte bijna met ademhalen. Hoorde alles.

De stem van een man: 'Begrijp dan dat je me kwetst.'

Het meisje, Niklas' buurmeisje, Jamila: 'Ja, maar ik heb je toch niets gedaan.'

'Je weet wat je hebt gedaan. Ik word gekwetst. Begrijp je? Zo gaat het niet, zo kan ik niet leven.'

Ze gingen door. Schreeuwden. Herhaalden zich. Gaven het niet op. Het leek deze keer in elk geval niet op geweld uit te lopen.

Niklas ging weer op de bank zitten, maar zette de tv niet meer aan. Hoorde losse flarden van de ruzie.

Zat weer aan zijn übermes. Pakte de schede. Schoof het er langzaam in.

Het geluid aan de andere kant van de muur ging door.

Er verstreek een kwartier.

Hij zette de film aan. Hoorde ze nauwelijks. Travis leerde Iris kennen, Jodie Foster: ze gingen wat drinken.

Er verstreek een halfuur.

De ruzie in de flat ernaast werd luidruchtiger. Niklas zette de film harder.

Iris tegen haar pooier: '*I don't like what I'm doing, Sport.*'

Het kon de pooier geen ruk schelen. '*Ah, baby, I don't want you to like what you're doing. If you like what you're doing, then you won't be my woman.*'

Niklas staarde naar het scherm. Probeerde zich af te sluiten voor het geluid van de buren. Maar ze waren door de film heen te horen.

Hij zette het geluid harder. Iris schreeuwde. Travis schreeuwde. De pooier schreeuwde het ergst. Onverdraaglijk volume. Maar het overstemde het geluid van de ruzie in de flat naast hem. Niklas probeerde zich te concentreren. De gedachten raasden rond: Claes vermoord, zijn moeder ongelukkig. De buren in Niklas' jeugd moesten het geluid van hun televisies ook harder hebben gezet. Een poging de geluiden van mama te overstemmen. Zijn geluiden. Claes' geluiden.

Maar op een of andere manier klonken ze er dwars doorheen. Hij wist dat het niet goed ging, aan de andere kant.

De film naderde zijn ontknoping. Het crescendo. De minuut van de waarheid. De overwinning van de gerechtigheid. Travis nam de boel in eigen hand. Hij loopt langs de pooier op straat. '*Don't I know you? You know Iris?*' En de pooier liegt hem keihard voor. '*I don't know Iris.*'

Dit ging zo niet. Het volume. De buren. Claes. Travis.

Hij hoorde weer bonzen tegen de muur. Hij moest de tv wel uitzetten. Kon dat wat daarbinnen gebeurde niet laten gebeuren.

De vrouw aan de andere kant van de muur huilde. Gilde. Niklas wist wat er gaande was. Iedereen wist het. Maar niemand deed iets.

Hij klemde het Cold-Steel-mes op zijn rug vast, onder zijn spijkerbroek. Ging het trappenhuis in.

Luisterde. Bij de buren ging het maar door. Het gebrul van de man. Het gekerm van de vrouw.

Hij belde aan.

Stilte.

Hij belde weer aan.

Ze zeiden iets tegen elkaar, zo zacht dat hij het niet verstond.

Het spionnetje werd donker, iemand bekeek hem vanaf de andere kant.

De deur ging open.

Een man. Een jaar of dertig. Stoppels. Zwart overhemd. Wijde spijkerbroek.

'Hallo, wat is er?' De man zag er doodkalm uit.

Niklas duwde hem hard tegen zijn borst. De hal in. Deed de deur achter zich

dicht. De vent zag er ontdaan uit. Maar herstelde zich sneller dan verwacht.

'Wat doe je verdomme? Stomme sukkel.'

Niklas negeerde de provocatie. Hij was een prof. Een gevechtsmachine.

Hij zei rustig: 'Sla nooit meer een vrouw.'

Tegelijkertijd greep hij het achterhoofd van de kerel. Rukte het naar beneden. Naar zijn knie. Kracht van twee kanten. Zijn knie schoot omhoog, zijn armen trokken het hoofd van de gast omlaag. Tot ze bij elkaar kwamen.

De gast klapte tegen de muur. Spuugde bloed. Tanden. Brulde. Huilde.

Niklas sloeg met al zijn kracht drie keer snel tegen zijn ribben. Een rechtse, een rechtse en ten slotte een linkse.

De buurjongen zakte in elkaar.

Niklas trapte hem in zijn rug. Hij beschermde zijn hoofd met zijn armen. Schreeuwde. Smeekte, soebatte.

Niklas boog zich over hem heen. Trok zijn mes. De punt tegen de kloppende hals. Het schitterde mooier dan ooit tevoren.

'Doe dat nooit meer.'

De gozer snotterde. Zei niets.

'Waar is je vrouw?'

De gozer bleef snotteren.

'Waar is Jamila?'

Hij hoefde het eigenlijk niet te vragen.

Het buurmeisje stond in de deuropening van de woonkamer. Gezwollen lip en een blauw oog.

Niklas zei in het Arabisch: 'Laat hem je nooit meer slaan. Ik kom terug.'

15

De geloofwaardigheid van mensen die gebeurtenissen gezien zeiden te hebben, werd geclassificeerd. De directie van de Rijkspolitie had eigen, interne richtlijnen: een rating voor de getuigenissen, beoordelingscriteria voor de betrouwbaarheid. Eigenlijk waren het vanzelfsprekendheden die formeel alleen niet erkend werden: wat een Zweedse, plichtsgetrouwe middenstander opgaf, deed het beter in de rechtbank dan wat een achttienjarige allochtoon onder invloed van marihuana zou proberen te verklaren. Waar een eenvoudige modale loontrekker van getuigde, had altijd een sterkere bewijskracht dan de getuigenis van een afgeleefde heroïnejunk met een uitkering. Het onderzoekswerk moest toegespitst worden, dat wil zeggen, beperkt – alleen moorden op premiers en ministers van Buitenlandse Zaken kregen onbeperkte middelen. De mitrailleurmethode werkte niet; schieten op elke leidraad en hopen dat je wat raakte. De maatschappij kon niet onbeperkte hoeveelheden geld verspillen. Dus men wist naar wie men moest luisteren. Wiens informatie effect had. Goed bewijsmateriaal vormde. Voor aanklachten en veroordelingen.

Aan de getuigenis van een politieman werd altijd het meeste geloof gehecht. In het vervolgonderzoek werden op basis van zulke getuigenissen middelen ingezet, zulke getuigenissen hielden stand in de rechtszaal.

De situatie nu: twee politiemannen hadden injectiegaatjes in de arm van de ongeïdentificeerde man gezien. Twee politiemannen konden getuigen dat de gerechtsarts de doodsoorzaak niet voldoende had onderzocht. Dat er nog een schouwing nodig was. Dat Adamsson ze ervan weerhouden had het lijk, de arm, de gaatjes te fotograferen. Dat er iets niet klopte. In het wereldbeeld van de rechtbanken logen twee politieagenten niet.

Toch: er gebeurde niets.

Thomas snapte er geen bal van. Het was duidelijk: Stig Adamsson had ze om de een of andere reden willen tegenhouden. Maar Adamsson was niet zomaar iemand. Eigenlijk mocht Thomas hem wel. Iedereen kende hem: hij was van de oude stempel. Een man aan wie Thomas zich normaal gesproken verwant voelde, iemand die durfde te zeggen waar het op stond, die geen medelijden had als er aangepakt moest worden. In sommige opzichten leek hij op Thomas' vader

– rechtschapen op de harde manier – maar Adamsson was rechts. Adamsson was een reservist en wapenfanaat. Warm pleitbezorger van zwaarder kaliber, hardere aanpak, minder halfzachte scharminkels in het korps. Verklaard tegenstander van meer invloed van vrouwen en allochtonen. Er deden ook andere geruchten de ronde over Adamsson in de jaren zeventig en tachtig bij de gevreesde ME'ers van Norrmalm. Zwervers die het busje in gesleurd waren en halfdood op verlaten bouwterreinen in de buitenwijken waren gedumpt, junks die zonder reden waren opgepakt en met natte telefoonboeken waren bewerkt – om zichtbare fracturen en verwondingen te vermijden – leden van de politievakbond die weggepest waren, vrouwen die seksueel geïntimideerd waren tot ze naar een ander bureau gingen. Het maakte vaak indruk op Thomas. Veel mensen van Adamssons slag waren in de loop der jaren weggezuiverd, maar Adamsson niet – daar was die man te goed voor.

Hägerström leek het haast kalm op te nemen. Hij giechelde even toen Thomas hem de dag na het bezoek aan het mortuarium met dubbele gevoelens opbelde: 'Die ouwe zak van een Adamsson krijgt hier flinke problemen mee, *promise.*'

Thomas wilde meer weten. Eerlijk gezegd: ondanks Martin Hägerströms achtergrond wilde hij het liefst dat Hägerström hem officieel bij het onderzoek betrok.

Ze hadden het even over verschillende scenario's. Hägerström had theorieën: 'Het lijkt me waarschijnlijk dat de dode aan de drugs was. Misschien wilde hij ergens inbreken of wilde hij alleen maar in die kelder gaan slapen. Iemand is hem naar beneden gevolgd, of kwam hem gewoon toevallig tegen, en mishandelde hem tot hij stierf. De dader schrok ervan en bewerkte de vingertoppen om het ons moeilijk te maken.'

Thomas geloofde Hägerströms versie geen moment.

'Dat kan niet kloppen. Het kan geen toeval zijn. Waarom zou er dan zo'n geheimzinnig gedoe over die naaldsporen ontstaan? En waarom zou iemand zo zijn best doen voor een simpele junk?'

'Misschien heb je gelijk.'

'En waarom heeft iemand in zijn vingertoppen gesneden en zijn gebit weggehaald?'

'Oké, oké. Je hebt gelijk. Het waarschijnlijkste is dat iemand hem én ergens mee vol heeft gespoten, met drugs of gif of zo, en hem ook nog eens heeft mishandeld tot hij stierf. Dat lijkt op één lijn te liggen met de rest van de werkwijze. Er is niets aan het toeval overgelaten.'

'Nee, maar hoe het ook is, dezelfde vraag blijf onbeantwoord. Waarom wordt er niks over de injectiegaatjes geschreven? Waarom is mijn rapport veranderd?'

Voor het eerst sinds Thomas Martin Hägerström kende, stond deze met zijn mond vol tanden.

Er was niets te zeggen. Toch wilde Thomas verder praten. Vroeg: 'En de telefoonnummers. Dat papiertje uit zijn kontzak. Zijn jullie daar verder mee gekomen?'

Hägerström probeerde het uit te leggen: 'Het laatste cijfer van het telefoonnummer kunnen we nog steeds niet lezen. We hebben alle nummercombinaties van geregistreerde mobiele abonnementen onderzocht. Dat zijn alle nummers op twee na. We hebben de personen met die abonnementen nagetrokken. En van deze acht hebben we er inmiddels vijf ter informatie verhoord en dat levert niets op. Ze hebben er gewoon niets mee te maken. Ze hebben geen idee wie die dode man kan zijn, twee van hen waren nog geen twaalf enzovoort.'

Thomas luisterde aandachtig. Hij kon de gedachten aan die rotmoord niet eens loslaten als hij aan zijn Cadillac lag te sleutelen. Hij stelde de vanzelfsprekende vraag: 'En die twee prepaidnummers? Hebben jullie lijsten opgevraagd bij de operators?'

Hägerström lachte even: 'Andrén, misschien moet je maar bij de recherche gaan.'

Thomas negeerde de opmerking. Hägerström zei het vast niet om te zieken.

Hägerström vervolgde: 'We hebben lijsten opgevraagd en gekregen. We kunnen dus nog steeds niet zien wie die prepaidnummers heeft gekocht, dat kan niet. Maar we kunnen wel zien welke andere nummers er vanaf die nummers zijn gebeld. Ik ga ervan uit dat we op basis daarvan binnen een paar dagen weten van wie die twee prepaidnummers zijn. Dan kunnen we verdergaan en hen verhoren. Maar daar zijn heel wat telefoontjes voor nodig.'

Thomas dacht: dat soort kutklussen was typisch recherchewerk. Hägerström had het aan zichzelf te danken, kantoorpik. Tegelijkertijd: Thomas zou best mee willen helpen.

Later die avond: tijd voor een beetje werkelijkheid – ingrijpende werkzaamheid, in gewone taal: surveilleren. Thomas stond bij zijn kluisje in de kleedkamer. Maakte zich op voor een nachtelijke ronde met Ljunggren. Ondanks de routine, de saaiheid, de sleur – tijdens de surveillance gebeurde het. Thomas keek altijd uit naar die rondes. Het geruis van de radio, het grijnzen als ze een klusje afwimpelden en in plaats daarvan relaxed in de auto zaten. En dan soms, als er plotseling iets gebeurde, dan gebeurde er ook echt iets.

Ljunggren was nog niet opgedoken. Ze hadden het nog niet over het mortuariumincident van gisteren gehad. Thomas had zin om het geval te bespreken. Ljunggrens ideeën te horen. Hij vroeg zich af waar hij uithing, Ljunggren was meestal niet laat.

Thomas kleedde zich langzaam aan. Als een ritueel. Het M04-jack en de broek voor buiten: dikke, donkerblauwe stof van aramidevezels. Waterafstotend, vuurbestendig, heroïnehoertjes-met-vieze-nagels-werend. Maar Thomas had niks met dit uniform – de reflectoren op de borst waren suf, door gebrek

aan een trekkoord aan de onderkant voelde het jack zakkig aan, het knisperende geluid bij het lopen klonk als skikleding. Het oude uniform was beter.

Zijn riem rammelde als een gereedschapskist: de uitschuifbare wapenstok aan een lus, handboeien, radio, pepperspray, helmlus, de lus voor de oude wapenstok, sleutelbos, Leatherman, holster. Minstens tien kilo spullen.

Hij zag het lichaam voor zich. De injectiesporen. De schoongemaakte wonden in het gezicht dat geen gezicht meer was. Het naamkaartje aan de grote teen. De bleke, blauwachtige huid die er haast wasachtig uitzag. Hij begreep eigenlijk niet waarom hij de zaak niet los kon laten.

Hij kon er niet omheen: hij moest iets doen. Met of zonder Hägerström. Aan de andere kant – wat kon hem het schelen? Het was niet zijn roeping om de wereld te redden. Niet zijn gewoonte om buiten de kaders te opereren en al te serieus te zijn. Niet zijn ding om andere dienders aan te geven. Hij zou ermee op moeten houden. Er niet meer over moeten nadenken. Verdergaan met zijn eigen dealtjes. Doorgaan met het opstrijken van een paar kronen hier en een paar kronen daar.

Hij haalde het pistool uit de wapenkast. Een Sig-Sauer P229, halfautomatisch, 9 millimeter. Acht patronen. Het hele pistool van matzwart metaal met groeven in het handvat. Klein – maar in elk geval beter dan het vorige pistool, de Walter. Iedereen in Zuid wist waar Thomas in dit soort kwesties stond. Een paar jaar geleden werd er een oproep rondgestuurd naar de agenten: alle politiemannen met de vereiste licentie zouden toestemming moeten krijgen om hun eigen handvuurwapen te dragen. Echte dingen zoals de Colt .45. Thomas' naam had boven aan de lijst gestaan. Uiteraard. Met de Walter waren de kansen dat je een aanstormende gek die onder de drugs zat tegenhield net zo groot als met een erwtenschieter. Hoe liep het dan af? Met één, twee, drie schoten op de borst. Daarna kreeg de politieman de schuld als zo'n klootzak het loodje legde. Geef agenten echte wapens zodat ze een bedreigende dader meteen uit kunnen schakelen, met een schot in het been. Des te minder zouden er de pijp uitgaan. Maar de huidige Sig-Sauer was een stap in de goede richting. De kogel expandeerde in het weefsel – zette uit na een treffer. Perfect.

Waar was Ljunggren in godsnaam? Thomas was opgetuigd, opgeladen. Klaar voor een rondje door de werkelijkheid. Hij pakte de interne telefoon die aan de muur naast de kastjes hing.

Katarina, de coördinatrice van vanavond, nam op.

'Hallo, met Andrén. Weet jij waar Jörgen Ljunggren is?'

'Ljunggren moest invallen voor Fransson. Dus we laten Cecilia Lindqvist met jou meegaan. Ze is onderweg. Zou er over een paar minuten moeten zijn.'

'Neem me niet kwalijk hoor, maar wie mag die Cecilia Lindqvist wel niet zijn?'

'Een vrij nieuwe aspirant, heb je haar nog niet ontmoet? Ze is vier maanden geleden begonnen.'

'Neem je me in de maling? Moet ik gaan surveilleren met een aspirant die vers van school komt? Dan ga ik liever alleen.'

'Denk eens na, Andrén, dat is tegen de regels. Ze kan er elk moment zijn. Laad de spullen vast in in plaats van zo te piepen.'

Thomas zuchtte. Katarina was een harde. Hij mocht haar wel.

'Zeg, je moet je dienstprocedures eens nakijken. Dit kan niet.'

'Ja hallo zeg. Denk je dat ik over dat soort dingen ga?'

'Nee, ik weet het. Ik moet het eens aankaarten bij de leiding. Nu moet ik gaan. Tot horens.'

Hij begon te pakken. Haalde de tas tevoorschijn, hij was zo groot als een flinke sporttas. Laadde eerst de grote dingen in: beenbeschermers, helm en het gasmasker helemaal onderin. Dan versperringslint, vuurpijlen, een extra politieradio, EHBO-koffertje, de oude gummiknuppel en een reflecterend hesje. In het zijvak: formulieren, rubberhandschoenen en de blaasapparaten.

Hij zeulde de tas en het zware kogelwerende vest naar de garage. Vaste plaatsen in de achterbak.

En wanneer dacht die Cecilia te komen? Dacht ze dat ze leuk op een oefeningetje zou gaan? Het tuig kon het niks verdommen dat ze nieuw was. Het tuig wachtte niet op een agent die te laat was. Hij kon niet langer wachten.

Hij ging in de auto zitten. Belde Katarina weer.

'Ik ga nu. Cecilia Lindqvist is er nog niet. Als het haar uitkomt om te verschijnen, kan ik langskomen om haar op te pikken.'

'Oké, doe wat je wilt. Maar je weet hoe ik erover denk. Ik zal het haar zeggen.'

Hij startte de auto. Het kwam eigenlijk wel goed uit om vanavond een tijdje alleen te surveilleren. Hij moest nadenken.

Net op het moment dat hij achteruit de parkeerplaats af begon te rijden, ging de deur van de garage open. Er kwam een meisje naar hem toe gehold. De grote tas over haar schouder. Hij bleef staan. Draaide het raampje naar beneden. Keek naar haar.

Ze zei: 'Hoi, ik geloof dat wij vannacht samen surveilleren.'

Thomas nam haar op. Cecilia zag er oké uit. Kort blond haar. Duidelijke jukbeenderen. Blauwgroene ogen. Slank. Ze leek gestrest. Voorhoofd: bezweet.

Thomas wees op de tas.

'Leg hem maar achterin. Heb je het vest ook bij je?'

'Nee, ik wilde teruggaan om het te halen. Wacht je even?'

Thomas nam haar op. Hij snapte niet hoe ze mensen aan konden nemen die de tas en het kogelwerende vest niet tegelijk konden dragen.

Een triest uur later. Cecilia probeerde te praten. Thomas vond dat ze op het hysterische af bang leek voor stilte in de wagen. Ze vergeleek de huidige politieopleiding met hoe het in zijn tijd was geweest. Thomas vroeg zich af waarom

ze dacht dat ze daar enig idee van had. Ze stelde vragen over de chefs in Zuid. Leverde commentaar op de jongste uitspraken van de minister van Justitie over meer blauw op straat. Thomas was niet geïnteresseerd. Snapte ze het niet – soms kon je gewoon naar de politieradio luisteren zonder te lullen.

Na twintig minuten kreeg ze het door. Kwam een beetje tot bedaren, maar bleef toch een heleboel vragen stellen: 'Heb je gehoord van de nieuwe autodief-stallen die ze onderzoeken?' Enzovoort.

De politieradio vroeg of er iemand in de buurt van Skärholmen was. Blijkbaar een of andere huiselijke ruzie daar.

Thomas hoefde niet eens te liegen. Ze reden net langs het Shell-station aan de Hägerstensvägen, meer dan vijf kilometer verderop.

'Lekker dat we niet in Skäris zijn.'

Cecilia zweeg.

In een rustig tempo cruisten ze Thomas' bekende route over de Hägerstens-vägen. Langs winkelcentrum Aspudden. Langs metrostation Örnsberg. Het was acht uur. Nog steeds helder licht buiten. Een mooie zomeravond.

De politieradio kabbelde voort. Een dronken chauffeur reed slalom op de Södertäljevägen naar het noorden. Poging tot inbraak in een flat aan de Skans-bergsvägen in Smista. Lastige hangjongeren bij het water in de buurt van de Vårbacka-school in Vårby Gård. Misschien moesten ze proberen die dronken-lap op de Södertäljevägen aan te houden. Het was wel hun kant op.

Thomas ging harder rijden.

De politieradio knetterde weer. 'Avondwinkel in Aspudden. Ze hebben een beschonken man die erg agressief is. Kan iemand daar onmiddellijk heen? Over.'

Cecilia keek naar Thomas.

'Dat moeten wij nemen. Het is nog geen minuut rijden.'

Thomas zuchtte. Maakte een U-bocht. Zette de pit aan. Ging harder rijden.

Vijftig seconden later waren ze bij de winkel. Hij zag meteen door het raam dat er iets mis was: in plaats van bij de kassa te staan om peuken, pornoblaadjes of snoep af te rekenen, stonden een aantal mensen in een groepje maar toch ook niet. Keken naar hetzelfde, maar handelden niet gezamenlijk. Typisch zo'n Zweedse plaats van misdrijf op een openbare plek. Het publiek was er, maar toch was niemand waar het nodig was.

Bij de kassa: een grote man in vieze kleren hield de arm van een winkelbe-diende vast, een jonge jongen die er schijtbenauwd uitzag. Op het randje van huilen, zoekende blik, probeerde hulp te krijgen van de klanten. De andere winkelbediende probeerde de greep van de man te breken. Rukte aan zijn grote handen.

De vent brulde: 'Stelletje klootzakken. De hele zooi gaat naar z'n mallemoer. Horen jullie dat? De hele zooi.'

Thomas ging als eerste naar binnen. Zette zijn daadkrachtige, autoritaire

stem op. 'Nu is het genoeg geweest. De politie is hier. Laat hem nu maar los.'

De dronkenlap keek op. Siste. 'Blauwe fascisten.' Thomas herkende de man. Hij was groot van stuk. Absoluut levensgevaarlijke verschijning: ijsblauwe ogen, boksersneus, twee littekens in een van zijn wenkbrauwen, slecht gebit. Maar de man zag er niet alleen levensgevaarlijk uit. Het was een oude bokser, hing vaak met andere alcoholisten rond op de parkbankjes in Axelsberg – een wandelend kruitvat. WAO'er waarschijnlijk, maar vast met genoeg kracht in zijn jatten om die winkeljongen flink te beschadigen. Dit kon heel vervelend worden.

Thomas liep naar de toonbank. Legde een hand op de handen van de alcoholist. De andere winkelbediende liet los. Thomas zei rustig: 'Laat hem nu los.'

Cecilia achter hem. Klooide aan de politieradio. Misschien wou ze versterking vragen.

Toen, iets onverwachts: de man liet de winkeljongen los. Stormde naar Cecilia. Thomas reageerde niet snel genoeg. Draaide zich om.

De man gaf Cecilia een klap tegen haar borst. Ze was onvoorbereid. Donderde tegen een stelling met snoepbakken. Schreeuwde: 'Waar ben je godverdomme mee bezig?' Goed zo – eindelijk een beetje pit in die meid.

Thomas probeerde de man in een houdgreep te nemen. Jezus, hij was sterker dan je zou denken. Draaide zich om naar Thomas. Kopstoot. Raakte Thomas bijna op zijn neusbeen. Een millimeter verder naar het midden en zijn neus was gebroken. Deed godvergeten pijn. Hij zag sterretjes. Heel even werd het zwart. Hij brulde.

De zuiplap stortte zich op Cecilia, die overeind was gekomen. Deze man was veel te gevaarlijk. Dit was een chaos. Dit was niet oké. Ze konden niet op versterking wachten.

Ze probeerde hem weg te stoten. De man haalde drie keer uit. Raakte haar schouder. Cecilia liep achteruit. Kon zo tegen de vlakte gaan als die vent raak sloeg.

Snelle analyse van Thomas. Geen situatie om het dienstwapen te gebruiken. Te veel mensen in de winkel en die vent was nog niet gevaarlijk genoeg. Maar Cecilia was tenger. Ze zouden deze reus nooit alleen aankunnen. Misschien met de wapenstok.

Hij deed nog een poging. Zijn neus bonkte als een gek. Probeerde de arm van de man vast te grijpen, hem op zijn rug te draaien. Mislukt. De ex-bokser wild als een beest. High van de drank en zijn machtsvertoon. Mepte Thomas weg. Duwde hem. Hij verloor zijn evenwicht. Struikelde over een stapel frisdrankflessen. Ze vlogen over de hele vloer.

Thomas op zijn knieën, schreeuwde.

'Pak je wapenstok!'

Cecilia probeerde zich te verdedigen. Rukte de uitschuifbare wapenstok uit de lus. Schoof hem uit.

De vent mikte op haar buik. Ze mepte hem op zijn bovenbeen.

Maar het leek niets te helpen. De vent was te ver heen om zich iets van die klap aan te trekken. Drukte haar tegen het raam. Thomas pakte zijn wapenstok. Mepte de man op zijn rug. Goed hard. Hij reageerde. Draaide zich om. Cecilia zakte door haar knieën. De vent haalde uit naar Thomas. Hij ontweek de klap. Sloeg hem weer met de wapenstok. En weer.

Cecilia overeind achter de man. Sloeg hem. Hij brulde. Haalde weer uit naar Thomas.

Thomas gaf alles wat hij had. Nu moest het afgelopen zijn. Mepte de man op zijn nek. Een keer tegen zijn bovenbeen. De kerel bleef brullen. Thomas sloeg weer op zijn been. De man zakte in elkaar. Schreeuwde. Schopte op vloerniveau naar Cecilia. Ze haalde nog een paar keer uit. De zuiplap beschermde zijn hoofd met zijn armen. Cecilia pakte hem terug. Sloeg de man op zijn hoofd, borst, rug.

Ze was in paniek. Thomas begreep haar.

Dit was uit de hand gelopen.

16

Een van de eerste dingen die je in de bak leert: ga niet in je cel lopen ijsberen. Dat leidt nergens toe. In plaats daarvan: blijf in je hoofd en je kunt tot ver buiten de muren komen. Zoals Mahmud vaak deed: fantaseren over een BMW Z4 Coupé in een relaxte cruise door de Kungsgatan op een prachtige lentedag, je zak vol doekoes, coole plannen voor de avond, chille matties, gewillige chicks. De glorieuze kanten van het vrije leven.

Maar nu, in zijn kamer thuis bij zijn vader liep hij heen en weer als een aap in zijn kooi. Misselijk. Duizelingen. Bonkende kop. Zo meteen had hij nog maar vierentwintig uur.

Had tachtig ruggen bij elkaar weten te schrapen. Twintig te weinig. De dag ervoor had hij Daniel proberen te bereiken, om met ze te onderhandelen. Maar die gast weigerde het te begrijpen: Mahmud betaalde graag rente als ze bij de eerste deelbetaling tevreden zouden zijn met tachtig mille.

'M'n reet. Honderd zeiden we. Honderd moet Gürhan krijgen. Overmorgen.' Klik.

Die nacht sliep Mahmud extra kut. De tijd met slaap: korter dan een muggenkloot. Hoofdpijn explosief. Angstgedachten op de vrije loop.

Zelfs trainen bracht hij niet op. Het enige waar hij aan kon denken: waar Wisam was. Als dat hem was gelukt, kon niets hem meer deren. Hij wilde geen geld van Stefanovic aannemen. Alleen om een wederdienst vragen – Gürhan laten zien wie er de baas was.

Hij had het erover met zijn vriend Tom Lehtimäki: een super CSI-vent – de Fin hielp hem met het bewerken van de info die hij had. Feiten rangschikken. Mogelijkheden uitsluiten. Sporen analyseren.

Het bedrijf dat de auto van de Bentley-bal aan de Strandvägen had gekocht, heette Dolphin Leasing AB. Het papier dat hij had meegenomen van die kakker zei niet zoveel: Dolphin Leasing AB had een postbusadres in Stockholm. Een registratienummer. Het document was ondertekend door ene John Ballénius, wat een kaolo naam. Tom legde uit: het registratienummer was het organisatienummer van het bedrijf – alle bedrijven in Zweden moesten zo'n nummer

hebben. Mahmud belde de Kamer van Koophandel. Kreeg informatie over wie er in het bestuur zat. Twee gasten met een Zweedse naam. De eerste was John Ballénius. De andere Claes Rantzell. Allebei met een postbusadres: typisch verdacht. Mahmud ging langs bij de postbusbeheerder. Een vetklep in een postkantoortje in Hallunda. Mahmud gebruikte dezelfde tactiek als bij de jongen in de Bentley-showroom. Waarom een winnend concept aanpassen? Na tien minuten had hij de woonadressen van de mannen. De Tegnérgatan in de stad en de Elsa Brändströmsgata in Fruängen.

Mahmud trok ze na met de hulp van Tom. Ze belden de afdeling Burgerzaken, gingen naar Kungsholmen – kregen kopietjes van de paspoorten van de mannen. Volgens de Rijksdienst voor Wegverkeer reden ze geen flashy auto's. Volgens de Belastingdienst hadden ze wel dikke belastingschulden. Mahmud naar John Ballénius' adres, de Tegnérgatan. Wachtte buiten. Na vier uur kwam de kerel aangewankeld met twee slijtertasjes. Zag eruit als een halve alcoholist. Toch goed – nu wist hij waar hij die vent had. Mahmud vertrok naar het huisadres van die ander. Wachtte de hele avond. Er gebeurde niks. Of Rantzell was dag en nacht thuis, of hij was in het buitenland of hij woonde niet op dat adres. Fuck.

Het waarschijnlijkste: de mannen waren katvangers voor de leasemaatschappij. Boeven konden natuurlijk geen dikke bakken kopen, in elk geval niet als ze die wilden registreren en verzekeren. De oplossing in de branche bestond uit luxe huurauto's.

Het bewakersspoor van de overval had helaas niks opgeleverd. Een paar figuren met wie hij had gepraat, hadden horen zeggen dat de Libanees weer in de stad was, hadden hem misschien zelfs gezien, maar niemand wist waar Wisam Jibril uithing. De conclusie van Mahmud en Tom: het enige spoor waar Mahmud mee verder kon, was de auto, de Bentley.

Hij moest een van die kerels aan het praten krijgen.

Maar hoe? De tijd verstreek.

Hij belde Babak en Robert. Belde zelfs Javier en Tom. Had harder hulp nodig dan ooit. Bracht het niet op om met Daniel of Gürhan te onderhandelen. Meer vernedering. Over twaalf uur moest hij de cash hebben. Nog twintig ruggen. Dat kon niet onmogelijk zijn.

Ze zagen elkaar bij Robert thuis.

Mahmud bood ze een blunt aan – pot in een tabaksblad in plaats van vloei. Probeerde duizend keer relaxter over te komen dan hij zich voelde. Ze spuiden cashideeën. Hij moest zijn homies opjutten. Hoopte dat ze de paniek in zijn ogen niet zagen.

Robert draaide afwisselend rap en Arabische hits. Zijn flat was zo doorrookt van wiet dat je alleen door binnen te stappen al een beetje stoned werd.

Babak kletste maar door zoals gewoonlijk.

'We zouden het net zo moeten aanpakken als die moeilijke gasten, Fucked For Life en zo. Naar Thailand gaan en plannen maken.'

'Plannen maken?' Robert keek Babak aan. 'En de sletjes dan?'

'Oké, en wat Thaise meisjes versieren. Maar vooral plannen maken.'

Mahmud digde dit geouwehoer.

Babak zei: 'Wie zijn we eigenlijk? Wat zouden we moeten doen? De maatschappij heeft ons al uitgekotst. Dat wisten we al jong, of niet soms? Leren en school was niks voor ons. De universiteit was geen optie. Sloven bij de McDonald's of als schoonmaker ook niet, nog in geen honderd jaar. Dat soort shit niet. En nu zijn er geen geschikte baantjes voor ons. En ik zweer je, we zouden ook geen gewone baantjes willen. Neem je vader nou, Mahmud. Zweden is er niet voor allochtono's als wij, zelfs niet voor de serieuzen onder ons.'

Mahmud luisterde.

'Stel je een weegschaal voor, jullie weten wel. Aan de ene kant leg je het Zwedo-leven, negen tot vijf, misschien een okéje auto, met hard werken en een eigen huis ergens. Aan de andere kant leg je de spanning, de vrijheid, de smatjes en de doekoes. En het gevoel. Het gevoel moeilijk te zijn. Wat weegt het zwaarst? Het is geeneens een fokking keuze. Wie wil nou geen vet luxe leven leiden, van een nobody veranderen in een megaking? Fuck de maatschappij, man. Ze hebben toch altijd op ons lopen zeiken, dus waarom niet terugzeiken. Stel je voor man, het gevoel om een Joegoboss te zijn, of Gürhan Ilnaz of zo'n soort vent.'

Robert nam forse trekken van de blunt. 'Je hebt gelijk, man. Niemand die normaal is zou negen tot vijf kiezen. Maar weet je wat het punt is?'

Babak schudde zijn hoofd.

'Het punt is hoe je er komt. Of niet dan? Je kan ik weet niet hoeveel jaar lopen dealen, aan de top zit toch altijd iemand anders die de winst skimt. Of je kan de boel gaan oplichten, zoals die gozers die Silja Line probeerden te belazeren. Maar dat is zo'n gedoe.'

'Klopt. Daarom zouden we naar Thailand moeten gaan. We zouden geen stuff meer moeten pushen en kleine actietjes doen. Alles draait om explosieven, dat heb ik altijd al gezegd.'

Mahmud en Robert tegelijk: 'Waardetransporten overvallen bedoel je?'

'Joh, weet ik het. Als we maar met explosieven leren omgaan, kunnen we alles doen. Weten jullie hoe dat heet? De zware gasten noemen het technische klussen. Van dat werk waarbij je echt moet kunnen plannen, waar techniek voor nodig is. Springstof, slaghoedjes, lonten – ik heb geen idee, maar wie iets van explosieven weet, kan alles. Stel je voor man, in één klap meer dan tien miljoen scoren in plaats van een paar duizendjes hier en een paar duizendjes daar.'

Mahmud dacht aan de Arlanda-kraak en aan Jibril.

Robert zei: 'In Södertälje kun je een recept kopen voor waardetransportovervallen. Ik ken mensen.'

'Ja, maar dan pikken zij de winst weer in. We moeten onszelf redden, je weet toch. Mahmud, ken jij niet zo'n Joego die het ons kan leren?'

Mahmud werd bijna pissig.

'Maak je een grap? Dat zijn mijn vrienden niet.'

'Maar misschien weten ze hoe die shit werkt. Het zijn strijders. De meesten van hun zullen tien jaar geleden in elk geval wel in Joegoslavië zijn geweest.'

Robert bleef blowen. 'Ik zal je één ding vertellen: vertrouw de Joego's nooit. Ze hebben geen goeie organisatie, niet zoals de Hells Angels, OG of de Broederschap. Ze hebben geen regels. Houden geen rekening met de volgende generatie. Iedere Joego denkt alleen aan zichzelf en bouwt niets op voor de anderen. Weten jullie waarom ze het zo goed doen in Zweden? Omdat ze hier als eerste waren en omdat ze superveel support uit hun eigen land krijgen. Ze zijn al twintig jaar de baas in deze fokking stad, hebben hun arsenaal steeds aan kunnen vullen met Servische pipa's uit hun oorlog, nieuwe soldaten die hier wel heen wilden komen om te werken. Maar weten jullie wat ik denk – ze gaan verdwijnen. Het is een clan, geen organisatie. En tegenwoordig winnen de organisaties. Ze maken geen kans tegen de Hells Angels en de anderen. De tijd van de Joego's is voorbij. Plus nog een ding. Ze beginnen te verzwedoën, zegma. Begrijpen jullie wat ik bedoel?'

Mahmud was geschrokken – de tijd van de Joego's voorbij? Had hij op het verkeerde paard gewed? Hij wou niet nadenken over wat Robban net gezegd had. Hij moest geld zien te regelen.

Ze lulden verder.

Even later kregen ze het allerbeste idee: ze zouden hier in de buurt een feest moeten rippen waar Babak van gehoord had. Babak verkocht vaak xtc aan de gast die het feest gaf, Simon. Dus vandaag was het zijn beurt om wat achterstallige schulden te innen bij Simon: sympathieke Zwedo-gast met stoute ecstasy-gewoontes. De gozer was jarig. En Babak was niet uitgenodigd. Alleen dat was al reden om te zeggen waar het op stond.

De stemming steeg. Een paar minuten later steeg die nog verder: Robert verraste ze met de bonus van de avond, Rohypnol.

Drie pillen en twee biertjes. Onovertrefbare combi: rustgevende roes. Agroenergie.

Mahmud voelde het duidelijk: zijn bloed stroomde beter dan dat van anderen – hij kon doen wat hij wou.

Ze nokten af naar Simons verjaardagsfeest.

Fris buiten. Roberts auto geparkeerd. Mahmud, Babak en Robert stonden voor de buitendeur van het flatgebouw van die Simon. Babak had gebeld. Had gevraagd of hij langs kon komen om hem te feliciteren. Simon onwillig. *Worlds colliding* – wilde zijn vuile leven niet mengen met zijn chique leven. Het was heel simpel allemaal: Babak niet een van de genodigden. Babak *pissed*. Simon

wist dat Babak niet uitgenodigd was. Dus: Simon wist dat Babak *pissed* was.

Simon had Babak zover gekregen dat deze hem buiten wilde ontmoeten. Soebatte: 'Ik ben jarig, man, daar kunnen jullie toch wel een beetje rekening mee houden.'

De gozer kwam naar buiten. Ging bij de muur staan wachten. Een bleek scharminkel met zwartgeverfd haar. Een andere gast, misschien een vriend van Simon, bleef achter de deur staan. Moeilijk te zien, de straatlantaarn weerkaatste in het glazen gedeelte van de buitendeur.

Babak: high als de wolkenkrabbers in Dubai. Keek naar Simon.

'Gefeliciteerd met je verjaardag. Heb je al cash weten te regelen?'

Mahmud bleef op de achtergrond. Bekeek Babaks voorhoofd, hij begon puistjes te krijgen. Het voorhoofd glom in het licht van de straatlantaarn. Typisch bijverschijnsel van anabolen.

'Babak, ik hoef je volgende week zondag pas te betalen. En vandaag gaat het toch nooit lukken. *Forget it.* Je hebt al meer dan de helft van mijn inkomsten van vorige maand van me afgepakt.'

Simon kende de regels. Hij moest nu gestraft worden. Ondanks dat feestje vanavond: hij zou sowieso gestraft worden.

Duw. Simon deed struikelend twee stappen naar achteren. Babak *pissed off.* Robert *pissed off.* Mahmud voelde zich happy – weer op straat, kans dat er wat gebeurde. Wilde erbij zijn. Wilde de kick voelen. Deed een stap naar voren.

'Stomme eikel, ben je dom in je hoofd of zo? Hier met dat geld.'

De vriend stak zijn hoofd om de voordeur. Zag er van een afstandje moe uit, donkere kringen om zijn ogen. Schreeuwde: 'Jezus man, waar zijn jullie mee bezig?'

Babak greep Simons arm stevig vast.

'Zeg tegen dat zwervervriendje van je dat hij zijn bek moet houden. Je zegt dat je geen geld hebt, maar iemand moet er toch betalen. Je hebt vier potten van me gekocht, maar hebt er maar voor twee betaald. En wie moet er voor die andere twee opdraaien? Je hebt beloofd dat je het zou regelen. Moet ik het soms uit mijn eigen zak betalen?'

'Maar ik heb toch beloofd dat het goed komt.'

'Forget it. Nu gaan we naar dat flikkerfeestje van je en zorg jij voor de doekoes.'

Veertien mensen in de flat, een grote eenkamerwoning met een ruime keuken. De jongens deden FIFA op een PS3. Ziek coole graphics.

Babak liep meteen naar de keuken. Trok Simon mee. Mahmud ging achter een computer zitten, checkte de mp3'tjes. Wat een rotzooi. Hadden ze helemaal geen zwarte muziek?

Robert leunde tegen de muur. Armen over elkaar. Hiphophouding. Mahmud

en hij wisten allebei dat er iets zou gebeuren. Wisten dat ze gezien werden als gorilla's. Wachtten op een teken van Babak.

Te zien: Robert op scherp. Mahmud voelde de boksbeugel in zijn zak. Babak in de keuken met Simon, voelde de vibes, absoluut op scherp.

Het feest leek meer op een futloos avondje bij vrienden dan op een verjaardagsfeest.

In de keuken stonden behalve Simon en Babak wat meiden. Toen Babak binnenkwam gingen de chicks naar de woonkamer.

Een van de chicks ging met haar handen in haar zij staan.

'Hou nou eens op met die spelletjes. Het is supersaai als jullie daar alleen maar zitten.'

Geen noemenswaardige respons. Het voetbalspel vervolgd.

Duidelijke spanning in de kamer.

Babak kwam de woonkamer in. *The number one* allochtono. Simon was nergens te bekennen. Mahmud digde de situatie. Babak knikte. Eindelijk tijd voor een feestje. Babak stapte de kamer in. Mahmud ging wijdbeens bij de bank staan. De spelletjesspelers keken op.

Babak met een vetter accent dan normaal: 'Zet die fokking PlayStation uit. Dit is een overval.'

Authentieke Rohypnol-agressie, geen grenzen. Mahmud deed de boksbeugel om zijn vuist. 'En niet zeiken, dan krijg je gelazer.' Hij haalde zijn hand in een snijdende beweging over zijn hals. Robert naast hem: backte hem met een vlindermes.

'Haal al jullie spullen tevoorschijn. Poet, mobieltjes, abonnementen, wapens, wat jullie maar hebben. Jullie weten wat we willen. Leg het op de tafel.'

De jongens zagen er schijtbenauwd uit. Mahmud zag dat de gezichten van de meiden ondanks de lagen bruin-zonder-zon zo wit als cocaïne waren geworden. Met tegenzin visten ze hun mobieltjes op. Een paar legden hun abonnementen en portemonnees op tafel.

Mahmud verzamelde ze. Haalde het geld uit de portemonnees. Liet de pasjes zitten. Pakte de abonnementen en mobieltjes. Gaf de spullen aan Babak en Robert. Die stopten de zooi in hun jaszakken.

Zo simpel. De Zwedo's gaven hun spullen gewoon af.

Een van de meisjes leek helemaal van de wereld. Alsof ze valium in haar bier had gehad. Mahmud gaf haar een duwtje.

'Hé, hallo. Geef je spullen eens.'

Ze reageerde amper. Legde haar busabonnement op tafel. Verder niets.

Tijd om te gaan.

Robert in de olie. Wilde herrie trappen. Zette het op een schreeuwen. Zwaaide met zijn mes. Trapte naar een van de gozers voor de tv. Mahmud trok hem mee naar buiten. Babak smeet de buitendeur dicht.

Ze renden de trap af.

De roes nog steeds hevig. Hij was gruwelijk kwaad.

Kon wie dan ook zo in elkaar rossen.

Brulde in het trappenhuis.

Vergat bijna de stress en angst over alle problemen: die kanker-Gürhan, Erika van de reclassering, zijn vaders gezeur.

Op straat.

Roberts auto in.

Probeerde te relaxen.

Een laatste schreeuw. Draaide het raampje open, brulde: 'Alby *rules!*'

Het Rohypnol-effect nam af. Zo meteen zou de werkelijkheid weer terug zijn.

Ze telden de floes in de auto: achtenveertighonderd kronen. Twaalf abonnementen. Die zou je voor tweehonderd per stuk moeten kunnen slijten. De mobieltjes oké. Twintig dvd's uit Simons kast. En ook nog: die hele PS3. Mooie buit. Mahmud probeerde te hoofdrekenen. Hoopte dat zijn vrienden hem meer zouden lenen. Misschien zou het genoeg zijn.

Babak en Robert: engelenhomies – lieten Mahmud de boel verkopen.

Nu had hij een dag de tijd om de abonnementen, mobieltjes, films en het spel kwijt te raken.

Hij hoopte dat het genoeg was.

17

Niklas en Benjamin bestelden hun tweede biertje. Norrlands uit een fles. Shit wat was dat rookverbod in Zweden lekker. Al zat Benjamin te zeiken: 'Echt man, vroeger kon je wijven een peuk aanbieden, had je een gratis reden om een praatje met ze aan te knopen.'

Zijn T-shirt was vandaag zwart met de tekst OUTLAWS in witte letters plus een plaatje van een motor. Niklas dacht: of zijn oude vriend hing de badguy uit of hij was er echt eentje.

De kroeg lag aan het Fridhemsplan. Volgens Benjamin: Fridhemsplan was een paradijs van verlopen bruine kroegjes. En deze kroeg, Friden, was blijkbaar *the mother of all* de shabby kroegjes. Ze lachten.

Niklas vond het een fijne plek. Niet de eerste keer dat hij hier was. Wel de eerste keer in acht jaar. Voorbeeldig prijsniveau: het bier kostte nauwelijks meer dan toen hij uit Zweden vertrok. Leuke serveersters. Lekkere banken, veel ge-roezemoes, goedkoop eten. Houten betimmering tegen de muren. Diverse voetbalsjaaltjes erboven. Bierreclame en glitterspul dat op kerstversiering leek. Je kreeg je pils in warme glazen die net uit de afwasmachine kwamen. Pinda's in schaaltjes die op asbakken leken. Gemengd publiek: vooral AIK-fans en alco-holisten, maar ook redelijk wat jongeren. Hij digde de sfeer.

Benjamin ging naar de plee. Niklas bestudeerde zijn rechterhand. Een rode plek op de knokkel van zijn middelvinger. Hij herinnerde zich: drie snelle rechtsen. Juiste techniek: tachtig procent van de klap was opgevangen door de knokkels van zijn wijs- en middelvinger. Had minstens één rib van die klootzak gebroken. En terecht.

Benjamin kwam terug. Probeerde een serveerster in haar kont te knijpen voor hij weer tegenover Niklas ging zitten. Ze reageerde niet eens. Gelukkig. Niklas wilde geen gelazer.

Benjamin glimlachte. 'Het is fokking vreemd man. De lucht op de plee hier is precies dezelfde als die op de plees bij de nachtcellen op Mariatorget.'

'Wanneer ben je daar voor het laatst geweest? Toch zeker tien jaar geleden?'

'Dat moet wel, maar ik zweer je, die lucht blijft als zo'n klerepiercing in je neusgaten hangen.'

'Je hebt mazzel dat we dicht bij de uitgang zitten, dan kun je af en toe frisse lucht halen.'

Ze grinnikten. Benjamin was toch best oké. Niklas zou het misschien best naar zijn zin hebben in Zweden.

Nog twee biertjes later. Niklas begon het te voelen. Benjamin beweerde dat hij er zeker acht achterover moest slaan voor het überhaupt te zien was bij een blaascontrole van de smerissen. Niklas zei tegen hem dat hij erger uit zijn nek lulde dan een handelaar op de soek. Ze lachten weer hard. Fijn om samen te lachen.

En de hele tijd in Niklas' achterhoofd: hij had de wereld eergisteren tot een betere plek gemaakt. Een veiliger plaats voor onschuldige vrouwen.

Ze kletsten verder. Benjamin over de schietclub, over een vrouwtje met wie hij later die avond een date had, over wat zaken waar hij mee bezig was. Soms hoorde hij Niklas uit. Hoe vaak hij in Irak betrokken was geweest bij een schietpartij, hoe je in het donker herlaadt, of je wapens met olijfolie kunt smeren, wanneer ze dumdumkogels hadden gebruikt. Het theater van de oorlog, de plaats van handeling. Maar over het algemeen was Benjamin een betweter – dacht dat ie alles wist van wapens waarvan hij de naam niet eens kon spellen. Niklas vertelde verhalen uit Irak. Hij liet details zoals namen weg maar merkte hoe heerlijk hij het vond om het leven in de zandbak te beschrijven. Maar eigenlijk: niemand zonder operationele ervaring met conflicten in oorlogen kon begrijpen waar het om ging. Dat soort dingen kon je niet leren of begrijpen door films te kijken en computerspelletjes te doen.

Bij de ingang was iets gaande. Ze keken die kant op. Een vent van een jaar of vijftig in luide discussie met iemand van de garderobe.

De kerel had in elke hand een slijterstasje. Wilde ze blijkbaar in de garderobe achterlaten en bovendien toestemming krijgen om een fles mee naar binnen te nemen. Niklas en Benjamin keken elkaar weer aan. Lachten. Maar dat was fake. De vent herinnerde Niklas aan donkerder tijden.

Er kwamen twee uit de kluiten gewassen mannen naast ze zitten. Bestelden ieder een biertje. Benjamin keek naar de ene. Boog zich voorover. Zei zacht tegen Niklas: 'Check zijn borstzakje. Hij zit bij dezelfde schietvereniging als ik. Cool.' Niklas was niet zo onder de indruk.

Benjamin begon hem weer uit te horen. Niklas merkte dat hij harder ging praten. Zodat de man aan de tafel naast ze het zou horen? Het maakte hem niet uit. Begon te vertellen.

'Toen we weggingen uit het basiskamp hadden we zoveel uitrusting bij ons dat we klonken als een wandelende vuilnishoop, *battle rattle* noemden we dat. Walkietalkies, flak jackets, nachtkijkers, minstens twintig magazijnen p.p., granaten, EHBO-dozen, helmen, slaapzakken en tenten voor als we die avond niet terug zouden komen, proviand, radaruitrusting, kaarten, de hele zwik. We

dachten dat het drie uur heen en drie uur terug zou zijn. Het enige voordeel van deze hele verhuizing was dat het bier zes uur kouder zou zijn als we terugkwamen.'

Benjamin schaterde.

Niklas ging verder. 'Heen en terug, niemand van onze jongens zou gewond raken. Dat is het ritme van dat soort opdrachten. De Rode Halvemaan en Amnesty International mogen de punten tellen als wij klaar zijn. Echt man, wíj maken die dorpen niet tot doelwit. Dat doen ze zelf. Geven eten en onderdak aan zelfmoordterroristen en de hersens van zelfmoordterroristen. Dan hebben ze het aan zichzelf te wijten. Wat er ook gebeurde, we konden er niet meer doodmaken dan zij met hun autobommen in heel Bagdad deden.'

Ondanks zijn luide toon luisterde Benjamin slecht. Zijn ogen dwaalden rond. Steeds naar de man met het logo van de schietvereniging aan het tafeltje naast ze. Ten slotte onderbrak Niklas zichzelf.

'Als je iets tegen die gast wilt zeggen, vertel ik later wel verder.'

Benjamin knikte. Wendde zich tot de man aan het tafeltje ernaast.

'Hé, ik wou je even wat vragen. Zit je bij de Järfälla schietclub?'

Langzaam draaide de man zijn hoofd om. Ongeveer alsof hij wilde zeggen: ben je achterlijk of zo? Hoe kun je me midden in een gesprek storen? Nam Benjamin op.

Maar er kwam niks agressiefs uit.

'Yep, ik loop er al meer dan twaalf jaar rond. Wou je lid worden soms?'

'Ik ben al lid. Maar een paar maanden nog maar. Maar ik moet zeggen dat het echt retegaaf is. Hoe vaak schiet jij?'

Niklas bekeek de man. Hij leek zowaar geamuseerd te zijn door het gesprek. Hij had kort, blond haar. Eerder veertig dan dertig. Een gestreept overhemd met de bovenste knoopjes open en een blauwe spijkerbroek. Misschien was het de alertheid in zijn ogen, misschien was het dat hij er zo verzorgd uitzag maar toch hier in Friden zat. Deze man moest een smeris zijn.

Ze boomden verder. De vent vertelde over de schietvereniging. Het aantal leden. Welke pistolen hij zelf had. Benjamin zoog alles op als een duizenddingendoekje. De collega van de schietclubkerel praatte mee. Vertelde iets over zijn wapen. Ze bleken allebei bij de politie te zitten. Inderdaad – Niklas' mensenkennis liet hem niet in de steek.

Een uur later. Langduriger geouwehoer over wapens dan bij de jongens in de kazerne daarginds. De twee agenten aan het tafeltje ernaast waren oké. De kroeg was oké. Het gespreksonderwerp was super.

Benjamin stond op. Hij zou naar zijn date. Was al laat. Drukte de agenten de hand. Niklas en hij spraken af dat ze elkaar later die week zouden bellen. Was Niklas een vriend aan het krijgen?

Een van de agenten, de man die niet bij de schietvereniging zat, stond ook op.

Moest blijkbaar naar zijn gezin. Niklas en de overgebleven smeris namen elkaar op. Vaag eigenlijk om te blijven zitten met iemand die je niet kende – maar fok it, waarom ook niet?

Ze bestelden ieder nog een biertje. Praatten verder over wapens. Niklas begon aangeschoten te raken.

De smeris bestelde een tartaar met pepersaus. 'Een klassieker,' zoals hij zei. 'Ze hebben hier echt goeie Zweedse pot. Dat zou je misschien niet denken.'

Niklas bestelde meer pinda's.

Toen het geklets over wapens na een kwartiertje doodbloedde vroeg de politieman: 'Wat doe jij eigenlijk?'

'Ik ben werkzoekende.'

Niklas had geleerd dat je dat zo zei. Niet werkloos – dat was niet dynamisch. In plaats daarvan moest je onderweg zijn, in beweging, op jacht – naar werk. Lulkoek. Hij was toch werkloos. En vond dat voorlopig prima. Maar op een gegeven moment zou het geld op zijn.

'Oké. Wat zou je voor werk willen dan?'

'Zou wel ergens in de bewaking willen. In de metro of zo. Maar ik wil niet stilzitten om een gebouw in de gaten te houden, dat is veel te saai.'

'Klinkt goed. We hebben meer gezonde bewakers nodig. En mensen die aan durven te pakken. Begrijp je wat ik bedoel?'

Niklas wist niet zeker of hij het begreep. Hij klonk bitter ergens, deze juut.

'Zeker. Ik durf aan te pakken. Heb flink gebikkeld de afgelopen jaren.'

Ze keken elkaar aan.

De politieman zei: 'Wat heb je gedaan?'

'Ik ben beroepsmilitair geweest. Mag het er eigenlijk niet over hebben.'

'Begrijpelijk. Mensen als jij zijn hard nodig. Snap je wat ik bedoel? Iemand moet opruimen onder het schorem. Er wordt tegenwoordig niet in de politie geïnvesteerd. Niemand durft vuile handen te maken. Bewakers zijn vaak te mieterig. Om over de lui bij de politie maar te zwijgen. Ze nemen zulke janktrutten aan dat je je afvraagt of gewone mannen in de minderheid moeten zijn.'

'Je hebt gelijk, de politie moet meer bevoegdheden krijgen.'

'Het gaat om junks, pedo's, mannen die hun vrouwen afranselen. Het kan mensen niks schelen zolang het ze zelf niet treft. Maar we mogen ze niet aanpakken, dan krijg je gedonder. Ik zal je iets vertellen. Wil je wel luisteren naar een bittere ouwe diender?'

'Absoluut.' Het was interessant. Niemand zou het meer met hem eens zijn dat de politie harder op moest treden tegen vrouwenmishandelaars.

De politieman stak van wal.

'Ik neem mijn werk serieus. Ik probeer uit alle macht op te treden tegen het tuig dat deze stad overspoelt. Maar afgelopen week gaven ze me een dienst met een meisje. Vers van de politieschool, zonder enige routine. Een dun, iel kind. Ik snap niet hoe ze mensen werven tegenwoordig. In elk geval, we werden naar

een avondwinkel gestuurd waar een zuiplap over de rooie ging en ruziemaakte met het winkelpersoneel. Het punt was alleen dat ik die vent kende. Het is een oude bokser, knap sterk. Agressief als een puber. Maar mijn collega doorzag de situatie niet goed. Daar kwam gelazer van. De bezopen bokser viel haar aan. Zij kon hem niet aan. Nog meer gelazer. Hij viel mij ook aan. En toen we hem tegen de vlakte wilden werken, dat was geen kattenpis kan ik je vertellen, kregen we nog meer gelazer. Die vent was echt door het dolle, sterk als een beest, deelde goddomme stoten uit als een echte Mohammed Ali. Moet je mijn neus zien.'

De politieman pauzeerde. Niklas was meegesleept door het verhaal.

'Wat is er gebeurd?'

'Hij gaf me een kopstoot. Als ik met een man op pad was geweest, iemand uit mijn team bijvoorbeeld, had dat nooit hoeven gebeuren. Maar nu, nu was die meid erbij en we kregen die zak niet op de gewone manier in de boeien. Hij was gewoon te sterk. Dus hebben we onze wapenstokken gebruikt. En flink. Tot we hem op de grond kregen en in de handboeien konden slaan.'

Nog een pauze. De agent slikte. Weer die glimp van ernst in zijn ogen.

'En nu heet het mishandeling. Begrijp je?'

Niklas was verbaasd over de wending die het verhaal nam. Het kwam persoonlijk over.

'Zeker. Het klinkt echt klote. Jullie deden gewoon je werk.'

'Dit soort dingen betekent de ondergang van de maatschappij. Als de politie toestaat dat er allemaal gewelddadige oude kerels vrij rondlopen die doen wat ze willen zonder dat de politie ze een halt toeroept, wie houdt ze dan tegen? Als de politie al die junks toestaat om drugs te dealen, wie zorgt er dan voor dat jongeren niet doodgaan aan een overdosis? Als de politie niets onderneemt tegen mannen die hun echtgenotes slaan, wie zorgt er dan voor dat onschuldige vrouwen niet vernederd worden?'

Niklas knikte tijdens de uitleg. Het laatste wat de politieman zei kwam hard aan. Het was erger dan hij had begrepen – Zweden stond er slechter voor dan hij had gedacht. Als de politie het niet deed. Wie moest het dan doen?

Hij voelde zich aangeschoten. De agent bleef doorpraten over het verval van de maatschappij. Niklas' gedachten vlogen ervandoor. Keer op keer: als de smerissen er niets aan deden. Dan moest iemand anders er iets aan doen.

*

Aftonbladet

Bejaarde mishandeld met wapenstok – politie geeft hem aan

Twee agenten hebben een oudere man bijna bewusteloos geslagen met hun wapenstokken. Vervolgens doen ze aangifte tegen hem. Maar een bewakingscamera

onthult hoe de agenten de 63-jarige man mishandelen.

Aftonbladet *heeft de videoband gekregen van de bewakingscamera van de win-kel, waarop te zien is hoe de agenten de man, Torsten Göransson, minstens tien keer slaan met hun wapenstokken. Ook de officier van justitie heeft de videoband gekregen.*

De beelden zijn opgenomen door een bewakingscamera in een avondwinkel in Aspudden in Stockholm-Zuid.

'Ik hoop dat er een aanklacht komt. Dit mogen agenten niet doen,' zegt Torsten Göransson.

Zelfverdediging

Hij was met de auto van zijn woning in Axelsberg naar de winkel gegaan om si-garetten te kopen. Maar de winkelbediende weigerde hem sigaretten te verkopen omdat hij alleen groot geld had.

'De pinautomaat in Aspudden gaf alleen briefjes van vijfhonderd,' vertelt Tor-sten Göransson.

'Toen verscheen de politie. Ze begonnen me te slaan met hun stokken. Op mijn hele lichaam. Om mezelf te verdedigen heb ik zo goed ik kon teruggevochten.'

De 63-jarige Göransson werd opgepakt en naar bureau Skärholmen gebracht. Hij werd pas midden in de nacht weer vrijgelaten.

In beslag genomen banden

De volgende dag is hij naar Ziekenhuis Huddinge gegaan om zijn verwondingen te laten documenteren. Vervolgens heeft hij aangifte tegen de agenten gedaan.

Ondertussen hadden de agenten aangifte tegen Göransson gedaan.

Uit de videobanden die Aftonbladet bij de politie heeft opgevraagd, blijkt dat Göranssons versie waarschijnlijk de juiste is.

Op de beelden is duidelijk te zien hoe de twee agenten Göransson meerdere malen met hun wapenstokken op zijn hele lichaam slaan.

Bert Cantwell
bert.cantwell@aftonbladet.se

18

Journalisten zijn de ratten onder de mensen, pseudocorrecte lesbocommunistische politici zijn de kakkerlakken der aarde en interne onderzoekers bij de politie zijn de bloedzuigers van de wereld. Ze leven van de ondergang van anderen. Ze zwelgen in verraad: ze spugen op loyaliteit, waardigheid en respect. Verloochenen Zweden. Verloochenen iedereen die zich inzet voor een beter land.

Thomas wist dat de meeste dienders die van de meer confrontatieve kant van het politiewerk hielden, die niet alleen maar achter een bureau potloden zaten te slijpen of afdropen zodra er echt iets gebeurde, op een zeker moment tijdens hun loopbaan onderwerp werden van een intern onderzoek. Dat hoorde erbij, het politieapparaat was genoodzaakt om af en toe wat zelfonderzoek in scène te zetten om de politici en de publieke opinie tevreden te stellen. Maar soms werd het menens – als de media zich ermee bemoeiden. Als de journalisten die geen reet begrepen van het leven op straat, gingen graven, bekritiseren, jagen. De drijfjacht was consequentieneutraal – het kon ze geen ruk schelen hoe het afliep voor de individuele politieman wiens kop ze wilden. De media moesten verboden worden.

Daarom was hij eigenlijk niet verbaasd dat hij drie dagen na de artikelen in *Aftonbladet, Expressen, Metro, City* en vast nog een hele zwik andere kranten een envelop in zijn postvak zag liggen. Afdeling voor Intern Onderzoek, regio Stockholm. Het bericht was kort.

AIO 1187-07. Hoofdofficier van justitie Carl Holm heeft besloten een vooronderzoek in te stellen naar u en Cecilia Lindqvist wegens een ernstige ambtsovertreding op 11 juni jl. aan de Hägerstensvägen. Vervolgens heeft Holm mij, commissaris bij de afdeling voor Intern Onderzoek van de Politie (afdeling Centraal Onderzoek, CO) gerechtigd u in kennis te stellen van de verdenking van ernstige ambtsovertreding of zware mishandeling. Volgens het dienstrooster hebt u op 25 juni dagdienst en daarom roept CO u die dag om 13.00 uur op voor verhoor. Bij dit verhoor mag een verdediger aanwezig zijn.

Zijn neus bonkte nog van de kopstoot van die klotealcoholist. Hij was misselijk.

Ze zouden een onderzoek naar hem instellen – en dat kon leiden tot schorsing en overplaatsing, of erger: ontslag. Het kon leiden tot een aanklacht wegens ambtsovertreding. Hij bleef met de brief in zijn hand bij de postvakjes staan. Wist niet wat hij moest doen.

Las het besluit nog een keer. Zag het volgnummer. AIO 1187-07. Dacht aan iedereen die hier doorheen had gemoeten.

Zijn telefoon ging.

'Goedendag Andrén. Je spreekt met Stig Adamsson. Ben je op het bureau?'

Na de gebeurtenis in het mortuarium vertrouwde Thomas Adamsson voor geen millimeter meer. Wat wou hij nu? Kon het met de moord te maken hebben? Waarschijnlijker: het had te maken met het interne onderzoek dat hij zojuist had ontdekt. Hij antwoordde: 'Ik ben net binnen.'

'Mooi. Zou je misschien even langs kunnen komen op mijn kamer? Nu bijvoorbeeld.'

In de gang stonden zes collega's bij de koffieautomaat. Ze groetten. Ze wisten het allemaal. Dat kon je zien. Hij zag meteen wie er aan zijn kant stonden. Een discreet knikje, een knipoog, een handgebaar. Maar twee van hen: keken dwars door hem heen – ook bij de ordepolitie had je collaborateurs. Thomas groette de vier die zijn vrienden waren nadrukkelijk terug.

De deur van Adamssons kamer was dicht. Volgens de politie-etiquette betekende dat dat je geacht werd de deur achter je dicht te doen als je binnen was.

Thomas klopte aan. Hoorde een zacht 'binnen' vanuit de kamer.

Adamsson zat achter de computer met zijn rug naar de deur. Een oude, vermoeide mannetjesputter. De commissaris draaide zich om.

'Hallo Andrén. Ga maar zitten.'

Thomas trok de bezoekersstoel bij en ging zitten. Hij had de brief van CO nog steeds in zijn hand. Stig Adamsson wierp er een blik op.

'Ontzettend vervelend dit.'

Thomas knikte. Kon hij Adamsson vertrouwen?

'Dus iedereen weet het al?'

'Tja, je weet hoe het is. Nieuwtjes gaan snel. Maar ik heb het via officiële kanalen gehoord, ze hebben er namelijk een vluggertje van gemaakt, stuurden de zaak direct door naar de officier van justitie. Ze betrekken het meisje er ook bij, Lindqvist.'

'En wat denk jij? Zullen de media tot bedaren komen?'

'Ze komen altijd tot bedaren. Maar als we pech hebben, spreekt zo'n rottige politicus zich er ook over uit. Dat brengt Interne helaas nog erger in beweging. En vervolgens moet de hoofdcommissaris ook een beslissing nemen over je aanstelling.'

'En wanneer gebeurt dat?'

Adamsson legde beide handen op tafel. Het waren grove handen. Handen die in hun tijd heel wat te verduren hadden gehad: waren zeker geprikt door naalden, hadden in braaksel gegraven, maar hadden ook meer klappen uitgedeeld dan de meeste. Hij zuchtte.

'Ik heb hem net gesproken. Hij zal de berichten van CO afwachten. Als er een zaak komt en je veroordeeld wordt, loop je het risico dat je helemaal moet stoppen. Als ze het vooronderzoek afsluiten is er meer hoop, maar ook dan bestaat de kans dat we je over moeten plaatsen.'

Thomas wist niet wat hij moest zeggen.

'Andrén, ik wil alleen maar zeggen dat ik je volkomen begrijp. Ik heb jullie incidentenrapport en de aangifte van mishandeling gelezen. Ik ken die Torsten Göransson ook al heel lang. Een jaar of vijfentwintig geleden was hij een goeie bokser. Trainde bij Linnéa. Ken je die club?'

'Natuurlijk.'

'Echt een bruut. Daarna ging het mis. Of misschien was het daarvoor al misgegaan. Ik weet het niet. In elk geval, hij is al minstens vijf keer veroordeeld voor mishandeling. *Summa summarum*, het was volkomen terecht dat jullie de wapenstokken trokken. Verder is het niet jullie fout dat die wapenstokken te miezerig zijn. En het is niet jouw fout dat Cecilia Lindqvist te miezerig is.'

Thomas knikte tijdens Adamssons uiteenzetting. Hij dacht: zou de man niet in elk geval iets moeten zeggen over het incident in het mortuarium? Maar hij zei niets. In plaats daarvan antwoordde hij: 'Precies. Als we met twee gewone mannen waren geweest, hadden we hem aangekund zonder de wapenstokken zo sterk in te hoeven zetten. Ik waardeer je steun, Adamsson, dat doet me goed. Maar, kun je me één ding vertellen?'

'Ik zal mijn best doen.'

'Wie heeft besloten dat ik mijn dienst samen met die Cecilia Lindqvist moest draaien? Iedereen die me kent, weet dat mijn samenwerking met meisjes niet denderend is.'

'Ik weet eerlijk gezegd niet wie dat besloten heeft. Maar Ljunggren moest invallen voor Fransson, die ziek was. Toen moesten we natuurlijk iemand anders nemen. Dat zijn de regels, dat weet je. Maar ik zal het uitzoeken.'

Thomas knikte. Adamsson zei niets. De uitdrukking op zijn gezicht zei echter: het gesprek is afgelopen.

Thomas wilde iets zeggen over het mortuarium. Een redelijke verklaring krijgen.

Maar er kwam niets. Hij stond op.

'Verder, Andrén. Neem een paar weken vrij. Meld je ziek voor de rest van de maand of zo. Dat zou je echt moeten doen. Doorwerken zal geen pretje zijn.'

Het was een bevel.

Onderweg naar huis nam Thomas de omweg via Norrmalm. Skipte de Essinge-leden. Had tijd nodig om te denken. Het zuidelijke stuk van de Flemminggatan: Ierse pubs en restaurantjes. Hij dacht aan de avond met Ljunggren in Friden. De cafés waar hij nu langsreed zagen er niet bepaald chic uit. Maar Friden kreeg toch de prijs voor sjofelheid.

Opeens viel het hem op: hij kon er de vinger niet precies op leggen, maar Ljunggren had vaag gedaan. Eerst voorgesteld na het werk een biertje te gaan drinken. Toen ze eenmaal in Friden zaten, was het net alsof hij niks te zeg-gen had gehad. Ljunggren was dan wel geen grote kletskous – maar normaal gesproken converseerden ze wel in hun tempo, wisselden ze wat woorden. Na-men de dag door. Mopperden op de baas en waardeloze collega's. Beoordeelden vrouwen in de kroeg. Maar gisteren leek Ljunggren verstrooid. Sprong van de hak op de tak en begon meerdere keren over hetzelfde onderwerp: de behan-deling van de bokseralcoholist. En dat had allemaal normaal kunnen zijn, als hij die opmerking niet had gemaakt, een paar minuten voor ze aangesproken werden door die jongens aan de tafel naast ze. Alsof Ljunggren de vraag er met moeite uit kreeg: 'Zeg, Thomas, je bent toch niet kwaad op me? Ik bedoel, ik werd opgeroepen voor een andere dienst, daarom stuurden ze die meid naar je toe.' Zelfs dat was niet vreemd, nogal logisch dat hij zich rot voelde doordat het was gegaan zoals het was gegaan. Maar wat hij daarna uitkraamde – nadat Thomas zijn hoofd had geschud en had gezegd dat dat zijn verantwoordelijk-heid niet was – daar klopte geen flikker van.

'Andrén, nu ze begonnen zijn met dat hele interne onderzoek en zo, nu hou je toch wel op met dat gegraaf in die Hägerströmzooi?'

Eerst begreep Thomas niet wat hij bedoelde. Daarna drong tot hem door waar hij op doelde. Zijn enige antwoord was: 'Ik ben nog steeds een diender. Dus ik ga door met dingen die dienders doen.'

Thomas reed over de Centralbron richting Slussen. Links lag het eiland Rid-darholmen met alle rechtbanken. Daar werd het recht in Zweden gesproken, be-weerde men. Vrouwe Justitia zou blind zijn, zei men. Dat klopte, ze was blind.

Hij zette de feiten op een rijtje. Iemand schrapte in zijn rapport. Iemand schrapte in het obductierapport van de gerechtsarts. Adamsson wilde hem en Hägerström ervan weerhouden het lijk te fotograferen. Daarna realiseerde hij zich nog iets: Ljunggren had hem gebeld in het mortuarium – had geprobeerd hem mee te krijgen voor een actie, iets beweerd over een winkeldief in Mörby Centrum. Niet alleen vroeg hij hem te stoppen met het moordonderzoek, mis-schien had hij ook geprobeerd hem te bedonderen.

De totale analyse: alle eigenaardigheden op een rijtje in zijn kop leidden maar tot één verklaring. Iemand wilde hem laten stoppen met zoeken. Die iemand was misschien Ljunggren. Maar hoeveel macht had Jörgen Ljunggren om dat te laten lukken? Nee, het was Ljunggren niet. En Adamsson? Misschien. Thomas moest meer te weten komen.

Maar op dit moment liet hij die kwestie zitten. Hij moest zelf iets doen. Bij Slussen maakte hij een U-bocht. Reed in tegengestelde richting.

Twintig minuten later stapte hij uit voor Danderyds mortuarium. De lucht was strakblauw. Zijn neus deed nog steeds godvergeten pijn. Hij dacht aan de geur in de koelruimte. Hij dacht aan Hägerström. Plotseling bedacht hij zich. Ging weer in de auto zitten. Belde Hägerström.

Hij nam niet op. Thomas sprak een bericht in. 'Hallo, met Andrén. Er zijn allemaal klotedingen gebeurd vandaag. Misschien weet je het al maar ik vertel het later wel. Ik ben nu in elk geval van plan naar de gerechtsarts te gaan, dan weet je dat in elk geval.'

Toen hij had opgehangen realiseerde hij zich dat Hägerström eigenlijk de vijand was. Deloyaliteit aan collega's bij de politie was Hägerströms vorige leven. De schoften van Interne.

Hij ging naar binnen. Net als de vorige keer waren de wachtkamer en receptie leeg.

Hij drukte op het knopje bij de receptie. Christian Nilsson, de obductieassistent, verscheen. Hij zag er verbaasd uit.

'Hallo, kan ik iets voor je doen?'

'Ja, ik was hier een paar dagen geleden. Andrén, politie Zuid.'

'Dat is ook zo, nu herken ik je pas.'

Geen ongebruikelijke reactie van mensen die hem eerder alleen in uniform hadden gezien. Alsof hij in burger een heel ander persoon was. Maar gezien het Adamsson-incident zou dit assistentje een beter geheugen moeten hebben.

'Jij heet Christian Nilsson?'

'Ja, dat ben ik.'

Thomas begon zachter te praten. Niet nodig om te luidruchtig te zijn. Nilsson zou onrustig kunnen worden van het idee dat iemand de wachtkamer binnen kon komen en ze zou horen.

'Jij was toch aanwezig bij de sectie op het lijk dat mijn collega en ik de vorige keer bekeken?'

'Ik weet het eigenlijk niet precies, het is zo druk de laatste tijd.'

'Oké. Dan kan ik je vertellen dat je erbij aanwezig was en dat staat ook in het obductierapport. Het gezicht van de dode was min of meer weggeslagen en de vent had geen tanden, dus we hebben meer input nodig voor de identificatie. Kun je me iets vertellen? Was er iets bijzonders aan de hand met de rechterarm van het slachtoffer?'

'Als ik me niet vergis, ontstond er de laatste keer dat je hier was nogal wat rumoer. En ik kan je meteen vertellen dat ik me helaas niet alle details van die sectie herinner. Maar als je wilt kan ik mijn logboek halen, dan kun je zien wat daar staat.'

Thomas overwoog dit alternatief. De obductieassistent kwam een beetje ar-

rogant over, maar het was niet zeker dat hij iets achterhield. Het was inderdaad een vreemde toestand geweest toen Adamsson binnen was komen stormen. Thomas vroeg hem zijn rapport te halen. De kans bestond altijd dat de injectiegaatjes in die versie wel genoemd werden. Na drie minuten kwam hij terug. Zonder rapport.

'Ik kan het rapport helaas niet laten zien. Als ik me niet vergis, maak je geen deel meer uit van het onderzoek.'

Thomas dacht: als die vent nóg één keer 'als ik me niet vergis' zegt, sla ik zijn voorhoofd in. Daarna zei hij kortaf: 'Haal je chef, Bengt Gantz. Nu meteen graag.'

De obductieassistent keek hem in de ogen. Draaide zich abrupt om en verdween door de deur.

Tien minuten later kwam er een lange, slanke man de wachtkamer binnen. Dezelfde blauwe ziekenhuiskleding als Nilsson. Thomas vroeg zich af waarom het zo lang had geduurd. Waarschijnlijk was de arts druk bezig geweest met iemand te ontleden of had hij geen zin zich voor zijn ernstige misser in het obductierapport te moeten verantwoorden.

Drie langzame passen. Bijna alsof hij een waardige indruk probeerde te maken.

'Hallo, mijn naam is Bengt Gantz.'

Een wat lijzige stem.

'Ik bedoel het niet onvriendelijk, maar we hebben informatie gekregen waaruit blijkt dat je geen deel uitmaakt van het rechercheteam van dit vooronderzoek. In de huidige situatie is het vanwege onze geheimhoudingsbepalingen zodoende niet mogelijk je inzage te geven in logboeken, rapporten en dergelijke.'

Thomas dacht: dat taalgebruik van die arts is suffer dan dat van een hoogdravende advocaat in een verdediging. Hij probeerde rustig te blijven.

'Ik begrijp het. Maar ik heb alleen een heel simpele vraag. Het lijkt erop dat jullie bepaalde informatie vergeten zijn in het rapport, namelijk waarnemingen aan de rechterarm van het slachtoffer. Herinner je je daar nog iets bijzonders over?'

De arts leek zowaar na te denken. Hij sloot zijn ogen. Maar wat eruit kwam, was totaal verkeerd.

'Zoals ik al zei, we kunnen ons helaas niet uitlaten over deze zaak. Het spijt me.'

Gantz' poging tot een vergoelijkende glimlach was de onoprechtste die Thomas ooit had gezien.

'Oké, dan probeer ik een andere tactiek. Ik weet dat er injectiesporen op de rechterarm van het slachtoffer zaten. Minstens drie, op het niet behaarde gedeelte van de arm, ongeveer anderhalve decimeter boven de pols. Mijn collega, Hägerström, kan ook verklaren dat die sporen er zaten. Ik geef je nu een heel

eenvoudige mogelijkheid om je obductierapport aan te passen zodat je niet voor het tuchtcollege komt vanwege een ambtsmisdrijf. Een ernstig ambtsmisdrijf bovendien. Wat zeg je ervan? Mijn voorstel is geheel gratis.'

In zekere zin had het effect. Maar niet op de gewenste manier.

De arts ademde hoorbaar in. Liet zijn formele taalgebruik schieten.

'Nee. Ben je traag van begrip of zo? Mijn rapport is volkomen juist. Er waren geen injectiesporen. Geen sporen van drugsgebruik. Niets van dat alles. En ik wijs insinuaties over ambtsmisdrijven die ik zou hebben begaan, volledig van de hand.'

Thomas zei niets.

'Ik moet je vragen om nu te gaan. Dit begint hoogst onaangenaam te worden.'

Alle alarmbellen rinkelden. Alle vibes wezen op hetzelfde. Meer dan tien jaar op straat leerden je de signalen te herkennen als iets niet helemaal klopte. De sfeer te voelen als iemand probeerde een verhaal uit zijn duim te zuigen. De kleine tekenen dat iemand loog. Oogbewegingen, parelende zweetdruppeltjes op het voorhoofd, overdreven gevoelsuitingen.

Gantz had geen enkel lichamelijk signaal van echte verontwaardiging vertoond.

Het stond als een paal boven water: die arts loog ergens over.

Zodra Thomas thuis was, ging hij naar zijn Cadillac. Rolde zijn eigen wereld in. Probeerde zijn gedachten uit te zetten. Te veel ellende.

Maar misschien was het altijd wel zo geweest – heel veel ellende. Soms klonterde al die ellende alleen samen in een en dezelfde maand.

Zijn gedachten gingen naar het onderzoek. Hägerström had het forensisch laboratorium in Linköping gevraagd te proberen het laatste cijfer van het telefoonnummer te ontcijferen. Ondertussen had hij de nummers nagetrokken op de lijsten die hij van Telenor en Telia van de twee prepaidnummers had gekregen. Thomas had zich niet in kunnen houden; hoewel Hägerström de vijand was, had hij hem gebeld. Hägerström had uitgedokterd van wie de Telenorkaart was: ene Hanna Barani, negentien jaar, uit Huddinge. Het meisje zei dat ze op 3 juni op een studentenfeest was geweest, en dat klopte met de coördinaten. Ze had zich verplaatst tussen een zendmast in Huddinge en eentje in Södermalm. Hägerström had het meisje toch gehoord, hoewel niets erop wees dat ze iets met de zaak te maken had.

Maar de eigenaar van de Telia-kaart was nog niet achterhaald. Slechts drie gesprekken met die kaart, wat opvallend weinig was. Hägerström had de drie nummers nagetrokken. Ze waren van ene Frida Olsson, Ricardo's autogarage en ene Claes Rantzell.

Hij belde ze. Kreeg Frida Olsson en de garage te pakken. Geen van twee had enig idee van wie het nummer van de prepaidkaart zou kunnen zijn. Claes Rantzell kreeg Hägerström niet te pakken. Ze kwamen nergens.

Thomas probeerde zich op de auto te concentreren. Sleutelde aan de vering. Die moest supercomfortabel worden, soepeler rijden dan alle Citroëns ter wereld. Maar tegelijkertijd moest het veerkrachtig zijn – het moest er niet uitzien als zo'n vreselijke kruipende raceauto.

Het werkte. De gedachten aan de ellende vervaagden. De auto vroeg al zijn energie.

Twee uur later kwam Åsa thuis. Ging meteen naar de keuken. Begon met het eten. Thomas wist: zo meteen moest hij het haar vertellen. Ze aten terwijl zij praatte over wat ze in de lente met hun tuin zouden doen en over collega's die elkaar niet respectvol behandelden. Daarna kwam ze ook op hun grote project: de adoptie. Ze hadden contact opgenomen met een bemiddelaar. Binnenkort zouden ze op huisbezoek komen. Misschien, heel misschien, zou hun geluk over een paar maanden bezegeld zijn. Thomas kon zich niet concentreren. Dat zou wel moeten – de adoptie was belangrijk. Åsa was eigenlijk ook belangrijk, al vergat hij dat. Maar het enige waar hij aan dacht: waarom Hägerström niet terugbelde.

Na het eten keken ze samen naar een film. *Executive Protection*. Åsa keek meerdere films per week dus ze moest een compromis sluiten om hem naar de bank voor de tv te krijgen. De politiescènes waren waardeloos. Maar de scènes met wapens waren behoorlijk geloofwaardig. Ze leken bij hoge uitzondering te begrijpen dat een doorgewinterde diender nooit met rechte arm schiet. De terugslag valt verkeerd – je krijgt er een tennisarm van.

Ze gingen vroeg naar bed. Het was nog maar elf uur. Ze rolde naar hem toe. Åsa: die ooit enorme lustgevoelens in hem had losgemaakt. Nu konden ze nog maar nauwelijks een gesprek voeren, ze lachten niet meer op dezelfde manier samen, ze hadden geen normaal seksleven – hij werd niet meer geil.

'Ik ben moe vanavond, sorry.'

Haar zucht was diep. Ze wist dat hij wist hoe teleurgesteld ze was. Zo werd het alleen maar erger.

Ze deden het licht uit.

Hij kon niet slapen. Dacht weer aan alles wat er gebeurd was. Het was te laat om weer naar de auto te gaan, het sleutelen ging nooit lekker als hij te moe was.

De kamer was niet helemaal donker. Onder het rolgordijn piepte wat licht naar binnen. Hij deed zijn ogen open. Kon de stoel onderscheiden waarop hij zijn kleren altijd legde. Åsa's gezicht. Hij keek naar het plafond. Probeerde rustig te worden.

De telefoon ging. Een snelle blik op de wekkerradio: halfdrie. Welke idioot belde er nou om deze tijd? Thomas zocht naar de hoorn.

Een rustige mannenstem zei: 'Spreek ik met Thomas Andrén?'

Thomas herkende de stem niet. Åsa bewoog naast hem.

'Ja,' antwoordde hij zachtjes.

'Ga naar het raam.'

Thomas stond op. Had alleen een onderbroek aan. Duwde het rolgordijn een stukje opzij. Het begon al licht te worden.

'Ik sta bij de lantaarnpaal tegenover jullie huis. Ik wil alleen dat je weet dat we er de hele tijd zullen zijn. Ook als Åsa alleen thuis is.'

'Wat moet je?'

Thomas zag een man in donkere kleren aan de andere kant van de straat, ongeveer twintig meter bij hem vandaan. Dat moest hem zijn.

'Hou op met wroeten in zaken waar je niks mee te maken hebt.'

'Hoezo? Wie ben je?'

'Hou op met wroeten in wat je in Axelsberg hebt gevonden.'

'Wie ben jij?'

De stilte in de hoorn deed pijn aan zijn oor.

Thomas keek weer naar de hoop kleren op de stoel. Lag zijn dienstwapen daar?

Toen keek hij weer naar buiten. De man bij de lantaarnpaal was weg.

Hij wist dat het geen zin had om buiten te gaan zoeken.

Wist dat hij Åsa nu niet alleen wilde laten.

19

Achteraf voelde Mahmud zich naïever dan een peuter.

Ze hadden afgesproken in de McDonald's in de Sergelgången. In normale gevallen digde Mahmud de binnenstad. Herinnerde zich de eerste jaren van de middelbare school toen hij en zijn vrienden vaker daar rondhingen dan thuis. De strooptochten tussen Åhléns, Intersport en Pub. Tussenstop bij de Mac voor energietoevoer voor ze verdergingen naar de Kungsgatan. Richting Stureplan. Joegen de kakkids de stuipen op het lijf – jatten hun donsjacks, pakten hun mobieltjes af, fixten snel geld. Zorgeloze momenten. Toen ze de kings waren. Toen de rijkeluiskindjes bagger scheten. In de tijd dat de bak verder weg leek dan Sundsvall.

Maar nu, onderweg naar Gürhans Born-to-be-hated-jongens, was hij misselijk. Een soort constant, ranzig gebonk in zijn buik. Een voorteken misschien.

De mobieltjes, de PlayStation, de abonnementen en de dvd's voor vette bodemprijzen verkocht. Insjallah – hij dankte de god waar hij niet in geloofde voor PlayStationbeurzen en het winkeltje van Babaks pa. Toch – die spullen leverden niet veel op. Het werd negenduizend. Kut. Kon hiervoor echt niet bij zijn aboe aankloppen. Als hij maar iets had gehad om te dealen, had hij het gedaan: Russische vijfjes, hasj, wat dan ook – zelfs horse. Maar hij had niks meer: zijn sportschoolabonnement, nog negen maanden geldig, verpatst voor een duizendje. Nam zijn televisie en dvd-speler mee naar de winkel van Babaks pa. Kreeg er vierduizend voor. Ten slotte, volstrekt tegen zijn eergevoel in: bracht zijn ketting naar de lommerd – die was van zijn moeder geweest. Twee ruggen erbij. Als hij die niet terug kon kopen, was zijn leven geen flikker waard.

Toch nog vierduizend te weinig. Dan maar niet. Kon nu niet meer floes krijgen en de tijd stroomde weg als water. Ze moesten het maar accepteren.

Ging naar binnen. Hamburgerlucht. Gezinnen met kinderen. Allochtonen achter de toonbank – de helft waarschijnlijk ingenieur en de rest arts. Zwedo-Zweden wilden liever dat ze hamburgers bakten dan dat ze hun kennis zouden gebruiken.

Daniel zat helemaal achterin. Slobberde zijn eten als een varken naar binnen. Naast hem: de twee andere gasten die Mahmud in Hell's Kitchen had gezien.

Daniel keek hem aan: 'Hé ashabi, je hoeft niet te kijken alsof ik je zusje net heb ontmaagd.'

Mahmud ging zitten.

'Grappig.'

Daniel nam te grote happen van een McFeast.

Mahmuds linkerbeen begon onder tafel ongecontroleerd te trillen. Hopen dat ze het niet zagen. Vermande zich – behield zijn waardigheid. Nooit meer voor hun ogen vernederd worden.

Daniel staarde hem wezenloos aan.

'Grappig? Waarom lach je dan niet als het zo leuk is?'

Mahmud zonder antwoord.

Ze negeerden hem. Daniel lulde verder met de twee andere gasten. Tijdens hun gesprek overhandigde hij Mahmud een leeg McDonalds-zakje. Knikte. Gebaarde: stop hem onder tafel.

Mahmud haalde het geld uit zijn binnenzak. Stopte de briefjes snel onder tafel, propte ze in het zakje.

Daniel pakte het zakje aan met een bredere grijns dan de Joker in de *Batman*-films. Bleef met de gorilla's ouwehoeren. Zijn hand onder tafel. Een snelle blik om de waarde van de biljetten te checken. Daarna – de klassieker. Niet meer naar beneden kijken, tel onder tafel terwijl je converseert. Clean.

Het duurde even. Daniel keek hem vragend aan.

Mahmud leunde voorover.

'Het is maar zesennegentig. Meer heb ik niet kunnen krijgen.'

Daniel siste: 'Stomme eikel. Gürhan zei honderd. Neem dat vieze geld van je maar weer mee. Volgende week willen we tweehonderd. Ik meen het.'

Het zakje kwam weer op tafel terecht.

Daniel en de andere twee stonden op. Liepen naar buiten.

De vader van het gezin naast hem zat te staren.

Mahmud alleen over. Keek terug.

'Kun je het zien, ouwe lul?'

's Avonds: onderuitgezakt op de leren bank bij Babak. Probeerde het hele gedoe af te zwakken. Babak vroeg: 'Zijn ze ziek in hun hoofd of zo? Je geeft ze zesennegentig in twee weken en ze zijn niet tevreden. Wat kunnen ze je maken, man?'

Mahmud deed onaangedaan. Grijnsde bijna.

'Ach, je weet toch. Ik wilde niet in de problemen komen. Heb je wat gras?'

Inwendig: hij wist heel goed wat ze hem konden maken. Ze waren in staat om hem vandaag of morgen af te knallen. En ze hadden hem in zijn broek zien zeiken. Nu wilde hij het onderwerp vergeten.

Ze checkten een filmpje, *Scarface*, zeker voor de twintigste keer. Mahmud wensdroomde: wilde net zo gestoord zijn als Tony Montana. '*You wanna play rough? Owkay.*' Bam, bam, bam.

Babak leuterde door over hoe kapot moeilijk ze die avond waren geweest.

'Gewoon die speeltjes van die flikkers nakken, geen grap. Ze zaten daar maar. Zag je die meid die haast in trance was. En Simon, die zal me nooit meer lopen dissen.'

Mahmud wilde naar huis.

Onderweg. Nam de loko naar Fittja. Zijn pa belde hem op zijn mobiel. Mahmud drukte hem weg. Had nu geen zin om te praten. Zijn pa belde weer. Mahmud zette zijn telefoon op geluidloos. Liet hem tot het einde overgaan zonder op te nemen. Ze zouden elkaar toch over een kwartiertje zien.

Tegenover hem: een geblondeerde chick met gruwelijk lange nagels. Mahmud digde de meid: ordinair geil wel. Dacht aan zijn zus. Ze had hem vijfduizend geleend. Ze zagen elkaar eigenlijk alleen eens in de drie maanden op vrijdagmiddag in papa's keuken met hun zusje Jivan erbij. Nadat Beshar naar de moskee was geweest.

Jamila's vent had ook gezeten. In Österåker, voor drugs. Mahmud had hem nooit gemogen. Hij was niet aardig voor Jamila. Sommige meiden leken altijd klootzakken aan te trekken, Jamila was er zo eentje. Een paar dagen later was er iets vaags gebeurd: een buurman van Jamila was midden in de hommeles binnen komen stormen. Had haar vent gebeukt alsof hij een schooljongetje was. En dat liet Jamila's vriend zich normaal niet gebeuren. Mahmud probeerde te begrijpen wat er gebeurd was, vroeg Jamila naar details. Maar ze schudde alleen haar hoofd, wou het er verder niet over hebben. 'Hij kan Arabisch,' zei ze. Waren er misschien dan toch Zweden met eergevoel?

Mahmud stond thuis voor de deur. Zijn vader deed al open voordat hij maar had aangebeld. Stond hij soms door het spionnetje te kijken?

Mahmud zag het meteen: er was iets kapot mis. Zijn pa had rooie ogen. Was nerveus. Bang. Toen hij Mahmud zag omhelsde hij hem. Huilde. Schreeuwde.

'Ze mogen je nooit van me afpakken.'

Mahmud bracht hem naar de woonkamer. Liet hem op de bank zitten. Haalde een kop thee met muntblaadjes. Streek over zijn wang. Hield hem stevig vast. Zoals hij Mahmud zo vaak vast had gehouden. Kalmeerde hem. Knuffelde hem.

Zijn vader vertelde. Met onderbrekingen. Onsamenhangend. Ontdaan.

Ten slotte begreep Mahmud wat er gebeurd was.

Ze waren langs geweest.

Drie kerels. Papa had de deur opengedaan. Ze gaven hem een plastic tas. Tegelijkertijd zeiden ze iets in de trant van: 'Je zoon zit in de problemen. Als hij het verknoeit, maken we jullie kapot.'

In het tasje: een varkenskop.

Voor zijn vader. Een vroom man.

Pitten onmogelijk. Mahmud draaide zich zes miljoen keer om. De enige gedachte in zijn kop: hij moest Wisam Jibril vinden.

Hij deed zijn ogen open. Ging bij het raam staan. Keek tussen de gordijnen door naar buiten. Herinnerde zich zijn eerste afrekeningen met erwtenschieters op zijn zevende. Babak, hij en de andere jongens begrepen al gauw dat erwten voor mietjes waren. Stapten over op katapulten, blaaspijpen en werpsterren. Eén keer schoot Babak per ongeluk een krammetje in het gezicht van een meisje uit de parallelklas. Het meisje werd blind aan haar linkeroog. De racistische leraren op die school stuurden Babak naar het speciaal onderwijs.

Het was twee uur. Nog even en het zou licht worden.

Zo ging het niet. Hij moest iets doen.

Een uur later was hij in de Tegnérgatan. Zonder dat hij een auto had kunnen lenen. Had opgefokt als een speedjunk in de nachtbus naar de stad gezeten. Wou die John Ballénius wakker maken – hem afranselen tot ie vertelde waar hij Jibril kon vinden.

De buitendeur beneden was op slot. Tuurlijk. Hoewel er nooit wat gevaarlijks gebeurde in de stad, wilden al die Zwedo's een codeslot. Waarom waren ze overal bang voor?

Hij liep even rond in de straat. Twee personen wankelden naar huis. Hij liet ze passeren. Pakte een losse stoeptegel op. Net als trainen bij Fitness Center. Sleepte hem naar de voordeur. Flikkerde hem door het glas. Shit, wat een kabaal. Hoopte dat hij maar het halve gebouw wakker had gemaakt. Hij stak zijn hand naar binnen, deed de buitendeur open.

Ging naar Ballénius' deur. Belde aan. Er gebeurde niets. Die vent lag natuurlijk te maffen.

Belde weer aan. Stilte. Geen rammelend geluid van deurkettingen. Niemand die aan de andere kant rondslofte.

Belde een derde keer aan. Lang.

Noppes.

Kankerzooi – Ballénius leek niet thuis.

Mahmud overwoog: voordelen versus nadelen. Hij kon proberen in te breken. Kijken of hij iets vond dat hem naar Jibril leidde. Anderzijds: als die Ballénius in de kroeg was en zo naar huis wilde, zou hij voor een opengebroken deur komen te staan. Oom agent bellen, die binnen twee minuten ter plaatse was.

Dat ging niet. Het risico om gepakt te worden was te groot.

Het volgende idee beter: de tweede katvanger leek immers nooit thuis. Mahmud had het huis anderhalve dag in de gaten gehouden. Zelfs wat jochies betaald om eens per uur aan te bellen. Nul komma nul reactie.

Dope. Hij kon het doen. Inbreken bij Rantzell. Vet veel aanwijzingen scoren. Voor het eerst sinds ze dat feest hadden geript voelde hij zich oké. Mahmud

de king doet weer mee. De nieuwe kroonprins van de Joego's zou zijn entree maken. Hij belde een snorder – de moeite waard om wat van zijn moeizaam vergaarde doekoes voor te gebruiken. Liet zich terugrijden naar Fittja. Naar de kelder. Haalde zijn koevoet. In dezelfde cab terug naar de Elsa Brändströmsgata. Vlug vlug.

Tijd: halfvijf. Licht buiten. Stil. Hij voelde aan de buitendeur. Die was open. Mazzel. Zouden ze hier in zo'n buitenwijk niet banger voor inbraak moeten zijn dan aan de Tegnérgatan?

Op een papiertje op een deur stond Rantzell. Mahmud gluurde door de brievenbus naar binnen. Zag een hal. Zou hij aanbellen? Nee, dat hoorde je in de rest van het gebouw. Zou de argwaan van de buren wekken. Hij pakte de koevoet. Zocht met zijn hand naar een geschikte plek om hem tussen te zetten. De deur bewoog. Hij was open. Vet vaag.

Was Claes Rantzell thuis? Deed hij de deur niet op slot? Mahmud glipte de flat in.

Trok de deur snel achter zich dicht. Binnen: de stank meurde hem tegemoet. Rottend vlees. Stront. Junkholdampen. Hij ging haast over zijn nek. Trok zijn trui over zijn neus. Probeerde door zijn mond te ademen. Wie kon hierin leven?

Licht genoeg in de flat om geen lamp aan te hoeven doen. Hij riep hallo. Hoorde geen geluid ten antwoord.

In de hal: een stel afgetrapte zwarte schoenen en twee jacks. Reclame en post op de vloer. Mahmud dacht eraan dat hij niets aan moest raken met zijn vingers. Rechts bevond zich een keuken, rechtdoor een woonkamer, links een slaapkamer.

Eerst de keuken: vieze borden en bestek, de gootsteen bruin van het vuil. Een pak Jozo-zout naast een leeg melkpak. De keukentafel vol zakjes, ravioliblikken, bierflessen en glazen. Op de vloer: ouwe sigarettenpakjes, papieren, een voddenkleed dat zo smerig was dat hij niet zag wat voor kleur het eigenlijk had. Wat was dit voor zwijnenstal? Dig de ironie: het bedrijf van deze gast was eigenaar van een kapot dure Bentley. Mahmud deed de kastjes open. Leeg op een paar glazen en twee pannen na.

De woonkamer. Een leren bank en een leren leunstoel. Leken op die van Babak. Twee schilderijtjes aan de muur. Eentje met een kortharig jongetje met een traan in zijn ogen. Het andere leek meer op een foto: een generaal of zo. Een paar planken met oude encyclopedieën, een stuk of tien pockets en kartonnetjes bekleed met fluweel met een hele zwik medailles erop. Lelijk. Tv, video, een ingedroogde cactus op de vensterbank. De eetkamertafel ontmaskerde Claes Rantzell: vier, vijf bierflessen, twee flessen wijn, een halfvolle fles whisky, eentje met wodka. Die gast was een vette alcoholist.

Mahmud raakte de teringzooi niet aan. Had nu geen tijd. Wou hier zo gauw mogelijk weg. Trok de mouwen van zijn sweater over zijn handen. Haalde de boeken uit de boekenkast voor een snelle check. Er was niks verstopt.

Ten slotte de slaapkamer. Een twijfelaar. Deze junk leek alleen te wonen – één kussen maar. Goor. Dekbed vlekkerig. Lakens gelig. Op de vloer een Perzisch tapijt dat nep moest zijn. Een spiegel aan het plafond. Opengeslagen pornoblaadjes op het nachtkastje: wijf pijpt een vent, rukt een ander af en wordt ondergezeken door een derde. Mahmud liep naar de kleerkasten. Ergens moest toch iets interessants verstopt zijn. In de kast: spijkerbroeken, overhemden, lades met onderbroeken en sokken. Een houten bak. Hij deed hem open.

Freakshow. Bij wie was hij hier eigenlijk beland, de voorzitter van de Sodomitische Vriendschapsvereniging zelf? Propvol met seksspeeltjes. Dildo's – beaderde reuzenpikken – Anal Intruder, een voorbindlul, leren riemen, rijzweepjes, een paar dunne kettingen, leren maskers met een rits voor de mond, halsband met pinnen. Een latex nethemd, handboeien, blinddoeken, buttplugs, glijmiddel, flesjes poppers, allemaal verschillende soorten olie.

Mahmud: pornofilmvoyeur, plichtmatig moslim, pornograaf. Papa's jongen. Dacht: dit is ziek.

Daarna grijnsde hij. Zwedo-tata's zijn lulletjes.

Hij bleef de kleerkast leeghalen. Trok er oude schoenen, T-shirts, tassen, lp's uit. Ten slotte: eindelijk – misschien iets van waarde. Helemaal achterin, aan de muur: een sleutelkastje, op slot. Hij zette de koevoet ertussen. Trok. Het kastje ging open. Daarbinnen: sleuteltjes die eruitzagen als fietssleutels. Bovendien: twee grotere sleutels, van een hangslot leek het wel.

Hij was gestrest. Hoewel hij Rantzell de afgelopen twee dagen niet had gezien en de man zijn telefoon niet opnam, kon hij natuurlijk elk moment thuiskomen. Hij griste de grootste sleutels mee.

Bleef even staan in de hal. Wat zou hij nu doen? Misschien pasten die sleutels ergens. Maar waar? Hij bekeek ze weer. Assa Abloy. Tri Circle. Kwam hem bekend voor. Net zo een als van het hangslot van zijn kluisje in de sportschool. Net zo een als naar de kelderbox van zijn vader. Een ideetje dat het proberen waard was. Hij liep het appartement uit.

Naar boven. Geen zolder. Naar beneden. De kelderboxen waren in beroerde staat. Achter de houten planken en tralies: allemaal suéditroep. Winterjacks, ski's, koffers, boeken en dozen. Waarom flikkerden ze die zooi niet weg? Hoopten ze soms bakken met geld te verdienen op de rommelmarkt van Skärholmen?

Hij testte de sleutels op elk slot. Gedachten aan Wisam Jibril en papa door elkaar. Beelden van Gürhans monsterlijke grijns gemixt met varkenskoppen. Hij voelde zich manisch. Die sleutels móésten gewoon ergens passen.

Hij probeerde slot na slot. Na minstens tien mislukkingen: een van de sleutels paste. Halflege box. Een opgerold tapijt, een paar dozen. Borden in de ene, pornoblaadjes in de andere.

Ging verder met de andere sleutel. Die paste op het slot van de box ernaast. Hij dacht: klassieke truc van die Rantzell – de lege box van iemand anders kra-

ken. Mahmud ging naar binnen. Een heleboel tassen op de vloer. Godverdomme. Hij keek in een ervan: papieren. Cijfertjes, namen van bedrijven, brieven van de Belastingdienst, dat soort dingen. Hij had geen puf om verder te zoeken. Zou het waardevol kunnen zijn? Hij kon er nu niet over nadenken. Pakte twee tassen. Ging naar boven. Naar buiten.

De ochtendzon scheen lekker op straat.

Mahmud dacht: misschien kom ik nu ergens.

Zondagochtend. Op het klokje van zijn mobiele telefoon was het één uur. Relaxed, hij had zes uur geslapen. Daarna wist hij weer hoe ze zijn vader behandeld hadden. En dat zijn vader hem de hele ochtend niet wakker had gemaakt. Een engel als altijd.

Hij dacht aan de nacht, mistige herinneringen. Wat had hij bereikt? Een paar tassen vol papier. Gefeliciteerd spillepoot. Wat een zooi.

Beshar zat in de keuken. Dronk zijn gebruikelijke Midden-Oostenkoffie met vijf suikerklontjes. Troebel als een modderpoel. Grote donkere ogen. In het Arabisch: 'Heb je goed geslapen?'

Mahmud omhelsde hem.

'Aboe, heb jíj goed geslapen? Het komt goed. Niemand zal ons iets doen. Dat beloof ik je. Waar is Jivan?'

Beshar klopte op tafel. 'Ze is op school. Insjallah.'

Mahmud pakte sap uit de koelkast. Plus een gebakken kipfilet.

Papa glimlachte: 'Ik weet dat je traint, maar is dat echt een goed ontbijt?'

Mahmud grijnsde terug. Zijn vader zou nooit begrijpen wat echte bodybuilding inhield. Proteïnerijk voedsel zonder een spoortje vet paste niet in zijn wereldbeeld.

Ze zeiden niets.

Zonnestralen verlichtten de keukentafel.

Mahmud vroeg zich af wat voor mens zijn vader geweest zou zijn als ze in Irak waren blijven wonen. Een groot man.

Toen: de bel ging.

Mahmud zag de paniek in de ogen van zijn vader.

Zijn hele lichaam in angst. Mahmud liep naar zijn slaapkamer. Pakte een oude honkbalknuppel. De boksbeugel in zijn zak.

Keek door het spionnetje. Een donkere gast die hij niet kende.

De bel rinkelde weer.

Papa ging achter Mahmud staan. Voor hij opendeed zei hij tegen Beshar: 'Aboe, kun je alsjeblieft naar de keuken gaan?'

Klaar voor alles. De kleinste foute beweging van die gast buiten en hij zou zijn voorhoofd smashen als een eitje.

Hij deed de deur open.

De gozer stak zijn hand uit. 'Salam aleikum.'

Mahmud niet-begrijpend.

'Ken je me niet meer? We zaten op dezelfde school. Wisam Jibril. Ik heb gehoord dat je me zocht.'

Beshar lachte op de achtergrond.

'Wisam, dat is lang geleden! Welkom.'

20

Vandaag voelde Niklas zich zekerder tijdens zijn hardlooprondje. Hij had twee scheenbeschermers gekocht, eigenlijk voor voetballers. Had ze om zijn schenen gespannen. Minder risico op rattenbeten.

Hij dacht aan zijn nachtmerries. Dacht aan Claes die dood was. Aan zijn moeder.

Hij dacht aan zijn bezoek aan de polikliniek Psychiatrie in Skärholmen. Zijn moeder had hem gedwongen.

'Je loopt constant te klagen dat je zo slecht slaapt en dat je zoveel nachtmerries hebt,' had ze verwijtend gezegd. 'Moet je geen hulp zoeken?'

Ze bleef doorzeuren, hoewel Niklas niet eens had verteld waar die dromen eigenlijk over gingen. Hij had dat soort hulp niet nodig, dat was niks voor hem – wel had hij slaappillen nodig. De nachten waren klote. Dus misschien moest hij zijn moeders advies maar opvolgen.

Hij ging naar het open spreekuur overdag. Dacht dat er dan de minste mensen zouden zijn, de kortste rij. Fout gedacht – de wachtkamer zat vol. Weer een teken dat er iets niet klopte in dit land. Niklas wilde zich het liefst meteen weer omdraaien. Hij was geen zwak iemand die moest veranderen. Hij: een oorlogsmachine, zo iemand ging gewoon niet naar een psycholoog. Toch bleef hij. Vooral omdat hij zo snel mogelijk een recept voor die pillen wilde. Maar ook: om van het gezeur van zijn moeder af te zijn.

De leunstoel waar Niklas in mocht gaan zitten, zat best lekker. Hij had een armzalig houten stoeltje verwacht, maar dit was oké. De psycholoog, psychiater, arts – wat ze officieel dan ook was – schoof haar stoel dichter bij de zijne en zette haar bril af.

'Nou, welkom hier. Mijn naam is Helena Hallström en ik ben psychiater op de polikliniek hier. En ik heb begrepen dat jij Niklas Brogren bent. Ben je al eerder bij ons geweest?'

'Nee, nog nooit.'

Hij nam haar op. Een jaar of tien ouder dan hij. Donker, opgestoken haar. Een onderzoekende blik. Handen op schoot. Hij vroeg zich af hoe het er bij haar thuis aan toe ging. Hier had zij de touwtjes in handen, dat was duidelijk. Maar thuis?

'Dan zal ik kort uitleggen hoe het werkt. Ik weet natuurlijk helemaal niet waarom je hier bent, maar ons doel is om op basis van een gezamenlijke beoordeling van je behoeften aan de slag te gaan om je te helpen. Alles om de kwaliteit van je leven te vergroten. Ons behandelingsaanbod is breed en gevarieerd en we moeten maar kijken wat het beste bij je past. Misschien medicinale of sociaalpsychiatrische hulp. Of allebei. En in veel gevallen is geen van beide nodig.'

Niklas probeerde niet eens te luisteren naar wat ze zei.

'Dus, Niklas, waarom ben je hier?'

'Ik slaap slecht. Dus ik dacht dat je me misschien aan slaaptabletten zou kunnen helpen.'

Helena zette haar bril weer op. Zette die onderzoekende blik weer op.

'Op welke manier slaap je slecht?'

'Ik kom moeilijk in slaap en word 's nachts vaak wakker.'

'Oké, en hoe denk je dat dat komt?'

'Ik weet het niet. Ik lig aan van alles en nog wat te denken en verder droom ik vreemd.'

'En waar denk je dan aan?'

Niklas was hier niet gekomen om over zijn gedachten of nachtmerries te praten. Misschien was hij naïef, realiseerde hij zich nu. Tegelijkertijd wilde hij echt een recept voor die slaaptabletten.

'Aan van alles en nog wat.'

'Wat dan bijvoorbeeld?' Helena glimlachte. Niklas vond haar sympathiek. Ze leek oprecht bezorgd te zijn. Geen soldaat zoals hij, maar misschien toch ook een mens die de fouten van de maatschappij begreep.

'Ik denk veel aan de oorlog. En de oorlog waar niemand hier in Zweden iets aan doet.'

'Nu begrijp ik je niet helemaal. Kun je het misschien uitleggen?'

'Ik heb jaren als militair gewerkt. In een gevechtseenheid, zal ik maar zeggen. En daar heb ik veel herinneringen aan. Daar heb ik soms last van. Ik weet dat ik die zooi los moet laten en verder moet gaan en dat doe ik ook, dus dat zit wel goed. Maar toen ik terugkwam in Zweden begreep ik dat hier ook een oorlog bezig is.'

Ze maakte een aantekening.

'Heb je geweld meegemaakt als militair?'

'Dat kun je wel zeggen, ja.'

'En dat speelt soms misschien op?'

'Ja, maar ik heb vooral last van de andere oorlog, de oorlog tegen jullie.'

'Tegen ons? Hoe bedoel je?'

'Tegen jullie vrouwen. Jullie worden dagelijks aangevallen. Jullie worden blootgesteld aan aanslagen, aanvallen. Ik heb het gezien. Het gebeurt aan één stuk door, op straat, op het werk, bij mensen thuis. En jullie doen er niets tegen, maar jullie zijn ook de zwakkere partij, dus dat is misschien niet zo vreemd.

Maar de maatschappij doet ook geen fuck. Ik zie vaak voor me wat ik zou kunnen doen.'

'Wat zie je dan?'

'Ik denk en droom. Er zijn veel verschillende methodes en een paar daarvan heb ik afgelopen week gebruikt. Ik hoorde geluiden bij de buren. Vergeet niet dat ik gespecialiseerd ben in dit soort dingen.'

Ze knikte kort.

'Niklas, binnen de psychiatrie heb je verschillende begrippen.'

'Waar heb je het over?'

'Ik bedoel, er zijn verschillende namen voor verschillende soorten gedachten. Soms hebben we het over waanideeën. Waanideeën kunnen positieve symptomen zijn van bijvoorbeeld psychoses. Er zijn verschillende soorten van dat soort gedachten, maar ze zijn stuk voor stuk min of meer onbegrijpelijk voor de naaste omgeving. De werkelijkheidsopvatting verandert. Dat kan leiden tot slaapproblemen maar ook tot gevoelens van angst. Soms kunnen mensen die traumatische ervaringen hebben gehad, zulke symptomen krijgen, maar er kan ook iets anders gebeurd zijn.'

'Hoe bedoel je?'

'Ik denk dat het goed zou zijn als je hier op een ander moment terug zou komen, buiten het open spreekuur. Om wat meer over je gedachten te praten.'

Dit ging te ver. Hij wilde alleen die pillen. Helena kon zoveel over waanideeën praten als ze maar wilde. Niklas zag de ratten. Niklas zag de vrouwen. Hij had de politieman horen vertellen dat het de maatschappij niks kon schelen. Het waren geen leugens – die agent had het zelf gezegd. Het was geen onrealistische werkelijkheidsopvatting, geen symptoom van iets anders dan de verrotting van Zweden.

'Misschien wel ja, maar denk je dat je me slaappillen voor zou kunnen schrijven?'

'In de huidige situatie kan ik dat helaas niet doen. Maar ik raad je echt aan om een afspraak bij ons te maken. Dan kunnen we je zeker helpen.'

'Ik heb het gevoel dat je me niet begrepen hebt. Maar dat geeft niet. Ik red me wel en ik ga nu maar, ik zal zelf wel iets aan mijn slaapprobleem doen.'

Hij stond op. Reikte haar de hand.

Helena stond ook op. 'Dat klinkt goed.'

Ze schudden elkaar de hand. Ze zei: 'Maar je moet weten dat we er altijd zijn als je het verder over je gedachten zou willen hebben. Wil je een vervolgafspraak maken?'

'Nee, het is wel goed zo. Bedankt voor je tijd.'

Hij liep naar buiten. Was niet van plan terug te komen.

Daarna dacht hij aan de gozer die hem eergisteren had bedankt: Mahmud. Grote gast. Als een Hummer zo breed. Zijn hoofd liep door in een nek die onge-

veer even breed was – de aderen als wormen over zijn hals. Hoekig gezicht, zulk zwart haar dat het wel donkerblauw leek. Waarschijnlijk veel Russische vijfjes en proteïnedrankjes. Maar de gozer was oprecht dankbaar geweest. Het meisje in de flat naast die van Niklas bleek zijn zus. De gast had om halftwaalf 's avonds bij Niklas aangebeld. Het tijdstip maakte Niklas niks uit, maar hij was toch argwanend. Keek door het spionnetje. Bereidde zich op het ergste voor – dat de vriend van zijn buurmeisje zijn vrienden erbij had gehaald om hem terug te pakken. Elke spier gespannen toen hij de deur van het slot afhaalde. Mes in zijn hand.

Maar toen hij de deur opendeed, was het eerste wat hij zag een uitgestoken doos chocola. Mahmuds woorden in het Arabisch: 'Ik wil je bedanken. Je hebt mijn zus weer hoop gegeven. Er zouden meer mensen dat soort dingen moeten doen.'

Niklas nam het cadeautje aan.

'Bel me als je ooit iets nodig hebt. Ik heet Mahmud. Mijn zus heeft mijn nummer. Ik kan het meeste wel regelen.'

Dat was alles. Niklas had nauwelijks tijd om te reageren. Mahmud liep de trap al af. De buitendeur beneden sloeg dicht.

Niklas dacht over wat hij later die dag zou doen. Naar een opvanghuis voor vrouwen, het blijf-van-mijn-lijfhuis Stockholm. Hij had gisteren een artikel in de *Metro* gelezen.

Enige tijd geleden werd door een motie van de Linkse Partij bekend hoe groot de druk op de opvanghuizen voor vrouwen in Stockholm is. De opvanghuizen zijn vaak genoodzaakt vrouwen voor hulp door te verwijzen naar hun collega's in aangrenzende gemeenten. Het fenomeen is echter nieuw noch ongewoon. De beschermde onderkomens zijn vaak zo vol dat de opvangcentra vrouwen die hulp zoeken naar andere gemeenten moeten sturen.

Het was choquerend. Iedereen liet de vrouwen in de steek. Stuurde ze als vee van hot naar her. Dat kon niet getolereerd worden.

Misschien was dit iets voor hem: hij was van plan bij ze langs te gaan om zijn diensten aan te bieden. Gezien de situatie waren ze daar vast in geïnteresseerd. Bescherming. Ingrijpen. Veiligheid. Net als die bewakingsfirma waar hij had gesolliciteerd.

Met de metro op weg naar de stad. Hij had net gedoucht. Voelde zich fris.

Mama had hem eerder die dag gebeld. Het was echt niet normaal – ze was helemaal kapot van Claes. Bleef maar zeuren dat ze het aan de smerissen zou vertellen. Maar Niklas wist wel beter. Praatten ze met de politie, dan kon het afgelopen zijn.

Ze vroeg hem op de man af: 'Niklas, waarom is het zo belangrijk dat we niks vertellen?'

Hij probeerde het uit te leggen. Wilde haar echter niet overstuur maken. Antwoordde met rustige stem: 'Mama, je moet het begrijpen. Ik wil niet dat de politie argwaan krijgt en in mijn verleden gaat poeren. Ik heb inkomsten uit het buitenland waar de Belastingdienst zeker weten belangstelling voor zou hebben. Dat is toch nergens voor nodig, zeg nou zelf.'

Hij hoopte dat ze het begreep.

Niklas sloot zijn ogen. Probeerde de beelden van de nachtmerries te vergeten. Bloed aan zijn handen. Claes zoals hij eruit had gezien toen Niklas klein was. De wereld was ziek. Het was nergens goed voor om daarin mee te gaan. Iemand moest de stilte verbreken. Zoals die smeris in Friden het had gezegd: 'Het betekent de ondergang van de maatschappij'. Ondanks dat: de logica werd aangetast doordat zijn moeder zo ontdaan was. Dat Claes verdwenen was, was iets moois. Een heldendaad die geprezen moest worden. En dan begreep ze het niet. Zij, voor wie het gedaan was. Zij, die er het meeste baat bij had. Ze zou hem moeten bedanken, net als die Mahmud.

De wagons bonkten een soort ritme in zijn hoofd. Hij probeerde zijn ma te vergeten. Dwong zichzelf aan iets anders te denken. Aan zijn eigen problemen. Het zoeken van werk dat niet ging. Zijn middelen zouden niet voor eeuwig toereikend zijn. Dat hij zo achterlijk was geweest te geloven dat hij zijn vermogentje kon verdubbelen door te spelen – vlak voordat hij weer in Zweden was, was hij een keertje naar Macao gegaan. Naïef, onbezonnen, roekeloos. Maar als je alle succesverhalen die hij van Collin en de anderen had gehoord mocht geloven, was dat misschien niet zo vreemd. Iedereen leek aan spelen te kunnen verdienen. Behalve hij, zo bleek. De helft van zijn vermogen was verdwenen voor hij zichzelf een halt toe had kunnen roepen.

Niklas deed zijn ogen open. Hij moest zo uitstappen. Het perron van station Mariatorget rolde langs buiten het raampje. Hij bekeek de Åhléns-reclame voor cd's in de wagon. Dacht: sommige dingen hebben het eeuwige leven. De helderheid van de sterrenhemel in de woestijn, de moeite van Amerikanen om vreemde talen te leren, en: de cd-reclame van Åhléns in de metro. Hij grijnsde. Fijn, al die dingen die niet veranderen. Hoewel er nog iets was: de houding van sommige mannen tegenover vrouwen. Hij kon die teringzooi niet loslaten. Zulke mannen waren ratten.

Hij stapte uit bij Slussen. Checkte het adres op het papiertje in zijn kontzak nog een keer – Svartensgatan 5. De Götgatan in. Die was veranderd in een autoloze straat. De bevolking: mengeling van jongeren in strakke spijkerbroeken, All Stars, sweaters en palestijnensjaaltjes en hippe gezinnen met driewielige kinderwagens waarvan de vaders brillen met dikke monturen droegen en stoppelbaardjes hadden. Het fenomeen was Niklas al eerder opgevallen: in Zweden

droegen jonge trendy types palestijnensjaals alsof dat iets cools was, zomaar een kledingstuk. Voor Niklas was het net zo bizar als wanneer mensen met een volle baard in een djellaba rond zouden huppelen.

De zomer was nu goed losgebarsten. Niklas voelde zich thuis. Zette zijn zonnebril op. Dacht aan alle coma-achtige uren bewaking. In de hitte. Altijd een lichte zandwind die als een windvlaag langs je wangen en voorhoofd schuurde.

Hij ging naar rechts. Een heuvel op. De Svartensgatan. Kinderhoofdjes. Ouderwets. Nummer vijf: zag er van buitenaf uit als een oude kerk. Geen ramen boven de voordeur, maar hoger op de gevel – grote gewelfde ramen die licht moesten binnenlaten in een reusachtige kamer daarbinnen. Een kleine plaquette naast de deur: OPVANGCENTRUM VOOR VROUWEN. Een hartje, het vrouwenteken, een huis. Mooi. Een lensje achter een oog van plexiglas boven de intercom.

Hij belde aan.

Een vrouwenstem: 'Hallo, kan ik iets voor je doen?'

Niklas schraapte zijn keel.

'Ja, ik heet Niklas Brogren en ik zou graag met jullie bespreken hoe ik jullie zou kunnen helpen.'

De vrouwenstem bleef even stil. Niklas verwachtte dat de deur van het slot zou klikken.

'Het spijt me, maar we laten hier geen mannen binnen. Maar we zijn heel dankbaar voor alle hulp die we op een andere manier kunnen krijgen. Je kunt geld naar ons overmaken. Of ons bellen op nummer nul acht zes vier vier nul negen twee vijf. We zijn alle werkdagen van negen tot vijf bereikbaar.'

Het werd stil. Had ze al opgehangen? Hij probeerde het toch. Zo deemoedig als hij maar kon.

'Ik begrijp het. Maar ik denk dat jullie me eerst moeten zien om het te begrijpen. Ik kan veel voor jullie betekenen.' Niklas haalde diep adem. Kon hij zich blootgeven? Ja, dat wilde hij. Hij zei: 'Ik ben zelf opgegroeid met een moeder die werd mishandeld.'

De vrouw aan de andere kant van de camera was er nog. Hij hoorde haar ademhaling. Ten slotte zei ze: 'O, ik begrijp het. Je moeder kan ons ook bellen. Op hetzelfde nummer. We hebben ook een website. Maar ik kan de deur helaas niet voor je opendoen. Onze regels zijn nogal strikt met het oog op de vrouwen die we helpen.'

Niklas keek in de camera. Zo had hij het zich niet voorgesteld. Al die nachten waarop hij in slaap was gevallen bij het gesnotter van zijn moeder. Wat hij de afgelopen tijd voor mishandelde vrouwen had gedaan. En nu – ze weigerden hem binnen te laten. Wat was dat voor bullshit?

'Hé, wacht nou even. Laat me binnen. Alsjeblieft.' Hij pakte de greep van de buitendeur vast. Trok. Het was een zware deur.

'Het spijt me. Ik zet de intercom zo uit. De vrouwen die we helpen hebben vaak zulke traumatische gebeurtenissen meegemaakt dat ze zelfs geen mannen in hun omgeving willen zien. Dat moeten we respecteren en dat geldt ook voor jou. Nu hang ik op. Dag.'

Kort geknetter uit de luidspreker. Niklas drukte de knop van de intercom weer in, al wist hij dat het geen zin had. Klotezooi.

Wat moest hij nu doen?

Hij deed een paar stappen de Svartensgatan op. Keek omhoog naar de grote ramen. Misschien zou de vrouw van de intercom hem zien. Begrijpen dat hij het goed bedoelde. Dacht aan het gesprek met de politieman. De smerissen deden geen fuck. Het opvanghuis deed blijkbaar ook geen fuck. Niemand kon het wat schelen. Niemand deed een fuck. Iedereen capituleerde gewoon voor het geweld.

21

Thomas was de hele ochtend thuis, deed niets. Daarna probeerde hij wat fit-
nessoefeningen te doen. Saai. Somber gevoel in huis. Douchte koud. Zelfs dat
gaf hem geen kick, zoals anders. Hij voelde aan zijn neusrug. Die was goed
genezen.

Hij ging naar de ICA. Kocht twee motortijdschriften. Ook saai. Verzamelde
moed. Belde Åsa. Vertelde haar over het vooronderzoek dat tegen hem ingesteld was en wat voor gevolgen dat voor zijn baan kon hebben.

Ze werd ongerust. Heel erg ongerust.

'Maar Thomas, als je wordt vrijgesproken is er toch niks aan de hand?'

'Dat is helaas niet zo, ze kunnen toch vinden dat ik naar een andere afdeling
moet.'

'Oké, maar dat is toch niet zo erg?'

'Ik kan ook mijn baan kwijtraken.'

'Maar je hebt afgelopen jaar toch WW-premie betaald?'

Natuurlijk had hij geen WW-premie betaald. WW-premie was voor parasie-
ten. Hij probeerde haar zo goed mogelijk gerust te stellen.

Alles bij elkaar was het ontzettend triest.

Om één uur kwam er een klusjesman een alarm in het huis installeren. Åsa
was verbaasd geweest, maar hij legde uit dat het aantal inbraken in hun buurt
toegenomen was.

Een uur later: eindelijk – hij rolde het donker onder de Cadillac in. De licht-
kegel van zijn hoofdlamp speelde over het onderstel. Dat was schoner dan
sneeuw. Hij had zijn gereedschap nog niet gepakt. Lag een tijdje stil. Zette zijn
angstige gedachten op een rijtje.

De man die hij buiten door het raam had gezien, Ljunggrens verdachte gedrag, de kans op ontslag. De gerechtsarts die hem verzekerde dat een verneukt
rapport correct was. Bullshit allemaal.

Hij dacht aan het moordonderzoek. De paar mobiele nummers waarnaar met
de prepaidkaart was gebeld, leidden nergens toe. Thomas' gesprek met de gerechtsarts had niks opgeleverd. Maar het had wel een reactie veroorzaakt – de
man voor hun huis. Hägerström leek nog steeds te denken dat ze een aankno-

pingspunt hadden om mee verder te gaan, maar Thomas begreep niet wat. Misschien zouden de verdere analyses in Linköping wat opleveren: stofvezels, haren, huidcellen – maar de kans was klein. Die prepaidkaart moest ergens heen leiden. Alcoholisten en junks belden altijd prepaid. Prepaidkaarten waren op straat wat pincodes voor gewone mensen waren. Als je veilig wilde werken, nam je nooit een geregistreerd abonnement.

Opeens realiseerde hij zich iets. Ziek dat Hägerström en hij er eerder niet opgekomen waren. Regels van de straat: neem zo vaak mogelijk een nieuwe telefoonkaart en neem zo vaak mogelijk een nieuwe telefoon. Dat laatste: waarom zou je een nieuwe telefoon nemen als je toch prepaid belde? Het antwoord verscheen meteen in zijn kop: omdat iedereen wist dat het serienummer van de telefoon ook via de prepaidkaarten achterhaald kon worden. Dus: elk afzonderlijk IMEI-nummer liet sporen achter op de prepaidkaart. Het IMEI-nummer werd altijd doorgestuurd naar de operator waar je bij elk gesprek mee verbonden werd. Hij wist niet waar de afkorting IMEI voor stond, maar één ding was duidelijk: de jacht was nog niet voorbij.

Hij rolde onder de auto vandaan. Kwam overeind in de garage. Deed zijn hoofdlamp af. Rekte zich uit. Het voelde alsof hij was opgestaan na een hele ochtend in zijn nest te hebben liggen meuren. Een nieuwe kans. Een nieuwe dag.

De gedachte leek hem heel helder. Het leven dikt zich in tot een aantal ogenblikken en dit was er een van. Een kruispunt. Hij kon kiezen. Of hij ging op de reservebank zitten, liet toe dat een stel criminele figuren hem eronder kreeg. Dat het geteisem won. Of hij en Hägerström losten dit op, ook al liep hij het risico zijn baan kwijt te raken, ook al was Hägerström een collaborateur. Ze moesten hem niet gaan lopen bedreigen.

Hij belde Åsa weer, vroeg wanneer ze thuis zou komen. Durfde Hägerström niet vanaf hun vaste lijn of zijn mobiel te bellen. Ze zou over een uur thuiskomen. Hij overwoog naar Kronoberg te gaan om hem persoonlijk te spreken. Maar dat was geen goed idee – degene of degenen die hem in de gaten hielden hoefden zijn gedachten van dit moment niet te ontdekken.

Thomas was al te opgewonden om nu weer onder de auto te gaan liggen. Hij ging in een stoel in de woonkamer zitten wachten. Van buitenaf hoorde hij het gekwetter van de vogels. Het was halfdrie. De zomer was volop begonnen. Hun wijk was stil op een enkele auto na die boodschappentassen met eten of kinderen van voetbalkampen aanvoerde.

Hij zette de stereo aan. The Boss in topvorm.

In Thomas' hoofd was de stap gezet. Misschien zou hij zijn baan kwijtraken. Misschien zouden er ergere dingen gebeuren. Maar dit was een van de ogenblikken. Een ogenblik waarop het leven richting krijgt.

22

Mahmud en Wisam Jibril zaten samen met Beshar in de keuken. Onwaarschijnlijk. Ongelofelijk. Volstrekt onwerkelijk. Papa schonk ze koffie in, wilde weten
wat Wisam tegenwoordig deed. De kill antwoordde vaag: 'Ik zit in het durfkapi-
taal, investeer in verschillende bedrijven. Ik koop alle aandelen of een gedeelte
ervan en probeer de boel een beetje anders in te richten.'

Mahmud glimlachte. Zijn vader begreep vast net zoveel van Wisams vermeende business als van Zweedse stand-upcomedians op televisie – maar hij
vond het geweldig als jongens uit de buurt op eerlijke wijze succesvol waren.
Jammer dat het gelogen was.

Papa babbelde maar door. Haalde oude herinneringen op. Over uitstapjes
naar het zwembad in Alby en het meer Malmsjön bij Södertälje, het mu-
ziekfestival met de vereniging Karavaan, de ramadanavonden in de zaaltjes
van de islamitische cultuurvereniging. Vroeger was alles beter. Voordat zijn
vrouw, Mahmuds moeder, was gestorven. Wisams ouders waren teruggegaan
naar hun vaderland. 'Dat zouden we allemaal misschien moeten doen,' zei
Beshar.

Wisam knikte instemmend. Waarschijnlijk om aardig te zijn voor zijn pa.
Mahmud herinnerde zich helemaal niks meer. Maar het was oké – zo hoefde
hij niet na te denken over wat hij tegen Wisam moest zeggen.

Na twintig minuten zei Mahmud: 'Aboe, is het oké om ons eventjes alleen te
laten? Ik moet wat business bespreken met Wisam.'

Zijn vader zei hem rustig aan te doen. Bleef nog vijf minuten zitten. Kletste
maar door.

Toen zijn vader voor de televisie in de woonkamer was gaan zitten, deed
Mahmud de deur dicht.

'Je vader is echt geweldig.'

'Absoluut. We hebben maar een kleine familie, zoals je weet.'

'Hoe is het met je zussen?'

'Met Jamila en Jivan gaat het prima. Jamila's vent is net vrij. Het is een klootzak.'

'Waarom?'

'Hij slaat haar.'

'Godver man, maar je weet hoe sommige mannen zijn. Die kunnen niet anders, lijkt het. Maar je weet wat er in de bak met zulke kerels gebeurt.'

'Ik weet het, ik heb toch ook gebromd.'

'Ik weet het, hoe lang heb je gezeten? En wat had je niet gedaan?'

Mahmud grijnsde.

'Een halfjaar. En ik had geen ampullen testo verkocht. Maar om voor dat soort dingen veroordeeld te worden, hoef je alleen maar een allochtoon met brede schouders te zijn.'

Wisam grijnsde terug. Een paar seconden stilte. Mahmud bekeek Wisams horloge: een Breitling.

'Het moet wel tien jaar geleden zijn dat we op dezelfde school zaten. Waar leef jij nu van?'

'Het leven is zo fokking geweldig dat ik de smaak ervan gewoon proef, snap je? Ik doe zaken, zoals ik tegen je vader zei. Durfkapitalist, zoiets. Mijn geld moet het aandurven, maar je kunt er vet veel kapitaal voor terugkrijgen.' Hij lachte om zijn eigen grap.

Mahmud lachte met hem mee. Hing de sympathieke gozer uit. Wilde dat Mister W vertrouwen in hem kreeg.

Wisam brak zijn gelach opeens af: 'Maar mijn geld gaat naar een goed doel. Ik doneer aan de strijd.'

'De strijd?'

'Yep, vijfentwintig procent gaat naar de strijd. Wij broeders moeten gaan inzien wat deze klotelanden, Europa en Amerika, met ons doen. Ze willen ons hier niet, ze willen niet dat wij leven zoals wij willen. Ze willen geen morele leer volgen. Eigenlijk, als je er bij stilstaat, gedragen ze zich als de ongelovige apen die ze zijn. Hoe kun je de strijd gemist hebben, man? Op welke planeet heb je de afgelopen jaren gezeten?'

'De planeet Alby.'

'De zionisten, Amerika, Engeland, het zijn allemaal gezworen vijanden van ons broeders. En weet je, ze zitten ook achter mij persoonlijk aan. De Serviërs. Weet je wat ze met mensen als wij hebben gedaan in Bosnië? Ze zijn nog erger dan joden.'

Was die gozer gestoord in zijn hoofd of zo? Zat ie grappen te maken? Wisam klonk als een echte Osama bin Laden. Mahmud had geen zin om met hem in discussie te gaan.

Wisam ratelde maar door: Amerika de grote duivel. Vernedering van de moslimbroeders. De minachting van het Westen voor alle rechtzinnig gelovigen.

Mahmud wist niet goed wat hij nu moest doen. Zou hij Stefanovic meteen moeten bellen? Maar hij wilde absoluut geen gelazer in de flat als zijn pa thuis was. Misschien beter om te proberen zo veel mogelijk info uit Wisam te krijgen

over waar hij later te vinden zou zijn. Plus voor de zekerheid een afspraak maken op een geschikte plek.

Hij slijmde: 'De strijd is belangrijk. De kruisvaarders en zionisten vernederen onze hele wereld.'

Wisam knikte.

Mahmud stapte over op het volgende onderwerp. 'Nog iets, ik heb over je business gehoord. Dat is ook waarom ik je wilde spreken. Ik heb een idee waarover ik met je zou willen brainstormen. Misschien dat je dat plan digt. Misschien wil je het zelfs supporten.'

'Shit man, je moet wel heel erg gebrand zijn op de financiering. Ik heb van minstens vijf gasten gehoord dat je me zocht. Wat is je *case*?'

'Het gaat om kappers en zonnebanken.' Mahmud vond het idee zelf eigenlijk kapot goed. 'Je weet toch, overal in de stad heb je kappers en zonnebanken. Mijn zus werkt bij een zonnebank. Je snapt niet hoe vaak mensen zich laten knippen en gaan zonnen, maar ergens kan het uit. Bijna allemaal zwarte poet, superchill dus. Maar er is een probleem: er zijn geen ketens. Volg je me nog?'

Wisam leek geïnteresseerd.

'Je moet er een keten van maken, zoals Seven Eleven of Wayne's Coffee, maar dan voor kappers en zonnebanken.'

'Tja, dat met ketens is lastig. Bikkelharde concurrentie daar. Heel moeilijk om er binnen te komen, zoiets als een bankstel in de anus van Paris Hilton proberen te duwen, begrijp je? Niet iets wat je zomaar even doet. Maar het is een interessant idee. Cool dat je business overweegt. Heb je je gedachten al wat verder uitgewerkt? Welke zaken je op zou willen kopen bijvoorbeeld?'

Mahmud haalde adem. Nu kwam het belangrijkste.

'Ik wil het er hier eigenlijk niet over hebben. Niet als mijn pa in de kamer ernaast zit. Het idee is natuurlijk niet spierwit zegma, en mijn vader is de meest gezagsgetrouwe mens die ik ken. Plus dat ik nu naar de sportschool moet. Maar ik heb een voorstel: kan ik je morgen niet uitnodigen voor een lunch? Wat zeg je daarvan?'

23

Niklas had drank nodig. Ging naar binnen bij Beefeaters Inn aan de Götgatan. Ging zitten aan een klein tafeltje. Slikte twee nitrazepams. Bestelde een flesje Staropramen. De serveerster bracht de fles en een hoog glas binnen op een dienblad. Schonk het bier langzaam in alsof het Guinness was.

Niklas keek om zich heen. Veel mensen. De grote ramen naar de straat opengeslagen. Het was vier uur. De Götgatan kreeg een ander karakter – de hippe palestijnensjaaltjes en gezinnen maakten plaats voor een andere groep mensen. Meer Benjamins type: gespierde kerels met tatoeages, uitgewoonde meiden met droog haar, jonge gozers in voetbalshirts.

Het bier smaakte goed in de hitte. Hij bestelde er nog een voordat hij nog maar de helft ophad. De Staropramen was een opwekkertje.

Niklas' gedachten wervelden door zijn hoofd. Ze hadden hem afgewimpeld bij het opvanghuis. Dat terwijl de mishandelde vrouwen juist versterking hadden gekregen van elitestrijder number one. De legionair die meer vieze mannen de keel had doorgesneden dan een slome agent in Zweden maar zou kunnen tellen. Het was tijd voor een offensief, een missie op het territorium van de vijand. Hij had hier meer dan acht jaar voor getraind.

Hij zat even aan zijn Concealed Backup Knife. Zoals altijd om zijn been gespannen. Nam slokjes van zijn bier. Veegde het schuim van zijn bovenlip.

Berekening: in Zweden waren mensen altijd om een uur of vijf klaar met werken. Over een uur zou er iemand uit het opvanghuis moeten komen.

Hij bestelde nog een biertje.

De lucht buiten nog steeds warm. Mensen liepen langzaam heen en weer door de Götgatan, op jacht naar zitplaatsen in de bars en restaurants. Nu was de sfeer nog rustig maar over een paar uur zou de nacht gebombardeerd worden door luid mannengeschreeuw.

Hij leunde tegen het hek tegenover de ingang van het opvanghuis. Wachtte. Tijd: kwart voor vijf. Dacht na over hoe hij zich voor zou stellen. Of hij meteen zou uitleggen wat hij wilde of dat hij het eerst over andere dingen zou hebben. Besloot niet terug te komen op het gesprek via de intercom.

Eindelijk ging de buitendeur open. Er kwam een tengere vrouw in spijker-broek en spijkerjack naar buiten. Een schoudertas aan haar schouder en een fietshelm in haar hand. Hij vroeg zich af of zij de vrouw was die hij eerder had gesproken. Nu moest hij iets doen, anders zou ze wegfietsen.

Niklas stapte op haar af.

'Hoi, ik ben Niklas en ik denk dat ik jullie kan helpen.'

De vrouw zag er geschrokken uit. Keek om zich heen, de straat door. Leek naar een antwoord te zoeken.

'Nee, je moet je vergissen. Volgens mij kennen we elkaar niet. Prettige dag verder.'

'Wacht. We kennen elkaar inderdaad niet. Maar ik ken jullie wel. Jullie doen goed werk.'

De vrouw probeerde te glimlachen. 'Heb ik jou twee uur geleden via de inter-com gesproken? Het spijt me, maar ik geloof niet dat ik iets voor je kan doen. Maar kijk, hier heb je een visitekaartje voor je moeder.'

Dit voelde naar. Perplex. Verward. Kwaad. Ze poeierde hem weer af. Waar waren ze in godsnaam mee bezig bij dit opvanghuis? Hier kregen ze een gewel-dig aanbod en ze wezen het botweg af.

Hij verhief zijn stem: 'Je moet me geloven, ik wil jullie alleen maar helpen. Kunnen we niet ergens een biertje gaan drinken zodat ik het kan uitleggen?'

'Het spijt me, maar ik moet nu naar huis. Je moet ons maar bellen als we weer open zijn.'

'Nee, wacht even. Ik zal het nu meteen uitleggen. Ik ben soldaat geweest.'

De vrouw begon naar een fiets te lopen die vastzat aan het hek waar Niklas tegenaan had gestaan.

Niklas pakte haar arm vast. 'Wacht.'

Ze draaide zich om. Haar ogen wijd opengesperd. 'Laat me nu alsjeblieft los.' De toon was scherp. Ze was een verraadster. Als ze zich niet harder voor de zaak in wilde spannen, kon ze net zo goed in de stront zakken. Als het opvang-huis van plan was zijn hulp af te wijzen, wilden ze niet vechten.

Hij hield haar vast. 'Ik zeg het nog maar één keer. Nu gaan we ergens pra-ten.'

De vrouw begon te gillen. Twee vijfentwintigjarige meisjes die een paar meter verderop liepen, bleven staan. Niklas begreep niet waar die drie seconden ge-leden waren. Maar nu stonden die twee mutsen hem hier te bekijken. Zochten hun mobieltjes.

Niklas rukte aan de schoudertas van de vrouw. Ze riep iets over een overval. Hij trok aan de tas. Iets zou hij hier godverdomme aan overhouden.

Greep de tas vast. Gaf een ruk. Stormde weg.

De vrouw schreeuwde.

Hij rende de heuvel af. Hoorde gegil achter zich. Waren dat de meiden met de mobieltjes? Door naar de ondergrondse. Flikkerde bijna van de roltrap. Het ge-

voel alsof mensen brulden. Iemand probeerde hem tegen te houden. Hij rende over het perron.

Er kwam een metro binnenrijden. Hij sprong erin.

De deuren schoven dicht.

Binnen: bijna leeg. Rustig. Benauwd. Stil.

Hij hield de schoudertas van de vrouw in zijn hand.

Deed hem open.

Papieren. Agenda. Portemonnee. Haarborstel. Rommel.

Keek beter: papieren. Informatie over het opvanghuis. Strategievoorstellen voor mishandelde vrouwen. Conceptteksten voor een website. En een lijst: vrouwennamen en telefoonnummers. Dat kon maar één ding betekenen: gedupeerde vrouwen. De vrouw van wie hij de tas zojuist mee gerukt had, had ze waarschijnlijk willen bellen.

Het was groots. Een opening. Tien namen van vrouwen die Niklas kon helpen. Tien mannen achter de namen die eens zouden zien. Twee gedachten tegelijk in zijn hoofd: hij zou ze vinden. Hij zou met ze doen wat hij wou doen.

Niklas had zijn roeping gevonden. Zijn missie. Alles had een bedoeling. Het offensief was begonnen.

24

De grote vraag: hoe gevaarlijk zou het voor Åsa zijn? Thomas was van plan om zelfstandig aan de slag te gaan. Hij was van plan schijt te hebben aan die kerel voor zijn huis. Adamssons adviezen naast zich neer te leggen – die vent stond niet aan zijn kant deze keer, dat was duidelijk. Hij zou zich geen reet aantrekken van iedereen die hem tegen wilde houden. Verder zoeken naar het IMEI-nummer en de identiteit van de eigenaar van de prepaidkaart. De moordenaar van de nog steeds niet geïdentificeerde man vinden.

Vandaag: maandag. De eerste dag van zijn overstap naar de recherchewereld. Kurt Wallander, je kunt wel inpakken. Hier komt Thomas Andrén.

Åsa ging zoals altijd vroeg weg. Vannacht had ze weer met hem willen vrijen. Thomas had zich in geen tijden zo stijf gevoeld. Åsa masseerde zijn rug, smeerde hem in met massageolie. Langzame bewegingen over zijn schouderbladen. Harde, losmakende knepen in zijn schouders. Ze haalde haar handpalmen langs zijn onderrug. Precies wat hij nodig had. Het probleem ontstond toen ze aan zijn oorlelletje begon te likken. Thomas draaide zijn hoofd weg – het kietelde. Åsa liet hem niet met rust. Ze streelde hem aan de binnenkant van zijn bovenbeen. Hij sloeg zijn ene been over het andere. Ze aaide hem over zijn borst. Hij lag stil. Ten slotte gaf ze het op. Rolde naar haar kant van het bed.

Om tien uur 's ochtends belde Thomas Hägerström.

Hij klonk een beetje buiten adem toen hij opnam.

'Hallo, met mij.'

'Andrén, het ongeluk achtervolgt je volgens mij.'

'Waar heb je het over?'

'Ik ben overgeplaatst. Weggehaald bij het onderzoek.'

Thomas keek door het raam. Zag niemand op straat. Werd ijskoud door wat hij nu hoorde.

'Waar heb je het over? Dat kan niet waar zijn. Je houdt me voor de gek.'

'Ik hou je net zomin voor de gek als de mannen van Interne jou voor de gek houden. Ben vandaag bij mijn baas geroepen. Men vond het niet gepast dat ik doorging met het vooronderzoek gezien het feit dat jij daarbij betrokken bent geweest en je nu geschorst bent wegens verdenking van ernstige ambtsovertre-

ding en mishandeling. Mijn baas zei dat het beter was om alle betrokkenen te vervangen.'

'Maar dat slaat toch nergens op. Het is een samenzwering.'

'Nee, het slaat nergens op. Ik weet niet wat ik ervan moet denken. Jezus man, dat je die zuipschuit ook in elkaar moest slaan.'

'Zeg, dat wil ik niet horen. Die vent was levensgevaarlijk en ze hadden me opgezadeld met een meisje van zestig kilo. We moesten de wapenstokken wel gebruiken. Ik zou maar een beetje dimmen dus.'

Hägerströms kortademigheid aan de andere kant leek toe te nemen.

'Vergeet niet dat ik van Interne kom. Mijn oren zijn gaan rotten van al die walgelijke rechtvaardigingen. Altijd maar die excuses. Maar dat is gelul. Je hebt geblunderd, je hebt onnodig geweld gebruikt tegen een mens, zoals je zo vaak eerder hebt gedaan, dat weet ik.'

'Kop erbij, Hägerström. Wees even niet zo'n eikel nu.'

'Jij denkt blijkbaar dat je alles tegen me kunt zeggen. Leuk om je te hebben leren kennen. Tot horens.'

Hägerström gooide de hoorn op de haak.

Thomas bleef door het raam naar buiten staren. De telefoon nog in zijn hand. Hij trilde. Zelfs Hägerström weigerde te begrijpen waarom de toestand in Aspudden was geëindigd zoals hij was geëindigd. De erfenis van Interne bleef blijkbaar lang hangen. Wat een klootzak. Onbegrijpelijk dat die man ook maar een beetje sympathie had kunnen opwekken.

Nu was hij alleen. Alleen tegenover de onbekende dreiging. Alleen tegen een intern onderzoek. Alleen in de jacht op een moordenaar.

Hij ging op bed liggen. Bracht het niet op om aan de auto te gaan sleutelen. Wilde geen voet in het bureau zetten, weggekeken, befluisterd, beroddeld worden.

Probeerde een dutje te doen. Het had geen zin – het was nog maar halfelf. Hij was niet moe, maar toch doodop.

Zijn kop voelde leeg.

Hij bleef liggen. Geen kracht om op te staan.

Moest toch in slaap zijn gevallen. Werd wakker door het krijsende geluid van zijn mobiel. Hij voelde zich groggy. Zocht tastend naar de telefoon. Herkende het nummer niet. Probeerde te verbergen hoe verward en slaapdronken hij was.

'Hallo, met Andrén.'

'Hallo, je spreekt met Stefan Rudjman. Ik weet niet of je me kent.' Licht accent. Thomas herkende de stem niet. Tegelijkertijd: de achternaam kwam hem bekend voor.

'Ik word ook wel Stefanovic genoemd.'

Thomas sceptisch. Vijandige houding. Kon dit iets te maken hebben met de nachtelijke bedreiging aan het adres van hem en Åsa?

'Oké, en wat wil je?'

'We hebben begrepen dat u problemen hebt op uw werk. We hebben een naar ons idee zeer aantrekkelijk aanbod voor u.'

'Zeg, jullie dreigementen hebben geen invloed op me.'

Stefanovic was iets te lang stil – was het oprechte verbazing of een kunstmatige pauze die voor dreigend moest doorgaan?

'U begrijpt me waarschijnlijk verkeerd. Dit heeft niets met bedreiging te maken. We denken dat ons aanbod u onvermoede mogelijkheden zal geven. Het betreft werk. Wilt u ons ontmoeten?'

Thomas begreep niet waar die vent het over had. Overdreven gedienstigheid in combinatie met dat Slavische accent. Er klopte iets niet.

'Ik weet niet wie je bent en begrijp niet waar dit over gaat. Zou je me alsjeblieft willen vertellen over wat voor werk je het hebt?'

'Met alle plezier. Ik denk echter dat het beter is dat we elkaar ontmoeten. Dan kunnen we een en ander gedetailleerder uitleggen. De voorwaarden kunnen gunstig voor u zijn. Waarom zou u het geen kans geven. Ons ontmoeten en de zaak bespreken. Wanneer zou het u uitkomen?'

Thomas wist niet wat hij moest zeggen. Was hier sprake van een of andere vorm van telemarketing? Was het een practical joke? Anderzijds: hij had toch niks beters te doen. Alles was toch al naar de bliksem. Hij kon net zo goed afspreken met deze figuur, wie het dan ook was.

'Vandaag al.'

'Dat is boven verwachting. We komen u ophalen. Laten we vier uur zeggen. Schikt dat?'

Ze reden in de tunnel onder Södermalm. Het spitsuur was nog niet begonnen. De Sveavägen af. Rechtsaf naar Roslagstull. En de Valhallavägen in. Daarna de Lidingövägen. Sloegen af naar de Fiskartorpsvägen.

Thomas vroeg zich af waar ze heen gingen. De man aan het stuur had zich alleen maar voorgesteld als Slobodan en had Thomas verzocht plaats te nemen op de achterbank van een Range Rover.

Ze zwegen. Thomas wou dat hij zijn dienstwapen bij zich had, maar dat had hij moeten inleveren toen het interne onderzoek begon.

Langs de weg zag hij de gemengde vegetatie van het park Lill-Jansskogen.

Ze sloegen een smalle grindweg in die heuvelopwaarts liep.

Ten slotte hield de auto halt. Slobodan verzocht hem uit te stappen.

Thomas was hier nog nooit eerder geweest.

Ze bevonden zich op een heuvel. Voor hem lag een gebouw: een twintig meter hoge toren. Dit moest de springschans van Lill-Jansskogen zijn. Thomas herinnerde hem zich uit zijn jeugd. Hij was er met zijn ouders geweest. De winters waren zoveel winterser toen. Iemand leek de toren onlangs gerenoveerd te hebben. Het beton schitterde haast in het zonlicht.

Er kwam een forsgebouwde man naar hem toe. Hij leek een jaar of dertig. Ge-

kleed in een donkerblauwe katoenen broek met plooien en een goed gestreken overhemd.

De man reikte hem de hand.

'Dag Thomas, wat fijn dat je zo snel al kon komen. Ik ben Stefanovic.'

Stefanovic nam Thomas mee de toren in.

De benedenverdieping was fris. Een lege receptiebalie met een computerscherm erop. Er hing een affiche aan de muur: *Welkom bij conferentieoord Fiskartorpet. We hebben plaats voor vijftig personen. Zeer geschikt voor kick-offs, bedrijfsfeesten of conferenties.* De vloer leek pas geschuurd en gelakt.

Thomas liep achter de Joego aan de trap op. Het kon nog niet echt in gebruik zijn als conferentieoord – alles was nog leeg.

Helemaal boven in de toren bevond zich een grote ruimte. Aan drie kanten ramen. Thomas keek uit over Lill-Jansskogen. Daarachter Östermalm. Nog verder weg zag hij het Stadhuis, de kerktorens en flats bij Hötorget. Aan de horizon: de contouren van Globen Arena. Stockholm strekte zich uit.

Twee bankstellen, een eettafel met zes stoelen, tegen de muur zonder ramen een minibar vol flessen en glazen. Op de bank: een man die opstond. Langzaam naar Thomas toe liep. Hem een stevige hand gaf.

'Hallo Thomas. Bedankt dat je op zo'n korte termijn kon komen. Dat is geweldig. Ik heet Radovan Kranjic. Ik weet niet of je van me gehoord hebt.' De man had hetzelfde Slavische accent als Stefanovic.

Thomas snapte het meteen. Hij had niet zomaar iemand voor zich. Radovan Kranjic, alias de Joegoboss, alias R, alias de godfather van Stockholm. Een man die de gewone crimineeltjes nauwelijks bij zijn naam durfden te noemen. Wiens reputatie harder was dan graniet. Een legende in de onderwereld van Stockholm. Het was bizar. Tegelijkertijd spannend.

'Ja, ik heb van je gehoord. Je hebt, hoe zal ik het zeggen, een zekere reputatie in de wereld waar ik werk.'

Radovan glimlachte. De man had net zo'n autoritaire uitstraling als Marlon Brando in *The Godfather.*

'Mensen kletsen zoveel. Maar voor zover ik begrepen heb, heb jij ook een zekere reputatie.'

Normaal gesproken: Thomas zou meteen in de verdediging zijn gegaan tegen iemand die zoiets suggereerde. Maar niet bij deze man – hij was in zeker opzicht immers van hetzelfde laken een pak, dat wist hij intuïtief. Nu lachte hij.

Ze gingen op de banken zitten. Radovan vroeg: 'Kan ik je een borrel aanbieden?'

Thomas nam het aan. Stefanovic schonk een whisky in. Chic spul: Isle of Jura, zestien jaar oud.

Radovan wreef met de rug van zijn hand langs zijn wang. Deed echt aan Don Corleone denken.

De Joegoboss begon het uit te leggen. Vertelde uitvoerig over zijn zaken. Hij hield zich bezig met paarden, auto's, boten, import/export. Er kwam veel uit de

voormalige Sovjet-Unie. Mercedessen geïmporteerd uit Duitsland. Machine-onderdelen uit opgeheven Zweedse fabrieken naar Poolse kolencentrales. Zakenontwikkeling, expansie en businessmogelijkheden. Thomas luisterde. Vroeg zich af of Radovan zichzelf echt geloofde.

Ten slotte: Radovan leek zijn punt te gaan maken. Nipte aan zijn glas. 'Oké, nu weet je waar ik me voornamelijk mee bezighoud. Daarnaast heb ik ook nog wat andere dingetjes. Ik ben werkzaam in wat we de erotische branche noemen, als je begrijpt wat ik bedoel. Dat ligt tegenwoordig nogal gevoelig in Zweden. We proberen onze klanten een zo aangenaam mogelijke omgeving en zo goed mogelijk personeel te bieden. Erotiek hoeft niet te bestaan uit ranzige bioscopen waar eenzame mannen 's nachts stiekem naartoe gaan. Erotiek kan professioneel, zakelijk en netjes geregeld worden. Erotiek is in feite de grootste vorm van entertainment ter wereld. Onze meisjes zijn ook internationaal gezien van hoge klasse. Begrijp je wat ik bedoel?'

Thomas zat er zwijgend bij. Stond op scherp. Was tegelijkertijd opgewekt. Waar ging het hier om? Waarom zat de machtigste maffiabaas van Stockholm hem hier over zakelijke mogelijkheden met hoeren te vertellen? Was dit een test? Hadden ze de verkeerde persoon laten komen? Hield het verband met het moordonderzoek waar Hägerström en hij mee bezig waren geweest?

Toen realiseerde hij zich dat Radovan een vraag had gesteld. Hij keek de Joegoboss aan. 'Ik geloof dat ik begrijp wat je bedoelt.'

Radovan ging verder: 'Als je jong bent kun je geld verdienen. Voor geld krijg je boten, auto's, vrouwen. Wat je maar wilt. Maar als je ouder wordt, zoals ik, wil je meer: controle over de situatie. Je wilt je veilig kunnen voelen. En daar kom jij in beeld, Thomas. Ik heb, zoals je zelf al opmerkte, een zekere reputatie. Maar dat heb jij ook. We hebben mensen als jij nodig in onze organisatie. Mannen die niet terugdeinzen als er om extra actie gevraagd wordt. Mannen die niet uit gewoonte beperkte regeltjes volgen, maar die zelf nadenken over wat juist en rationeel is. Oftewel: mannen die mannen zijn.'

Radovan hield een weloverwogen pauze. Liet de vleierij bezinken.

Thomas liet zijn blik los. Keek weer uit over Stockholm.

'Je bent een politieman, dat besef ik. Dat is ook de reden dat je zo interessant bent. Je hebt contacten, inzichten, bent geloofwaardig. Tegelijkertijd weten we dat je net als ik je eigen regels stelt als dat nodig is. Eigen regels zijn belangrijk, dat moet je weten. Zonder eigen regels kom je niet ver in het leven. We hebben ook informatie dat je er af en toe wat dingetjes naast doet. Je bent een politieman die zich overal mee bezighoudt, zoals dat dan heet. We hebben mensen zoals jij nodig.'

Thomas zei niets.

Radovan ging verder: 'Om kort te gaan: waarschijnlijk zul je je baan kwijtraken omdat je jezelf en je vrouwelijke collega tegen een alcoholistisch zwijn hebt verdedigd. Ik kan die catastrofe veranderen in een nieuwe start voor jou. Ik wil je werk in mijn organisatie aanbieden.'

25

Mahmud had lang met zijn Joegocontact gepraat – de perfecte plek bepaald: Snackbar Saman in Tumba. Je kon er buiten zitten, er waren veel mensen op de been, de juiste soort plek voor een gast als Mahmud om met iemand af te spreken. Niet verdacht. Alles onder controle. Makkelijk die Wisam daarvandaan mee te nemen. Het enige nadeel dat hij kon verzinnen was dat je niet goed kon parkeren in de buurt.

Ze hadden dinsdagmiddag om vijf uur afgesproken. Wisam had het tijdstip zelf voorgesteld. Jibril digde het trefpunt dat Mahmud had voorgesteld. 'Ons soort voer,' vond hij.

Tumba in de zomer, haast geen mensen, op een paar pubers na die te weinig te doen hadden. Mahmud kwam om kwart voor vijf, ging aan een tafeltje bij de uitgang zitten.

Voor het terras, min of meer op de stoep geparkeerd: een vette Range Rover met getinte ruiten. Vaag zag Mahmud Ratko zitten. Beide handen op het stuur, bikkelharde gezichtsuitdrukking. Als er skotoe of parkeerwachten opdoken, zou hij zich meteen moeten verplaatsen. Aan de andere kant van de straat: een BMW met nog donkerder ruiten. Mahmud zag niet wie erin zat, maar zijn contact, Stefanovic, had hem geïnstrueerd: 'Bel me als er iets misloopt. Ik ben in de buurt.'

Mahmud wachtte. Bekeek de kids verderop in de straat. Hij herkende zichzelf in hen. Dacht aan de wietplantage die Robert had gehad in de flat waar hij oppaste voor zijn tante.

Hij vroeg zich af waarom Wisam niet kwam. Gisteren aan de telefoon had hij positief geklonken. Mahmud trots op zijn geouwehoer over kapsalons en zonnebanken, de uit zijn duim gezogen businessplannen die hij in de keuken van zijn vader had opgedist – eigenlijk was het Jamila's idee. En dan de strijd. Mahmud kende het gelul wel – had oude vrienden ontmoet die het nergens anders meer over hadden. De haat van de VS tegen de rechtzinnig gelovigen over de hele wereld. De samenzwering van de joden om een oorlog tegen de moslims te ontketenen door 9/11 te veroorzaken. Het kolonialistische, imperialistische kapitalisme van Groot-Brittannië. Maar Mahmud wist beter: *cash is the king*. De geheime Amerikaanse joden die ernaar streefden gozers als hij

te onderdrukken hadden niet genoeg macht. Zoveel van die lachwekkende Engelse lords die zijn broeders welbewust wilden overheersen, waren er niet. Het gebrek aan cash was het probleem. En het antwoord simpel. Zijn soort mensen moest doekoes versieren. Zodra je geld had kwam alles goed. Vooral voor hem.

Het was inmiddels kwart over vijf. Wisam was nog steeds niet op komen dagen. Stefanovic' instructie: we kunnen niet meer dan twintig minuten met de Range Rover staan wachten. Het gevaar voor bonnenschrijvers of smerissen werd dan te groot.

Er verstreken een paar minuten. Mahmud snapte niet wat er aan de hand was.

Checkte het klokje van zijn mobiel. Achttien over vijf. Kutzooi.

Toen: bij het zebrapad – daar kwam hij: Wisam. Trainingsbroek. Sweater. Sneakers. Authentiek buitenwijktenue. Mahmud was verbaasd over zijn eigen gedachte: is dit de juiste keus? Die gozer is als ik. Een gettogast met stijl. Mijn broeder.

Het ging niet. Hij moest de gedachte loslaten.

Wisam liep langs de Range Rover. Zag Mahmud. Knikte. Op hetzelfde moment: twee kerels sprongen uit de auto. Donkere spijkerbroeken. Leren jacks. Joego *classique*. Kwamen van achteren op Wisam af. De ene zei iets. De ander hield iets in zijn hand. Drukte het tegen Wisams buik. De ogen van de kill opengesperd. Keek naar het ding tegen zijn buik. Daarna leek hij te verslappen. De mannen brachten hem naar de Range Rover. Startten.

Mahmud stond op. Legde een honderdje op tafel. Liet het wisselgeld zitten.

Zag de Range Rover de dwarsstraat inrijden, verdwijnen.

*

In de kelder was het altijd stil. Maar Niklas had geen last van de stilte. Hij vond het eigenlijk wel fijn, het gaf hem tijd om na te denken. Maar hij haatte het donker. Of eigenlijk, het risico dat het opeens donker werd. Want als je niet vaak genoeg op het lichtknopje drukte, ging de verlichting automatisch uit. Hij had zijn eigen eenvoudige systeem. Hij drukte om de twee minuten op het knopje om geen risico te nemen. Het was maar goed dat hij kon klokkijken.

Toen hij beneden kwam haalde hij het tafelhockeyspel tevoorschijn. Het was oud. De aanvallers konden niet achter de keeper komen, zoals bij nieuwere spellen. De keeper zelf kon wel achter het doel terechtkomen, wat een groot risico was – het doel onbewaakt laten. Maar nu maakte het niet uit, hij kon zichzelf toch niet op het verkeerde been zetten. Nu oefende hij passes. De rechtsvoor die naar de spits speelde die op het doel schoot. De rechtsachter die naar de spits speelde die een doelpunt maakte. De spits terug naar de rechtsvoor die de puck een mep gaf met de achterkant van zijn stick, het doel in.

Hij was best goed. Jammer dat ze bij de naschoolse opvang geen tafelhockey hadden.

Toch ging de tijd superlangzaam.

Hij drukte regelmatig op het lichtknopje. Tussen twee keer drukken kon hij ongeveer vijftien passes doen.

Eigenlijk had zijn moeder al tijden geleden naar beneden moeten komen om te zeggen dat hij weer boven mocht komen. Het was al halftien.

Misschien zou hij zelf naar boven moeten gaan. Maar hij wilde wachten. Eén keer had hij niet gewacht – toen hij genoeg had van het hockeyspel ging hij uit zichzelf met de lift naar boven. De woonkamer en de keuken waren leeg en de deur van zijn moeders slaapkamer zat dicht. Hij riep haar zonder dat hij antwoord kreeg. Hij riep weer en hoorde haar ten slotte vanuit haar kamer een antwoord schreeuwen: 'Blijf waar je bent, Niklas. Ik kom eraan.'

En ze kwam, gekleed in een ochtendjas – wat vreemd was – en ze was ontzettend boos. Ze pakte hem hard bij zijn arm, harder dan ze ooit had gedaan, en duwde hem op het bed. Daarna stond ze een tijdje te schelden. Zonder dat hij goed begreep waarom.

Nee, hij ging niet uit zichzelf naar boven. Ze moest echt komen om hem te halen.

Hij bleef schoten oefenen.

Er verstreek een halfuur. Hij kon de tijd zo goed in de gaten houden doordat hij om de twee minuten op het lichtknopje drukte.

Er was niks aan aan dat gehockey, vond hij. Saai: pass van een voorspeler naar achter, schietbeweging met zijn hele arm, de puck schoof in het doel, de linksachter speelde naar voren, trap met de schaats, recht door de kruising. De monotonie hing hem de keel uit. Maar wat moest hij anders?

Hij hoorde een merkwaardig geluid.

Achter het hockeyspel.

Iets knarsends.

Hij keek goed. Volgde de muur met zijn ogen.

Een dier.

Het staarde hem venijnig aan vanachter de verhuisdoos tegenover hem. Een rat.

Een enorme, zwarte rat. De ogen waren net glimmende, gemene porseleinen kralen. De staart als een lange worm over de doos.

De paniek beving hem onmiddellijk. Opwellende angst vanuit zijn buik. Hij durfde zich niet te bewegen.

De rat stond stil. Leek hem op te nemen.

Niklas stond nog stiller. Het enige wat hij kon denken was: als hij maar niet op me af springt, als hij me maar niet aanraakt.

Toen ging het licht uit.

En hij gilde. Hij gilde zoals hij nog nooit eerder had gegild. Alles kwam tegelijk:

het huilen, de angst, de paniek. Hij schreeuwde zijn angst uit, zijn bangheid voor het donker en het dier dat hem had aangestaard.

Hij zocht naar het lichtknopje. Tegelijkertijd had hij het gevoel dat zijn hersens zouden verschroeien bij het idee dat hij dat beest per ongeluk aan zou raken.

Waar zat die knop ergens?

Hij tastte met snelle bewegingen van zijn handen langs de muur. Hoopte dat dat de rat weg zou jagen.

Ten slotte vond hij de schakelaar.

Hij deed het licht aan. Struikelde naar de deur. Deed hem open. Sjeesde de trap van de kelder naar de begane grond op. Skipte de lift. Rende in één keer alle zeven trappen naar huis op.

Rukte de voordeur open. Buiten adem, nog steeds op het punt in tranen uit te barsten.

Zodra hij binnen was, werd hij bevangen door een andere paniek. Hij was de rat op slag vergeten. Het geluid dat hij hoorde draaide alle andere angsten de nek om. Vanuit de huiskamer klonk gegil. En hij wist heel goed wat het was. Hij had het al zo vaak gehoord.

De salontafel was naar de televisie geschoven. De drie kussens van de bank lagen verspreid over de vloer. Ernaast lag een omgevallen biertje. Naast de bank zat zijn moeder op haar knieën.

Boven zijn moeder stond Claes. En hij sloeg haar.

Niklas begon te schreeuwen.

Mama huilde. Haar neus bloedde en haar bloes was boven haar schouder gescheurd.

Claes draaide zich naar hem om. Hij hield zijn vuist nog steeds in de lucht. 'Ga terug naar de kelder, Niklas.'

Daarna liet hij zijn vuist neerkomen. Hij raakte haar op haar rug.

Ze keek naar Niklas. Hun blikken kruisten elkaar. Hij zag angst. Hij zag verdriet en pijn. Hij zag liefde. Maar ook iets anders – hij zag haat. En hij voelde het zelf duidelijk, scherper dan hij het ooit bij zichzelf had gevoeld – hij haatte Claes. Meer dan wat ook ter wereld.

Ze riep naar hem: 'Alsjeblieft Niklas, het is oké. Ga naar je kamer, alsjeblieft.'

Claes vuist trof haar weer. Hij brulde: 'Smerig rotwijf, je vindt dat snertjoch belangrijker dan mij.'

Zijn moeder gilde. Zakte in elkaar.

Claes trapte haar in haar buik.

Niklas rende naar zijn kamer. Voor hij de deur dichtdeed zag hij dat Claes haar weer schopte. Deze keer tegen haar hoofd.

Hij deed zijn ogen dicht en duwde zijn handen tegen zijn oren.

Het geluid drong erdoorheen.

Hij probeerde aan de rat in de kelder te denken.

Deel 2

Twee maanden later

26

De tijd gaat snel als je een roeping hebt. Een levenstaak. Een lijfspreuk: *si vis pacem, para bellum*. Als je vrede wilt, bereid je dan voor op oorlog.

Niklas liep drie keer per week hard. Daarna drukte hij zich op, deed buik- en rugspieroefeningen. Trainde elke dag met zijn mes. Oefende op ademhaling, controle, gevoel. Bereidde zich voor. Spande zich in. Eén principe zeker: een kleine oorlog vergt net zoveel voorbereiding als een grote. Het enige verschil is het aantal manschappen.

Vandaag liep hij zijn gewone rondje. Langs het geasfalteerde schoolplein van de Aspudden-school. Vier verdiepingen gelige baksteen, hoge ramen die genoeg licht binnenlieten. Niet zoals de kleibunkers in Afghanistan waar zeven kinderen één schoolboek moesten delen. Het schoolplein krioelde van de kids. Het nieuwe schooljaar moest weer begonnen zijn. Niklas bekeek ze. Wild, schreeuwend, ongedisciplineerd. Onduidelijk wat hij eigenlijk van kinderen vond. Hij zag de scheiding. De jongens bij elkaar, de meisjes aan een andere kant. En de subgroepen: de nerds, de sportjongens, de gevaarlijke types. Hij zag het geweld. Een jongen, niet ouder dan tien, spijkerbroek met gaten op zijn knieën: gaf een meisje van zijn leeftijd een duw. Ze viel. Huilde. Lag op de grond. Alleen op de wereld. De jongen holde terug naar zijn vriendenclub. De gemeenschap in, de groep. Niklas overwoog: naar hem toe gaan, de jongen het een en ander over duwen leren. Zich dertig keer verlatener te laten voelen dan het meisje. Maar het kon nu niet.

Eind augustus. De zon gaf weinig overtuigende warmte af: een beetje kou in de lucht, het zou een koud hardlooprondje worden.

De afgelopen weken waren hectisch, waardevol, verhelderend geweest. De strategie begon zich uit te kristalliseren. De conflicthaarden werden duidelijk. Het werd tijd voor een aanval. Si vis pacem, para bellum.

Hij voelde zijn lichaam opwarmen. Eerst zijn romp. Daarna zijn benen en zijn hoofd.

Hij dacht terug aan de afgelopen maanden.

Twee dagen nadat hij de lijst met vrouwennamen van het meisje van het opvanghuis te pakken had gekregen, was hij naar de Seven Eleven gegaan om te

internetten. Pen en papier naast zich. Zocht op de namen en telefoonnummers. Van drie van hen kon hij de volledige naam of het adres niet vinden, misschien waren ze geheim. Hij noteerde: acht volledige namen met bijbehorende adressen. Vroeg zich af wat de vrouw van het opvanghuis met die nummers had willen doen. Waarschijnlijk van huis uit werken of zo, ondersteunende telefoongesprekken voeren, bribrabrabbelen met die arme stakkers. Hoewel iedereen wist wat er nodig was – iemand die hun mannen pacificeerde.

Hij dacht na. Hoe verder te zoeken? Maakte lijstjes van mogelijke informatiebronnen. Wist er maar één te verzinnen: de gemeente. Belde, checkte of ze getrouwd waren en zo ja met wie, of dat er iemand anders ingeschreven stond op het adres. Aan het eind van de dag: de namen en adressen van zes kerels opgeschreven. Zes mishandelende mannen – zes illegale combattanten.

De dag erop. Niklas deed zijn eerste investering: een DCU zoals hij het noemde: *Data Control Unit*. Dat wil zeggen, hij haalde een laptop bij de Mediamarkt en bestelde een internetaansluiting thuis.

De hele week: hij werkte op zijn computer aan ideeën. Maakte aantekeningen. Creëerde mappen voor verschillende plannen, informatie over iedere persoon op de lijst. Na vier dagen werd hij aangesloten op internet. Nu kon hij serieus research gaan doen. Hij probeerde te structureren. Delibereren. Analyseren.

Allereerst: hij had een auto nodig. Maar ook andere dingen: uitrusting voor *espionage privé*. Omgekeerde spionnetjes, waterdichte bewakingscamera's, extra cameralenzen, muurmicrofoontjes, oortjes, nachtkijkers, opnameapparatuur, valse nummerborden. Ontzettend veel.

Hij zocht een auto op tweedehands verkoopsites op internet. Niklas was nooit veel in aanraking geweest met internet, maar het was hem wel gelukt om die mannen boven water te krijgen. Toch had hij geen idee: het kostte hem een halve dag om alleen maar door te krijgen hoe het werkte. Welke zoekmachines relevante resultaten gaven, welke autosites het grootste aanbod hadden, waar je met particulieren kon handelen en niks met bedrijven te maken had, waar je fourwheeldrive, normaal geprijsde, toekomstige APC's kon krijgen – *Armored Personnel Carriers*.

Er was nog bijna niets duidelijk. Hij wist niet wanneer/waar/hoe hij de auto nodig zou hebben. Of er iets vervoerd moest worden, of hij eventueel beschoten zou worden door de politie, op wat voor ondergrond hij zou rijden. Nog maar twee dingen besloten: hij moest beginnen met het schaduwen van de mannen. En de auto moest getinte ruiten hebben.

In eerste instantie viel hij voor een Jeep Grand Cherokee uit 2006. De verkoper beweerde in de advertentie: zeer goed onderhouden, slechts 90.000 kilometer op de teller, dieselmotor. Klonk perfect, de auto kon overal rijden. Achterruiten: groot, donker, geen inkijk. Het nadeel: de prijs – ze wilden er drie ton voor. Niklas ging voor de zekerheid langs in Stocksund. De auto was mooi, zou perfect zijn. Hij had geld achter de hand, maar de oorlog zou meer uitgaven

vergen dan de auto alleen. Hij moest zijn hand op de knip houden.

Volgende alternatief: een Audi Avant, fourwheeldrive uit 2002. Leek cool: compleet ingevuld apk, gps, zijairbags, winterbanden met spikes, xenonkoplampen. Getinte ruiten. Alles. De velgen, het stuur, de bekleding en dergelijke konden Niklas niet schelen. Maar de gps – hij realiseerde zich: een navigatietoestel was precies wat hij nodig had, hij wist de weg in Stockholm nog niet geweldig te vinden. Bovendien was de auto volgens de advertentie gereden door een meisje. De prijs, twee ton, was meer dan oké. *Zeer goede staat, goed onderhouden! Bel voor afspraak.* Hij toetste het nummer in op zijn mobiel.

De auto werd verkocht door ene Nina Glavmo Svensén in Edsviken, Sollentuna.

De Vikingavägen: lommerrijke Zweedse idylle. Voelde aan zijn heupband. Daar zat de postwissel. Honderdtachtigduizend. Bovendien: twintigduizend contant voor als het hem niet lukte af te dingen. Was Dyncorp dankbaar voor de financiële constructie. Zonder hun kennis zou zijn loon daarginds contant zijn uitgekeerd. Maar nu: hun contacten met banken over de hele wereld losten het probleem op. Ze stortten de poet direct op de rekening van Manhattan Chase, die het via hun filiaal in Nassau waar betere geheimhouding van kracht was, direct naar de veilige Handelsbanken in Stockholm overmaakte. Niklas' overgebleven spaargeld na het fiasco in Macao: een half miljoen kronen. En nu zou hij bijna de helft van dat geld over de balk smijten.

Nummer 21. Een vrijstaand huis van geel hout met twee verdiepingen, plus een garage. Twee uitgebloeide fruitbomen in de tuin. Een sproeier en een opblaasbaar babybadje op het grasveld. Het was te mooi om waar te zijn. Achter die perfecte façade moest een of andere vorm van ellende schuilgaan.

Niklas belde aan.

Er deed een vrouw open. De verkoopster, Nina Glavmo Svensén. Een seconde of drie kon Niklas geen stom woord uitbrengen. Hij had niet verwacht dat ze van zijn leeftijd zou zijn. Woonden mensen van nog geen dertig in dit soort huizen? Hij wist niet wat hij moest zeggen. Nina Glavmo Svensén: superknap. Gekleed in shorts en een hemdje. Scheef lachje. Baby op de arm. Niklas kon niet schatten hoe oud het kind was en of het een meisje of jongen was.

Hij reikte haar de hand: 'Hallo, ik ben Johannes. Ik zou de auto komen bekijken.' Goede schuilnaam, Johannes.

Nina leek verbaasd. Glimlachte zenuwachtig.

Niklas lachte.

Nina keek hem in de ogen. Hij keek terug. Wat zag hij daarbinnen? Hoe was haar leven? Wie had besloten dat die auto verkocht moest worden? Was het haar eigen beslissing of was er iemand anders de baas? Hij dacht een zekere duisternis in haar ogen te bespeuren, een glimpje verdriet. Het was niet onmogelijk.

'Goed dat je niet met de auto bent gekomen, het is hier lastig de weg te vinden.'

Ze lachten. De stemming relaxter.

De garage was koel. Drie auto's. De Audi, een Volvo V70 en een zwarte Porsche 911. Niklas wees naar de Porsche. 'Tweehonderd voor deze wagen, toch?' Weer: lachen.

Hij bekeek de Audi. Goede kwalificaties: deze zou geen aandacht trekken. Op de voorruit na waren alle ruiten getint. Veel plaats als je de achterbank neerklapte. De xenonkoplampen straalden een beter soort licht uit als je in het donker reed. Misschien niet zo erg jeep als de Jeep die hij had bekeken, maar door de vierwielaandrijving zouden de meeste plaatsen per auto te bereiken moeten zijn. Nina wist niet precies hoe de gps werkte, maar dat zou Niklas zelf wel uit kunnen vogelen. Ze had nog niet veel kilometers gemaakt en de apk was recent. Kon niet beter. Deze zou van hem worden – eerst moest hij alleen de prijs omlaag zien te krijgen.

Ze liet zien waar de winterbanden stonden. Niklas rolde er eentje tevoorschijn. Onderzocht hem.

'Op zo'n zonnige dag als vandaag wil je natuurlijk niet aan de winter denken. Maar deze banden zijn niet goed. Erg versleten.' Hij drukte hem zo ver mogelijk in met zijn vinger. 'Het profiel is hier maar een paar millimeter diep.'

Ze hadden het over de auto. De winterbanden kwamen duidelijk van een andere auto. Het kind op de arm bleef rustig. Nina glimlachte naar Niklas, lachte om zijn pogingen grapjes te maken. Na tien minuten zei hij: 'Ik wil die auto heel graag hebben. Voor honderdtachtig neem ik hem meteen mee. Ik zal namelijk wel nieuwe winterbanden moeten kopen.'

Nina keek hem weer in de ogen. 'Eigenlijk is honderdtachtig wel oké. Maar dan kun je hem niet meteen meenemen. Ik moet het vanavond eerst met mijn man overleggen als hij thuiskomt.'

En weer. Een flash door Niklas' hoofd: in wat voor omstandigheden leefde deze vrouw? Wat had haar baby moeten zien in deze zonovergoten luxevilla? Zijn gedachten tolden door zijn hoofd, steeds erger. Hij vermande zich. Probeerde te glimlachen. 'En honderdnegentig?'

Nina reikte hem de hand. 'We hebben een deal.'

Hij had ondertussen werk gevonden, uiteindelijk was hij bewaker geworden. Zat in een wachthuisje om in- en uitgaande voertuigen te controleren bij het complex van de geneesmiddelenfabricant Biovitrum in Solna. Mocht niet eens een wapen dragen. Bladerde door tijdschriften. Saaier dan patrouilles langs prikkeldraadversperringen in een zandstorm.

Maar alle spullen die hij had besteld, waren binnengekomen. Ze lagen in een rij op de vloer van zijn flat te wachten.

Het basispakket voor afluistering door muren: een MW-22-unit. Kon vol-

gens de gebruiksaanwijzing zonder probleem door betonnen muren van dertig centimeter dik, ramen, deuren, enzovoort horen. Voorzien van een rec-poort: mogelijk om er digitale functies aan te hangen.

Een gps-peilzender voor voertuigen – voor auto's die hij in *real time* wilde volgen maar waar hij niet in kon komen. Het systeem was ingebouwd in een waterdichte beschermende tas die met krachtige magneten onder de auto vastgezet kon worden. Werkte op twaalf batterijen – de auto kon meer dan een week lang gevolgd worden met updates van om de vijf seconden, zonder dat de batterijen opraakten. Fantastische hightech.

Twee soorten camera's. Om te beginnen drie ccd-camera's voor gebruik buitenshuis, 480 tvl, 25 mm lens, zwart-wit, 0,05/lux. Ze waren waterdicht en functioneerden tot vijfentwintig graden onder nul. Die zouden oké moeten zijn voor de mannen die in een huis woonden. Verder vier bewakingscameraatjes voor verborgen applicaties. Konden gemonteerd worden in stopcontacten, achter plinten, onder lampen, in stoppenkasten. Perfect voor de mannen die in een flat woonden.

Een stel gewone bugs: microfoontjes met radiosignalen.

Een opslagunit. Bood ruimte voor opnames van meerdere dagen en kon op afstand bediend worden via internet en andere netwerken. Kon vier bewakingscamera's tegelijk ontvangen. Het hart van zijn activiteiten.

Ten slotte, klein spul: een omgekeerd spionnetje, extra lenzen voor zijn camera's, twee verschillende nummerborden voor zijn auto, verrekijker, trap, de juiste kleren, boeken, gereedschap.

Hij had al meer dan vijfenzeventigduizend geïnvesteerd. Oorlog was duur – een oude waarheid. Met een beetje geluk was hij voor minder dan driehonderdduizend klaar. Hij moest echt doorgaan met dat bewakersbaantje. Het Dyncorp-geld zou niet voor eeuwig toereikend zijn. Meer uitgaven in de toekomst. Meer opdrachten uit te voeren. Hij betreurde zijn naïviteit. Waarom had hij zijn geluk in Macao beproefd?

Toch: internet magisch. In vier weken had hij een ware FBI-centrale gebouwd. Nu moest hij de boel alleen nog aan de praat krijgen.

Hij meldde zich ziek bij zijn slome baantje. Zat van acht uur 's ochtends tot acht uur 's avonds in zijn flat: oefende met zijn uitrusting. Sloot de camera's een voor een aan. Las de handleiding zeer grondig, alsof hij een kernreactor in elkaar moest zetten. Testte, testte, testte. Goot water over de buitencamera's, onderzocht de schokbestendigheid, legde ze in de vriezer. Leerde hoe je de minicamera's bevestigde, ze verborg, hun snoeren langs plinten legde naar plaatsen waar een zendstation geplaatst kon worden. Prutste met de mpeg-harddisk, sloot hem aan op de televisie bij hem thuis. Herhaalde de procedure met de camera's zonder handleiding. Klokte zichzelf. Oefende bij slechter licht. Monteerde ze in het donker. Met één hand. Uit zijn hoofd. Probeerde het afluistersysteem door de muren uit op zijn buurmeisje. Of haar vent was hem gesmeerd of hij hield

zich gedeisd. Hoorde hoe ze telefoneerde of soaps keek. Het instrument was supergoed: het bliepgeluid als ze een nummer op haar mobiel intoetste, klonk alsof ze een halve meter bij hem vandaan stond. Hij zette de gps-peilzender in elkaar. Bevestigde het onder zijn Audi. Reed rond in Örnsberg. Het doosje zat nog steeds onder de auto, kon de drempels in de Hägerstensvägen hebben. Hij checkte de ontvanger. Deed het beter dan de ouwe *defence receiver* die hij daarginds had gebruikt. Hij reed rond en checkte de adressen van de diverse mannen. Leerde alles over kaarten, doodlopende straten, stoplichten, straten met eenrichtingsverkeer. Bleef zijn spullen thuis testen, had ze uiteindelijk beter in de vingers dan de vuurwapens daarginds. Hij analyseerde methodes, onthield plaatsen, maakte plannen. Praatte amper met zijn moeder, dacht niet aan de moord in haar kelder, had geen nachtmerries meer. Beantwoordde Benjamins sms'jes zelden. Deed niets aan de doktersverklaring die hij nodig had voor zijn ziekmelding. De tijd verstreek. Binnenkort zaten ze midden in een oorlog.

De weken daarop ging hij zo vaak als hij kon naar zijn werk. Ze vroegen zich af waar hij in godsnaam mee bezig was, liep te klooien met het rooster alsof het een afspraak was om een biertje te gaan drinken met een kennis die je eigenlijk liever kwijt was. Maar wat kon hij doen: si vis pacem, para bellum. De opdracht kostte tijd.

Tijdens de lichte avonden en nachten: hij zat in zijn Audi voor de flatgebouwen of vrijstaande huizen waar ze woonden. Probeerde een indruk te krijgen. Met wie hij zou beginnen.

Alle zes waren normale mannen. Van buitenaf gezien. Op doordeweekse avonden maakten ze het nooit laat. Gedurende drie nachten begin augustus installeerde Niklas de camera's. Werkte in stilte. Het was simpel: hij had de plekken waar hij ze op zou hangen al bepaald. Heerlijk zo zonder de geluidsvervuiling van overdag: rinkelende telefoons, verkeersgeruis, buren die elkaar aftuigden. Bij één villa: een ccd-camera in een boom. Bij een andere villa: de camera in de bosjes achter een elektriciteitskastje. De flats waren moeilijker. Hoe moest je naar binnen kijken? Eén van de flatwoningen bevond zich op de begane grond. Hij verborg de camera in een trappenhuis aan de andere kant van de straat. De afstand was iets te groot, maar goed genoeg voor de beelden die hij nodig had. Bij de drie andere flats werkte dat niet. Hij zou ze persoonlijk in de gaten moeten houden.

Het enige wat hij wilde weten: wie waren de drie grootste schoften? Op wie moest hij zich concentreren? Hij: een professional met ijswater in zijn aderen. Hij kon wachten.

Terug in het heden. Op weg terug door het volkstuinencomplex Vintervik. Vandaag zag hij geen oorlogsscènes. Geen bloed. Geen hinderlagen. Gedachte: misschien kwam dat doordat hij binnenkort zelf een hinderlaag zou leggen. De

afgelopen weken waren goed geweest. Hij: een roofdier. Een predator. Een mens die sporen achterliet in de geschiedenis. Situaties veranderde.

Het zweet liep door zijn wenkbrauwen heen. Prikte in zijn ogen. Hij veegde met zijn T-shirt over zijn voorhoofd.

Het enige wat hij nu nodig had was een vuurwapen.

Het moest afgelopen zijn. De ratten.

De mannen.

De combattanten.

27

Gloria Palace, Playa de Amadores, Gran Canaria. Ze hadden naar een flashier oord kunnen gaan: Aruba, Mauritius of de Seychellen. Maar wat hadden ze daar te zoeken? De enige reden voor Thomas om op reis te gaan, was weg te zijn. En Åsa gerust te stellen.

Toch: het hotel, Gloria Palace, met vier sterren en een plus. Beter kon je niet krijgen op Gran Canaria. Grote kamers met panoramaramen op zee. Een klein bankstel en een salontafel met een mand die door de roomservice elke dag met vers fruit werd gevuld. Meer dan dertig televisiezenders, een intern filmkanaal, Zweedse kranten, geweldig ontbijt. Een van de zwembaden, met water van vijfentwintig graden, lag maar een paar meter van de Atlantische Oceaan – je keek uit over de golfslag terwijl er rustige muzak uit de luidsprekers van het hotel klonk. Om over de fitnessruimte maar te zwijgen: het leek wel alsof die apparaten gisteren waren gekocht. Zijn handen roken na het beulen naar nieuw plastic in plaats van naar politiezweet. Hij trainde elke dag. Alles was zoals hij zich had voorgesteld maar dan beter. Åsa vond het heerlijk. Thomas probeerde te ontspannen.

Zijn vuile geld kwam goed van pas. Åsa vroeg zich af hoe ze het zich konden veroorloven om in het meest luxueuze hotel te verblijven waar ze ooit was geweest. Maar zo verschrikkelijk duur was het niet, en Thomas legde uit dat ze prijzengeld gebruikten dat hij op de schietvereniging had gewonnen. Maar hij was niet van plan kniepherig te zijn. Åsa mocht zoveel behandelingen in het Thalassotherapiecentrum nemen als ze maar wilde. Hij huurde waterscooters en ging een keer scubaduiken, probeerde zijn afslag op een golfbaan met negen holes, voer een hele dag mee op een bootvistocht met een stel Duitsers van middelbare leeftijd. Elke avond een driegangenmenu in een van de à-la-carte-restaurants of ze namen de panoramalift naar de strandpromenade aan de kant van de bergen boven het hotel en wandelden naar Dunas Amadores, het dichtstbijzijnde andere hotel.

Hij liet zijn baard staan: de eerste in zijn leven, elke ochtend voor de spiegel een verrassing. Het jeukte, hij probeerde hem te trimmen – maar god, wat heerlijk om zich niet meer te hoeven scheren. Åsa beweerde dat hij prikte. Maar

eigenlijk: ze waren al bijna twee weken weg en hadden nog geen enkele keer gesekst. Oké, ze hadden weleens gezoend, maar het aantal kussen was op de vingers van één hand te tellen. Ze wisten allebei dat dat niet aan die baard lag.

Soms dacht hij dat hij in therapie zou moeten gaan. Hij hield immers van Åsa – waarom werd hij niet geil van haar? Waarom ging het beter voor het computerscherm dan met een echte vrouw? Tegelijkertijd: therapie was niks voor hem. Stel je voor dat iemand erachter zou komen.

Ze lagen ieder op een ligstoel op het zonneterras. Ingesmeerd met de juiste factor. Het chloorblauwe zwembadwater klotste kalmpjes. Het hotel verhief zich als een bergwand achter hen. Zesentwintig graden. Gran Canaria was echt lekker: de Atlantische Oceaan zorgde ervoor dat het niet in dezelfde oven veranderde als bijvoorbeeld Sicilië, waar ze vorig jaar waren geweest.

Hij probeerde een pocket van Dennis Lehane te lezen, *Duister als de nacht*. Legde het boek op zijn buik. Rusteloos, kon niet lang achter elkaar lezen, al was het gruwelijk spannend. Zijn dialogen waren de beste die hij kende.

Åsa lag met haar ogen dicht, glanzend van de zonnebrandcrème en het zweet. 'Uitgeperst,' zoals zij het noemde. Luisterde naar een luisterboek. Hij bekeek de andere mensen op het terras. Dit was niet een van die vreselijke familiehotels. Åsa en hij zouden er allebei niet tegen kunnen om elke dag gelukkige ouders te moeten zien die met hun dikke kleutertjes aan de rand van het zwembad zaten te tutten. Het hotel werd vooral bevolkt door stelletjes die iets jonger waren dan zijzelf – zonder kinderen – en ouderen vanaf een jaar of zestig. Bovendien flink wat vrolijke vriendengroepjes. Aan de zwembadbar vier jongens van hoogstens vijfentwintig. Sloegen parapludrankjes achterover alsof het gewoon bier was. Thomas kon hun stijltje wel waarderen. Zag zichzelf een paar jaar geleden. En nog beter, in en uit het zwembad: een groep meiden van dezelfde leeftijd als de jongens. Hij dacht: misschien is er niet zoveel lekkers in deze wereld, maar een man die niet van stringbikini's houdt, is gek.

Een hand op zijn bovenbeen. Åsa keek hem aan. De oordopjes uit haar oren. 'Dat we hier nog maar twee dagen hebben. Vreselijk.'

Thomas keek haar aan. Legde zijn hand op haar schouder. Hij voelde het duidelijk: ze was gespannener dan anders.

'Ja, binnenkort gaan we naar de herfst thuis. Maar we krijgen vast nog wel wat warme dagen. De hitte van de Indian summer hier is echt heerlijk.'

'We moeten praten, Thomas. Het gaat niet alleen om de herfst. Je moet me vertellen wat er eigenlijk aan de hand is.'

Thomas wist waar ze aan dacht. Ze begreep niet dat hij geen complottheorieën over het interne onderzoek meer had. Maar het ging verder: Åsa voelde zich buitengesloten. Vond dat hij niet genoeg van zijn gedachten met haar deelde, het niet had over wat er zou gaan gebeuren. Hij kon het niet uitleggen, hoewel hij dat misschien wel zou moeten doen.

'We hebben het er toch over gehad. Over een paar dagen nemen ze het besluit. Dan weten we het. Of ze gebruiken hun verstand en er gebeurt niks, of ze dienen een aanklacht tegen me in en dan word ik overgeplaatst. Maar dan zijn ze niet goed bij hun hoofd.'

'Je noemt het laatste alternatief niet, Thomas.'

'Hou op. Als ik dáárvoor veroordeeld word, gaan we weg uit Zweden. Dat zou een schande zijn. Dan zou er geen enkele agent van de ordepolitie bij het korps kunnen blijven. Iedereen zou gedaan hebben wat ik heb gedaan. Iedereen die gezond is.'

'Maar als je het nou echt probeert in te schatten, hoe waarschijnlijk is het dan dat je wordt veroordeeld en dat ze je ontslaan? Thomas, ik moet het weten. Wij moeten het weten. Ik kan niet met deze onzekerheid leven. Ik loop nu al twee maanden lang elke dag met maagpijn. Stel je voor dat het gebeurt? Hoe kunnen we ons huis dan betalen? Hoe kunnen we dan nog voor een kind zorgen?'

Dat laatste stak Thomas. Daarna dacht hij: dan moet je maar fulltime gaan werken. Maar hij hield zijn mond. Wilde dit gesprek niet weer voeren. Het was tijdens hun vakantie al drie, vier keer opnieuw uit de sloot gehaald. Het eindigde altijd met irritatie. Åsa wilde dat hij ander werk ging zoeken. Hoe kon ze het ook weten – wat hem was aangeboden, was niet alledaags.

'Je windt je onnodig op. Ze zullen me niet ontslaan. Geloof me.'

'Nu moet jíj ophouden. Ik begrijp niet hoe je zo rustig kunt zijn. Maar je begrijpt waarschijnlijk niet dat dit niet alleen om jou gaat. Het gaat om ons allebei, we horen bij elkaar. Jij zit hier zogenaamd ontspannen te zijn terwijl het ook invloed op mij zal hebben, op ons, op ons gezin. We hebben gezegd dat als we een kind adopteren, het op zal mogen groeien in een echt huis met een tuin. In een huis wonen zorgt voor geborgenheid. Hoe gaan we dat betalen als jij op straat gezet wordt? Begrijp je hoeveel een goede kinderwagen, een autostoeltje, speelgoed, kleren, een ledikantje en al die andere dingen kosten? En ik ben niet van plan om naar Ikea te gaan.'

Haar ogen gloeiden helder tegen de blauwe lucht.

'Je moet weten dat je niet altijd geborgen bent in een huis.' In zijn hoofd zag hij de man die onder hun raam had gestaan. 'Maar ik beloof je op mijn eer als politieman, dat het goed komt. Je hoeft niet ongerust te zijn.'

Ze stond op. Afgemeten bewegingen. Typisch woede à la Åsa. Ging misschien naar de bar, of naar hun kamer. Het maakte hem niet uit. Hij bracht het niet op om ruzie te maken.

Hij sloot zijn ogen. De zon verwarmde hem. Zag beelden in zijn hoofd.

De afgelopen maanden: hoorden bij de ergste van zijn leven. Vergelijkbaar met de weken na Åsa's miskraam. Soms verwarrend, vaak slapeloos. Vooral: barstensvol onrust. Maar toch had hij niet het gevoel dat er reden was om alles met Åsa te bespreken. Ze had niet zijn hele verhaal gehoord. Ze kon hem niet helpen. Waarom zou hij haar aansteken met zijn zorgen? Dat zou gewoon gemeen zijn.

Het onderzoek naar de zogenaamde mishandeling in de avondwinkel verliep traag. Na het besluit tot het onderzoek moest hij op intern verhoor komen. Zijn beeld van de situatie schetsen. Een kleine, Hägerströmachtige eikel aan de andere kant van de tafel: assistent-rechercheur Rovena. Waarschijnlijk iemand die zijn zeven jaren na zijn examen achter een bureau had doorgebracht. Of waarschijnlijker: onder een bureau, omdat hij zo godsgruwelijk bang was dat er iets van het plafond zou vallen. Verf misschien. Of stof? Dat zo iemand zichzelf politieman mocht noemen was volkomen van de pot gerukt. Waarschijnlijk was hij binnengekomen door een of andere positief discriminerende wet voor zwarten. Hij had niets in het korps te zoeken.

Thomas vertelde hoe het was gegaan. Rovena was geïnteresseerd in de details. Hoeveel keer had de man Lindqvist geslagen? Waarom was het Andrén niet gelukt de man in de handboeien te krijgen? Wanneer besloot hij om de wapenstok te gebruiken?

'Zeg, er is hier een hartstikke goeie film van gemaakt, bekijk die maar,' vond Thomas. Rovena kon niet om de grap lachen. Wilde de beelden van de bewakingscamera niet bekijken. Wilde liever Thomas' eigen versie horen. Lulkoek.

Verder werd het onderzoek schriftelijk afgehandeld.

Thomas nam daarna contact op met een advocaat. De man had twee brieven geschreven. In de eerste verzocht hij kennis te mogen nemen van bepaalde delen van het onderzoeksmateriaal die Thomas niet had mogen zien. In de tweede bekritiseerde hij het onderzoek omdat ze een assistent-rechercheur een hoofdagent hadden laten verhoren – een ondergeschikte hoort geen superieur te verhoren – en omdat ze niet hadden vermeld dat Cecilia Lindqvist had geprobeerd de centrale op te roepen, maar dat ze de poging had afgebroken omdat Göransson zo agressief was geweest. Thomas was niet onder de indruk. Het enige waar de brieven toe leidden was dat hij nog een keer verhoord werd – door een hoofdrechercheur. Hij moest het besluit maar afwachten.

Hij bleef vooral thuis. Kreeg enig begrip voor de paniek die het geteisem beving als ze een paar dagen in hechtenis zaten. En hij kon nog wel onvermoede hoeveelheden dvd'tjes kijken en porno surfen. Wilde aan zijn Cadillac werken, maar dat bood hem geen rust. Zijn collega's stuurden hem een doos chocola, wat hem opbeurde. Ze hadden een briefje geschreven: We verheugen ons op de terugkomst van de topschutter. 'Topschutter', dat smaakte goed. Thomas was vaak de beste bij de schietoefeningen, dus die bijnaam klopte wel – er waren ergere woorden die ze in het korps voor je konden gebruiken. Soms ging hij gewichtheffen in de televisiekamer. Maar zonder enthousiasme. De dagen verstreken. De zomer trok als een storende weerspiegeling op het televisiescherm langs het raam voorbij.

Na vier weken had hij contact opgenomen met Adamsson. Deze hele zaak was vaag. Adamsson zou moeten begrijpen dat het geen probleem voor Thomas was om door te werken tijdens het onderzoek. Maar zoals Thomas al eer-

der had geconcludeerd: Adamsson was in deze kwestie niet te vertrouwen. Hij zou meer moeten onderzoeken.

Thomas probeerde zo vriendelijk mogelijk te klinken toen hij belde. 'Hallo Adamsson. Je spreekt met Andrén.'

'Ja, dat hoor ik. Hoe is het eigenlijk met je?' De man probeerde welwillend te klinken. Maar het was immers niet Thomas' idee geweest zich ziek te melden.

'Nou, ik weet niet of ik er nog veel langer tegen kan. Ik loop hier thuis maar rond als een verdoemde geest terwijl ik het besluit afwacht.'

'Dat begrijp ik. Maar ik geloof toch dat het beter is als je wegblijft. Je begrijpt het vast wel, de sfeer lijdt eronder als iedereen weet dat je loopt te wachten. Of ze geven er geen vervolg aan of er komt een zaak – het is niet anders.'

'Stig, mag ik je iets vragen?'

Door zijn voornaam, Stig, te gebruiken, werd hij eigenlijk te persoonlijk, maar dat kon Thomas nu niks schelen. 'Ik heb veel respect voor je en we hebben naar mijn idee altijd heel goed samengewerkt. Als iemand me zou vragen wie mijn mentor en voorbeeld is geweest, zou ik zonder aarzelen jouw naam noemen. Je bent direct en sluit geen compromissen over dingen waar we allemaal achter staan. Verder heb ik altijd de indruk gehad dat je mij een van de goeie mannen vond. Dus nu vraag ik me af of er iets is wat je in deze situatie kan doen. Met iemand van Interne, CO of de hoofdcommissaris gaan praten?'

Stig Adamsson ademde zwaar in de hoorn. 'Ik weet het eerlijk gezegd niet. Het is een netelige situatie.'

Thomas voelde het duidelijk: de irritatie welde op. Wat was dit voor gelul? Hij zou alles voor Adamsson hebben gedaan en nu kon die oude zak niet eens wat voor hem proberen. Adamsson wist iets, zoveel was duidelijk.

'Kom op zeg, Adamsson. Ik dacht dat we aan dezelfde kant stonden. Kun je echt niets doen?'

'Moet ik het voor je spellen? Ik. Weet. Het. Niet. Is het zo duidelijk?'

Adamsson trapte de ladder onder hem vandaan. Het was verraad. Weer. Net zoals toen hij het mortuarium was binnengestormd. Thomas mompelde iets bij wijze van antwoord. Adamsson zei gedag.

Ze hingen op.

Die nacht slikte hij pillen om in slaap te kunnen vallen.

Wat ook had geknaagd: die onopgeloste moord. Zoveel vragen. Het meest waarschijnlijke was toch dat de vermoorde man op een of andere manier een band had met iemand in het gebouw. Of het was een simpele inbreker die op heterdaad betrapt was door een van de bewoners. Maar iets in Thomas zei dat het geen toeval was. Er was een link met iemand – maar hoe moest je erachter komen met wie als je niet eens wist wie de dode was? De moordenaar moest op de hoogte zijn geweest van het verleden van het slachtoffer. Anderzijds: de moordenaar had niets aan het papiertje met het telefoonnummer gedaan. An-

dere vragen stapelden zich op. Waarom waren er geen tekenen van verzet van het slachtoffer? Geen bloedsporen of stukjes huid van de moordenaar of moordenaars. Het slachtoffer was niet bepaald klein, er zou wat gevochten moeten zijn. En de injectiesporen, hoe zat het daarmee? Ten slotte: van wie was het telefoonnummer op dat papiertje?

Hägerström had de geregistreerde abonnementen gecheckt – geen van de eigenaars leek iets met de moord te maken te hebben. Maar kon je Hägerström vertrouwen? Hij bracht het niet op daar nu over na te denken. En er waren in elk geval nog prepaidnummers over die nog niet allemaal nagetrokken waren. Het eerste was van een jong meisje zonder verband met de moord. Maar het laatste? Het was nog steeds onduidelijk van wie dat nummer was. Had maar naar drie nummers gebeld. Twee mensen die zeiden dat ze geen idee hadden en een derde die Hägerström niet te pakken had gekregen.

Drie gebelde nummers maar – daar klopte iets niet. Alleen criminelen gebruikten prepaidkaarten op die manier.

De eerste weken dat hij zogenaamd ziek was, had hij moeilijk uit bed kunnen komen. Maar een paar dagen na het gesprek met Adamsson: hij zou dit potdomme zelf eens uitzoeken. Als actieve agent of zogenaamd zieke. Het idee van het IMEI-nummer was er wel geweest, maar het was op de achtergrond geraakt toen de problemen zich opstapelden.

Hij had het IMEI-nummer van de telefoon opgeschreven hoewel het verboden was materiaal mee te nemen dat onder de geheimhouding van het vooronderzoek viel. Vijftien getallen. Een code. Een signaal dat elke keer als iemand belt met een mobiele telefoon, wordt verzonden. Ongeacht het soort abonnement. Met andere woorden: als de telefoon van iemand anders was geweest, of van dezelfde persoon die om de een of andere reden vaak van prepaidkaart wisselde, dan was het mogelijk om andere nummers te achterhalen die vanaf die telefoon gebeld waren.

De vraag was hoe. Thomas zat niet bij de recherche maar hij wist dat dit geen ruimtevaartonderzoek was. Rechercheurs deden dit aan de lopende band. Maar hij was niet van plan Hägerström te bellen. Wilde ook niet iemand op bureau Skärholmen bellen om het te vragen. Zoiets kon hij prima zelf. Thomas: in zijn eentje tegen de samenzwering.

Theoretisch moest hij de informatie via de grote telecomoperators kunnen achterhalen. Een uitdraai vragen van alle nummers die gebeld waren via abonnementen van een telefoon met het IMEI-nummer 351349109200565. Maar wat zou er gebeuren als ze vroegen of ze voor de zekerheid terug mochten bellen? Als ze vroegen of hij zijn verzoek wilde faxen vanaf het officiële faxnummer van de centrale van de politie? Maar jezus: hij was toch alleen maar ziekgemeld. Hij was toch nog steeds een diender. Het zou moeten kunnen.

Drie dagen later belde hij TeliaSonera, Tele2Comviq en Telenor en een paar kleinere telecomoperators. Thomas: zette zijn meest autoritaire stem op. Telia-

Sonera en Tele2Comviq beloofden het uit te zoeken – het zou een paar dagen duren. Ze slikten zijn verhaal. Zouden de uitslag naar een ander faxnummer sturen dan het gewone nummer van de politie – Thomas' privénummer. Geen controle van wie hij was, geen dubbelcheck van waar hij vandaan belde. Niets.

Telenor daarentegen.

Hij had zich voorgesteld maar had wat feiten aangepast. In plaats van politie Zuid zei hij West. Zouden ze terugbellen naar Skärholmen of een ander bureau in zijn district, dan zou iedereen meteen weten dat hij niet meer op die zaak zat. West was veiliger. Hij vroeg of hij doorverbonden kon worden met een verantwoordelijke van de technische afdeling. Het betrof een moordzaak met hoogste prioriteit. De politie wilde graag een overzicht van alle gesprekken die gevoerd waren vanaf de telefoon met het volgende IMEI-nummer. Het meisje aan de andere kant luisterde, zei ja en hm – leek hem te volgen. Tot hij haar vroeg haast te maken.

'Zeg, ik moet u iets vragen voor u ons met allemaal extra werk opzadelt.'

'Prima.' Thomas hoopte dat er nu niets lastigs zou volgen.

'Kan ik u terugbellen? U begrijpt dat wij ook zo onze procedures hebben.'

Thomas merkte dat zijn handen tegelijkertijd koud en zweterig werden. Wat moest hij nu zeggen?

Hij gokte weer op zijn autoritaire houding: 'We doen het als volgt: ik stuur je morgen een officieel verzoek. Dan staat ons officiële faxnummer meteen op de fax.'

Stilte. Spanning. Thomas dacht haast dat hij kon horen hoe de seconden in het digitale uurwerk van de mobiele telefoon wegtikten.

'Oké,' zei het meisje van de technische afdeling. 'Geen probleem. We zullen doen wat we kunnen. Stuur die fax en we maken een kickstart.'

Thomas ademde uit. Nu: nog maar één probleem – de fax moest vanaf het bureau gestuurd worden. Hij moest dit zien te fiksen zonder dat iemand argwaan kreeg.

De volgende dag zat hij op hete kolen. Werd om zeven uur uit zichzelf wakker. Ontbeet samen met Åsa. Bladerde samen met haar in reisgidsen. Dat voelde goed, ontzettend goed. Ondertussen: hij dacht na over het meest geschikte tijdstip om naar het bureau te gaan. Wanneer waren er zo min mogelijk mensen in het gebouw? Wat voor smoesje zou hij opdissen als Ljunggren of Hägerström zou opduiken net op het moment dat hij stond te faxen? Of erger nog: Adamsson.

Toen Åsa weg was ging hij in de woonkamer zitten. Herinnerde zich hoe hij daar naar Springsteen had zitten luisteren. Besloten had verder te gaan. Een belofte waar hij zich aan zou houden.

Het voelde goed. Zijn leven had een stimulans nodig, een opknapbeurt van scratch. Net als de Cadillac.

Kwart over vijf: tijd genoeg om voor zessen op het bureau te zijn. Het perfecte tijdstip van de dag als je ongemerkt bij bureau Skärholmen langs wilde. Net nadat de tweede dienst van de dag begonnen was. De eerste ploeg naar huis. De nieuwe mannen in de kleedkamer.

Naast de passagiersstoel lag de fax. Hij had hem thuis geprint om alles zo snel mogelijk te laten verlopen: naar binnen, versturen, naar buiten. Eén ding mocht hij alleen niet vergeten: de verzendbevestiging meenemen.

Vreemd gevoel toen hij het reusachtige moderne kunstwerk van de wijk Skärholmen vanaf de snelweg zag liggen, een dertig meter hoge, roestkleurige metalen balk met een knoop bovenin. De afgelopen tien jaar was Thomas nog nooit zo lang niet in Skäris geweest. Hij parkeerde niet in de parkeergarage van het bureau – daar stonden alle privéauto's van zijn collega's. Het risico iemand tegen het lijf te lopen was te groot. Hij zette zijn auto daarom op het plein achter het winkelcentrum.

Het was zes uur. Hij haalde diep adem. Stapte uit.

Liep zijn gewone route naar het gebouw. Kwam niemand tegen.

Nam de hoofdingang: de meesten gingen via de personeelsingang naar huis. Haalde zijn pasje door de kaartlezer. Toetste zijn code in.

De lift: er kwamen twee rechercheurs van Jeugdzaken naar buiten. Ze groetten hem. Ze kenden hem niet goed. Of ze wisten niet dat er een onderzoek naar hem liep en hij zogenaamd ziek thuis zat, of het kon ze niet schelen.

De lift naar boven. De gang lag er verlaten bij. Hij liep langs zijn eigen kamer die hij met Ljunggren en Lindberg had gedeeld. Spiedde naar binnen. De foto van Åsa stond nog op zijn plek. Alle oude, vermoeiende berichten van de directie van de Rijkspolitie zaten nog op het prikbord. Ljunggrens Hammarby-sjaaltje hing net als altijd aan de muur. Hannu's speedwaymedailles hingen nog op hun plaats.

In een kamer zat Per Scheele te typen op een computer. Keek op toen Thomas langsliep. 'Hé, hallo, Andrén. Leuk je weer eens te zien. Hoe is het met je?'

Scheele een tweejarige op de afdeling. Onervaren. Snapte waarschijnlijk niet waar het over ging of hij hield zich van den domme. Thomas knikte alleen maar, zei dat alles oké was.

De fax stond op een kluitje met andere grijze plastic monsters: de kopieerapparaten, de printer, de scanner.

Voorgeprogrammeerde telefoonnummers: Kronoberg, West, Noord, Norrmalm, de arrestantencellen, Rechtbank Zuid, enzovoort. Thomas legde zijn brief aan Telenor in de fax. Checkte twee keer of hij met de goeie kant boven lag. De ultieme misser zou zijn om hem zo te versturen dat Telenor een wit vel papier ontving.

Toetste het nummer in. Drukte op de knop voor versturen. De brief werd naar binnen gezogen. Achter hem op de gang liep een politiesecretaresse langs. Elisabeth Gunnarsson. Thomas en zij spraken nooit veel met elkaar.

Ze groette vriendelijk zonder een beleefdheidspraatje aan te knopen.

Zijn berekening klopte: dit was echt het tijdstip van de dag waarop het hier het stilste was, behalve dan misschien om twee uur 's nachts, als de nachtploeg aan het werk ging.

De brief kwam er aan de andere kant weer uit.

Thomas hoorde een stem achter zich. Fins accent.

'Andrén, het lijkt wel honderd jaar geleden.' Hannu Lindberg. 'We begonnen al te denken dat je een burn-out had, zoals dat tegenwoordig heet. Dat leek ons niks voor jou.'

Na Adamsson, Ljunggren en Hägerström: Lindberg was de ergste om tegen het lijf te lopen. Aan de oppervlakte: een lollige, joviale, vrolijke frans die wel een glaasje lustte en niet bang was om hardhandig op te treden. Maar tegelijkertijd: Thomas vertrouwde hem nooit helemaal, al was het altijd leuk om naar hem te luisteren. Vertrouwde Lindberg niet zoals Ljunggren of een van de drie andere kerels met wie hij regelmatig een dienst draaide. Er klopte iets niet aan deze Lindberg. Misschien was het zijn glimlach die leek te zeggen: ik krijg je aan het lachen zolang ik weet dat jij achter me staat. Maar als dat verandert, dan lach ik om jou.

'Ha, Lindberg,' zei Thomas.

Lindberg keek verbaasd. 'Wat doe jij hier, ouwe bokser.' Hij grijnsde.

'Ik moest hier even langs om iets te regelen. Maar weet wel dat Adamsson degene is die vindt dat ik ziek thuis moet zitten, ik niet.'

Lindberg keek naar de fax. De brief lag met de achterkant naar boven in het vakje voor verzonden berichten. Nog geen verzendbevestiging.

'Ik begrijp het. Dit hele gedoe is ziek gewoon. Onze steun heb je in elk geval, dat moet je weten. We hebben met een paar van ons nog op je getoost bij het bier afgelopen vrijdag. Ljunggren, Flodén, ik. Je had erbij moeten zijn. Ga komende vrijdag ook mee. Daar kan Adamsson toch niks op tegen hebben?'

Langzaam kwam de bevestiging uit de fax schuiven. Thomas schudde zijn hoofd. 'Geen idee wat Adamsson daarvan zou vinden. Deze hele zaak maakt me misselijk. Maar zeg, Åsa zit buiten in de auto te wachten. Ik moest alleen deze fax even sturen. Doe de groeten aan de anderen. *Hasta la vista* Hannu.'

Lindberg grijnsde. Thomas nam de brief en de verzendbevestiging mee. Hannu Lindberg keek naar hem. Zat er een glimpje wantrouwen in zijn ogen? Thomas probeerde te zien of hij de brief bekeek.

Hij nam de trap naar beneden. Zijn hart klopte op de maat van zijn passen.

Nu was het gebeurd.

Godverdomme wat goed.

Terug naar het heden en de warmte. Daar lag hij, alleen in zijn ligstoel op het zonneterras van Gloria Palace. Een zwembadwatertemperatuur van vijfentwintig graden en een groep bloedgeile Deense twintigjarigen voor zich. Toch voelde hij zich zo verdomd verloren.

Tegelijkertijd: alle agenten met ballen moesten soms zware tijden door. Thomas was ruim twaalf jaar geleden van de politieacademie afgekomen, was er voortdurend op ingesteld geweest op straat te werken, iets echt nuttigs te doen. Hij begon meteen bij de ordepolitie in Zuid. Vier jaar later was hij bevorderd tot hoofdagent. Een succes. Een teken dat hij het juiste beroep had gekozen. Zijn vader was trots op hem geweest. Daarna volgden drie rustige jaren. Hij ontmoette Åsa, zorgde ervoor dat hij in hetzelfde team als Jörgen Ljunggren en de anderen terechtkwam. Na een tijdje ging het wat te ver, hij werd twee keer berispt voor mishandeling. Een demonstratie in Salem waar hij voor opgeroepen was en een klootzak die zijn vrouw sloeg, die wat al te bijdehand was geworden. Hij kwam er met waarschuwingen van af. Daarna kreeg Åsa de miskraam. De wereld zakte iets dieper weg in de stront waar hij volgens Thomas al tot enkelhoogte in stond. Hij probeerde tot rust te komen door aan zijn auto te sleutelen. Dat hielp niet. Hij sloeg mensen tien keer zo hard, meerdere malen per maand. Gaf junkies op hun lazer. Ranselde kutallochtonen af. Sloeg jattende Zweedse zuiplappen in elkaar. Maar de korpsgeest was goed. Er was een erecode. Mensen zeiden er niets van dat Thomas van de harde lijn was. Je verraadde een collega die zijn werk deed niet.

Oké, hij was misschien een gevallen diender. Een halfracistische, al te agressieve, gedegenereerde agent. Een doorgerot mens. Maar soms miste hij het goeie ouwe politiewerk. Het werk dat draaide om de zoektocht naar de waarheid en verder niets. Midden in alle shit die hij had veroorzaakt, in zijn verlangen naar makkelijke centen, zat er nog een beetje politieman in hem. Die als opdracht van de samenleving had gekregen om misdaad te voorkomen. Tegelijkertijd gonsden er andere gedachten. Wat zou hij met het aanbod van Radovan Kranjic doen? Hij had zijn besluit nog niet genomen – de beslissing naar aanleiding van het interne onderzoek moest de doorslag maar geven.

Thuis in Zweden zouden alle rapporten van de telecomoperators op hem liggen te wachten. Dat hadden ze beloofd.

Thuis in Zweden zou hij binnen een paar dagen te horen krijgen of hij mocht blijven of niet.

Thuis in Zweden moest hij beslissen: wat zou hij met de Joego's doen?

Thuis in Zweden kon de werkelijkheid doen wat die wilde. Hij was er klaar voor.

Of niet.

28

De rukclassering bij Hornstull triester dan ooit. Mahmuds humeur kloteriger dan *ever*. Hij was een uur te vroeg. De receptionist beweerde dat Erika Plee-waldsson weigerde hem nu te ontvangen. 'Ze zit helaas in een ander gesprek.' *Yeah right* – tuurlijk zat ze in een ander gesprek. Vernederingsmethodes, daar ging het om. Mahmud altijd laten wachten. Hij zou die bitch eens een goeie beurt geven tijdens 'een ander gesprek'.

Mahmud wierp een blik op de tijdschriften. Dacht: *Eigen huis en interieur*, *Dagens Nyheter* – zo gay. Noem me één gewone gast die zulke dingen leest. Maar de *Autowereld* ging wel. Mahmud bladerde. Reportage over de nieuwe Ferrari. Slaakte een zucht. Daarna dacht hij: zou hij hem peren? Klokje op zijn mobiel: nog vijftig minuten. Hij zou hem moeten peren. Maar: Erika was toch best oké. Plus: gelazer met de reclassering betekende gezeik met de politie, kreeg hij gezeik met de politie, kreeg hij last met de sociale dienst, enzovoort. Eigenlijk was het principe glashelder: zorg dat je nooit in het systeem belandt. Want als je er eenmaal zit, laten ze niet meer los. Nooit.

Mahmud had een fonna van Babak geleend die hij uit zijn vaders winkel had meegenomen. Er zaten honderden mp3'tjes op. Babak had hem volgeladen met een supermix. De stevige swingers P Diddy, The Latin Kings, Akon. Vette *bounce*. Maar ook: Haifa Wehbe, Ragheb Alama – echte Midden-Oostenswing. Mahmud leunde met zijn hoofd achterover. Childe. Nooit zou hij iemand ver-tellen dat hij zo lang op zijn reclasseringsambtenaar had zitten wachten.

Hij had die nachtmerrie weer gehad. Terug in het bos. Dennen en sparren verduisterden de lucht. Armen die omhoog reikten. Het geweer schitterde in een koud licht dat van straatlantaarns leek te komen. Lantaarnpalen midden in het bos? Zelfs in z'n droom vond hij het raar. Op het gras midden in de kring van mannen in het zwart – Mahmud zag alles schuin van boven alsof hij boven de scène zweefde – zag hij Wisam. Wisams handen waren zwart van het bloed van zijn gezicht. Het stroomde langzaam. Warm. Heet als een lavastroom. Hij boog zijn hoofd. Stefanovic richtte het geweer op zijn nek: 'We doden je niet omdat je het verdient maar omdat het zichtbaar moet zijn op onze resulta-tenrekening.' Wisam keek op. Roodbehuilde ogen. Een gutsende jaap in zijn

wang. Maar misschien ook niet. Het bloed besmeurde zijn wangen. Zijn kin. Stroomde in slow motion. 'Help me,' zei hij.

Niet de eerste keer. Sinds hij de Joego's de Libanees die middag mee had zien nemen. De dromen treiterden hem. Kristalhelder. Onstuitbaar. Scherp als een cocaïneroes. Het bos. De pis in het gras. Akhramenko's directen in de ribben van een gezichtsloze tegenstander. Stefanovic' glimlach. Gürhans grijns. Born to be hated. Hij probeerde te blowen voor hij naar bed ging om beter te slapen. Zorgde dat hij niet te laat op de avond trainde of cola dronk. Keek alleen naar suffe programma's op televisie. Toch werkte het niet.

De herinneringen geselden hem.

Stefanovic had hem gevraagd in de auto te komen zitten. Gekleed in kostuum, een mobiele telefoon in zijn hand, stralend humeur. Hij keek Mahmud aan: 'Hartstikke bedankt voor de hulp.' Daarna praatte hij verder in zijn mobiel. In het Servisch.

Ze waren naar Södermalm gereden. Slavische muziek uit de luidsprekers van de auto. Rood licht op de Vasagatan. 'Was het moeilijk om die schoft te vinden?'

Mahmud grijnsde: 'Nee, shit man, ik ben een meester in het vinden van mensen.' Nu, twee maanden later, was die grijns net zo weerzinwekkend als wanneer hij gelachen zou hebben aan het graf van zijn moeder.

Erika klopte op de tafel voor hem. Hij deed één oog open. Ze glimlachte. Waar glimlachte dat wijf om? Mahmud liet zijn oordopjes zitten. Hoorde niet wat ze zei.

Ze klopte hem op zijn knie. Probeerde iets te zeggen wat hij niet hoorde door de zware bassen, 50 Cent.

Hij deed zijn oordopjes uit.

Slofte naar haar kamer. Net zo'n rommel als anders. Net zoveel papier, koffiekopjes, waterflesjes, uitgedroogde planten, nerdige posters met vet dikke mensen erop. Onderschrift: BOTERO. Kut zeg, ze kon zelf wel Botero zijn – vleesklomp.

'Kom op Mahmud, je hoeft je niet als een kleuter te gedragen alleen omdat je vandaag te vroeg was.'

Mahmud rolde zijn snoertjes op. 'Wie denk jij wel niet dat je bent?' En zachter: 'Trut.'

Erika staarde hem aan. Mahmud wist: je moest haar al een tijdje kennen om te weten hoe geïrriteerd ze nu was. Erika: een meid bij wie je de mate van woede kon aflezen aan hoe stil ze zat. Op dit moment: ze bewoog zich minder dan het naakte standbeeld op Hötorget.

Dertig seconden stilte. Daarna zei Mahmud: 'Oké, ik was te vroeg. Mijn fout. Sorry. Ik word alleen zo pissed off van jullie receptie. Waarom konden ze je niet vragen wat eerder te komen?'

Erika bewoog haar hand – een goed teken.

'Het was hun schuld niet. Ik had een ander gesprek. De hele wereld draait niet om jou, Mahmud. Dat moet je begrijpen. Hoe het ook zij. We vergeten dit nu. Chill dat je er bent.'

Mahmud grinnikte om haar woordkeuze: 'chill'. Praatte zij zo? In zijn hart: ondanks alles vond hij die Erika best oké.

'Hoe gaat het met het solliciteren? Je bent inmiddels waarschijnlijk al bijna directeur ergens.'

Bij wie dan ook: hij was geflipt. Bewust. Had het als een belediging opgevat. Een manier om hem te jennen. Maar met Erika: hij wist diep vanbinnen dat dat haar bedoeling niet was. Al wist hij dat anders vaak ook, maar hier – hij kon gewoon niet langer dan vijf minuten kwaad op haar blijven.

'Eerlijk gezegd gaat het niet goed. Ik ben de laatste tijd zelfs nauwelijks uitge-nodigd op gesprek.'

Ze praatten verder. Erika ging maar door zoals altijd. Zei dat hij op cursus moest, contact op moest nemen met het Arbeidsbureau, zijn maatschappelijk werkster. Dat hij contact met zijn vader, zijn zus moest houden. Een sterke fa-milieband is belangrijk. Een sociale omgeving is belangrijk. Oude vrienden zijn belangrijk.

Het laatste – hij voelde de hoofdpijn opkomen. Verontrustend. Wisam: een oude vriend.

Hij schakelde de doe-alsof-je-luistert-look in. Maar kon zich niet ontspan-nen. Probeerde de hoofdpijn die begon te snerpen, te temperen. WAT HEB JE GODVERDOMME GEDAAN?

Het voelde alsof hij zich moest beheersen. Alsof hij bezig was in elkaar te klappen. Vallen zeg maar, rondkrabbelend als een insect over een linoleum-vloer. Had het gevoel dat hij alles aan Erika wou vertellen. Nee. Chara. Dat ging niet. Nooit.

Hij hield vol. Tanden op elkaar. Zei ja op alles waar Erika ja op wilde horen.

Een kwartier later waren ze klaar.

Bedankt, tot over twee weken.

Vlug. Naar buiten.

Twee uur later. Hij logeerde een paar dagen bij Babak, kon het gezeur van zijn vader niet meer horen.

Het ging nu goed met Babak. Hij had een 46-inch Sony flatscreen-tv gekocht. 'Niet zo'n goedkoop uitverkoopmodelletje,' zoals hij zei. 'Maar kwaliteit, met meer pixels dan er allochtonen in Alby zijn.' Babak dealde als nooit tevoren: coke, wiet, zelfs qat. Kon er dagen over lullen: cocaïne was niet meer zoals vroeger. Niet alleen rijke kakkers en Stureplan-lui gebruikten het. Integendeel. Kalle Olsson en Ali Mohammed van hiernaast namen vaker een neusje dan ze bier dronken. Iedereen deed het. De prijzen waren gekelderd als bij de kerstuit-

verkoop. Nog even: c groter dan marihuana. Babak maakte van elke munt een briefje. De beloning: flatscreen, chicks, loopjongens. Het laatste: Babak had twee gozers geregeld die voor hem dealden. En vanaf dat moment begonnen de echte inkomsten binnen te rollen.

De beloning aller beloningen. Twee weken geleden had Babak patserbak numero uno gekocht: een BMW. Een nul-zeven was het, gekocht als onderdeel van een schikking met een arme Fin uit Norsborg die niet meer kon leveren.

Mahmud voelde het duidelijk: hij was vet jaloers. Op een broer. Haatte die feeling. Tegelijkertijd, beloofde zichzelf, op een dag zou hij nog duurdere spullen hebben.

Mahmud stond op. Drentelde om de bank heen. Hij had een joggingbroek aan.

Babak zei: 'Wat ben je aan het doen? Je maakt me gestrest. Ga zitten, ashabi, gaan we een filmpje kijken.' Soms klonk hij grappig: zei alles in het Arabisch, behalve het woord 'filmpje'.

Mahmud antwoordde rustig: 'Zeg ouwe, ik moet effe met je lullen.'

'Geen probleem. Die film komt later wel. *Fire away*.'

'Ik heb iets stoms gedaan. Fokking gruwelijk stom.'

Babak bewoog zijn hoofd naar achter, deed alsof hij verbaasd was. 'Kom op zeg, wanneer was nou de laatste keer dat je niks gruwelijks stoms deed?'

'Even serieus, Babak. Dit blijft tussen ons. Ik heb iemand verlinkt die ik niet had willen verlinken.'

Babak leek te snappen dat hij serieus was. Mahmud liep maar rond en rond. Vertelde alles vanaf het begin, ook dingen die Babak al wist. Hoe Gürhan hem via Daniel onder druk had gezet. Hoe zijn wanhoop was gegroeid. Hoe de kans zich had voorgedaan als een *give* van Allah. De mogelijkheid om de Joego's een dienst te bewijzen die grandioos betaald zou worden. Wisam Jibril vinden, een oude jeugdvriend uit hun hood, die Radovan bakken geld afhandig had gemaakt. Babak had een gedeelte daarvan eerder natuurlijk al begrepen. Was mee geweest naar de Bentley-dealer, had Mahmud iedereen naar Wisam horen vragen. Maar hij kende niet de hele tori.

Mahmud bleef staan in de kamer. 'Dus toen hij die dag bij mijn vader thuis kwam en ik met hem begon te praten, mijn businessplan voorlegde, met hem afsprak voor de volgende dag, toen wist ik één ding.'

Babak vroeg: 'Wat wist je?'

'Ik wist dat ik hier de rest van mijn leven spijt van zou hebben. Begrijp je?'

Babak knikte alleen maar.

Mahmud ging verder. Hij beschreef hoe hij Wisam naar de snackbar in Tumba had gelokt, hoe de Joego's de Libanees hadden opgepikt, hoe Mahmud in een BMW was gesprongen en mee was gereden. Maar ze hadden de auto waar Wisam in zat niet gevolgd. In plaats daarvan gingen ze de stad in. Ze parkeerden bij Slussen. Stefanovic zei tegen Mahmud dat hij samen met hem uit moest

stappen. Ze gingen een van de grote gebouwen achter de Katarinahissen in. Namen een krappe lift omhoog. Stapten uit. Daarboven lag een restaurant. Witte tafelkleden, kristallen glazen, profobers – echt een luxe sfeer. Mahmud had er geen idee van dat je zulke restaurants had in Södermalm.

De tafel was gereserveerd. De ober leek Stefanovic te kennen. Jezus man.

Stefanovic bestelde een drankje. Mahmud was niet van plan alcohol te drinken, nam een Cola light, zoals altijd. 'Ik hoop dat je het hier naar je zin zult hebben. Ik wil vieren dat je ons zo goed geholpen hebt.'

Als voorgerecht bestelde Mahmud een eendenlever met een soort perenvinaigrette waar eigenlijk serranoham bij geserveerd zou worden. Mahmud vroeg of hij het zonder ham kon krijgen.

Stefanovic praatte maar door. Over de winst die hij bij de K-1-wedstrijden had gemaakt, Jörgen Ståhls fantastische directen, een nieuwe kroeg op Stureplan. Mahmud digde zijn gepraat. Stefanovic dronk wijn. Mahmud ging verder met de Cola light. Het hoofdgerecht werd opgediend. Mahmud had het moeilijk gevonden om te kiezen: veel vis op het menu en dat was niks voor hem. De ober zette het bord neer. Gegrilde entrecote. Het echte werk.

Tijdens het gesprek voortdurend in zijn achterhoofd: hij moest de Joego vragen wat ze aan Gürhan en Born to be hated konden doen. Mahmud keek om zich heen. Parketvloer, groepjes in kostuum, kapot mooi uitzicht over de stad. Een paar kerels aan een andere tafel gaapten Stefanovic en hem Zwedoachtig aan.

Stefanovic veegde zijn mond af met het stoffen servet.

'Oké, laten we het even over business hebben.' Hij begon zachter te praten. 'Om te beginnen wil ik je nogmaals bedanken. Het zou moeilijk geweest zijn om hem zonder jou te vinden. Nu zorgen mijn mannen verder voor hem, als je begrijpt wat ik bedoel.'

Mahmud begreep het, maar misschien toch niet helemaal. Om de een of andere reden schudde hij zijn hoofd.

'Je begrijpt het niet? Het zit zo. We pakken hem niet omdat hij het verdient maar omdat het zichtbaar moet zijn op onze resultatenrekening. Eigenlijk heeft hij niet zo heel veel buit gemaakt bij zijn overvalletje op Arlanda, weet je. Het meeste hebben we weten te krijgen. Dus het gaat hier niet om het geld, maar om het principe. De spelregels. Onze hele business is gebaseerd op één ding.' Hij leunde voorover, fluisterde in Mahmuds oor: 'Angst.'

Stefanovic nam een slokje wijn.

'Hoe dan ook. Je hebt bewezen dat je een goede gozer bent. Je hebt je taak soepel, snel en op de juiste manier volbracht. Dat wordt gewaardeerd. Weet je wat het belangrijkste is in deze branche?'

Mahmud schudde zijn hoofd.

'Dat je elkaar kunt vertrouwen. Vertrouwen is het enige wat telt. We werken niet met geschreven contracten of dat soort dingen. Alleen dat, vertrouwen. Begrijp je?'

Stefanovic nam een flinke hap.

Wat de Joego zei klonk oké in Mahmuds oren. 'Mij kunnen jullie vertrouwen. Voor honderd procent.'

'Heel goed.' Stefanovic at zijn mond leeg. 'Je zult vandaag al betaald worden.'

Mahmud kon het nauwelijks bijbenen. Het ging te snel. Hij moest zijn tegenvoorstel nog doen. Toch de ceremonie volgen. Hij schraapte zijn moed bij elkaar. Scherpte zijn taalgebruik aan.

'Een momentje, Stefanovic. Dank je wel voor wat je zei. Het voelt supergoed om jullie geholpen te hebben. Echt, het zou moeilijk voor jullie geweest zijn om die gast te vinden. Hij bewoog zich in mijn kringen, niet in die van jullie. Je moet de betonjungle kennen om zoiets voor elkaar te krijgen. En ik doe graag meer klussen voor jullie. Er worden goeie dingen over jullie gezegd in de stad. Dus ik sta tot jullie dienst. Maar er is nog iets waar ik het over moet hebben. Ik wil geen betaling in cash voor deze klus. Wel vraag ik me af of jullie me ergens anders mee kunnen helpen.'

Stefanovic hief zijn wijnglas voor een toost.

'Vertel op.'

'Ik neem aan dat je Gürhan Ilnaz kent, Born to be hated, uit Södertälje.'

Stefanovic knikte. Iedereen in de wereld waar hij deel van uitmaakte wist wie Gürhan was – net zoals iedereen Mister R. kende.

'Hij zit achter me aan. Het gaat om een schuld, die ik afbetaald heb. Maar ze blijven de schuld maar verhogen, snap je? Ze gedragen zich ontzettend schofterig, bedreigen mijn familie en zo.'

Hij pauzeerde even. 'Dus ik dacht, ik heb jullie een grote dienst bewezen. In plaats van me te betalen met geld, kunnen jullie misschien eens met Gürhan gaan praten. Je begrijpt wel wat ik bedoel, als jullie maar op jullie manier met hem praten.'

Mahmud verwachtte nog een rustig knikje. In plaats daarvan: Stefanovic bulderde van het lachen. Minstens een minuut. Nam een slok wijn. Leunde achterover in zijn stoel. Bleef glimlachen.

'Dat kun je vergeten. We zijn dankbaar voor wat je hebt gedaan, zoals ik al zei. Maar niet zo dankbaar dat we willekeurige stommiteiten begaan. Je krijgt het geld dat we afgesproken hebben. Dertig mille was het toch? Misschien kun je die Turk daar blij mee maken, wie weet.'

Nog een poging: 'Maar ik heb jullie *big time* geholpen. Het stelt voor jullie toch haast niks voor om eens met hem te praten?'

'Heb je me niet gehoord? Je kunt het vergeten. *Forget about it.* Je kunt echter wel voor ons gaan verkopen. Dan kun je misschien wat sparen.'

Dit was het eind van Mahmuds story. Hij was keihard opgegaan in het verhaal, had elke zin geciteerd. Was haast vergeten dat Babak op de bank zat te luisteren.

Nu keek Mahmud op hem neer.

'Snap je dat ik genaaid ben?'
Babak pielde met het hoesje van de dvd.
'Je bent echt fokking dom in je hoofd.'

29

Ochtend op zijn klotebewakersbaantje. Ogen rood. Tranend. Wallen. Erger: de hoofdpijn hamerde van binnenuit tegen zijn voorhoofdsbeen. Herinnerde hem aan zijn slaapgebrek. Vannacht alweer: vier uur. Niet duidelijk hoe lang hij dit nog vol zou houden. Maar tot nu toe: het ging. De derde achtereenvolgende nacht waarop hij van zeven uur 's avonds tot één uur 's nachts voor de flats van de mannen had gezeten. Verveling vermengd met geëxalteerde spanning. Gefantaseerde actiescènes in zijn hoofd gemixt met rechtvaardigheidsdrang.

Het project had een naam gekregen. Operation Magnum. Passend: in de film legde Travis de schoften om met een .44 Magnum. Het was een krachtig wapen. Dit zou een krachtige aanval worden.

Niklas zat voor een flat in Sundbyberg. Met behulp van een verrekijker probeerde hij zo veel mogelijk te zien. De vrouw, Helene Strömberg, kwam om vijf uur thuis. Ze werkte als mondhygiëniste bij een gemeentelijke tandartsenpraktijk bij Odenplan. Hun zoon kwam om halfzes thuis. At in zijn eentje voor de televisie. De enige kamer die Niklas goed zag: de woonkamer. De jongen keek naar een of ander natuurprogramma. Niklas sarcastisch bij zichzelf: spannend, ik dacht dat er videospelletjes bestonden voor jongens zoals hij. De man, Mats Strömberg, kwam om halfacht thuis. Helene en hij aten samen. Daarna keek Mats samen met zijn zoon televisie. Helene deed de was, leek het. Een harmonisch gezin. Moest fake zijn. Alles was rustig. Als de stilte in een kazerne voor een aanval. Maar er gebeurde niets.

Later: van halfeen tot halfdrie checkte hij de camera's bij de twee huizen en tegenover een van de flats en haalde ze leeg. Ging naar huis. Zette de gegevens op zijn harddisk. Bekeek de videofilms stuk voor stuk in *fast forward*. Het overgrote deel van de dag was het donker in de huizen. Aan het eind van de middag/'s avonds ging het licht aan. De mensen kwamen thuis. Moeders, vaders, kinderen. Ze lieten de hond uit. Brachten hun kinderen naar sportclubs. Kookten eten. *Ordinary lives*. Zolang het duurde. Of? Misschien was het helemaal geen lijstje van namen van vrouwen die mishandeld werden. Misschien waren het potentiële rekruten voor de telefooncentrale, de hulpdienst, de supportwerkzaamheden van het opvanghuis. Misschien had hij alles voor de kat

zijn kut gedaan. Zijn geld in het water geflikkerd. Misschien een FISHDO – *Fuck It, Shit Happens, Drive On*. Zou hij iets anders moeten gaan overwegen?

Bovendien: hij moest iets aan zijn financiële situatie doen. Met zijn baantje verdiende hij niet veel, hoogstens tienduizend per maand. Hij had honderdduizenden kronen aan de uitrusting, de auto en andere spullen gespend. Hij had geld nodig om van te leven en voor toekomstige kosten van de operatie. Plus: de zwarte makelaar kon de flat elk moment claimen. Wat moest hij dan verdomme?

De dromen kwamen terug. Hij zag Claes voor zich. Bloedige handen. Stompen in de buik. Trappen in het gezicht. Beelden van Irak. Collin in gevechtstenue. De aanval op de moskee. Verscheurde korans op een hoop.

Augustus liep op zijn eind. Hij wachtte. Geduldig. Binnenkort moest het gebeuren – zou een van de mannen zichzelf ontmaskeren.

Het was donderdagmiddag. Tijd om op te houden met werken. Nog één dag tot het weekend. Nog meer tijd om aan het project te wijden.

Onderweg naar huis belde hij zijn moeder.

'Hoi, met mij.'

Op de achtergrond hoorde Niklas water stromen. Ze moest al thuis zijn, aan de afwas of zo. Goed.

'Dag jongen. Dat is lang geleden. Neem je niet meer op als ik bel?'

Hij kon die beschuldigende toon niet hebben. 'Nee, maar ik ben steeds aan het werk. Dan kun je niet zomaar opnemen.'

'Hoe is het op je werk?'

'Het werk is kut, mama. Echt kut.'

'Zeg dat toch niet. Het is misschien saaier dan alles wat je daarginds hebt uitgespookt, maar het is ook veiliger. Rustiger voor iedereen.'

Niklas onderweg naar zijn auto in de enorme parkeergarage van Biovitrum. Zijn stappen weerkaatsten.

'Hou toch op, mama. Soms moet je gevaarlijke dingen doen voor je levensonderhoud en soms moet je gevaarlijke dingen doen omdat het moet.'

'Hoe bedoel je? Dat moet toch niet? Wat voor gevaarlijks ben je nu dan aan het doen?'

'Nee, zo bedoelde ik het niet.' Niklas zag de Audi tien meter verderop staan. Deed hem van het slot met zijn afstandsbediening. 'Maar soms zou je misschien wat dankbaarder moeten zijn.'

Ze hield op met het gerammel van de afwas. 'Hoe bedoel je? Waar zou ik dankbaar voor moeten zijn?'

Niklas opende het portier. Ging op de bestuurdersstoel zitten.

'Al die jaren heb je aan mijn kop lopen zeuren dat ik moet ophouden met het oorlogvoeren, zoals jij het noemt. Elke keer dat ik hier was zat je te zaniken. En nu ik voor jou thuis ben gekomen, wat krijg ik dan? Nog meer gezeur. Je

begrijpt niet hoeveel goeie dingen ik voor je heb gedaan, mam. Deze stad is zo vol met shit. Begrijp je dat? Smerigheid die zich aan mijn bloed vergrijpt. Die zich aan jou heeft vergrepen.'

Hij knalde het portier dicht.

'Weet je wat me bang maakt, Niklas?'

'Behalve insecten, duiven en hoogte? Nee.'

'Jij maakt me bang. Je bent niet zoals anders. Vroeger was je altijd fel en vol energie. Ik weet dat je toen ook kwaad kon worden, maar je was altijd lief. Wat is er aan de hand? Je hebt het maar over dankbaarheid, over alle shit die je om je heen ziet. Over de plantsoenendienst die zijn werk niet goed doet omdat er zoveel ratten in Örnsberg zitten. Je klinkt zo vreemd. Ben je langs geweest bij de poli van Psychiatrie waar we het over hadden? Hoe is het eigenlijk met je, Niklas? Wil je vanavond niet bij me komen eten? Dan haal ik pizza.'

Eerst: verbazing over haar reactie. Snel gevolgd door iets heel anders: verontwaardiging. Walging. Die poli was pure shit. Wat dacht ze nou? Hij merkte dat zijn hand begon te trillen. Kon de mobiele telefoon nauwelijks aan zijn oor houden.

'Hou op! Je zult het wel zien. Jullie zullen het allemaal wel zien. Ik ben niet zoals jij. Ik ben iets veel groters, ik zal indruk maken op mensen. Het gaat om ímpact, mama, iets te veránderen in de wereld. En dan moet je handelen. Het leven van mensen, de loop der geschiedenis. Iedereen sukkelt maar door en accepteert alle shit, maar wie doet er iets aan? En jij, jij bent altijd alleen maar laf geweest.'

Niklas drukte het gesprek weg. Nu was het genoeg geweest. Als zelfs zijn moeder hem niet begreep, was het zinloos om het anderen uit te leggen.

Operation Magnum moest doorgaan. Niklas reed direct naar Sundbyberg.

Het appartement van de familie Strömberg lag op de tweede verdieping. Niklas klom naar de achterbank. Ging liggen. Zette de verrekijker op zijn buik. Keek door de voorruit omhoog naar de flat. Nog donker daarbinnen. Het was kwart over vijf. Gelukkig wisselde hij regelmatig van nummerbord.

Er liepen mensen langs de auto. Het voordeel van zo vroeg komen: makkelijk om een parkeerplaats te vinden. Een paar keer had hij het op moeten geven wegens gebrek aan parkeerplaatsen. Had toen naar een van de andere flats moeten gaan. Dat irriteerde hem – hij had behoefte aan routine.

Terwijl hij wachtte tot de familie thuiskwam, las hij in zijn pas ontdekte genre: antisekseongelijkheid. Antiporno. Anti-mannen-die-verdomme-dachten-dat-ze-het-recht-hadden-van-alles-uit-te-vreten. Op dit moment: *Gender is Burning!* van Judith Butler. Vreselijk academisch maar hij leerde er veel van. Gaf hem inzicht in de ziekte in Zweden. In de wereld. De mannen die misbruik maakten van hun krachten. De fysieke onbalans. Hij zag het als ratten die de mogelijkheid grepen om het hartenbloed uit mensen te zuigen alleen omdat ze het konden. Als opgehoopt vuilnis alleen omdat er plek voor was. De viezigheid

die elke centimeter van het menselijk lichaam besmeurde. Het bloed binnendrong, de spiervezels, de ademhalingsorganen. Vuil. Maar ze wisten niet wie ze tegen zich hadden – arme donders.

Om zes uur kwam de zoon thuis. Volgde zijn gewone routine. Zette de tv aan voor hij zijn jas ook maar had uitgetrokken. Verdween naar de keuken. Kwam terug met een kom. Muesli met melk misschien. Ging voor de televisie zitten.

Maar Helene kwam niet thuis. Het werd zeven uur. De jongen belde een paar keer.

Om halfacht kwam die klootzak van een Mats thuis. Verdween in de keuken. Het werd later. Dit ging niet volgens de routine van dit gezin. Mats kwam de woonkamer binnen. Ging met een biertje in de hand naast zijn zoon voor de televisie zitten. De zoon stond op, verdween uit het zicht. Misschien ging hij naar bed, al was het nog vroeg.

De man bleef zitten. Goot bier naar binnen. Keek televisie.

Pas rond een uur of elf zag Niklas Helene over straat aan komen lopen. Hij kende de code van de voordeur al – die was makkelijk af te lezen, je hoefde alleen de vingerbewegingen over het codeslot te volgen. Hij had hem voor de zekerheid meerdere malen getest.

Van de buitendeur naar haar flat kostte haar meestal vijfenveertig seconden.

Correct: drieënveertig seconden nadat ze door de buitendeur naar binnen was gegaan, stond Mats op van de bank. Wankelde licht. Verdween naar de hal.

Fuck, Niklas kon niet zien wat er gebeurde. Overwoog uit te stappen, een stukje verderop in de straat te gaan staan. Een betere hoek vinden, een glimp van de hal opvangen. Tegelijkertijd: hij moest geroutineerd handelen, niet overhaast te werk gaan, niet onnodig met zijn verrekijker lopen zwaaien. Hij bleef in de auto. Wachtte.

Na tien minuten: ze kwamen de woonkamer in.

Helene gebaarde met haar armen. Mats hoogrood in zijn gezicht. Duidelijk – bonje.

Niklas op scherp. Wat zeiden ze daar? Hoe agressief was de man? Hij had draadloze afluisterapparatuur moeten installeren, de flat onmiddellijk moeten buggen.

Toen zag hij het duidelijk. Die klootzak van een Mats duwde Helene tegen haar borst. Haar gezicht vertrok, misschien huilde ze. Hij duwde weer. Ze deed een paar stappen naar achteren. Kreeg nog een duw. Door zijn duwen verplaatsten ze zich uit beeld. Weer naar de hal. Nu was het bezig, zo meteen was het tijd voor ernstiger geweld: zeker, gauw.

Niklas sprong uit de auto. Griste zijn omgekeerde spionnetje en Cold Steelmes mee. Donker buiten. Straatverlichting aan staalkabels tussen de gebouwen. Hij toetste de deurcode in. Een zwakke klik toen de deur van het slot sprong. Rukte de deur open.

Vier treden per stap. Rukte op – vol van adrenaline, bereid tot de aanval. *Stealth position* – slagklaar.

Strömberg. Tegel met kleurige tekst in reliëf op de voordeur: WELKOM. Het geluid van hun ruzie was vaag hoorbaar. Hoewel Niklas eerder boven was geweest om de deur te bekijken, dacht hij vluchtig: de idylle valser dan normaal.

Verder stil in het trappenhuis. Hoorde zijn eigen hijgende ademhaling. Zette het omgekeerde spionnetje tegen het spionnetje. Binnen: Mats en Helene volop in oorlog. Ze zat op een krukje. Hij: een meter bij haar vandaan. Schreeuwde. Nu Niklas zijn hoofd maar een paar centimeter van de deur hield, kon hij het horen.

'Egoïstisch rotwijf. Hoe moet dat nou? Als jij de hele nacht aan de boemel bent.'

Mats deed een stap naar haar toe. Helene zat met haar gezicht in haar handen. Snotterde. Snikte. Huilde.

Mats bleef brullen. Schreeuwde over de voorwaarden voor hun gezamenlijk leven. De opvoeding van hun zoon. Het opruimen van de keuken. Allemaal shit. Helene negeerde het, keek geen enkele keer naar hem op.

Mats deed nog een stap. 'Luister je überhaupt wel naar me? Vieze hoer.' Greep haar haar vast. Trok haar hoofd achterover. Roodbehuilde ogen. Niklas voelde het. Haar angst. Paniek. Misschien wist ze wat er nu zou volgen.

Mats hield haar haar stevig vast. Dwong haar op te staan. Ze probeerde zijn greep los te wrikken met haar handen. Hij liet los. Duwde haar tegen de kleerkasten. Ze struikelde, tuimelde, viel. Probeerde op te staan. Hij stond met zijn gezicht op vijf centimeter afstand van het hare. Bleef bulderen. Schold, schreeuwde, spuugde.

Ze bukte. Greep haar schoenen.

Niklas had nauwelijks tijd om te reageren. De deur ging open. Helene drukte de lichtschakelaar in. Niklas stond erbij als een idioot, zijn spionnetje in een stevig gebalde vuist.

Helene negeerde hem. Stormde de trap af, nog steeds op sokken. Schoenen in haar hand.

Niklas liep door naar de etage erboven. Luisterde.

Hoorde Mats roepen: 'Kom terug, rustig nou.'

De militaire planning was waardeloos – Niklas kon niets doen.

Hij wachtte tot Mats de deur dichtdeed. Liep naar de Audi. Zag Helene verderop in de straat.

Ze liep vlug, maar het was net alsof ze een beetje zwalkte.

Niklas ging achter haar aan.

30

Zongebruind, goed getraind, sterk – uiterlijk.

Onrustig, vol verwachting, nerveus – innerlijk.

Vandaag zou het bericht komen. Åsa en Thomas waren de dag ervoor thuisgekomen van Gran Canaria. Åsa vond dat het heerlijk was geweest. Maar Thomas wist: de onrust knaagde ook aan haar, misschien nog erger dan aan hem.

Na één uur zou het besluit bekendgemaakt worden. Åsa was op haar werk.

Om tien uur ging hij de deur uit om boodschappen te doen. De lucht: hard
en grijs als beton, krachteloos als zijn eigen innerlijk. De zwervers voor de slijter
dempten hun stemmen toen hij langsliep met zijn boodschappentassen – ze wisten dat hij een smeris was. Hij dacht: die zwervers moeten echt gruwelijk goed zijn
in lullen – het enige wat ze de hele dag deden, samen zitten kletsen. Het toppunt
van sociale training. Misschien moesten ze Ljunggren eens bij ze langs sturen.
Thomas glimlachte inwendig – misschien was zijn collega een onmogelijk geval.

Ljunggren: door de gedachte aan hem miste hij zijn werk. Maar hij moest
ook denken aan alles wat vreemd was. De fax thuis was overvol geweest toen
hij hem gisteren had leeggehaald nadat Åsa en hij hun tassen hadden neergezet. Minstens dertig bladzijden van Tele2Comviq, tien bladzijden van een
kleinere telecomoperator en meer dan veertig bladzijden van Telenor. Gewoon
maar gaan doornemen. De informatie organiseren. Gestructureerd werken.
Åsa vroeg of hij niet moe was van de lange reis: 'Het kostte toch meer dan negen uur, met tussenlandingen en alles erbij. Ik ben in elk geval kapot.' Hij was
inderdaad kapot, doodop. Maar door de lijsten kreeg hij er zin in. Nee, meer
nog – door de lijsten kreeg hij pure energie. Hij wilde dat Åsa meteen naar bed
zou gaan, zodat hij aan het werk kon.

Ze was rond negen uur in slaap gevallen. Thomas zat vier, vijf uur aan de
lijsten te werken. Het hele huis donker, op de bureaulamp in de werkkamer na.
Streepte nummers die met de telefoon gebeld waren af, zocht naar terugkeren-
de abonnementen, zocht op internet. Hij vond namen, een heleboel namen.

Hij zette de boodschappentassen neer. Deed langzaam de deur open. Vulde de
koelkast. Boter, varkenshaas, kaas, melk. Het laatstgenoemde: biologisch. Åsa

bleef daaraan vasthouden. Thomas had geen zin om erover in discussie te gaan, al wist ieder verstandig mens dat die dingen boerenbedrog waren.

Hij ging bij de telefoon zitten. Pakte de lijsten erbij. Vier nummers vielen op. Elk van die nummers was in mei en juni minstens twintig keer gebeld. Hij wilde eerst naar het nummer met de meeste gesprekken bellen, alleen in mei al drieëndertig gesprekken. Het nummer moest van een prepaidkaart zijn – hij kon er geen abonnement bij vinden.

Aan de andere kant nam iemand op: 'Ja.'

Opnemen met alleen 'ja' was al verdacht op zich.

'Hallo, mijn naam is Thomas Andrén. Ik bel van de politie Stockholm...'

Een klik aan de andere kant.

Thomas belde weer. De ingesprektoon klonk als een opgestoken middelvinger recht in zijn smoel.

Het volgende nummer: was bij elkaar tweeënveertig keer gebeld in mei en juni. Was van ene Kristina Swegfors-Ballénius. Het derde nummer had ook geen bekende eigenaar. Het vierde was het meest gebeld: ene Claes Rantzell.

Hij begon met Kristina Swegfors-Ballénius.

Een relatief jonge stem: 'Hallo, met Kicki.'

'Hallo, mijn naam is Thomas Andrén en ik bel van de politie Stockholm.'

'Goh, en wat wil je?' De scepsis aan de andere kant van de lijn was duidelijk.

'Ik bel in verband met een onderzoek naar een zeer ernstig misdrijf waar we mee bezig zijn. Ik zou graag antwoord willen krijgen op een heel simpele vraag. Ik heb een mobiele telefoon waarmee je in mei en juni dit jaar vrij vaak bent gebeld. Het nummer van de beller verschilt, maar in mei ben je bijvoorbeeld achttien keer door het volgende nummer gebeld.' Thomas las een van de nummers van de prepaidkaart van Telenor voor.

'Zeg dat nog eens.'

Thomas herhaalde het nummer.

'Nee, ik heb eigenlijk geen idee,' zei de vrouw.

Wat was dit voor onzin? Kristina Swegfors-Ballénius was meer dan veertig keer door deze mobiele telefoon gebeld – ze moest weten van wie dat nummer was. Thomas probeerde de toon van haar stem te duiden. Hoe erg loog ze?

'Zeg, het betreft een moordonderzoek, dat zei ik toch? Geen gewoon misdrijfje. Iemand heeft jou alles bij elkaar tweeënveertig keer gebeld. Iemand met één telefoon die blijkbaar even vaak een nieuw nummer neemt als gewone mensen een wc-rol. Probeer het je te herinneren.'

De vrouw aan de andere kant schraapte haar keel. 'Maar dat is weken geleden. Waarom denk je dat ik zoiets nog weet?'

Er klopte iets niet – die vrouw wilde het zich niet eens herinneren. Haar vijandigheid was te groot om gewone smerissenscepsis te zijn.

'Luister goed, Kristina Swegfors-Ballénius. Als je nu niet heel snel probeert

het je te herinneren, kom ik naar je toe, in Huddinge, om persoonlijk in je mobiel te graven.'

Thomas hoopte dat dit zou werken – gedeeltelijk omdat hij liet merken dat hij wist waar ze woonde, gedeeltelijk vanwege de dreiging om in haar privéleven te gaan wroeten – eigenlijk was dit niet geoorloofd. En al helemaal niet voor een ziekgemelde, binnenkort wellicht overgeplaatste, zelfs misschien ontslagen, hoofdagent.

Het klonk alsof de vrouw haar neus ophaalde. Daarna stilte. Hij hoorde haast hoe ze nadacht. Het was glashelder: ze wist iets. Ten slotte: 'Weet je, ik moet het even checken in mijn mobiel en zo. Kan ik je over een paar minuten terugbellen?'

Bingo.

Hij wist zeker dat ze terug zou bellen.

Tien minuten later belde Kicki Swegfors-Ballénius.

'Nou, ik heb nu uitgevogeld van wie die nummers waren, hoor. Ze zijn van mijn vader, John Ballénius. Vraag me niet waarom, maar hij wisselt vaak van nummer. Ik herkende ze niet meteen, want ik druk hem altijd weg als hij belt.'

Thomas keek op de lijsten voor zich. Klopte met wat ze zei: geen enkel gesprek duurde langer dan een paar seconden. Kicki klonk opgewekter, of ze zat te slijmen. Het maakte Thomas geen flikker uit.

John Ballénius was de naam. Een vage achternaam, die moest aangenomen zijn. Maar dat maakte niks uit. Het was waarschijnlijker dan ooit dat de eerste doorbraak voor de deur stond. Het nummer uit de kontzak van de dode moest gewoon van die Ballénius zijn.

De eerste dag in Zweden begon goed. Thomas hoopte dat deze dag in meer dan één opzicht zijn geluksdag was – zo meteen zou het besluit over zijn toekomst bekendgemaakt worden.

Hij warmde een minipizza op in de magnetron en begon twee eieren te bakken. Hij werkte de pizza bizar snel naar binnen: in minder dan een minuut. Een verborgen kracht: niemand at zo snel als hij.

Zelfs als die klootzakken hem zouden overplaatsen, was hij niet van plan op te geven. Hij zou zijn eigen moordonderzoek ernaast doen. Zonder die droplul van een Hägerström. Zonder iemand. Zou triomferend terugkeren. Tegelijkertijd in zijn achterhoofd een somberder gedachte: stel dat ze het vooronderzoek niet afsloten, geen genoegen namen met overplaatsing. Stel dat hij veroordeeld werd als een crimineel, zijn werk helemaal kwijtraakte.

Googelde John Ballénius. Nul hits. John Ballénius was blijkbaar geen internetentertainer. Maar aan de andere kant – wie was hij verdomme wel? Volgens het bevolkingsregister: Ballénius' adres een postbus. Internet waardeloos. Hij had de databases van de politie nodig. Maar dat was een probleem. Ten eerste was

hij formeel ziek. Ten tweede werd elke zoekopdracht geregistreerd – zelfs agenten mochten niet rondsnuffelen in het leven van criminelen. Je was gedwongen om je pasje te gebruiken om die databases ook maar in te mogen, en elk woord dat je intypte werd bijgehouden.

Desondanks: hij deed een poging. Belde Ljunggren en vroeg hem een multizoekopdracht voor hem te doen – het doorzoeken van alle registers tegelijk. Ljunggren was sceptisch: 'Jezus, Andrén, wat is dit? Jij zou thuis moeten zitten uitrusten. We hopen je binnenkort weer terug te zien.'

Tegelijkertijd: Ljunggren wist dat het in zekere zin zijn fout was dat Thomas nu in de shit zat. Dat moest hij uitbuiten. Thomas zei: 'Kom op zeg. Als jij die ene keer gewoon gekomen was, zou ik hier niet eens zitten. Help me gewoon even met een kleinigheidje.'

'Vertel me nou niet dat dit te maken heeft met die dooie die we aan de Gösta Ekmansväg hebben gevonden.'

'Kom op joh. Eén multiopdracht maar.'

Onverwacht genoeg: Ljunggren deed het. Zocht terwijl Thomas aan de lijn bleef.

Zoekopdracht: treffers in het Algemene Opsporingsregister, de databases van de Belastingdienst en de Rijksdienst voor Wegverkeer, het Justitieel Register. Als iemand niet deugde, dook hij altijd ergens op.

Ballénius zat erbij: in de jaren tachtig een keer veroordeeld voor mishandeling en een drugsmisdrijf. Halverwege de jaren negentig grootscheeps onderzoek naar deze kerel. Ze dachten dat de man katvanger voor een heleboel bedrijven was. Maar hij werd alleen veroordeeld voor een paar keer rijden onder invloed en kleinere drugsdelicten. Later in de jaren negentig: persoonlijk faillissement, besluit tot schuldsaneringsregeling in 2001. Het beroepsverbod werd hetzelfde jaar opgeheven. De zogeheten consumptieschulden hadden hem blijkbaar de das omgedaan. In 2003 ging de man weer failliet. Waar was die Ballénius in godsnaam mee bezig? In 2006 was hij weer flink opgekrabbeld – geregistreerd als bestuurslid voor zeven bedrijven. Thomas werd warm. Nee, dat was een understatement – plotseling zat hij gloeiend heet. Deze gast stonk. Stonk gruwelijk.

Bovendien: ze hadden een huisadres van Ballénius: Tegnérgatan 46. Maar geen telefoonnummers.

Het was inmiddels één uur. Nog geen telefoontje van zijn werk over de uitslag van het interne onderzoek. Zou hij zelf bellen? Besloot: als hij om twee uur niets gehoord had, belde hij zelf.

Om vijf over een belde Åsa – wilde horen of hij al bericht had gekregen. Thomas raakte geïrriteerd. Dit was haar probleem niet. 'Ik bel je als ik meer weet, oké?'

Ze klonk verdrietig.

Het was halftwee. Nog steeds niks. Wat een eikels – hem laten wachten als een vernederde nul.

Om kwart voor twee ging de vaste telefoon. Thomas herkende de cijfers op de display.

Het was Adamssons directe nummer op het bureau.

'Goedemiddag, Andrén. Je spreekt met Adamsson.'

'Ja, dat zie ik. Alles goed?'

Adamsson klonk niet hard of gespannen maar de kalmte in zijn stem verraadde hem. Geen goed nieuws op komst.

'Met mij is alles goed. En met jou? Hoe is het met jou?'

'Åsa en ik zijn twee weken op Gran Canaria geweest. Heerlijk daar. Verder heb ik een rottijd gehad.' Thomas deed zijn best om niet bitter te klinken. Adamsson zou zijn baas weer zijn als hij terug zou komen, en Adamsson was de vijand.

'Ik begrijp het. Maar het was de juiste beslissing. Sterke keuze van je.' Kunstmatige pauze. Adamsson deed voorkomen alsof Thomas zich zelf had willen ziek melden. Hij vervolgde: 'Het besluit van Interne is binnen.' Thomas hield de hoorn zo hard vast dat zijn knokkels wit werden. 'Het ziet er goed uit. Ze sluiten hun onderzoek af. Gefeliciteerd.'

Thomas merkte hoe hij wegzakte in de fauteuil. Uitademde. Er werkten blijkbaar nog een paar gezonde mensen bij de politie.

Adamsson ging verder: 'Maar de korpschef is niet te spreken over de gang van zaken. Hij pleit voor overplaatsing. En hij heeft ook een voorstel ingediend. De afdeling Verkeersovertredingen.'

Thomas wist niet wat hij moest zeggen. Een grap. Een belediging. Een fluim recht in zijn bakkes. Erger nog: dit ging over beroepseer.

Adamsson probeerde sympathiek te klinken. 'Ik begrijp heel goed dat dit vervelend kan zijn, Andrén. Maar zie het van de positieve kant: je wordt niet aangeklaagd. Ik heb je altijd gemogen. Maar je weet hoe het is, de korpschef heeft geen keus. Het is erg jammer dat het zo is gegaan, je bent een goede vent. Zoals ik altijd zeg: uit het goeie hout gesneden, en nog betrouwbaar ook. Maar nu is het niet anders.'

Thomas dacht: je wordt bedankt, lul.

Adamsson vervolgde: 'Ik kan je eigenlijk maar één tip geven. Je moet leren jezelf te beheersen. Ik denk dat je beter zou functioneren als je de situaties binnen het politiewerk op een dieper niveau begreep. In sommige gevallen is het goed om sterk op te treden, maar soms is dat niet nodig. Neem dat maar van me aan, ik loop al zoveel jaar mee dat ik het meeste wel gezien heb. Ik hoop dat je het op een dag zult leren.'

Åsa kwam twee uur later thuis. Thomas lag onder de auto, zijn hoofdlamp uit. Eerst had hij geprobeerd zich op het onderstel te concentreren. Na veertig minuten hield hij ermee op. Alles ging mis. Hij vergat gereedschap zodat hij vier keer onder de auto vandaan moest rollen, liet spullen vallen, stootte zijn elleboog. Het was niet de bedoeling dat hij nu zou klussen.

De deur naar de garage ging open. Hij zag Åsa's benen en pantoffels.

'Hoi, ik ben het.'

'Hoi Åsa, ik lig onder de auto.'

'Dat zie ik. Hebben ze gebeld?'

Thomas rolde onder de auto vandaan. Bleef op zijn rolplank liggen. Keek op naar Åsa. Hij had zijn besluit genomen. Het was overweldigend. Groots. Maar ze verdienden niet beter, die verraders van een collega's.

'Ze hebben het onderzoek afgesloten maar ik ben overgeplaatst. Naar Verkeer.'

Haar gezicht ondersteboven. Toch duidelijk – glimlach, ontspanning. Ze blies uit.

'God, wat heerlijk. Dat is geweldig. Ik dacht dat ze iets veel ergers zouden doen.'

'Åsa, het is klote. Hoe kun je nou zeggen dat het goed is? Begrijp je niet hoe ik me zal voelen op die afdeling? Ik zal er wegrotten. Het gaat niet, ik moet er iets aan doen. Ik weet niet hoe, maar zeg alsjeblieft niet dat het zo goed is.'

'Het spijt me, maar het is toch fijn. Stel nou dat ze je veroordeeld hadden. Ik kan het niet helpen.'

Thomas kwam overeind. 'Ik moet je nog iets vertellen.'

'Wat dan?' Ze zag er ongerust uit.

'Ik heb een andere baan aangenomen. Als chef-bewaker. Het is particulier. Buiten de politie.'

Åsa bleef er ongerust uitzien.

'Ik ga het doen.'

'Hou je me nu voor de gek, Thomas?'

'Helemaal niet, ik ben volkomen serieus. Het is een parttime baan die erg interessant klinkt. Dus ik ben van plan Adamsson morgen te bellen om te zeggen dat ik het werk bij de verkeerspolitie in deeltijd ga doen en dat hij die stompzinnige sympathie van hem in zijn reet kan stoppen. De rest van de tijd zal ik aan die andere baan besteden.'

'Dat gaat niet, Thomas. Dat is toch veel te onzeker.'

Thomas voelde zich zo moe. Had geen energie voor nog meer geruzie.

Tegelijkertijd: dit was misschien het begin van iets nieuws.

31

De ergste regen in een jaar of zo hoewel het nog steeds zomer was. Het plensde op de stad. Kletterde tegen de ruit als mitrailleurgeluid. Ziek eigenlijk. Mahmud herinnerde zich het geluid van kogelregens van toen hij nog klein was. Een familiebruiloft in een buitenwijk van Bagdad. In die tijd schoot je omdat je blij was, zei zijn vader altijd.

Vandaag hopelijk zijn laatste rit naar het Shurgard-complex. Sköndal. Het gebouw hield het midden tussen een ridderburcht en een boerenschuur. Een toren met een vet bord: SHURGARD SELF-STORAGE. OUR SPACE, YOUR PLACE. Lichtroze nephout – eigenlijk was het een blikken bouwsel. Omgeven door asfalt: parkeerplaats, inritten naar de opslagruimtes, losplaatsen. Vorige week was het de opslag bij Kungens Kurva, de week daarvoor die in Bromma. Hij was in de halve stad geweest, maar ze zagen er overal hetzelfde uit.

Mahmud digde de plek. Het idee vet *nice*. Hoefde de handlangers van de Joego's niet nodeloos te ontmoeten. Dit werd op een *strictly need to know basis* afgehandeld, zoals Ratko het zei. Ze vulden de boel aan zodra Mahmud liet weten dat hij wat wilde komen halen. Hij bracht de poet van tevoren naar een buurtsuper van de Joego's in Bredäng. De Joego's smart: stelden keiharde regels. Mahmud had ranking nul in hun wereld. Als hij werd gepakt, zouden ze zeggen dat ze hem nog nooit hadden gezien en zelfs niet wisten hoe hij heette. Nogmaals: kapot mooie opzet – vanuit hun perspectief.

Maar wat had hij voor keus? De schuld aan Gürhan had hem gedwongen. Echt: zijn belofte aan Erika Ewaldsson was niet honderd procent bullshit geweest. Eigenlijk wilde hij deze troep niet dealen. Spierpreparaten waren één ding: dat spul vrat hij zelf dus waarom zou hij zijn eigen lichaam niet financieren door wat pilletjes door te verkopen. Maar dit – als hij weer gepakt werd, zou hij lang moeten brommen.

Had Roberts auto geleend. Voelde vaag. Een schattig Golfje. Sportuitvoering: kuipstoelen van grijs leer, grote navi plus, vette velgen. Niks mis mee, maar eerdere ritten had hij in Babaks luxebak gemaakt. Dat was nu afgelopen. Babak kapte elke contact af, sinds Mahmud over zijn samenwerking met de Joego's had verteld. Babak had Mahmud gezegd zijn spullen te pakken en af

te nokken. Kut – Babak een fokking jankerd. Een *sjarmoeta*.

Een opslagruimte met een buitenuitgang kostte weliswaar wat meer, maar je kwam er veel makkelijker met de auto. Je hoefde het gebouw niet in, hoefde niet langs al te veel videocamera's, hoefde niet al te veel schijterige smoelwerken te zien. Ratko had gegrijnsd toen hij vertelde dat de opslag zelfs verzekerd was.

'Stel je voor man. Als er wordt ingebroken, krijgen we van Trygg Hansa tenminste geld terug voor onze voorraad balsahoutenproducten.'

Mahmud toetste de pincode in. Klooide met de sleutels. Gladde handen. De beveiliging van dit soort plekken was goed: pincode, sleutels, camerabewaking. Toch: hij voelde zich zwak. Flitsen voor zijn ogen. De Range Rover met Wisam op de achterbank. Waarom dacht hij aan die dingen? Een gozer als hij moest verder. Loslaten wat er gebeurd was.

Als hij de shit van vandaag had verkocht, zou hij vrij zijn. Binnenkort zou de laatste betaling aan Gürhan en de Born-to-be-hated-kills geregeld zijn. Drie maanden terreur waren bijna voorbij. Hoefde alleen deze grammetjes nog te slijten. Shit, wat chill.

Met de dertig ruggen die hij van Stefanovic had gekregen plus de centen die hij de afgelopen maanden via de wiet- en cokehandel had verdiend, had hij vijfennegentig procent van de schuld afbetaald. En vanavond op de sportschool – de deal met Dijma, een grote klant, was in principe rond. Zo kapot relaxed. Daarna was het jalla bye Gürhan. Maar nog beter: ook doei klote-Joego's – die lui die hij stom genoeg had geholpen een homie uit zijn jeugd te liquideren, voor wie hij twee maanden had gesloofd, die hem keihard in zijn reet hadden genaaid toen hij ze om hulp had gevraagd. Hij was van plan ontslag te nemen. Te doen wat Erika Ewaldsson adviseerde: ophouden met de illegale praktijken. Een vrij man worden.

Mahmud sloot het zakje met shit op in zijn sportschoolkluisje. Het pakpapier en plastic namen veel plaats in. Geen risico op diefstal in Fitness Center – als iemand het in zijn harses haalde om hier iets te jatten, zouden ze eerst zijn zak een paar rondjes laten draaien in het tandwiel van het buikspierapparaat en daarna zijn kop smashen door de halters voor de bovenbenen drie, vier keer neer te laten komen. Daarna een proteïnedrankje van de arme drommel maken, en de spierbundels trakteren.

Mahmud stapte de sportschool binnen. De eurotechno dreunde. Hij groette een paar brede gasten bij de halters. Het coole aan sportscholen: een gozer als Mahmud hoefde zich bijna nooit alleen te voelen.

Vandaag kniebuigingen op het programma. Op andere sportscholen: een heleboel cardiomachines en geavanceerde druk- en trekmachines gedesignd om spieren te isoleren waarvan je niet eens wist dat ze bestonden. Sciencefictionland zegma. Niet dat er iets mis mee was, voor anderen, maar volgens Mahmud lag het fundament van groei in de basisoefeningen. Altijd met vrije gewichten.

En de king van alle vrije oefeningen was vanzelfsprekend: de kniebuiging.

Veel gasten zeiden dat kniebuigingen je rug verneukten en problemen gaven. Mahmud wist beter: de oorzaak van rugpijn was niet de oefening op zich, maar slechte techniek. De oplossing simpel voor iedereen met hersens. Mahmud had gelezen, met anderen van Fitness Center geluld. In plaats van de beweging vanuit je heupen te beginnen, moest je doen wat de fitnessgoeroe Charles Poliquin altijd zei – begin je kniebuigingen vanuit je knieën.

Hij hield van deze oefening. En binnenkort zou hij zijn kuur starten – dan zou het nog beter worden. Hij hing vijfenveertig kilo aan elke kant van de stang. Begon aan de manoeuvre, boog langzaam zijn knieën. Zijn heupen bewoog hij alleen als hij zijn evenwicht moest bewaren terwijl hij naar beneden ging. Hij wilde drie keer tien doen. Hij gromde, spuugde, siste door zijn tanden. Voelde maximale druk op zijn bloedvaten. Zijn ogen sprongen bijna uit hun kassen. Aboe – goddelijk. Dacht alleen aan het heffen, de beweging, de buiging van zijn knieën. Geen slechte herinneringen, geen slecht geweten, geen slecht karma.

Door de kuur zou hij nog meer kunnen. En shit, wat zou hij groeien. Met behoorlijke discipline zou hij tien kilo zwaarder kunnen worden. Sustanon en dubbele deca inspuiten. De ampullen waren onwerkelijk, maar Mahmud was zo blij dat hij geen injectieangst had – naalden zo groot als McDonald's-rietjes. Daarna zou hij wat winnie nemen om het vocht weg te krijgen, hij wilde er natuurlijk niet bijlopen als een ballon.

Er kleefden ook wat nadeeltjes aan. Op de sportschool zeiden ze dat je nieren het zwaar te verduren kregen. Maar hij zou het maar acht weken doen.

Een uur later: Dijma met een gripper in zijn hand. Dijma: de koper met een hoofdletter K die nooit pofte – altijd cashte. Dijma: de Albanees die niet zoveel trainde maar des te meer verkocht. Altijd met de gripper diep ingedrukt. De spieren van zijn duimen zo groot als tennisballen. De pinknagels van die gozer zo lang als van een pornoster.

Mahmud digde hem, een echt dope swa. Gekleed in klassiek sportschooltenue: joggingbroek en T-shirt met lange mouwen, capuchontrui met rits. Keek om zich heen. Niemand in de buurt. Vrijdagavond – de sportschool halfleeg op dit tijdstip van de dag.

Mahmud legde de halters neer. 'Hou toch op met het trainen van je rukspier, spillepoot, en begin eens met gewichten.'

Dijma grijnsde. De regels van de hiërarchie: Mahmud groter, Mahmud had het spul. Mahmud leverde. Dus: Dijma lachte om alles wat Mahmud zei.

In belabberd Zweeds: 'Jij hebt de spul bij je?' Dijma duidelijk gestrest vandaag.

'Absoluut. Vijftig, in één pakket.'

'Maar fuck zeg, jullie zouden het opdelen.'

'Rustig aan, dat moet je zelf maar doen. Het is geen probleem.'

'Oké, oké, en de prijs?'

'Negenhonderd peseta's.'

'Peseta's?'

'Kronen dus, jezus, ben je moe of zo?'

'Negenhonderd kronen? No way. Achthonderd.'

'Negenhonderd hebben we de afgelopen maanden elke keer gedaan. Dus ga dat nou niet opeens veranderen.'

'Prijzen veranderen. En het is niet opgedeeld.'

Dijma zei het alsof het de vetste economische vanzelfsprekendheid was. Mahmud digde dit gezeik niet.

'Wat is dit voor gelul? Negenhonderd is de deal.'

'Achthonderdvijftig, geen kroon meer.' Dijma deed stoerder dan goed voor hem was.

Mahmud zou deze stijl niet moeten pikken. Toch: hij had wanhopig cash nodig.

Zijn berekening: verkocht hij vijftig keer voor achthonderdvijftig de gram, dan werd het tweeënveertigvijfhonderd. Mahmuds winst: twaalf ruggen. Niet genoeg voor de laatste afbetaling van vijftien aan Gürhan. Hij had negenhonderd per gram nodig. Anders was het mis.

Mahmud deed een stap naar voren.

'Dijma, negenhonderd kronen is de prijs. We kunnen de volgende keer onderhandelen, dan geef ik je het voor achthonderd. Maar vandaag is het negenhonderd. Begrepen?'

Dijma kneep een paar keer in de gripper. Mahmud liet zijn blik niet los.

De Albanees knikte. 'Oké, vandaag. Volgende keer achthonderd.'

Dope. Dijma moest ergens gestrest over zijn, de Albanees had zich te makkelijk gewonnen gegeven. In andere gevallen had er bijna *rs*, rotstemming, uit kunnen ontstaan. Maar vandaag niet, en het was niet Mahmuds probleem – voor hem was het feest.

Ze liepen naar de kleedkamer beneden. Gingen naast elkaar op de bank zitten. Mahmud gaf hem de zak met spul. Dijma de plee in om te testen. Mahmud met luidere stem: 'Vertrouw je me soms niet?' De Albanees zei niets. Kwam dertig seconden later naar buiten, duim in de lucht, schoof een plastic pot waar Creatamax 300 op stond naar hem toe – normaal gesproken bodybuildersmilkshake. Vandaag: poet. Mahmud stopte zijn hand erin. Voelde de briefjes.

Echt supercool. Binnen een paar uur zou Mahmud zijn ranking in Stockholm verhogen. Die Gürhan-zwijnen van zich afschudden. Ontslag nemen bij de Joego's. Zelfstandig worden. De pan uit rocken.

Halftwaalf, een vrijdagavond in Stockholm. Mensen gedroegen zich alsof ze aan de speed waren. Hadden er de hele week op gewacht om uit te kunnen gaan, plus dat het de hele dag knetterhard geregend had. Maar nu: de regen was opgehouden – de zomer was terug. Misschien de laatste kans voor een dope

openluchtdronkenschap, een zomerwip, een wietervaring. Dikke Amerikaanse bakken reden de Sveavägen af om zomaar wat rond te cruisen, ellebogen uit de naar beneden gedraaide raampjes en zo suédi zijn als een Zwedo maar kon zijn. De kids waren vanuit de kroegen in Vasastan die zo meteen dicht zouden gaan, onderweg naar de stad. Opdracht: naar Stureplan gaan en proberen een beetje glamourfeeling mee te krijgen. Mahmud: onderweg naar de vrijheid.

Droeg zijn sporttas over zijn schouder. Daarin: vijfenveertigduizend cash in een pot waar creatinepoeder met aardbeiensmaak in gezeten had. Dertig mille zou hij terugbetalen aan Robert, voor hij de Joego's betaalde. De resterende vijftien ruggen zouden naar Gürhan. Het was geen vermogen, dat sprak voor zich. Maar het was Mahmuds sleutel naar vrijheid.

Hij liep naar de stad. Frunnikte in zijn zak. Een sealtje, een vijfje. Ging in een portiek staan. Pakte een peuk. Draaide die tussen duim en wijsvinger. De tabak kwam los en viel in zijn hand. Legde de wiet op het papier, vermengde hem met de tabak van de peuk. Likte. Draaide. Hield de aansteker er een paar keer onder zodat de shit zou drogen. Stak de joint aan. Drie diepe halen. Rookringen in het portiek. Relaxed gevoel.

Dit zou een vette avond worden.

Robert zat in zijn Golf te wachten bij de kebabtent vlak bij Hötorget. Vette dunkedunk op meters afstand te horen.

Robban smilede. Mahmud smilede breder. Plofte neer op de passagiersstoel.

Mahmud vroeg: 'Je weet dat Fat Joe een Chinees is, toch?'

Robert spoot met plankgas weg. 'Echt niet dat hij een Chinees is. Hij is een indiaan.'

'Indiaan? Heb je niet gezien hoe hij eruitziet? Mengeling van zinji en Chinees. Woellah, ik zweer het je, ouwe.'

Robert legde zijn hoofd in zijn nek. Schaterde.

Maakte een U-bocht midden op de Sveavägen. Drukte het gas diep in. Naar Norrtull. Nauwelijks verkeer. Reed de Essingeleden op. Zuidwaarts naar Södertälje.

Robert zette een andere cd op. Superchille Midden-Oostenmuziek. Mahmud hield van rap en r&b prima, maar een lekker nummer van een Libanees overtrof zo ongeveer alles.

Robert draaide het geluid zachter. 'Zeg, waarom is Babak *pissed off* op jou?'

Mahmud wist niet wat hij moest zeggen.

'Ach, ik weet het niet. Dat is iets tussen ons.'

Robert zei: 'Maar jullie kunnen toch wel een keer met elkaar gaan lullen?'

Mahmud wou Robert hier niet bij betrekken, kans dat hij het niet zou snappen – net als Babak zou reageren. Toch: het hele gedoe was klote. Hing al zo lang met Babak.

'Het is oké. Maar ik kan Babak nu gewoon even niet hebben.'

Robert vroeg niet door.

Ze reden onder de spoorbrug. Station Södertälje. Sloegen rechts af. Richting centrum. Het kanaal over. Mahmud gidste. Was er al vaak geweest. Digde deze plek: niets leek meer op een stad die door allochtonen werd bestuurd en toch niks met verwaarloosde sloppen te maken had.

De plek: Carwash, City & Södertälje. Reconditionering. Reclame buiten: DE LAAGSTE PRIJZEN, LEENAUTO'S BESCHIKBAAR. Robert parkeerde. Boog zich achterover, zocht ergens naar op de vloer voor de achterbank. Haalde een stuurslot tevoorschijn. Klemde het op zijn stuur en draaide het op slot.

'Dit is Södertälje weet je, de helft van de kinderen die hier wordt geboren is profvoetballer, de andere helft is autodief.'

Een metalen deur naast de garagepoort. Ze belden aan. Het was net donker geworden buiten.

Mahmud voelde aan het vlindermes in zijn kontzak.

Bzzz-geluid. Klik van het slot. Mahmud duwde de deur open. Betonnen vloer. *Ditec*-borden aan de muren. Reclame voor onderhoudsproducten, servicepaketten, uitrusting, polijstmiddel en was.

Mahmud keek om zich heen. Geen mensen.

Een stem vanuit het kantoortje: 'Het Arabiertje. Hoe is het vandaag met je?'

Daniel kwam tevoorschijn uit het donker. Naast hem stond een enorme vent. Daniel: een dwerg naast hem. Mahmud had al veel grote gasten gezien. Bij Fitness Center, bij de K-1, in de buitenwijken, in de bak. Kerels die elke dag in hun broek scheten tijdens het bankdrukken alleen maar om nekken te krijgen die nog niet half zo breed waren als die van de spierbundel die nu naast Daniel stond. Deze gozer had dezelfde size als die Rus op het K-1-gala.

Ze gingen het kantoortje in. Een bureau, een bureaustoel, twee leunstoelen. Pin-upmeiden aan de muren.

Gürhan zat op de bureaustoel. Keek Mahmud in de ogen.

'Welkom.' Zijn stem klonk onschuldig. Zijn ogen waren dood.

Geen stoel voor Robert en de reus, die moesten op de achtergrond blijven staan.

Daniel legde een kastje met twee snoeren en antennes op het bureau. Mahmud had er in de bak over gehoord. Een soort antiafluistergadget. Stoorde de skotoe mochten ze de ruimte gebugd hebben. Waarom hulpmiddelen? Waarom die reus op de achtergrond? Waarom was Gürhan er überhaupt bij?

Daniel zei: 'Heb je de cash of niet?'

Mahmud zette de pot op tafel. Draaide de deksel open. Snoeplucht. Haalde de vijftien duizendjes eruit. Richtte zich tot Gürhan.

'Ik weet dat ik het die keer verneukt heb. Je Winstrol kwijt heb gemaakt. Maar nu heb ik elke öre terugbetaald, plus jullie rente. Honderd procent. Ik heb alles gedokt.'

Hij verborg zijn handen onder het bureau. Zweette als in een bloedhete sauna.

Daniel bleef antwoord geven voor Gürhan. 'Nee, we zijn het niet met elkaar eens. Je hebt de boel aan één stuk door lopen versjteren. Kwam te laat. Liep te piepen als een fokking hoer.'

Mahmud staarde hem aan. Liet zijn blik geen millimeter wijken. Zijn hart bonkte erger dan de basslines van Fat Joe. Daarna: hij negeerde Daniel. Richtte zich weer tot Gürhan: 'Bullshit. Ik heb betaald. En ik heb dubbele rente betaald. Met deze vijftienduizend ballen zijn we klaar met elkaar.'

Daniel begon weer te zeiken. 'Dimmen jij. Zo praat je niet tegen Gürhan. Wie denk je wel niet dat je bent? Wegwezen hier. We willen jouw ranzige Arabische geld niet.'

Robert keek naar Mahmud. Handen in zijn zakken. Onrustig. Misschien klemde hij zijn mes net zo hard vast als Mahmud het zijne had gedaan als het kon. De reuzegast deed een stap naar voren.

Daniel stond op.

'Wegwezen zei ik! Neem die smerige snoeppot van je mee.'

Robert wierp weer een blik naar Mahmud. De stress goed zichtbaar. Mahmud bleef zitten. Bleef naar Gürhan kijken.

'Hij noemt me niet nog een keer gay. We zijn klaar met elkaar. Ik heb jullie alles betaald wat jullie wilden hebben.'

Stilte.

Gürhan keek Mahmud aan.

Mahmud herhaalde: 'We zijn klaar met elkaar.'

Daniel flipte. 'Als je nog één woord zegt, trap ik je voorhoofd in.'

Toen: Gürhan hief zijn hand. 'Ga zitten.'

Daniel draaide zich om. Verbaasd. Onduidelijk tegen wie Gürhan het had.

'Ga zitten zei ik.' Hij keek Daniel aan.

Daniel probeerde te protesteren.

Gürhan herhaalde: 'Ga zitten.'

Daniel ging zitten. De reuzekerel deed een stap terug richting muur.

'Hij heeft betaald wat hij moest betalen.'

Mahmud kon nauwelijks geloven dat het waar was. Stond op. Achter hem ademde Robert hoorbaar uit.

Gürhan zei: 'Wacht.'

Mahmud draaide zich om. Gürhans gezicht nog steeds volkomen neutraal. Hij zei: 'Mahmud, pas goed op jezelf.'

Strijkorkest. Hollywoodeinde. Eindelijk schoot het op.

32

Maandag. Niklas werd om een uur of acht wakker hoewel hij niet voor vier uur in bed had gelegen. Hij was gisteren bij een arts geweest – had ziekteverlof los weten te krijgen. Keek de films van de vorige nacht nog een keer door. Een van de camera's was om elf uur opgehouden met filmen. Niklas vond hem op de grond onder de boom waar hij in had gehangen. Het was niet onmogelijk dat iemand hem gezien had, hem losgerukt had. Als het maar niet die vent was die hij in de gaten hield. Niklas had tijd nodig – mocht niet ontdekt worden, geen verdenkingen op zich laden. De operatie was zo al kwetsbaar genoeg.

Desondanks: hij had genoeg gezien. Mats Strömberg zou zijn straf krijgen. Het eerste offensief van Operation Magnum in de startfase. Niklas plande, ontwikkelde een aanvalsstrategie. Dacht aan Collin en de anderen in de zandbak. Hij probeerde de routines van het gezin steeds opnieuw door te nemen. Besefte: hij wist niet genoeg over die klootzak. Moest hem nog een paar dagen persoonlijk volgen.

De dag vorderde. Hij werkte nitrazepam naar binnen, at yoghurt. Las een boek over Valerie Solanas van een Zweedse vrouw die Sara Stridsberg heette. Ze dacht net als hij, hoewel het boek lastig geschreven was. Maar het idee klopte. SCUM – *Society for Cutting Up Men* – een manifest voor actie loste de problemen beter op dan allerlei pathetische gedachten.

Om zes uur had hij met Benjamin afgesproken. Hij overwoog het te verzetten. Maar: Benjamin had beloofd een wapencontact te regelen. Dat was hard nodig.

Nog een paar uur tijd: hij las, structureerde informatie over de verschillende mannen, hun gewoontes, patronen, gedrag tegenover hun vrouwen, vriendinnen. Het ging gewoon om machtsuitoefening. Het kerngezin was een gesloten wereld.

Hij surfte op internet. Iets nieuws – Niklas had sites ontdekt waar mensen zijn opvattingen deelden. Feministische chats waar de bijdragen zijn gevoelens weergaven. De haat. De drive. De jacht. Op de schuldigen. De mannen.

Het stortregende buiten. Een gevoel van reinheid. In alle landen waar hij gevochten had was de regen een zegen. Vaak waren de paramilitaire strijdkrachten, ondersteunende milities, guerrilla's die aan dezelfde kant als Niklas hadden gevochten, een halfuur gestopt, zelfs midden in een offensief, om tot hun
respectievelijke goden te bidden. Te bedanken voor de regen, voor de grond
die weer tot bloei kon komen, gewassen kon dragen. Bidden voor succes in de
strijd. Insjallah.

Daarom was het ranziger dan anders om binnen te komen bij Friden.

Benjamin zat al aan een tafel. Natte baard. Onder de tafel, Arnold, zijn dog.
Kwam overeind toen Niklas dichterbij kwam. Kwispelde sloom met zijn korte
staartje. Maar de ogen, Niklas zag de blik. Een smeulende gloed.

Hij bestelde een Cola zero.

Benjamin leverde commentaar: 'Ben je zo'n gezondheidsfreak geworden toen
ik even niet oplette?'

Niklas wilde geen alcohol drinken. Over twee uur zou hij terug naar Sundbyberg, de familie Strömberg in het algemeen in de gaten houden – en de zogenaamde huisvader in het bijzonder.

'Nee, maar ik zag er eentje toen ik hierheen kwam, volgens mij ligt hier zo'n
Hare Krisjna-tent in de buurt.'

'Ach jezus, zal ik Arnold er eens op af sturen?'

Lachpauze.

'Had ik al verteld dat ik hem ga trainen voor zijn eerste fight?'

'Is hij gekortstaart?'

'Zie je dat niet?'

'Jawel, maar dat is toch verboden.'

'Nee man. Arnie komt uit België. Daar hebben ze niet van die zieke regels.'

'Oké, en hoe gaat het met de training?'

'Er zit hier in Stockholm een gast die zulke beestjes opvoedt. Hij heeft me
allerlei trucjes geleerd.' Benjamins ogen schitterden. 'Je moet de hond uithon-
geren en hem loopse teven laten zien zonder dat hij ze aan mag raken. Daarna
bind je zijn poten vast, schuift een buis over zijn pik zodat hij niet kan shprit-
zen, spuit zijn hok vol met menstruatiebloed van de teven, hitst hem op tot hij
niet meer kan. Arnold zal doller zijn dan een Tyrannosaurus Rex.'

Niklas keek naar Benjamin alsof hij hem niet kende. Dacht: jij bent ziek.

Hij vroeg Benjamin of hij het contact geregeld had. Benjamin smilede, knikte. Zag
er tevreden uit. Schoof een opgevouwen post-itblaadje over de tafel. Niklas vouwde
het open: *Black & White Inn, Södermalm, Lukic. Maandagavond.* Onder aan het
papiertje had Benjamin een pistool gekladderd. Die gozer was zo kinderachtig.

Niklas stak zijn arm uit. Drukte Benjamins hand. 'Dit zal ik niet vergeten.'

Ze lulden verder. Benjamin ging maar door over Arnolds potentiële successen, meiden en businessplannen. Hij slempte bier. Niklas voelde zich gestrest.
Over tien minuten moest hij gaan.

Benjamin zette Arnold op de stoel naast hem. De tong van de hond: als een stuk bacon uit zijn bek.

Niklas aarzelde. Moest hij blijven om Benjamins humeur niet te verpesten? De jongen had hem zojuist wel aan een wapencontact geholpen. Bovendien: had hem een dienst bewezen toen de politie hem gevraagd had wat ze die avond afgelopen zomer hadden gedaan. Maar: hij moest weg. Operation Magnum was nu belangrijker.

Onderweg naar Sundbyberg. Niklas had te veel ideeën tegelijk. Zijn doel was helder. Een mens worden die sporen achterliet. Maar hij had middelen nodig. Het offensief vereiste cash. De gedachte groeide. Misschien kon hij Benjamin ergens voor gebruiken.

Er werden zoveel mensen geboren die nooit sporen achterlieten. Mensen die beter nooit geboren hadden kunnen worden. Wie zou het honderd jaar later iets kunnen schelen als ze ophielden te bestaan voor ze ook maar op aarde waren gekomen? Wie zou het iets kunnen schelen als iemand ervoor zorgde dat ze van de aardbodem verdwenen?

Iets met Benjamin doen. Misschien een mogelijkheid. Maar er kleefden immense nadelen aan: Benjamin was niet uit het juiste hout gesneden. Hoeveel vechthonden of stoere tattoos hij ook nam: een *pussy*.

Niklas had iemand anders nodig. Iemand die het aan zou kunnen om echt uit te voeren wat hij had bedacht. Maar wie kende hij? Hij dacht aan de websites die hij de afgelopen weken had bezocht. De feministen. Misschien dat hij daar iemand kon vinden.

33

Formeel had hij zijn dienstwapen teruggekregen. Maar op deze afdeling droeg niemand een wapen. Thomas droeg het zijne toch. Een ongewoon gevoel, zo'n zwaar pistool in zijn zak. Zijn jasje leek scheef te hangen, waardoor hij het steeds recht moest trekken. Bewapend maar zonder uniform, zoals rechercheurs in burger zich voortdurend moesten voelen. Maar met één gigantisch verschil: zo'n aanstelling had hij niet.

Het werk bij de afdeling Verkeersovertredingen was haast nog deprimerender dan de twee maanden waarin hij op het besluit had moeten wachten. De mensen op de afdeling waren als de sukkels op school toen hij kind was. Of eerder, deze mannen waren waarschijnlijk dezelfde schijterds, maar dan vijfentwintig jaar later. Die dingen veranderden niet, sukkels bleven sukkels. Lachten om stomme woordgrappen, vertelden wat voor eten ze de avond ervoor voor hun vrouw hadden gekookt, foeterden op de slechte kwaliteit van de nieuwe plastic multomappen. De afdeling zat in Farsta. Thomas ging meestal alleen lunchen: een hamburger of kebab halen.

Maar vannacht zou er iets gebeuren. Een nieuwe ervaring in het leven. Van negen tot laat: zijn eerste opdracht voor de Joegoboss, Mister Kranjic. Ordebewakerscontrole. Uitsmijterverantwoordelijke. Kalmeringswerk. Als iemand lastig/gewelddadig/onzedelijk werd – zijn taak om de situatie af te handelen. Zwaar lichamelijk werk was zijn specialiteit.

Hij dacht: het enige nadeel was dat de gelegenheid die hij zou bewaken een stripclub bleek te zijn. Niet dat hij iets tegen stripclubs had. Soms belandde je gewoon op zulke plekken. Hannu Lindbergs vrijgezellenparty, na een personeelsfeest vier jaar geleden, samen met wat jongens van de schietvereniging toen ze naar een wedstrijd in Estland waren geweest. Hij amuseerde zich prima op die plekken. Met een drankje in je hand zitten kijken hoe die meiden met hun heupen draaiden, hun lippen tuitten, rond de paal heen zwierden. Hun bh losmaakten, hun jarretels langzaam los lieten knopen, hun slipjes op de grond lieten vallen. Lapdansten voor wie fooien gaf. Het was geil, ontspannen, geweldig leuk. Nooit zo mooi als op internet maar de werkelijkheid zat nu eenmaal vol gebreken. Een bezoekje aan een striptent op zijn tijd kon het

zout in de pap zijn. Een gouden randje aan je broek.

Dus toen hij aankwam bij de club – gemengde gevoelens: walging en geilheid. Bovendien had hij het gevoel vreemd te gaan. Hoewel het tussen de lakens niet ging met Åsa – hij had zichzelf beloofd, dát doe ik niet. Zo was hij gewoon niet – pornosurfen moest genoeg zijn. Hij hield zichzelf voor: de stripteaseclub is geen overspel.

Een ander deel van de verwarring kwam doordat hij nu aan de andere kant stond. Hij zat al twaalf jaar bij de politie.

Tegelijkertijd: de meiden waren daar, zo dichtbij. Niet alleen als beelden op een scherm of dansende godinnen op een podium die je op zijn hoogst in hun kont mocht knijpen. Maar echt. Zo tenger, schaars gekleed, giechelig. Zo makkelijk te krijgen. Zo simpel te pakken. Hij voelde het zodra ze rond halftien verschenen. Ze renden de kleedkamer in en uit met hun mobieltjes omdat ze binnen geen bereik hadden, sommigen alleen in showkleding. Strakke dijen, gelifte tieten, uitnodigende lachkuiltjes. Hij staarde ze ongegeneerd aan als de eerste de beste vieze man.

Het was bizar, maar ook heerlijk. Stel je voor dat Ljunggren of Lindberg dit zou zien. Jaloers als geile konijnen. Stel je voor dat zijn bazen lucht kregen van deze bijverdienste. Stel je voor dat Åsa ontdekte wat hij deed. Stop – die gedachte blokkeerde hij.

Thomas zou bij de kassa bij de ingang staan. Twee andere bewakers vanavond: een Joegokerel, Ratko, in de club zelf, bij het podium. De andere vent, Andrzej, een Pool of zoiets, samen met Thomas bij de ingang.

Andrzej hing de harde, moeilijke kerel uit. Testte hem, provoceerde. Toen Ratko Thomas voorstelde, vroeg hij: 'Wat doe jíj hier? Je bent toch een smeris?'

Ratko zei hem te dimmen. Thomas zei niets. Keek alleen strak voor zich uit.

Een meisje met een Aziatisch uiterlijk achter de kassa, Belinda. Ze probeerde te kletsen. Thomas zwijgzaam. Bleef afstandelijk. Trok zich niks van haar of die Pool aan. Hij zou hier vanavond gewoon zijn werk doen. Rustig en voorzichtig.

De eerste uren was de club steendood. Er kwam een man of drie, vier per uur langs de kassa. Sommigen praatten zacht. Probeerden de aandacht niet te trekken. Thomas dacht: jullie zijn hier nu toch al dus niemand zal denken dat jullie verdwaald zijn. Anderen waren luidruchtiger. Maakten grapjes met de kassière of ze later niet een showtje kon geven, vroegen of ze hun als stamgast geen korting kon geven, wilden weten hoeveel ze wou hebben voor een uur als ze alleen hoefde te pijpen.

Belinda wendde zich tot Thomas.

'Heeft Ratko met je besproken hoe het hier gaat?'

Thomas schudde zijn hoofd.

'Oké, de meesten doen alleen hun show met toebehoren. Je weet wel, benen

wijd en lapdance. Accepteren misschien een tikje op hun kont of een likje op hun borst, maar meer niet. Maar sommigen doen ook andere dingen. Wat meer gezelligheid als je begrijpt wat ik bedoel.'

Thomas begreep het. Hij zat al langer bij de politie dan deze meid harries had.

Om een uur of elf werd de muziek opgeschroefd. Ratko werd afgelost. Er kwam een gast die Bogdan heette.

Thomas kon niet naar binnen kijken. Rode draaideuren scheidden de entree van de showroom. Wilde hij naar binnen kijken? Ja. Nee. Ja.

Andrzej en Belinda kletsten met elkaar. Maakten grapjes, lachten. Bespraken de laatste afleveringen van een of andere serie, de prijs van woningen in de stad, welke meiden hier echte tieten hadden. Andrzej beweerde dat hij het altijd kon zien.

Er stroomden meer kerels naar binnen. Twintig, dertig stuks.

Thomas leunde tegen de muur. Dacht aan zijn eigen onderzoek. Ruim een week geleden had hij John Ballénius' dochter gebeld. Ljunggren in de registers laten zoeken. Paspoortfoto's opgevraagd. Helaas was er geen telefoonnummer dat het deed. Maar hij had een adres. De Tegnérgatan. Thomas was er zon-dag- en maandagavond heen gegaan. Had het dinsdag- en woensdagochtend en -avond geprobeerd. Vroeg Jonas Nilsson, een ex-collega die nu bij Centrum werkte, donderdag overdag een keertje langs te gaan en aan te bellen. Niemand thuis. Die vent was óf in het buitenland óf een workaholic óf dood.

Thomas probeerde de mobiele nummers die Ballénius de afgelopen maanden had gehad. Alle abonnementen waren opgezegd, zonder doorverwijzing naar nieuwe nummers. Hij probeerde de meest gebelde nummers weer. De persoon aan de andere kant drukte hem net als de vorige keer weg. Het was een prepaid-nummer dus Thomas wist niet van wie het was. Het op een na vaakst gebelde nummer was van de dochter die hij eerder had gesproken. Het derde nummer dat vaak gebeld was, bleek van een pizzeria in Södermalm. Daar hadden ze geen idee wie John Ballénius was. Het vierde nummer was van een man met een echte drankorgelstem die, zoals hij zei, weleens wat zaakjes met Ballénius had gedaan. Toen Thomas vragen begon te stellen, hing hij op.

Dus Thomas besloot de dochter weer te bellen, Kicki. Haar antwoord was helder: 'Ik heb geen idee waar mijn vader uithangt. We hebben al meer dan ze-ven jaar nauwelijks contact, hoewel hij de afgelopen maanden vaak geprobeerd heeft me te bellen. Zodra ik doorhad dat hij het was, hing ik op. Maar daar hebben we het al over gehad.' Ze klonk eerlijk. Thomas vroeg waar ze dacht dat hij zou uithangen als het zeven jaar geleden was geweest. Kicki dacht dat hij dan thuis aan de Tegnérgatan zou moeten zijn. Verder wist ze het niet.

Maar die vent was nu niet thuis. Thomas – geen rechercheur, maar hoe moei-lijk kon het zijn om een louche vijftigjarige te vinden in Stockholm? Toen kreeg hij een idee, misschien was Ballénius bekender dan hij besefte.

Thomas nam weer contact op met Jonas Nilsson. Gaf hem wat info over Ballénius die hij uit de registers had gekregen. Vroeg Nilsson te checken of hij of iemand anders van het district Centrum meer wist. Twee uur later belde hij terug. Diverse oude rotten hadden zitten grinniken toen hij tijdens de lunch eens rond had gevraagd. John Ballénius was een klassieker in de ritselkringen. Zoals Thomas al had verwacht.

Nilsson vertelde meer. Ballénius was een notoire gokker. Poker, sport, paarden, alles. Die vent had indertijd zelfs rondgehangen in de goktent Oxen aan de Malmskillnadsgatan. Thomas kende die tent wel, beruchte zwarte club in de jaren tachtig. Er was een hoop over Oxen geschreven: het was de stamkroeg van Christer Pettersson geweest – de man die volgens de meerderheid van de Zweedse bevolking minister-president Olof Palme had vermoord.

De beste tip van de oude rotten was om Ballénius op de renbaan Solvalla of in het casino te zoeken.

Thomas begon bij Solvalla. V75. Overal verkondigden borden: EXTRA ATTRACTIE VAN DE DAG: DE JUBILEUMBOKAAL. Het was een van de grootste drafsportfestiviteiten van het jaar. In de informatieboekjes werd geconcludeerd dat iedereen met ook maar de geringste belangstelling voor paardenrennen er zou moeten zijn. Dus het was vanzelfsprekend dat Thomas er zou moeten zijn. Hij hoopte dat Ballénius er hetzelfde over dacht.

Het was schitterend weer. Bomvol mensen buitenshuis – de bezorgdheid dat het weer zou gaan regenen, was net zo ver te zoeken als ongerustheid over het broeikaseffect op een motorbeurs. Rumoerige sfeer met spanning in de lucht. De omgeving behangen met reclame voor Agria dierverzekeringen. Warme worst, bier en bonnetjes in ieders handen. De luidsprekers riepen de volgende koers van de dag om. Zo meteen zou het beginnen.

Thomas dacht niet dat Ballénius zich ophield op de onoverdekte tribunes. Hij was van plan om in het gebouw te gaan zoeken. Dat was groot, glazen wanden, zeker honderd meter lang. Vier verdiepingen, elke verdieping was een tribune op zich.

De verschillende verdiepingen waren van verschillende klasse. Onder in het immense gebouw: Sportbar Ströget. Pochte met een volledige vergunning. Breedbeeldtelevisies waarop je de baan beter zag dan vanachter de statafels. Koude pilsjes, worst, hamburgers met honderd procent rundvlees. Clientèle: vooral jongere mensen. Zweedse jongens in spijkerbroek en T-shirt met hun portemonnees op tafel gekwakt. Een paar van hun vriendinnetjes, meiden met hun haar in een bolletje op hun hoofd. Wat gezinnen met kinderen. Buiten: ordebewakers.

Thomas vertrouwde op zijn gevoel. Als Ballénius hier was, dan hing hij niet op deze verdieping rond.

De luidsprekers bazuinden het speciale evenement van vandaag rond. 'Zoals

u allemaal weet was Conny Nobell van Björn en Olle Goop vorig jaar de winnaar van de elitekoers. Maar de familie Goop heeft nooit een overwinningsdefilé voor ons publiek kunnen houden. Daarom willen we hier op Solvalla aandacht schenken aan de elitekoersoverwinning. Welkom op de baan, Björn en Olle Goop!'

De volgende verdieping heette Bistro – eenvoudige buffetservice met tafels op meerdere niveaus. Uitzicht op de renbaan. Kostte toch vijftig kronen om binnen te komen. Thomas liet zijn politielegitimatie zien aan de portier, die vroeg of er iets gebeurd was. Thomas schudde zijn hoofd. Liet de kopie van de paspoortfoto van Ballénius zien. 'Nee, hoor. Maar we zijn op zoek naar een man, John Ballénius, ken je hem misschien?' Nu was het de beurt van de portier om zijn hoofd te schudden. Een jonge jongen, kon hier nog niet lang werken. Adviseerde Thomas om het hoofd van het restaurant eens te vragen, ene Jens Rasten. Thomas liep naar de bar, vroeg een serveerster naar Rasten. Het meisje verdween in de keuken. Er kwam een blonde man met een bierbuik naar buiten.

Licht Deens accent. 'Hallo, ik begrijp dat u van de politie bent. Ik ben Jens Rasten, verantwoordelijk voor de Bistro. Wat kunnen we voor u doen?'

'Neem me niet kwalijk dat ik u stoor op zo'n hectische dag. Ik zoek iemand die John Ballénius heet. Weet u wie dat is?'

Rastens ogen keken eerst naar de fotokopie, vervolgens schuin naar boven. Leek hard na te denken. Hoerageroep op de achtergrond. De Goops voltooiden hun defilé over de baan.

'Ze zijn fantastisch, die familie Goop,' zei Rasten.

Irritatie bij Thomas. Waar had die Deen het over?

'Ja, maar ik vroeg naar John Ballénius.'

'Sorry. Ik ken hem niet. Maar vraag hem daar es, Sami Kiviniemi. Hij hangt hier al zolang ik me kan heugen elk wedstrijdweekend rond. Hij kent iedereen.'

Thomas voelde zich moe. Wat was dit voor stom spelletje? Hoeveel mensen zou hij vandaag nog naar Ballénius moeten vragen? Of ze kenden die Ballégast heel goed, of hij was hier niet. Punt uit. Toch ging hij naar Kiviniemi toe.

In Thomas' ogen: deze vent zag eruit als een karikatuur van een Fin. Blond sikje, zonnebril met spiegelende glazen, een scheef lachje, ontbrekende voortand, op zijn hoofd een petje met het Mercedes Benz-logo, een Solvalla-tasje in zijn hand. Hij droeg een fleecetrui, hoewel het augustus was.

Sami was met een andere gast over paardensport aan het ouwehoeren.

Thomas bracht het niet op zich beleefd voor te doen. Tikte de Fin op zijn schouder. Hield met zijn ene hand de politiepenning en met zijn andere hand de foto van Ballénius op. 'Weet jij misschien wie dit is?'

Sami's blik fladderde. Misschien was het verbazing, misschien ongerustheid.

Hij pakte de foto vast. 'Jazeker, dat is Johnny.'

Er ging een schokje door Thomas heen.

'Maar hij zit hier nooit in de Bistro. Als hij hier vandaag is, wat wel zou moeten, dan zit hij op de luxe-etage, helemaal boven. Het Congres. 't Is me een type hoor, die Ballénius. Echt glad. Wat heeft hij uitgespookt?'

Thomas: al halverwege de roltrap naar boven. Op weg naar de bovenste verdieping. Hartslag als na een training.

Hij kwam boven. Keek uit over Bar en Restaurant Het Congres: à-la-carte-restaurant waar de tafels op tribunes vlak voor de finishlijn stonden. Witte tafelkleden, vaste vloerbedekking, zachte muziek op de achtergrond, platte televisies en formulieren voor V65 en V75 bij de tafels. Meerderheid: heren van een jaar of vijftig, zestig. Verwachtingsvolle sfeer in het restaurant. De eerste koers van vandaag zou over twee minuten beginnen.

De portier verwees hem door naar de ober. Die zijn boekingslijst doornam. Jazeker, John Ballénius had vandaag zijn gelukstafel gereserveerd. Nummer honderdachttien.

Thomas liep tussen de tafels door. Vanuit zijn ooghoeken nam hij het restaurant op: mensen met laptops wie het uitzicht koud leek te laten, veertigjarige vrouwen met hese lach, pennen en wedformulieren, meer reclame voor Agria dierverzekeringen. Op een paar tafels: emmers voor champagne. Sommige mensen leken al te weten dat ze iets te vieren zouden hebben.

Tafel honderdachttien: vijf meter verderop. Hij zag hem, herkende hem van de pasfoto's, dat moet hem zijn – Ballénius. Hij zat er met drie anderen: twee vrouwen en een kale man. Ballénius zag er lang uit, vrij dun ook. Volgens de uittreksels van de Kamer van Koophandel moest hij zesenvijftig zijn. Afgeleefd gezicht, diepe groeven in zijn voorhoofd, de lachrimpels doorsneden zijn wangen als barsten. Hoewel er geen lach in dat gezicht zat. Thomas had misschien nog nooit iemand met zo'n grauw, uitgehold, treurig voorkomen gezien.

Op de tafel: borden met warme gerechten, wijnglazen, een halfvolle fles wijn, twee flessen bier en formulieren, brochures en foldertjes, rekenmachientjes, pennen, mobieltjes. De vrouwen zagen er opgedoft uit, stijlvoller dan hij van Ballénius had verwacht. Wat het beeld verstoorde: een van hen had in plaats van een handtas een zak van de prijsvechter Willys naast zich staan.

Thomas stapte op ze af. Flashte zijn politiepenning.

Zag duidelijk de paniek in Ballénius' ogen.

'Hallo John. Zou ik je een paar vragen kunnen stellen?'

Ballénius' blik ongefocust. Keek ergens anders heen. Daarna knikte hij.

De vrouwen zagen er vragend uit. Een van hen vroeg of Thomas niet tot na de wedstrijd kon wachten. De kale man leek het niets te kunnen schelen. Ballénius stond op. Liep voor Thomas uit.

Ze liepen tussen de tafels door. Naar de wedkantoortjes boven. Niemand daar. De wedstrijd zou over dertig seconden beginnen.

'Wat wil je van me?' vroeg Ballénius, nog steeds zonder Thomas aan te kijken.

'Mooi dat ik je gevonden heb. Het betreft een vrij ernstige zaak. Een moord.'
Ballénius zag er pseudoverbaasd uit. 'O, jezus. Maar wat wil je dan van míj?'
Thomas legde het snel uit. Dat ze een telefoonnummer in de broekzak van een vermoorde man hadden gevonden. Dat het nummer waarschijnlijk afkomstig was van een prepaidkaart die Ballénius eerder had gebruikt, wat gecheckt was met zijn dochter. De man leunde tegen de muur. Vanuit het Congres waren aanmoedigingen en geschreeuw te horen. De koers was begonnen. Hij keek ergens achter Thomas.

Die vent: ontzettend warrig. Dit was natuurlijk verre van ideaal. Bij een echt onderzoek zouden ze Ballénius natuurlijk ter informatie opgeroepen hebben voor verhoor. Maar nu deed Thomas het op eigen houtje.

'Dus nu wil ik weten of je weet wie de dode is.'

Heel kort kruiste Johns blik de zijne. 'Waar zei je dat jullie hem gevonden hadden?'

'Aan de Gösta Ekmansväg 10. In Axelsberg.'

'Aha.' Ballénius' treurige gezicht betrok. Het zag er nu zo mogelijk nog verslagener uit dan eerst.

'Weet je wie het kan zijn?'

'Geen idee.'

'Ken je het adres?'

'Nee, ik geloof het niet.'

Thomas was gestrest – dit was echt allesbehalve een goede verhoorsituatie. Hij moest hier onmiddellijk iets uit zien te krijgen. Deed een schot voor de boeg.

'Je dochter heeft al verteld dat je het weet. Ik heb Kicki gisteren nog gesproken.'

John Ballénius zag er onthutst uit. Keek Thomas aan en zei alleen: 'Kicki?'

'Ja, Kristina. We hebben heel wat besproken. Ik ben zelfs bij haar langs geweest in Huddinge.'

Het klonk alsof John kermde. 'Echt waar?'

'Ja, net zo waar als dat jij weet wie de dode is. Of niet soms?'

'Het kan een oude kameraad van me zijn.'

'Weet je het zeker? Hoe heet hij dan?'

'Ik ken hem niet meer. Het was lang geleden. Ik weet niks.'

Luid hoerageroep op de achtergrond. Een populair paard leek de wedstrijd te gaan winnen.

'Werk een beetje mee, anders moeten we je oproepen voor verhoor.'

'Dan doen jullie dat maar.'

'Kom op man. Zeg me gewoon hoe hij heet.'

'Ik zeg toch dat ik niks weet. Het is al jaren geleden. Er zaten altijd al wat schroefjes bij hem los. Was altijd al raar. Het was een stakker, een godgeklaagde stakker.'

'Maar hoe heette hij?'

John stond bewegingsloos, daarna zei hij. 'Classe.'

'En verder?' Thomas was al negenennegentig procent zeker van het antwoord. Toch: hij wilde het bevestigd krijgen. Kom op nu, John Ballénius, kom op.

Vanuit het restaurant kwamen mensen naar boven. Krioelden door het wedkantoor. De koers was voorbij. Tijd om op het volgende paard te wedden. De ruimte voor de kassa's liep snel vol.

Thomas probeerde Ballénius de naam te laten zeggen – het moest Rantzell zijn die met Ballénius' telefoon was gebeld. Claes Rantzell.

Plotseling kwam er leven in Ballénius. Sprong weg. Thomas probeerde hem tegen te houden. Kreeg de mouw van zijn overhemd te pakken, een microseconde had hij hem vast. Daarna gleed de stof door zijn vingers.

John stormde naar de rijen voor de kassa's. Drie meter voorsprong plus het verrassingsmoment. De mensenmassa in. De vent spurtte als een bezetene. Thomas erachteraan. Achtervolgde hem zo goed als maar ging. Er verdrongen zich nog meer mensen voor de kassa's. Sommigen zwaaiden met bonnen. Brulden, juichten. Hij probeerde zich ertussendoor te wringen.

Thomas zag Ballénius' voorsprong groter worden.

Hij wapperde met zijn politiepenning. Tevergeefs. Er waren te veel mensen.

Hij schreeuwde. Duwde. Probeerde vooruit te komen.

Hij moest iets doen.

34

Mahmud onderweg naar een afspraak met zijn vader. De Irakese club in Skär-holmen, Dal Al-Salam. Robban gaf hem een lift. Ze zwegen. Luisterden naar Jay Z's heftige *rhymes*. Robban reed als een krankzinnige.

Het was een week geleden sinds Mahmuds laatste afbetaling aan de Born-to-be-hated-gasten. Hij hoorde vrolijk te zijn. Hij hoorde zich vrij, zelfstandig, ongebonden te voelen. Hoorde.

Alles verneukt. Hij voelde zich moe. Afgepeigerd. Vooral woest. Ze naaiden hem zo hard in zijn hol dat hij jankte. Misbruikten hem als een *punchy* bitch die alles maar slikte. Boksten hem de hoek in en gaven hem mentaal op zijn lazer als een weerloze nul. Een immens verraad.

Niet Gürhan en zijn kills. Maar de mensen die hij als zijn redding had be-schouwd: de Joego's, Radovan en co. Fokking christelijke kruisvaarder-Serviërs, erger dan de zionisten. *Fuck them.* Dat was makkelijk om te zeggen, maar niet zo simpel om te doen.

Robban keek naar hem.

'Ashabi, waar denk je aan? Je ziet er gebroken uit, man.'

'Nergens aan. Niks aan de hand.'

'Oké, *hustler's hustler*. Als jij het zegt.'

Ze luisterden verder naar de muziek.

Vorig weekend had Mahmud contact opgenomen met Stefanovic. Gevraagd of ze elkaar konden zien. Ze hadden zaterdagavond afgesproken, Black & White Inn, een kroeg in Södermalm. Stefanovic liet weten: 'Je begrijpt dat we elkaar niet de hele tijd kunnen ontmoeten. Maar ik stuur iemand.'

Mahmud was van plan op te houden met de Joegoslaven. Wilde de laatste partij coke die hij had opgehaald verkopen, en daarna: streep eronder. Normaal werk vinden. Erika E. blij maken. Vooral: papa blij maken.

Deze keer kreeg hij een lift van Tom, die van ouwe auto's hield – reed een Chevy uit '81, zwart met flames op de motorkap geschilderd. Mahmud snapte niet waarom. Tom verzekerde hem: 'De motor en de versnellingsbak zijn van vijfennegentig dus hij rolt als een skateboard, dit beestje.'

Tom was relaxed. Was een andere weg gegaan dan Mahmud maar keek nooit neer op gozers zoals hij. Had vwo gedaan. Mahmud grijnsde bij de gedachte: Tom was twee keer blijven zitten maar had wel zijn eindexamen gehaald, en kijk hem nou eens. Tom, tweeëntwintig jaartjes oud – bestudeerde de incasso-branche als een echte professor. Zoals hij zelf zei: 'Binnenkort begin ik voor mezelf en dan is het uitkijken geblazen voor Intrum Justitia en de Hells Angels.'

Tom vroeg Mahmud het stuur even vast te houden. Haalde een manilla-envelopje tevoorschijn. Strooide het op een cd-hoesje. Haast onmogelijk om goeie lijntjes te maken als ze in de auto zaten. Ze moesten maar schatten. *On the edge* leven. Tom rolde een briefje op, snoof een neus vol. Pakte het stuur weer. Mahmud kreeg het briefjesbuisje. Probeerde de hoeveelheid te schatten. Zoog. Shit, dat was zeker een halve gram. De rush nog sterker als hij vlak ervoor had getraind. Twee seconden: zijn tandvlees kriebelde, voelde verdoofd aan. Daarna was het pang.

De lampen langs de weg leken samen te kleven als op een foto. De nacht kapot mooi. Gevoelens top. De weg lag erbij als een lange racebaan omzoomd met gru-welijk cool vuurwerk. Black & White Inn: kroeg op Joegonaam. Iedereen had zijn wasserettes nodig. Mahmud en zijn vrienden kwamen eigenlijk nooit in de buurt van de bedragen die gewassen moesten worden, maar hij wist dat als je groot-schalig bezig bent, dan was het vroeg of laat normaal. Gürhans liga haalde het geld door stomerijen, videotheken en andere Syrische business. De Joego's baat-ten restaurants en cafés uit. Misschien nog zwaardere middelen: buitenlandse bankrekeningen, eilanden in West-Indië, aandelen en dat soort shit.

Mahmud was genoodzaakt even in de auto te blijven zitten. De roes was te scherp. Na een kwartiertje voelde het normaler. Ze gingen naar binnen.

Het gewone pubgevoel. Bierreclame in oude houten lijsten en houten lam-brisering tegen de muren. Houten tafels en stoelen op een houten vloer. Ze moesten een matige fantasie hebben.

De kroeg halfleeg. Er kwam een gast naar ze toe. Holle ogen. Breed, bleek. Brute verschijning. Bracht ze naar een soort vipruimte. Deed de deur achter ze dicht. Binnen zat Ratko, Stefanovic' gorilla, onderuitgezakt op een stoel. De Joego vlot gekleed. Relaxtere stijl dan hij of Stefanovic eerder in Mahmuds bij-zijn hadden gehad. Ratko vandaag: T-shirt, zwarte spijkerbroek, raceschoenen van Sparco. Zijn mond halfopen, kin in de lucht. Arrogante houding par excel-lence. Toch deed deze gast op de sportschool altijd chill tegen Mahmud.

De Joego knikte: 'Ha spillebeen, alles goed?'

Juiste dis-reactie: een spillebeen ben je zelf misschien. Mahmud dubbel zo gespierd als Ratko. Maar Mahmud was nog steeds high als de Nacka-zend-mast. Zelfverzekerdheid ten top. Wou dit snel afhandelen. Antwoordde, zonder scherp te doen: 'Alles chill met mij.'

Vijf minuten koetjes en kalfjes. Daarna onderbrak Ratko het geklets: 'De ver-koop gaat je goed af, heb ik begrepen.'

Mahmud lachte. Bescheidenheid was niks voor hem: 'Je kunt me de *king of coke* noemen.'

Ratko grijnsde mee. 'Zeker weten.' Maar daarna veranderde zijn gezichtsuitdrukking. De glimlach verdween.

'Je wilde het ergens over hebben.'

Mahmud stond wat te wiebelen, verplaatste zijn gewicht van zijn rechternaar zijn linkervoet.

'Ik begin aan een nieuw leven. Dus ik was van plan te stoppen met dealen. Het laatste wat ik doe is het spul dat ik gisteren heb afgehaald, maar dat is al betaald.'

Ratko zei niets.

Mahmud keek naar Tom. Tom keek naar Mahmud.

Mahmud zei weer: 'Ik ga stoppen met dealen.'

Ratko deed alsof hij het niet hoorde.

'Hoor je me? Ik stop met dealen.'

Ratko spreidde zijn armen. 'Oké, je stopt met dealen. Wat moet ik daarvan zeggen?'

'Niks.'

'Nee, ik zeg niks. Maar hoe moet het dan met je zus? En wat denk je dat je vader ervan zal vinden?'

Mahmud snapte niet waar hij het over had.

'Ik bedoel, als jij ophoudt met verkopen, dan moeten wij het solarium waar je zus werkt verkopen. Wist je dat niet? Die toko is van ons. En daarna moeten we je vader vertellen dat je bakken shit voor ons hebt verkocht. We hebben foto's van als je geld naar de winkel in Bredäng brengt. We hebben foto's van als je spul ophaalt bij de voorraad. We hebben je gefotografeerd terwijl je loopt te dealen in de stad. En bovendien hebben we foto's van jou en Wisam Jibril. Hij kan maar zo te horen krijgen wat er met die Libanees is gebeurd. Dankzij jou. Wat zal hij daarvan vinden?'

Mahmud had moeite om spuug aan te maken, zijn mond droog als zand.

'Mahmud, ik geloof dat je het begint te begrijpen.'

Tom deed een stap naar voren. 'Jezus man, laat hem toch kappen als hij wil.'

Ratko nog steeds met zijn blik op Mahmud. 'Mahmud kan zelf wel praten.'

Mahmud wilde alleen maar weg. Vermande zich. Concentreerde zich. Moest iets zeggen. Hij zei: 'Denk toch na. Ik hou ermee op als ik wil.'

Ratko's antwoord als een zweepslag: 'Klopt.' Een korte pauze, daarna voegde hij eraan toe: 'Maar dan kan je zus haar baan vergeten en vertellen we het je pa. We zijn eerlijke mensen. Hij moet het weten.'

In Skärholmen. Terug in het heden. Robban had Mahmud afgezet voor Dal Al-Salam. Mahmud deed de deur open. Een kort getingel van een belletje.

Binnen was de rook erger dan in een hamam. De club had schijt aan eventuele

rookverboden: iedereen daar was toch boven de vijftig – waarom zouden zij nog gezond doen? De ruimte: kleine, vierkante tafeltjes met groene tafelkleden en asbakken. Plasticachtige stoelen, posters met foto's van de spiraalminaret van de Abu Duluf-moskee in Samarra, het martelaarsmonument voor de Iraaks-Iraanse oorlog in Bagdad, foto's van de woestijn in Najaf, kuddes schapen, kamelen. Een ouderwetse televisie hing in een hoek: Al-Jazeera's nieuws zoals altijd.

Gepraat op het hoogste volume. De oude mannen deden hun normale dingen. Aten pitabrood, dronken koffie met extreem veel suiker, rookten sterke cigarillo's en waterpijp, speelden *sheshbesh*, deden patience of bladerden in Irakese kranten. Mahmud kreeg meteen een nostalgiekick: het brood in *baba ganoush* gedoopt, de geur van de waterpijpen, het geluid van de felle discussies van de mannen, de platen van zijn vaderland aan de muur.

Mahmuds vader kwam tevoorschijn vanachter het rookgordijn: 'Salam aleikum!' Kuste Mahmud twee keer op elke wang. Zag er vrolijker uit dan anders: niet zo vreemd misschien – Mahmud was sinds zijn veertiende niet meer op de club geweest.

'Wil je de anderen niet even groeten?' Beshar sprak zacht. Zijn Irakese dialect sterker dan anders – ch-klanken in plaats van k's. Maar Mahmud wist wat zijn vaders vrienden vonden van jongens als hij, hoewel hij maar kort had gezeten. Irakezen die het verpestten voor anderen, die hun waardigheid besmeurden met criminaliteit.

Mahmud zei: 'Nee, jalla nu. Ik wil gaan.'

Beshar schudde zijn hoofd. Mahmud dacht: wat hij ook zegt, hij is blij dat hij hier niet met me rond hoeft te sjouwen.

Ze liepen over het plein in Skärholmen. De marktverkoop was in volle gang. De koopmannen schreeuwden hun zogenaamde laagsteprijsgaranties uit.

Ze zouden Jamila oppikken van haar werk, het solarium in Axelsberg. Mahmud dacht aan het dreigement van de Joego's.

Papa zei: 'Weet jij hoe het nu met Jamila's vriend is? Belaagt hij haar niet meer?'

Mahmud vond dat hij soms van die ouderwetse Arabische woorden gebruikte. 'Belagen', wat betekende dat nou eigenlijk?

'Dat is haar vriend niet. Het was haar vriendje. Volgens mij is het uit en laat hij haar met rust. Dat hoop ik tenminste.'

Beshar wist niet veel over het voorval van een paar maanden geleden, toen Jamila's buurman de flat binnengestormd was en haar vriendje in elkaar had gemept. Jamila en Mahmud wilden het allebei niet vertellen. Nadat zijn kaak was geopereerd had die rukker acht dagen in het ziekenhuis gelegen – kreeg zijn ontbijt, lunch, avondeten door een rietje. Toch weigerde hij iets te zeggen tegen de juten die langsgekomen waren om hem te verhoren. Ondanks alles wat hij Jamila had aangedaan – hij was een man van eer.

'Weet je wat er met haar buurman gebeurd is?' vroeg Beshar.

Mahmud had geen idee. Die gast leek hem levensgevaarlijk.

Een man met donkere krullen, een vieze gebreide trui en een snor deelde briefjes rond. Een beeld van een jongetje in foetushouding. Een tekst: *Mijn broer is nog in Roemenië. Hij kan niet reizen. Hij heeft een heel ernstige gewrichtsziekte, daarom lijdt hij vreselijk en heeft hij medische hulp nodig. Mijn familie heeft geen geld om hem te helpen. We vragen U om een gift. Moge God U beschermen!*

Beshar stopte tien kronen in de hand van de bedelaar toen hij langskwam om de briefjes op te halen. Mahmud keek hem aan.

'Wat doe je? Je geeft zo'n man toch geen geld?'

'Je moet altijd vrijgevig zijn.'

Beshar draaide zich om naar Mahmud.

'Een waardige man is vrijgevig. Dat is het enige wat ik je wil leren, Mahmud. Je moet je waardigheid in het leven behouden. Gedraag je als een man.'

'Dat doe ik, papa.'

'Nee, niet als je van die pillen verkoopt en ruziemaakt met de politie en de officier van justitie. Zul je jezelf ooit kunnen veranderen?'

'Ik ben op de goede weg. Op de heel goede weg. Ik doe dat soort dingen niet meer. Dat was voordat ik de gevangenis in ging.' Mahmud kon de teleurstelling in zijn stem maar nauwelijks verbergen. Wanneer zou hij zijn leven eindelijk in eigen hand kunnen nemen? Wanneer zou hij eindelijk verlost zijn van al die *sjarmoeta's* die hem liepen te naaien? Syriërs, Joego's, de reclassering.

'Je moet je respectvol gedragen tegenover de mensen die het verdienen, respect tonen aan ouderen en altijd vrijgevig zijn, zoals bij die arme man die hier net langskwam. Verder moet je voor je zuster zorgen. Ik ben er te oud voor. Wat haar overkomen is, is vreselijk. Heb je haar buurman bedankt?'

'Absoluut. Ik heb hem meteen daarna bedankt. Hij was er blij mee, geloof ik. Maar hij leek me een beetje getikt.'

'Dat maakt niet uit. Weet je wat Allahs boodschapper, vrede en zegeningen zij met hem, hierover zei?'

'Waarover?'

'Over de vrouw.'

Mahmud kende nog een paar zegswijzen die zijn vader hem honderd jaar geleden had geleerd. 'Ze is een roos.'

'Precies. Dus behandel haar goed. De profeet zei ook: de besten onder jullie, zijn zij die hun vrouwen goed behandelen. Hij zei dat niemand de vrouw eert behalve een eerzaam man. Begrijp je? Denk aan je moeder.'

Mahmud dacht aan mama. De herinnering werd elk jaar vager. Haar ogen, haar kusjes voor hij ging slapen. Het hoofddoekje dat ze de laatste jaren niet meer droeg, maar dat altijd op een zichtbare plek hing als een herinnering. Haar verhalen over rovers en kaliefen. Hij vroeg zich af wie ze geweest was. Wat

zou er gebeurd zijn als ze mee was gegaan naar Zweden? Dan zou misschien niet alles naar de klote zijn gegaan.

Ze waren inmiddels bijna bij Jamila's solarium. Het ondergrondse perron van station Mälarhöjden gleed langs. Beshar speelde met duim en wijsvinger met zijn gebedssnoer.

Mahmud kon de ironie van alles niet loslaten. Hij had een klus voor de Joego's aangenomen om te ontsnappen aan Born to be hated en ergens te komen in het leven. Het resultaat: in plaats van dat hij opgejaagd werd door Gürhan, zat hij opgesloten bij Stefanovic. In plaats van dat hij schulden had maar vrij was, was hij nu een slaaf zonder schulden. En zijn aboe was er allebei de keren bij betrokken geweest. Ze hadden Wisam koudgemaakt. Als Mahmuds bijdrage daaraan zou uitlekken naar zijn pa – shit, daar kon hij gewoon niet aan denken. Dan kon hij net zo goed meteen sterven van ellende.

Axelsberg centrum met de bekende winkels. Een ICA-supermarkt en een videotheek, een pinautomaat en een kapsalon die eruitzag alsof hij al dertig jaar dezelfde etalage had. Een pasgeopend Mexicaans restaurant in een oude ruimte en een biertent. Ten slotte: Jamila's solarium. Of nou ja, Jamila's – de zaak was dus van de Joego's. Maar ze werkte er al vijf jaar.

Ze stapten naar binnen. Grijze deuren leidden ze verder naar de solariumhokjes. Jamila was de vloer aan het zwabberen. Solariums: goor, zweterig, ranzig *by default*. Als je het er niet extra schoon hield kwamen zelfs de ergste bruinheidsjunkies niet meer.

Jamila glimlachte. Beshar glimlachte. Mahmud nam ze op. Jamila leek op mama, pittig karakter maar altijd vet aardig voor papa. Sprak hem nooit tegen, legde hem in de watten. Maar misschien was dat goed. Hij kreeg een flashback: varkenskop in een plastic tasje.

Een kwartier later kwam Jivan. Ze was gestrest, had superveel huiswerk, zei ze. Mahmud herinnerde zich zijn eigen tijd op school. Babak, Robert, de anderen – niemand van hen wist wat huiswerk was.

Ze gingen samen naar de supermarkt. Deden boodschappen. Daarna wandelden ze naar Örnsberg, waar Jamila woonde. Mahmud droeg de boodschappentassen. Langs een speeltuin, een voetbalveld, een stuk bos. Langs alle voordelen en privileges van een Zwedo-buitenwijk. Niet het feit dát die speeltuin, het veld en het bos er waren – die had je in Alby ook – maar dat het hier allemaal zo rustig en vlekkeloos verliep. Softe papa's en kleuterjuffen met kinderen in het park, zonder chaos. Schoolteams op het voetbalveld, maar geen vechtpartijen. Misschien overdreef hij het beeld van zijn eigen hood.

Beshar hoorde Jamila uit. Ze had het erover dat ze het solarium wilde kopen. Eindelijk. Het kon niet meer dan vijftigduizend kosten om het huurcontract en het bedrijf over te nemen.

Jivan beloofde: 'Ik word advocaat. Daarna kun je bij mij lenen.'

Ze lachten.

Bij Jamila's flat. Een gast was een Audi aan het inpakken. Mahmud herkende de gozer eerst niet. Jamila leek hem te willen ontlopen, keek weg. Drie seconden: Mahmud begreep wie het was – de buurjongen die haar vent in elkaar had gebeukt.

Mahmud bleef staan. Riep naar de buurjongen.

De gozer keek op. Antwoordde in het Arabisch. 'Salam.'

Niklas liep naar Beshar toe. 'Hallo, ik heet Niklas en ik woon op dezelfde verdieping als Jamila. Bent u haar vader?'

Beshar zag er verward uit. Een Zweed die dezelfde taal sprak als hij?

'Moge God je beschermen,' zei Beshar zacht.

Mahmud dacht: kan hij echt niks beters verzinnen?

Tegelijkertijd: hij had iets, die buurjongen, Niklas. Een bepaald soort uitstraling. Coolheid. Kracht. Hardheid. Iets wat Mahmud op dit moment nodig had.

35

Linkse lui/anarchofeministen/HLBT-socialisten/gendercommunisten. Niklas had schijt aan de benamingen. Had er schijt aan of ze dezelfde boeken lazen als hij. Had schijt aan hun discussiebijdragen, blogs, artikelen. Had schijt aan wie ze waren, waarom ze vonden wat ze vonden. Maar één ding duidelijk: hij had meer mensen nodig voor het offensief – en sommige van die figuren op die internetsites leken net zo te denken als hij. Operation Magnum kostte tijd. Meer dan hij alleen kon opbrengen. De gedachte was uitgegroeid de laatste tijd: hij zou mensen moeten werven. En Benjamin was niet geschikt.

De afgelopen tien dagen, totaal aantal slaapuren: minder dan veertig. Hij achtervolgde Mats Strömberg van halfnegen 's ochtends tot halfacht 's avonds, als de man naar huis ging. Niklas zat het overgrote deel van de tijd in zijn Audi voor het werk van die schoft, een accountantskantoor in Södermalm. Hij had een paar dagen een andere auto gehuurd om geen aandacht te trekken. Gebruikte een vals rijbewijs dat hij op internet had gekocht.

Hij bleef de juiste boeken lezen. *Het meisje en de schuld* van Katarina Wennstam, *Onder de roze deken* van Nina Björk, doezelde, dronk koffie. De rest van de avond bewaakte hij de andere flats. Later, 's nachts: verwisselde de films in de videocamera's, checkte ze, structureerde zijn informatie, oefende met zijn mes, chatte met de linkse figuren. Hij liep niet meer hard, belde niet meer naar zijn moeder, Benjamin of anderen. Welke anderen eigenlijk? Zijn sociale leven was niet bepaald overvol geweest sinds hij terug was.

Zijn kennis van Mats Strömberg werd groter. De man had zeer vaste gewoontes. Liep elke dag dezelfde route naar de trein. Kocht elke ochtend in dezelfde kiosk een kaneelbroodje en koffie. Gooide zijn koffiebekertje in precies dezelfde prullenbak op straat. Hij kwam om halftwaalf samen met zijn collega's naar buiten of hij ging een halfuur later in zijn eentje iets halen. Wisselde drie verschillende lunchcafés af. Niklas kon goed naar binnen kijken bij het kantoor van die klootzak, het lag op de begane grond. Er werkten zes personen. Hij vroeg zich af hoeveel die over Mats Strömbergs gezinsleven wisten.

Bovendien: in een van de villa's begonnen er dingen te gebeuren. Roger Jonsson en Patricia Jacobs – het gelukkige echtpaar zonder kinderen. Niklas keek de

films door. Realiseerde zich: de man kwam steeds later thuis. Roger en Patricia maakten ruzie. Alles wees erop: binnenkort was het zover – hij zag het in de blik van de man. De manier waarop hij zijn vinger dreigend naar Patrica hief. Lichaamstaal die geweld uitschreeuwde.

Andere problemen: die zak van een zwarte makelaar had van zich laten horen. Niklas kon niet in zijn flat blijven wonen. Het was immers maar een tijdelijke woning, bracht de makelaar hem in herinnering, en nu had hij een echt contract gefikst. Alles voor mekaar. Anderhalve ton en Niklas had een wit contract voor dat andere appartement. Hij mocht een weekje nadenken. Geen enkele mogelijkheid om langer te blijven waar hij nu zat. Shit. Eigenlijk was een wit contract prima, maar op het moment ging het niet. Op zijn werk dreigden ze hem te ontslaan – Niklas had het verdomd om een goeie doktersverklaring te regelen als verklaring voor alle dagen waarop hij niet gekomen was. Jezus, wat moest hij doen? Hij had meer mensen nodig. Meer geld. Meer tijd. Meer wapens. Meer van alles.

Oplossingen. Binnen een paar dagen: tijd om toe te slaan bij Mats Strömberg. Als dat onderdeel was afgehandeld, zou er wat tijd vrijkomen. Daarna: hij moest iets regelen voor zijn financiën. Een bankoverval misschien. Ten slotte: hij was van plan om naar de volkshogeschool Biskops-Arnö te gaan – iemand met wie hij had gechat, Felicia, zat daar. Ze studeerde iets vaags dat ecologie en globale solidariteit heette. Potentiële rekruut, troepenversterking, een paar extra *boots on the ground*.

Hij was maandagmiddag naar Black & White Inn gegaan om een wapen te regelen. Was gestrest, hij wilde zo min mogelijk van Mats Strömbergs leven missen.

De kroeg was leeg. Hij bestelde mineraalwater. Ging aan een tafeltje zitten. Een barvrouw was in haar eentje dingen klaar aan het zetten voor de avond. Ze sneed citroenen. Hij bekeek het menu voor die avond: met krijt op borden geschreven. Schol met patat, varkenshaas met groenepepersaus. De vrouw achter de bar negeerde hem totaal.

Na tien minuten vroeg hij haar of Lukic er was.

De vrouw schudde haar hoofd. Daarna liep ze naar de toegangsdeur van het café, draaide het open-bordje om dat in het deurraampje hing. Keek Niklas aan. 'Kom je voor spullen?' Hij knikte. Niklas begreep door het gebaar van haar hand: kom mee.

Achter de bar. Door de keuken. Een vent was daar iets aan het koken. Een gang aan de andere kant. Afbladderende gele verf op de muren. Knipperende tl-buizen. Langs een wc, bezemkast, koelruimte, kleedkamer. Als in zo'n fokking maffiafilm. Helemaal aan het eind lag een kantoortje. De vrouw deed de deur achter ze dicht. Niklas bestudeerde haar. Grijsbruin haar tot op haar schouders. Wallen onder haar ogen die de make-up niet kon verbergen. Toch een bepaalde

kracht in haar blik. Zijn krijgersinstinct helder: deze vrouw was een echte *warrior*.

Ze draaide een houten kast van het slot. Haalde er een metalen koffer uit. Legde hem op het bureau. Draaide aan het cijferslot. Klapte hem open. Vier stoffen pakketjes. Ze maakte ze open. Drie pistolen en een revolver.

Hij herkende de Beretta meteen. Veel jongens daarginds gebruikten er een – de klassieke 92/96-serie, een basic negenmillimeterpistool dat in een heleboel verschillende uitvoeringen verkrijgbaar was. Verchroomd staal, camouflagekleur, aluminium frame en zelfs echt ivoor in het handvat.

'Dat is een Beretta. '

'Ik weet het, een tweeënnegentig zesennegentig. En die andere.'

'Zoals je wilt. De andere zijn Russisch. Ten eerste een revolver, Nosorog, negen millimeter. Verder deze, hetzelfde kaliber, een Gyurza, speciaal tegen kogelvrije vesten. Allebei voor rechts- en linkshandigen. Erg goed. En dan een Bagira MR-444, licht pistool, ook negen millimeter.'

'En de prijzen?'

'Deze en die zijn vies.' Ze wees naar de Beretta en de Gyurza. 'De Amerikaan krijg je voor vijfduizend en de Rus voor vier. Maar ze zijn goed.'

'Hoe bedoel je "vies"?'

'Ik kan niet zeggen dat ze niet gebruikt zijn bij overvallen of andere rottigheid.'

'Dan kun je het vergeten. Ik wil een nieuwe blaffer. Wat moet je voor deze hebben?' Niklas wilde geen revolver. Hij pakte het Bagira-pistool. Dat was echt licht, absoluut een pluspunt. Maar hoe hapergevoelig was ie? Hij wist geen bal van dit merk.

'Twaalfduizend. Hij is schoon.' Ze pakte het terug. Veegde het af met de doek.

'Hoeveel munitie heb je?'

'Eén pak, twintig stuks.'

Probleem. Hij had minstens vijftig schoten nodig. Wilde zijn wapen goed inschieten. Geen geknoei.

'Hoeveel heb je voor de Beretta?'

'Heel veel. Zeker honderd, zulke munitie kan ik overal vandaan halen.'

Niklas dacht: shit, zij was hier echt de baas. Tegelijkertijd: hij kon geen vieze blaffer gaan gebruiken. Had alles tot nu toe zo grondig gedaan. Hij had de spionage-uitrusting onder een valse naam naar een gehuurde postbus op laten sturen, verschillende nummerplaten gebruikt voor de Audi, af en toe een huurauto genomen, zich altijd verborgen achter de donkere ruiten, met niemand gesproken en niemand ontmoet die hem in verband kon brengen met zijn verkenningen, behalve eventueel die vrouw van het opvanghuis – maar zij moest wel aan zijn kant staan. Hij kon geen risico nemen met een wapen dat misschien in de politieregisters stond. Hij schudde zijn hoofd. Dit was bagger.

'Ik koop geen vieze wapens. Ik koop geen revolver die eruitziet alsof hij van plastic is. Ik koop niets waar ik niet minstens vijftig kogels bij krijg. Begrepen?'

'Rustig aan. Ik heb op het moment niks anders. Dus ben je geïnteresseerd of niet?'

Speelde ze bikkelhard of was ze echt zo? Het maakte niet uit – hij had een wapen nodig. Snel.

'Ik kan geen van deze wapens kopen. Maar kan ik er een bestellen?'

Ze knikte.

Het voelde goed. Binnenkort zou hij aanvallen, zijn TACSOP – Tactical Standard Operation Procedure. Een precedent voor de rest van zijn operatie.

Met de auto onderweg naar Biskops-Arnö. Westwaarts.

Hij dacht aan de oorlog. Rechtvaardige doelwitten.

De dag ervoor was hij Jamila met haar broer en vader tegen het lijf gelopen voor de flat. Haar vader leek een rechtschapen man, hij had hem bedankt. Zoals heel Zweden zou doen als hij klaar was met de operatie. Hem eren. Een mooie gedachte.

Het was tien uur 's ochtends. Weinig verkeer op dit moment van de dag. De snelweg naar Bålsta en Biskops-Arnö: triest. Hij dacht aan Mats Strömbergs gewoontes. Over anderhalf uur zou hij zeer waarschijnlijk in gezelschap van twee of drie collega's de deur van zijn werk uitkomen.

Even voor Sollentuna reed Niklas naar de Shell-pomp. Rook naar benzinedampen. Hij tankte zijn tank vol. Benzine knetterduur. Hij dacht hoeveel het tien jaar geleden had gekost, toen hij zijn rijbewijs net had. Hij was nu zeker vijftig procent duurder. En de prijs in Irak: een andere story. Dit zwengelde zijn onrust weer aan. Wat zou er gebeuren als hij alleen bleef opereren? Als hij moest verhuizen, voor een contract moest betalen? Als het misliep met het wapen dat hij besteld had?

Hij liep naar binnen om te betalen. Deed het contant. Een stem achter zich in de rij.

'Hé, hallo.' Een glimlach. Hij herkende haar meteen: de vrouw van wie hij de Audi had gekocht, Nina. Jezus, wat deed zij hier? Nou ja, zo raar was dat misschien niet, ze woonde hier maar een kilometer of wat vandaan.

'Ik dacht al dat jij het was. Zag de auto buiten staan. Herkende hem op twintig meter afstand.'

Niklas geïrriteerd. Niet oké dat iemand wist waar hij uithing en dat hij die Audi reed. Tegelijkertijd: hij nam haar op. Als een engel. Haar huid puur als melk. Haar ogen, meerkleurig, schitterden in het zonlicht dat door de grote ramen van de pompwinkel naar binnen viel. Keek hem in de ogen. Fonkelend. Haar kind zag er nu uit als een kind. Niet als een baby. Zo sneu voor haar. En voor het kind. Hij herinnerde het zich.

Hij zei: 'Hé, hoi. Hij loopt prima.' Vond zichzelf pathetisch. Moest hier weg. Voor Nina meer zou vragen.

'Ik zie dat je een nieuw nummerbord hebt genomen. Vond je mijn kenteken niet mooi? UFO 544. Ik vond het wel cool.' Weer: die glimlach, die ogen.

'Jawel, het was zeker cool. Maar ik was een beetje ongerust dat iemand me aan zou geven bij de AIVD of zo.' Mooi zo – een geintje, de sfeer losjes houden, dan afnokken.

Nina lachte. 'Grappenmaker. En waar ga je heen op dit moment van de dag?'

'Ik ben gewoon wat aan het toeren. Ik werk.'

'Aha. Ik ben nog met ouderschapsverlof. 't Begint bijna saai te worden. Wat voor werk doe je dan?'

Niklas wist niet wat hij moest zeggen. Bewaker klonk zo pathetisch. Hij wilde vaag klinken. 'In de veiligheidsbranche.'

'Klinkt spannend. Rij je met de Audi tijdens je werk?'

'Soms.'

'Ik mis hem. Het is een pittig ding, vind je niet?'

'Ja, hij is prima.' Hij wilde een eind aan het gesprek maken zonder bot te zijn. 'Zeg, ik moet ervandoor. Leuk je even gesproken te hebben.'

Hij ging in de auto zitten. Zweterige handen. Wat was er met hem aan de hand? Een gewoon gesprekje met een onbekende en hij was al zenuwachtiger dan een negentienjarige rookie in de zandbak daarginds.

Verder de stad uit. Op het platteland. Langs de snelweg: gele akkers vlak voor de oogst. Boerderijen, graansilo's, tractoren.

Het bord voor de afslag Biskops-Arnö zag er vuil uit. Deed denken aan de verkeersborden daarginds. Altijd oud, smerig, gedeukt. Soms beschoten.

Hij reed over een smalle brug naar het eiland. Parkeerde zijn auto. Keek rond over het terrein. Recht tegenover de parkeerplaats: grote, roodgeschilderde houten huizen, oude schuren. Verderop: witte stenen huizen. Hij liep verder de heuvel op. Een met gras begroeide binnenplaats. Zes vlaggenstokken met de vijf Scandinavische vlaggen wapperend bovenin, plus een andere vlag, misschien die van de volkshogeschool. Er zaten wat mensen op het gras voor de lange kant van het gebouw. Niklas stapte op ze af. Een jongen met een gitaar in zijn handen. Hij had piercings in zijn neus, lip en wenkbrauwen, dikke dreadlocks van dezelfde *size* als zijn onderarmen en een soort capuchontrui die eruitzag alsof hij op de bazaar in Kabul was gekocht. De twee anderen waren meisjes. Eentje had roodgeverfd haar, een overhemd dat naar boven toe dichtgeknoopt was en een veel te wijde spijkerbroek. De ander had een joggingbroek en een zwart T-shirt aan. Met witte letters RAMONES op haar borst. Haar oorlelletjes waren opgerekt door een soort oorbellen die in plaats van door een klein gaatje te hangen, het gat zelf oprekten. Niklas' duim zou door haar oorlel passen. Hij dacht: wat is dit eigenlijk voor een plek?

Felicia had gezegd dat hij maar naar haar moest vragen. De drie clowns wezen de weg naar haar huisje.

Dat was van bruin hout en had een zwart dak van golfplaat, het leek niet groter dan dertig vierkante meter. Hij klopte aan. Er deed een meisje open, slechts gekleed in een onderbroek en een hemdje. Niklas voelde zich gegeneerd. Tegelijkertijd: het had iets ontzettend stoers om met zo weinig aan open te doen voor een onbekend iemand. Het meisje klopte op een deur. Er kwam een ander meisje naar buiten. Geschoren hoofd, een pluk haar in haar nek als bij een Hare-Krisjna-figuur. Ze droeg een soort kimono en All Stars. Bizar.

'Hoi, jij bent Johannes?'

Bij alle discussies op internet had hij steeds zijn alias gebruikt.

'Ja, hoi. Leuk om hier eens te zijn, ik heb me erop verheugd. Jij bent Felicia, neem ik aan?'

Ze knikte. Heette hem welkom. Vroeg of hij het makkelijk had kunnen vinden. Leek aardig. Toch had haar blik iets onderzoekends.

Hij bleef in de deuropening staan. Het voelde raar allemaal.

'Kom binnen,' zei ze. Hij stapte naar binnen. Ze gingen in het keukentje zitten. Het huisje had twee kamers en een gemeenschappelijke keuken. 'Zo wonen alle eerstejaars.'

Ze vroeg of hij iets van de volkshogeschool gezien had. Dat had hij natuurlijk niet. Ze begon te vertellen over de school: cursussen fotografie, film, schrijven, cultuur, geschiedenis, ontwikkelingshulp, ecologie en solidariteit met de derde wereld. Niklas luisterde met een half oor. Wilde hoogte van haar krijgen, van de mensen buiten ook, van hun instelling, hun kracht. Zijn opdracht vandaag was om te rekruteren.

Twee weken lang hadden ze bijna elke dag gechat. Hij kende haar opvattingen op zijn duimpje. In zijn wereld: ze kon een strijder worden. Het patriarchaat, zoals zij het noemde, subordineerde de vrouw. Sekseongelijkheid noemde ze het. Een voortdurende belegering door de instelling van de maatschappij. Hoe vrouwen zouden moeten zijn, wat ze zouden moeten zijn, hoe ze zich hoorden te gedragen – alles werd in goed bewaakte vakjes gedwongen. Als je buiten de demarcatielijnen stapte, werd je in de ban gedaan. Telde je niet langer mee als vrouw, als passend, goed, volgzaam lid van de samenleving. Hoewel iedereen dat soort dingen inmiddels wel moest weten, waren er veel vrouwen die deze shit accepteerden. Deze shit slikten. Die lieten de mannen regeren, de zweep hanteren, trokken zelf nooit ten strijde. Als in een ongelijkwaardige oorlog waarbij een van de partijen zich het recht toe-eigende om de spelregels te overtreden.

En Felicia – ze was onder de indruk geraakt van zijn sterke meningen. Dat merkte hij – elke keer als hij met de oorlogspropaganda begon, antwoordde zij met beschrijvingen van de acties waaraan ze zelf mee had gedaan of die ze zou willen doen. Demonstraties, 'demo's' zoals zij ze noemde, bewakende kringen

rondom seksclubs, kapotgeslagen ruiten, bekladde gevels, getrashte meubels, internetaanvallen op pornosites, gebrulde slogans naar ministers, multinationals en mannen.

Misschien was ze geschikt voor hem.

Felicia schonk hem kruidenthee in. Haar huisgenoot, Joanna, vertelde over haar cursus: iets over de medicijnen der natuur. Ze zou volgend semester naar Brazilië gaan en sjamaan worden, zei ze. 'In de Amazone kun je veel meer leren dan in een westers land.' Haar ogen schitterden boven haar theekopje. 'En wat doe jij zoal?'

Hij wist niet wat hij moest zeggen. Wist instinctief: zijn binnenkort vroegere baantje als bewaker noemen was finaal mis. Liet haar vraag even in de lucht zweven. Nam een slokje thee.

'Ik ben helaas werkeloos,' zei hij ten slotte.

De reactie niet zoals hij had verwacht. Felicia zag er bijna blij uit. Joanna gerustgesteld. Felicia zei: 'De maatschappij is harder geworden sinds die schoften de macht grepen. Je hoeft je niet buitengesloten te voelen. Er zijn veel mensen die je net als wij steunen. Die in een andere maatschappij geloven.'

Ze kletsten een tijdje. Felicia stak een heel verhaal af over de nieuwe regering die de zwakkeren en ouderen, de vrouwen en de minima verpletterde. Niklas deed zijn best om haar te volgen, al was Zweedse politiek zijn ding niet. Het maakte hem niet uit. Het belangrijkste was dat ze kwaad genoeg was.

Op een gegeven moment stond Felicia op. Er was een soort lezing waar alle studenten heen zouden. Ze vroeg of Niklas mee wilde – geen probleem om bezoekers mee te nemen. Natuurlijk, oké, dat is vast interessant. Vanbinnen was hij zenuwachtig. Hij was nog nooit eerder naar een lezing geweest. Behalve dan de briefings bij Dyncorp voor een opdracht.

Voor een van de grotere gebouwen die op schuren leken, kwamen allemaal mensen samen. Felicia en haar huisgenoot groetten veel van hen. Bijna de helft leek op de jongeren die Niklas eerder op het grasveld had gezien. Ze zagen er niet direct uit als strijders. Toch: Felicia's geschoren schedel gaf hoop. Een echte *GI-cut*, afgezien van die pluk in haar nek.

Het gebouw bevatte een fris ogende aula. Witgeschilderde muren van planken, machtige ventilatie, belichting, videoprojector aan het plafond, stoelen met een klein opklapbaar tafeltje voor je aantekeningen.

De docente droeg een spijkerbroek en een roodgeruit overhemd. Een jaar of veertig. Niklas had iets anders verwacht: een professorachtig figuur met een leesbril op het puntje van zijn neus en een tweedjasje. Hij realiseerde zich hoe naïef dat was.

Felicia fluisterde tegen hem: 'Dit zal je aanspreken.'

De spreekster begon. Stelde zich voor, hield een inleidende story over een reclamecampagne die nu bezig was. Volgens de docente privatiseerde de campagne de vrouwelijke identiteit en ondersteunde daarmee een door de poli-

tiek gecreëerd vooroordeel over de rolverdeling tussen mannen en vrouwen. Daarna werd het nog pittiger. Ideeën over genderrollen, genderongelijkheid, genderhiërarchieën en genderverandering. Niklas keek om zich heen in de aula. Verschillende leeftijden. Felicia haast in trance. Joanna de sjamaan zat bloemetjes in haar schrijfblok te tekenen. Ze was niet serieus.

Hij concentreerde zich op de jongeren. Soldatentypes? Waren ze bereid om nachten achtereen in elkaar gekropen op de achterbank van een auto te zitten, overdag keihard aan de planning te werken, deuren in te slaan, voor huilende kinderen te zorgen, de illegale combats aan te vallen?

Ten slotte: hij bleef hangen bij een jongen verderop in zijn rij. Kort, donker haar. Een paar ringen in één oor, in een rijtje naast elkaar alsof iemand de spiraal van een schrijfblok vanaf zijn oorlel naar boven had vastgeniet. Hij leek jong, T-shirt met korte mouwen: pezige, soepele armen. Soldatenarmen. Niklas had het bij veel van de jongens daarginds gezien, een taaiheid in het lichaam waardoor ze het veel langer volhielden dan de spierbundels. Bovendien: de jongen was gefocust. Zijn blik staalgrijs, steenhard, strak op de spreekster gericht. Vastberadenheid. Een soort wil. Misschien was hij de juiste persoon.

'Het is niet alleen zaak de hiërarchische wereldorde ondersteboven te keren...' De spreekster keek uit over de toehoorders. Het voelde alsof ze haar blik op Niklas liet rusten. 'Maar om je helemaal te ontdoen van zo'n wereldbeeld.'

Niklas knikte instemmend. Hij zou de hiërarchie binnen de familie Strömberg en Jonsson godverdomme eens flink ondersteboven keren. Om te beginnen.

Zijn concentratie zweefde weg. Hij probeerde zijn ogen niet dicht te doen. Zag toch dezelfde oude beelden in zijn hoofd. De hinderlaag achter de moskee. De hinderlagen tijdens zijn hardlooprondjes in Aspudden. De hinderlagen uit zijn droomwereld: Claes Rantzell in reepjes. Jamila's vent kapot op de grond. Mats Strömberg kermend. Ze smeekten om genade. Een genade die niet bestond.

Felicia, de sjamaan en twee gasten van Felicia's cursus zaten aan de tafel in het huisje. Ze hadden in de gemeenschappelijke eetzaal van de school gegeten. Geen vlees – alleen vegavoer. Felicia had verbluft naar Niklas gekeken toen hij zich sceptisch had uitgelaten over het eten.

Op de achtergrond: schreeuwerige muziek.

'Manu Chao is fantastisch,' vond Joanna. Niklas dacht: misschien voor sjamaantraining in het bos, maar niet voor oorlog.

Niklas had wat flesjes bier en cider van Felicia kunnen kopen.

Joanna dronk uit de fles maar zonder het glas met haar lippen te beroeren. 'Dat is niet goed voor je energie.' Felicia grinnikte. Die sjamaanmeid was echt niet goed bij haar hoofd.

Ze bediscussieerden de opleiding, de lezing, de algemene toestand in de we-

reld. Niklas zei nauwelijks iets. Dronk een, twee, drie, vier, vijf flesjes bier. De jongens leverden harde kritiek op de Amerikaanse invasie in Irak. Babbelden voort over inbreuk, verboden wapens en bommen leggende vrijheidsstrijders. Over een paar dagen zouden ze meedoen aan een vette demo tegen de oorlog. Arme nerds – ze wisten niet waar ze het over hadden.

Om negen uur gingen ze naar een wat groter gebouw tegenover de kantine. Het leek op een gemeenschapsruimte. Er zaten een stuk of twintig mensen op banken en luie stoelen, sommigen probeerden wat halfslachtig te dansen. Dezelfde schreeuwerige muziek. Dezelfde ecologische sfeer. Dezelfde suffe discussies.

Hij begon het bier te voelen. Felicia in een quasidiepe discussie met een van de gasten van het indrinken. Joanna danste wat. Hij dacht: wat is dit eigenlijk voor een shit? Hij was hier om Felicia te draften maar het leek haar niks te kunnen verdommen.

Iedereen om hem heen zat te kletsen. De mierzoete geur van marihuana. Hij sloeg meer bier achterover. Probeerde er rustig uit te zien. De gast van de lezing kwam binnen. De ringen in zijn oren glommen in de gedimde verlichting. Niklas stapte op hem af. De gozer stond met een meid te praten die er zowaar volstrekt normaal uitzag. Hij ging naast ze staan. Boog zijn hoofd om het gesprek op te pikken. Iets over acties, demonstraties, protestambities. Dat eerste klonk oké.

De jongen onderbrak zichzelf. Draaide zich naar Niklas toe. Eerst: volstrekt niet-begrijpende, geïrriteerde blik. Daarna reikte hij hem de hand. 'Hoi, ik heet Erik. Ben je hier als gast?'

Niklas drukte Erik de hand. Stelde zich voor als Johannes. De jongen had een stevige handdruk. Dat was een goed teken.

'Ja, ik ben op bezoek bij Felicia, ken je haar?'

Het meisje met wie Erik had staan praten bleef Niklas maar aanstaren.

'Jazeker, ik doe dezelfde cursus als zij, maar dan het jaar erboven. Hoe kennen jullie elkaar?'

Niklas wist niet wat hij zou zeggen. Internet klonk zo suf. Hij mompelde iets bij wijze van antwoord.

Erik zei: 'Wat zeg je?'

Niklas sprak harder. 'Ik ben hier om het over de vrouwenstrijd en dat soort dingen te hebben. Wat vind jij daarvan?'

Erik lachte even. 'Definieer vrouwenstrijd.'

Het meisje staarde nog steeds. Net op het moment dat Niklas wilde antwoorden, reikte ze hem ook de hand. 'Hoi, misschien moeten wij ons ook even voorstellen. Ik heet Betty.'

'Zoals die heerlijke miss Boop?' Niklas dacht aan de afbeeldingen die op sommige heli's daarginds waren geschilderd. Echte pin-ups werden tegenwoordig niet meer getolereerd, maar Betty B. kon altijd.

Het meisje trok een zuinig bekkie. Duidelijke dis.

Niklas snapte het niet. Mocht je hier geen grapjes maken soms? Maar hij wilde de situatie met Erik niet verprutsen.

'Is je humor een deel van de vrouwenstrijd?' vroeg Erik.

'Ach, dat was een flauwe grap. Sorry. Maar wil je echt dat ik de vrouwenstrijd definieer? Ik ben bloedfanatiek.'

'Dat klinkt goed. Want dat ben ik ook.'

Niklas voelde een goede sfeer. Erik kon de juiste persoon zijn.

'Ik geloof dat wij mannen ze moeten helpen. De vrouwen zijn weerloze slachtoffers. Ik ben alle rotzooi hier in Zweden gaan zien. Op de straten, in de huizen en flats. Ik zie een heleboel dat te ver gaat. Een heleboel vernedering en geweld. De vrouwenstrijd moet de volgende stap zetten.'

'Ja, daar heb je gelijk in.'

'We moeten vechten.'

Erik zag er nadenkend uit. 'Ik ben het met je eens. Maar hoe bedoel je dat precies?'

'Nou, zoals ik het zeg, we moeten overgaan tot de aanval. In sommige situaties is een offensieve strategie de enige mogelijkheid om je te verdedigen. En als we alleen maar een defensieve positie innemen, komt er nooit oorlog. Begrijp je? We moeten gebruikmaken van de methodes van de vijand. Geweld is altijd de beste remedie tegen geweld.'

Niklas was opgewonden. Eindelijk iemand die het met hem eens was. Iemand met wie hij openlijk kon praten. Iemand die het zou begrijpen. Na al die avonden en nachten. Een *co-soldier*.

Hij ratelde militaire termen, aanvalsstrategieën, wapenideeën. Hij betoogde over mogelijke opdrachten, doelen, martelmethodes, executiemogelijkheden.

Erik knikte maar.

'We moeten dit aanpakken. Ik ben in feite al flink op weg. Ik ben al heel ver met de planning en ook al met het operatieve gedeelte. Binnen een paar weken is het zover. Maar er is versterking nodig. Wat zeg jij ervan? Wil je meedoen?'

Stilte. Manu Chao-shit op de achtergrond.

Niklas herhaalde zijn vraag. 'Wil je meedoen?'

'Johannes, zo heette je toch? Ik geloof dat je wat te veel biertjes van Felicia hebt gehad.'

Niklas schudde zijn hoofd. Hij was dronken, maar helder. Dat was gelul.

'Helemaal niet.'

'Misschien niet, maar je hebt te agressieve ideeën. Waar jij het over hebt, dat gaat niet. Maar het was leuk je eens te spreken.' Het meisje naast Erik lachte met leedvermaak.

Niklas voelde zich koud. Bullshit. Die vent lulde bullshit. Dat meisje kon oprotten. Erik kon zichzelf gaan fucken. Ze hadden geen idee. Wisten geen ruk van de strijd. Van de operatie. Van wat er gedaan moest worden.

'Je weet niet waar je het over hebt,' zei Niklas.

Erik draaide zich om naar het meisje. Schudde zijn hoofd. Het was duidelijk wat hij van Niklas vond.

Ook het meisje schudde haar hoofd.

Dit was gewoon te veel. Zelfs hier – tussen mensen die beweerden aan dezelfde kant te staan als hij – werd hij tegengewerkt. Schoften waren het.

Niklas verhief zijn stem. 'Stelletje vuile collaborateurs. Jullie verloochenen de strijd.'

Erik begon weg te lopen. Tikte met zijn middelvinger tegen zijn voorhoofd. Het meisje liep achter hem aan. Dit was *too much*. Nu bespotten ze hem ook nog.

Niklas vloog achter de meid aan. Greep haar vest vast. Trok haar op de grond.

Ze worstelde om los te komen. Erik probeerde haar te beschermen.

Niklas stond over haar heen. Wist niet of hij moest lachen of huilen. Ze een pak slaag moest geven of weggaan.

36

Een week als man van de Joego's. Niet elke avond – alsjeblieft niet – maar donderdag/vrijdag/zaterdag/zondag. Åsa vroeg niets. Ze zei dat ze blij was dat hij extra werk had gevonden. Overdag zat hij halfslapend achter zijn bureau bij Verkeersovertredingen. Negeerde de andere dooie dienders. Ze vonden hem arrogant maar daar had hij met alle respect schijt aan.

Elke nacht hetzelfde. Bij de kassa hangen met Andrzej en Belinda of die andere stripster/kassière die Jasmine heette. Simpel geld – Thomas verdiende tweeduizend per avond. Geen gedoe, geen gezeik, gewoon een stel geile kerels die wat plezier wilden maken.

Vandaag: vrije dag. Eerst zou hij met Åsa naar Barkarby Outlet. Ze wilde een herfstjas kopen. Liefst iets 'duurzaams', zoals ze zei. Thomas wist wat Åsa bedoelde. Hij was zelf net zo. Normaal gesproken hadden ze niks met belachelijke merken en onnozele designspulletjes. Ze vonden de binnenkant belangrijker dan de buitenkant. Maar bij bepaalde producten wilden Åsa en Thomas allebei de hoogste kwaliteit, wat gelijkstond aan de duurste merken. De kleren moesten tegen regen, kou, en zweet van binnenuit kunnen. Tegelijkertijd moesten ze licht en niet stroef zijn. Dat betekende dus soepel materiaal van Gore-Tex dat ademde, maar ondertussen geen vocht doorliet. Dat betekende veel geld.

Hij nam de mensen in de outlet op. Gezinnen met snotterige peuters. Jonge stellen die in de binnenstad woonden maar goed toegerust wilden zijn als ze naar de Alpen gingen. Het gewone negen-tot-vijf-volk. Leidden ze een gelukkiger leven dan hij? In elk geval veiliger. Maar hij verdiende vast meer, hoopte hij.

Hij dacht aan het huisbezoek van het adoptiecentrum afgelopen week. Twee vrouwen van middelbare leeftijd die heel normaal overkwamen, waren bij ze thuis geweest. Thomas had wat anders verwacht, waziger types. Ze hadden een uur in de keuken zitten praten over opvoeding, ouderschapsverlof en de problemen van geadopteerde kinderen om hun identiteit te vinden. Åsa deed het praatwerk, maar Thomas zorgde ervoor dat hij op de juiste momenten knikte. Het voelde echt goed.

Åsa was dolgelukkig. 'Binnenkort zijn we misschien vader en moeder, Thomas.' Ten slotte kochten ze ieder een jack. Van het merk North Face. Kostten meer dan vierduizend kronen per stuk. Thomas betaalde het gemakkelijk: zijn nieuwe werk leverde hem geweldige pegels op.

's Middags had Thomas met Ljunggren afgesproken op de schietvereniging. De eerste keer sinds weken. Thomas wist niet of hij paranoïde was geworden maar hij had het gevoel alsof Ljunggren hem ontliep. Ze waren goede vrienden geweest. Zwijgzaam maar met het juiste niveau van humor. Hoe zat het daar nu mee? Misschien vond Ljunggren dat Thomas stom bezig was geweest nu hij ook nog was overgeplaatst. Dat was onmogelijk. Collega's als Jörgen Ljunggren liepen niet te mekkeren over iemand die per ongeluk wat te hardhandig was. Ljunggren zelf – hardhandig was zijn tweede naam. Toch was er iets. Een grens. Tussen hen. Thomas merkte het heel goed.

In de auto dacht hij aan het voorval op Solvalla. John Ballénius die was gaan flippen, in de mensenmassa was verdwenen. Volgens de telefoonlijsten was hij de nacht dat Rantzell vermoord was niet in de buurt van Axelsberg geweest, maar het was duidelijk dat er iets raars aan de hand was. Maar het belangrijkste: nu wist Thomas zeker dat Rantzell de dode was. Dat was een grote stap voorwaarts.

De maandag na het incident op Solvalla had Thomas meteen gebeld met de rechercherat die het onderzoek van Hägerström had overgenomen. Stig H. Ronander, een seniorrechercheur, met een naam die prima op Solvalla had gepast. Heel even overwoog Thomas het te laten zitten. Maar meteen daarna veranderde hij van gedachten. Dit kon immers zijn weg terug betekenen. Als hij de identiteit van die dode wist te achterhalen, namen de mogelijkheden om het hele mysterie op te lossen beduidend toe. Het was een gok, er zat een rotte plek in dit onderzoek. En hij zag niet hoe er iets negatiefs uit kon voortvloeien als hij het op gang hielp.

De onderzoeker, Ronander, hoorde Thomas' informatie sceptisch aan. Vroeg zich af waarom Thomas naar John Ballénius was gaan vragen, hoe de man had kunnen verdwijnen op Solvalla. Thomas verdraaide de feiten – zei dat Ballénius al langs was gekomen in het onderzoek toen hij Hägerström had geholpen. Probeerde naar de telefoonlijsten te verwijzen zonder te vertellen dat hij ze zelf had opgevraagd. Stig H. Ronander leek niet dankbaar. Hij kon de k krijgen.

Het werk, de auto, de schietvereniging. Dat waren normaal gesproken de drie pijlers van zijn leven. Nu wist hij het niet meer. De afdeling Verkeersovertredingen was triester dan hij ook maar had kunnen vermoeden. De Cadillac bracht hem geen rust. Tegelijkertijd had hij het naar zijn zin bij de stripclub. Jasmine en Belinda waren sympathiek, pretentieloos.

Zijn overplaatsing en de man die die nacht voor hun huis had gestaan maalden door zijn hoofd. Misschien omdat hij de mogelijkheid om zich af te sluiten door het duister onder zijn Amerikaan in te rollen, was kwijtgeraakt. Als hij alleen was

maakte het misschien niet uit. Maar als Åsa thuis was – nee. Al was hun huwelijk niet supergoed: als iemand haar wat aandeed, zou hij het zichzelf nooit vergeven. Dus de schietvereniging zou hem rust moeten bieden. Maar hij was niet blij met de blikken die de anderen hem toewierpen na al dat gelazer op het werk. Hij vroeg zich af wat ze van hem dachten.

Het was een indoorclub met een eigen gebouw. De meeste schietbanen in Zweden zaten in houten gebouwen waarvan één lange kant open was, met een schietbasis en doelen. Dan stond je vanonder een dak te schieten, in de praktijk buiten, en had je het toch stervenskoud. Maar de vereniging in Järfälla was luxer: maar liefst veertien parallelle vijfentwintigmeterbanen voor precisieschieten, met de beste geluidsisolatie die Thomas kende. Alles warm en overdekt.

Ljunggren was er al. Eén hand in de zak van zijn spijkerbroek, licht achteroverleunend, de andere arm gestrekt. Een wedstrijdpistool met een ergonomisch handvat. Petje, gehoorbescherming, wijdbeense houding. Schietklaar. Precies voor Thomas hem op de schouder tikte, vuurde hij een schot af. Een twee. Lang niet slecht.

Ze schudden elkaar de hand. Ljunggren zag er oprecht blij uit. Gaf Thomas een dreun op zijn rug. Niks voor hem – normaal, deze kerel meed lichamelijk contact nog meer dan nonsenspraat. 'Zag je die twee die ik daarnet schoot?'

Thomas voelde zich vrolijk. 'Prachtig. Niet echt gebruikelijk dat jij topscoort toch?' Ruwe, kameraadschappelijke lachpauze.

Ze praatten even. Alles leek zoals anders.

Thomas ging op zijn plek staan. Deed zijn gehoorbescherming op. Het magazijn in zijn negenmillimeterpistool. Sloot zijn ogen een paar seconden. Ademde in. Concentratie nu. Zelfs als zijn beroepsleven niet was geworden wat hij zich ervan had voorgesteld, moest hij zich op het juiste moment altijd kunnen concentreren. Een schot op de juiste manier afvuren als het nodig was. Het doel in het juiste lichaamsdeel raken.

Langzaam hief hij zijn rechterarm. Hield zijn pistool zo stil als maar kon. Zijn oog zocht de vizierkeep. Zag de vizierkorrel. Nog steeds trillingen. Hij ontspande. Het richtbeeld helder. Voorzichtig nu. Focus. Verhoogde langzaam en gelijkmatig de druk op de trekker. Vermeed schokjes in zijn arm, hand, het pistool. Deed zijn ogen bijna dicht. Zijn vinger bewoog uit zichzelf. Moest het bewustzijn van de beweging die zo zou volgen, loslaten. Langzaam knijpen. Eén enkele beweging. In één lijn met de korrel, de baan van de kogel door de lucht, hij voelde de terugslag, het gat van de kogel in de schietschijf.

Het schot kwam als een verrassing. Hij onderging de schok in zijn hand haast verbaasd. Tuurde, zag het gat in de schietschijf: een één. Ljunggren zei: 'Hoewel je de hele dag verkeerszondaars loopt te pesten, zitten sommige dingen er nog wel in. Ik heb je gemist, man.'

Thomas wist niet of hij moest lachen of huilen. Dit voelde zo verdomde goed.

Na de schiettraining stelde Thomas voor een biertje te gaan drinken bij Friden. Ljunggren had een ander voorstel: 'Kunnen we niet gewoon wat rondrijden? Zoals vroeger.'

Het was vreemd, toch ook lekker. Ljunggren: integriteit ten top. De afstandsman, de geen-lichaamscontactspecialist, machokerel nummer een. Zijn voorstel: een aandoenlijke opening. Een verzoek om vriendschap.

Agenten gingen vaak met de dienstwagen naar de schiettraining. Ljunggren zette de politieradio aan, maar met het geluid zacht. Thomas kon niet uitmaken waarom: misschien dacht hij niet na bij wat hij deed of hij deed het om de juiste sfeer te creëren. Hij reed langzaam, alsof ze aan het werk waren. Ze bevonden zich in een villawijk. De bomen hadden droge bladeren. Ondanks de regen was het een warme zomer geweest. Echt septembergevoel – misschien omdat het september was.

Ze cruisten rond – echt net als vroeger. Meer dan drie maanden geleden. 't Leek een eeuwigheid. Een eeuwigheid van angst. Angst dat alles zo snel naar de klote was gegaan.

'Vertel eens. Hoe zijn de verkeerssukkels?'

Thomas legde uit. Hun gespreksonderwerpen, houding, eetgewoonten. Ljunggren grijnsde. Eindelijk iemand die het begreep.

'Ik hoor geruchten over je, Andrén. Dat je erbij klust. Klopt dat?'

Thomas wist niet wat hij zou zeggen. Hoeveel wist Ljunggren? De situatie was er nu niet naar om alles te vertellen.

'Ja, dat klopt. Ik help een bewakingsfirma. Veel avond- en nachtwerk. Dus het lijkt op het oude vertrouwde. Åsa is eraan gewend.'

Ljunggren knikte. Zijn blik op de weg gericht.

'Ik wil wedden dat je beter betaald krijgt.'

Thomas lachte even. 'Ik wil wedden dat jij een betere pensioen- en ziektekostenverzekering hebt dan je daar ooit zult krijgen. Mijn nieuwe werk staat, om het zo maar te zeggen, buiten het systeem.'

'Zoiets vermoedde ik al. Is dat het waard?'

Thomas dacht even na. Die vraag zat hem al weken dwars. En dan leek Ljunggren nog niet eens te weten wat hij eigenlijk precies deed.

'Ik zal open kaart met je spelen, Ljunggren. Ik weet niet meer wat nog iets waard is en wat niet. Het enige wat ik weet is dat als iemand over je heen zeikt, je niet meer verplicht bent loyaal te zijn. Die hele zaak die mij overkomen is, is pure shit. Weet je hoe het gegaan is? Ze zeiden tegen mij dat jij niet mee kon surveilleren zoals anders, dat je in had moeten vallen voor iemand anders. Daarna hebben ze dat meisje ingezet dat amper in staat was om haar kogelvrije vest naar de auto te dragen. We worden naar een gestoorde bokskampioen gestuurd die als een dolleman tekeergaat in een avondwinkel en haar bijna dood mept. Maar we mogen ons niet verdedigen. We mogen er niet voor zorgen dat de rust hersteld wordt. Nee, dan krijgen we opeens een heleboel gelazer. Dan

is het eigenmachtig politieoptreden. Mishandeling. Geweldpleging. En Adamsson, die oude zak, hij keert zich van me af. Zegt me me ziek te melden, vraagt me min of meer om op te rotten. Bedankt voor de steun, verschrompelde klootzak! Maar jij en ik kennen Adamsson. Hij heeft eigenlijk geen bezwaar tegen dat soort dingen dat in die avondwinkel gebeurde. Hij had voor honderd procent achter me moeten staan. Maar nee, deze keer voerde hij me aan de wolven. Ik begrijp niet waarom.'

Ljunggren zei niets. Zoals gewoonlijk.

Thomas vervolgde. 'Soms denk ik, stel nou. Stel nou eens dat alles samenhangt. Je weet wel, dat onderzoek waar die Hägerström mee bezig was. Ik heb hem wat geholpen. Oké, ik moet mensen zoals hij niet, maar er klopte iets niet met die moord. Dus ik heb zelf een en ander uitgezocht. En wat gebeurt er? Een paar dagen later begint dit hele gebeuren tegen mij. Alsof dat het startschot was. Alsof iemand niet wil dat ik Hägerström nog verder help met dat onderzoek. Als een samenzwering.'

Ljunggren keek weer naar Thomas. 'Ja, een beetje vreemd is het wel.'

'Een béétje vreemd? Het was volkomen gestoord.'

Ljunggren trok zich niks van Thomas' opmerking aan. 'Ik weet niet hoe het die avond gegaan is. Maar het was wel Adamsson die me belde om te vragen of ik in wou vallen voor Fransson. En ik volgde zijn bevel gewoon op. Maar dat het een samenzwering zou zijn, nee, dat geloof ik niet. Dat klinkt wel heel erg als een, hoe heet het...?'

'Een complottheorie?'

'Precies, een complottheorie.' Ljunggren pauzeerde even. Daarna zei hij zachter, alsof hij nadacht over de betekenis van het woord: 'Een complottheorie dus.'

Ze bleven rondrijden, nog een uur. Het werd donkerder. De oplichtende lampjes op het dashboard van de surveillancewagen maakten het knus. Thomas kon niet loslaten wat Ljunggren hem zojuist had verteld. Het bevel om ergens anders te gaan surveilleren was dus van Adamsson gekomen. In alle verwarring in Thomas' kop was één gedachte helder: nu was het zeker – Adamsson was er op een of andere manier bij betrokken.

Hij zei niets tegen Ljunggren.

Ljunggren begon terug te rijden naar de schietclub om Thomas af te zetten bij zijn auto.

Hij zette de motor af maar liet het dashboard aanstaan. Zijn handen op het stuur alsof hij nog aan het rijden was. Zijn blik ver weg, misschien op het clubhuis gericht.

'Zeg, ik wil je wat vertellen.'

Thomas hoorde meteen aan zijn stem dat er iets was.

'Wat dan?'

Ljunggren slikte een paar keer. Schraapte zijn keel. Er verstreek een minuut.

'Nou, drie dagen geleden kregen we een oproep binnen. Een paar huurders

die dachten dat er misschien iemand dood in een van de appartementen in hun gebouw lag. Ze konden door de brievenbus zien dat er een hele berg post achter de deur lag en ze hadden er al maanden niemand gezien. Ik ging er samen met Lindberg heen. Een flat aan de Elsa Brändströmsgata. We belden aan, klopten, de gewone dingen. Ten slotte voelden we aan de deur, die was open dus we gingen naar binnen. We keken rond, overal dikke lagen stof. Leek alsof er al maanden niemand meer woonde. Maar we vonden geen dooie.'

Thomas vroeg zich af wat dat lange verhaal met hem te maken had.

'Er lagen allemaal vreemde pornospullen, dildo's en dat soort rommel. We vonden een heleboel sterkedrank, een stinkende koelkast. Verder niks van belang. Het zag eruit alsof er al tijden niemand was geweest. Ik dacht dat het een routineklus was. Maar toen vond ik een glas met een kunstgebit in de badkamer. Toen besefte ik dat diegene die in die flat had gewoond misschien het kapotgeslagen lijk was dat we aan de Gösta Ekmansväg hebben gevonden. Die van die moord waarmee je Hägerström hielp, zoals je zei. Je hebt me toen toch verteld dat er injectiesporen op zijn armen zaten en dat hij geen tanden had en zo. Ik dacht dat ik dit aan je moest vertellen. Als een wederdienst.'

De stilte in de auto was compact. Thomas dacht dat hij Ljunggrens hart haast kon horen kloppen. Dit was tegen de regels, tegen de geheimhoudingsplicht. Over dat soort dingen maakte Ljunggren zich normaal gesproken niet druk. Maar hier – hier was iets groters aan de hand.

Thomas deed zijn best om niet al te geïnteresseerd te klinken. 'Oké. Bedankt voor de informatie. Ik ben daar nu natuurlijk niet meer mee bezig, maar jezus, het klinkt wel spannend. Hoe heette die vent die in die flat woonde eigenlijk?'

Thomas merkte dat het kippenvel op zijn armen kwam staan. Eigenlijk wist hij het antwoord op zijn vraag al.

'Rantzell heet de huurder. Claes Rantzell. Maar dat is een nieuwe achternaam, dat kun je bijna horen.'

'Wat?'

'Nou, Rantzell klinkt niet als een authentieke achternaam, vind je niet? Eigenlijk heet die vent Cederholm. Een paar jaar geleden heeft hij een andere naam aangenomen. Gaat er geen belletje rinkelen? Claes Cederholm?'

Thomas schudde zijn hoofd, al kwam de naam hem bekend voor.

'Claes Cederholm was hoofdgetuige in de rechtszaak over de Palme-moord. Snap je? Dit is niet zomaar iets. De moord op Olof Palme, de minister-president van Zweden.'

Het was ziek.

Thomas bevond zich op glad ijs.

Heel erg glad ijs.

*

DIRECTIE RIJKSPOLITIE
Palme-groep Rijksrecherche

Datum: 8 september APAL - 2431/07

Memo

(Geheimhouding conform H9 §12 van de wet op geheimhouding)

Betreffende Claes Rantzell (voorheen: Claes Cederholm)
(Reg.nr. 24.555)

Claes Rantzell (voorheen Claes Cederholm, reg.nr. 24.555 in het verdachtenregister) is naar alle waarschijnlijkheid op 3 juni jl. vermoord.

Achtergrond

Claes Rantzell is op de ochtend van 3 juni jl. aangetroffen in een kel-
derruimte van de Gösta Ekmansväg 10 in Stockholm (zie bijgevoegd
incidentenrapport, Bijlage 1). Hij was dood toen hij werd gevonden.
Rantzells gezicht was ernstig verminkt als gevolg van geweld en ook
de rest van zijn lichaam vertoonde sporen van zware mishandeling.
Opvallender was dat Rantzells kunstgebit uit zijn mond was verwijderd en dat zijn vingertoppen waren weggesneden (zie verder het
obductierapport, Bijlage 2).

Vanwege deze omstandigheden waren noch de politie Zuid, noch het
Forensisch Laboratorium in staat Rantzell te identificeren vóór 7 september jl. (zie verder het identificatieprotocol, Bijlage 3).

Alles bij elkaar wijzen de omstandigheden erop dat Rantzell is vermoord.

Samenvatting betreffende Claes Rantzell

Rantzell is de meest gehoorde persoon in het onderzoek naar de moord
op Palme. Tussen 1986 en 1991 is hij meer dan twintig keer gehoord
(zie APAL - 5870/91). Rantzells naam luidde op het tijdstip van de
moord op Palme, zoals hierboven vermeld, Claes Cederholm.

Rantzell was in de eerste helft van de jaren tachtig een bekende drugs-
handelaar in Stockholm alsmede mede-eigenaar van de gokclub Oxen
aan de Malmskillnadsgatan. Hij is veroordeeld voor een groot aantal
drugsgerelateerde overtredingen.

Tijdens een verhoor op 26 april 1987 (zie APAL – 151/87) gaf hij onder meer op dat hij een goede vriend was van Christer Pettersson, alsmede dat deze zich op de avond van de moord ophield voor de bioscoop Grand, de bioscoop die het echtpaar Palme vlak voor de moord bezocht. Tijdens een verhoor op 3 februari 1988 (zie APAL – 2500/88) verklaarde Rantzell dat zijn herinnering veranderd was en gaf hij Christer Pettersson een alibi voor tijdstippen op de avond van de moord. Tijdens een verhoor op 17 maart 1990 (zie APAL – 3556/90) vertelde Rantzell echter dat hij in de herfst van 1985 een Magnum-revolver van het merk Smith & Wesson, kaliber .357, aan Christer Pettersson had geleend. Volgens Petterson zou het wapen gebruikt worden om saluutschoten te lossen op de verjaardag van een vriend. Rantzell had de revolver nooit teruggekregen.

Het waarschijnlijkste moordwapen is inderdaad een Magnum-revolver van het merk Smith & Wesson, kaliber .357. De informatie over de uitgeleende revolver was daarom een van de belangrijkste bewijzen in de heropende rechtszaak tegen Christer Petterson. De officier was voornemens Christer Petterson aan het potentiële moordwapen te binden.

Rantzell leidde een zwervend bestaan. In de jaren tachtig lijkt hij voornamelijk door drugs en dobbelen in zijn levensonderhoud te hebben voorzien. Sinds de jaren negentig figureert hij als zogeheten katvanger in een groot aantal bedrijven, voornamelijk in de bouwwereld (zie Bijlage 4).

Van halverwege de jaren tachtig tot halverwege de jaren negentig woonde hij samen met Catharina Brogren.

Naar onze inschatting houdt de moord op Rantzell niet direct verband met de moord op Palme. Het is evenwel niet uit te sluiten dat een dergelijk verband bestaat.

Voorgestelde maatregelen
Op basis van bovenstaande stellen wij de volgende maatregelen voor:

1. De Palme-groep wordt betrokken bij het onderzoek naar de moord op Rantzell. Alle vooronderzoeksmaatregelen worden gecommuniceerd naar de Palme-groep. De onderzoekers zullen één keer per week geïnformeerd worden en persoonlijk verslag uitbrengen aan door de Palme-groep aangewezen rechercheurs.
2. De Palme-groep zal rechercheurs de opdracht geven alle documen-

ten betreffende Rantzell door te nemen en uiterlijk 30 oktober een rapport op te stellen.

3. De Palme-groep zal een eigen rechercheteam samenstellen, dat zal bestaan uit ten minste drie rechercheurs. Dit team zal het vooronderzoek naar de moord op Rantzell intensief volgen en daarnaast eigen onderzoeksmaatregelen treffen.

Een besluit over deze kwesties zal genomen worden tijdens een vergadering op 12 september.

Stockholm

Commissaris Lars Stenås, Rijksrecherche

Deel 3

Twee maanden later

37

Dig de procedure: hakte de kristallen fijn met het scheermesje. Om de korreltjes kapot te krijgen. Geen mondkapje zoals toen hij de coke eerder die week met tetramisol, een dierenmedicijn, had versneden. Geen latexhandschoentjes. Geen Joego die hem achter zijn rug in de gaten stond te houden. Hem opjaagde. Hem wantrouwde. Op hem scheet. Alleen Mahmud in zijn eentje in zijn flatje. Dat lag een paar straten van Robert af. Let wel: een eigen flatje. Zelfs papa was trots.

Op tv: Brazilië-Ghana in een of andere oefeninterland. Het interesseerde hem niet.

Hij hakte langer dan nodig was. In een ritme. Een irritatie die uit hem kwam. Een woede die aan het exploderen was. Het was uit de klauwen gelopen met de Joego's.

Snorkelen was chill. Maar de afgelopen maanden was Mahmud met een heftiger roes begonnen. Alles wat de cocaïnevlokjes nodig hadden als ze fijn gehakt waren, was drie druppels water, dan losten ze op. Hij pakte een weg-werpspuit. Cocaïne anders dan doping – het deed zijn aderen samentrekken. Misschien de tiende keer in zijn leven dat hij coke injecteerde. Herinnerde zich zijn ontmaagdingsshot van vier weken geleden nog goed. Waanzinnig wit dy-namiet – de rush als een paradijsreisje. Robert en hij, samen in een superdope *high-definition* videospelgevoel. Grand Theft Auto nummer veertien miljoen. *Big time.*

Hij zette de naald tegen zijn arm. Zorgde dat de ader niet wegrolde. Drukte even. Er schoot een bloeddruppeltje de naald in. Hij drukte wat verder door. Daarna liet hij het bloed weer door de naald omhoog komen. In de ader. Tien seconden wachten. Negen, acht, zeven, zes, vijf, vier, drie, twee, een. Wat een stoot! Als een bliksem direct in zijn hersens. Vergeleken hierbij was wiet slap, snuiven maar saai, sterkedrank kinderachtig.

Het groen van het voetbalveld leek nog groener dan de Amazone. Dit was het luxeleven.

Jezus, waar waren Robert en de anderen? Ze zouden bellen. Misschien langsko-men om zijn hok eens te zien. Daarna zouden ze uit. Mahmud snoof een lijntje

door zijn neus. Gewoon gevoel. Lekker, maar als je het eenmaal intraveneus had geprobeerd, was into je neus niet hetzelfde meer.

Hij dacht aan zijn situatie. Behalve op deze avonden zoog die flikkerballen. Hij werkte als een echte Zwedo, weken van een uur of veertig. Kon net zo goed een gewone baan nemen, zoals Erika suggereerde. Hij reed de hele tijd rond in de buitenwijken. Haalde shit uit Shurgard-magazijnen in half Stockholm. Verkocht aan dealers in Botkyrka Noord, Norsborg, Skärholmen, Tumba, overal. In pizzeria's na sluitingstijd, pubs, clubs, sportscholen, fighterzalen, kelderboxen, zolderetages, partyflats, schoolgangen, metrostations, glazen ontmoetingsruimtes in winkelcentra, parken, speeltuinen. Het meeste verkocht hij vanuit de auto. Want zo was het: hij had een dikke bak gekocht – een Merrie CLS 500. Op afbetaling weliswaar, maar wat dan nog. En zo een had hij met een gewoon ploeterbaantje nooit kunnen krijgen.

Zes, zeven gasten en zelfs een griet onder zich als vaste dealers. Dijma was een van de besten. Kocht minstens tweehonderd gram per maand. Mahmud – stijger als c-king van Stockholm-Zuid. Hij zette minstens een kilo per week om. Straatwaarde minstens een half miljoen. Hij betaalde de Joego's vierhonderddertig de kilo. Zeventig mille over voor hem. Hij leidde een spetterend luxeleven maar moest beulen voor z'n doekoes. En de bittere keerzijde: Radovan liet hem niet gaan. Mahmud: een goedbetaalde lijfeigene. Hoe graag hij zijn pa, zijn zussies, Erika en alle anderen ook blij wilde maken. Hij kon het niet. Dus hij had besloten: dan kon hij net zo goed de beste worden. Het was tijd voor een Arabier aan de top. Groter dan de godfather der Joego's.

Hij hield minder tijd over voor de sportschool. De training leed eronder. Hij voelde zich niet goed. Hij had last van bijwerkingen van de kuur. Die winnies waren godsamme levensgevaarlijk. Puistjes hadden zich als ebola over zijn gezicht en rug verspreid. Pijn in zijn nieren. Op zijn rug waren rare, dikke haren gaan groeien. Vannacht had hij nog geen twee uur geslapen. Maar hij kon niet anders dan die Winstrol nemen. Anders had de kuur geen zin gehad.

Nu moest hij afbouwen. Kon niet tegelijk die kuur doen en coke gebruiken. In plaats daarvan bestelde hij betere proteïne op internet. Schroefde dat op. Maar dat zou nooit opwegen tegen minder trainen bij Fitness Center en stoppen met hormonen.

Zijn gedachten duizelden: alles wat hij met al die doekoes kon doen. Tegelijkertijd: de Joego's konden hem elk moment dumpen. Het waren motherfuckers allemaal.

Het was elf uur. Hij pakte zijn mobiel. Belde Robert. Zijn mattie had geen normale voicemail, alleen harde, schreeuwerige Arabische muziek als boodschap. 't Had geen zin wat in te spreken. Robert zou toch wel zien dat hij gebeld had.

De tijd verstreek. Mahmud nam nog een neusje. Speelde op zijn PlayStation als een gamegod.

Zijn mobiel ging. Het was Robert, opgewonden als een kind: 'Jezus man, kom naar beneden, we staan bij je op straat. We gaan de stad in.'

Mahmud trok zijn jas aan, een leren jack met Merrie-logo's op de mouwen. Stopte een bolletje folie met twee gram in zijn zak. Vanavond: hij zou Stockholm eens laten zien – bitches scoren als nooit tevoren.

Mahmud en Javier namen om te beginnen ieder een lijntje. Zware ritmes uit Robbans autostereo. Kapot goeie stemming. Het enige wat Mahmud miste: Babak naast zich op de achterbank.

Duidelijk te zien dat Robban zich had gestyled voor *pussy-catching*. Megastrak achterovergekamd haar, licht maar verzorgd stoppelbaardje, gouden ketting om zijn nek, strakke zijden trui met V-hals. Zijn biceps deden de stof opbollen.

'Yo, ben je heet vanavond?'

Robert lachte. 'Fok man, ik ben zo heet dat ik haast in m'n broek kom.'

'Hustler's hustler. Zullen we niet met mijn CLS gaan?'

'Als je wilt. Echt vet man. Big fokking pimpin'.'

Javier grijnsde alleen maar om hun geklets. Ze stapten over op Mahmuds wagi.

Het was zo relaxed.

Onderweg. Robert draaide zich om naar Mahmud: brede piranhagrijns.

'Als ik vanavond geen hattrick doe, krijgen jullie tien keer je inzet van me. Safi?'

'Wat, ga je drie smatjes ballen of wat?'

'Nee, ashabi. Hattrick, weet je niet wat dat is?'

Mahmud kon van alles bedenken, maar hij wilde Robbans nieuwste idee horen.

'Hattrick dus, dat is als je op één avond in alle drie de gaten mag spuiten.'

Mahmud lachte zich rot. Javier schaterde. Robban zag er tevreden uit – lachte om zichzelf. Drie scherpe gozers op mitiestoernee, als ze vanavond niet zouden scoren dan zou het ze fokking nooit lukken.

Mahmud tussen de lachaanvallen door: 'Ik zweer je man, ik doe vanavond ook een hattrick, woellah.'

De lach ging liggen. Ze waren bijna in de stad.

Mahmud werd ernstig. Wilde effe serieus lullen.

'Ik begin nogal pissed te worden, weet je.'

'Wat dan, is het iets met Babak of zo? Drop dat nu, gap.'

'Nee, dat is het niet. En echt man, ik ga niet lopen zeiken met Babak. Doe hem de groeten van me, salam.'

'Wat is er dan?' Mahmud zag Roberts gezicht in de achteruitkijkspiegel. Hij zag er nog echt benieuwd uit ook.

'Nou, je weet toch, de Joego's lopen me bruut in mijn reet te naaien. Ik wil er gewoon mee stoppen.'

'Stop dan. Zeg dat ze zichzelf moeten neuken.'

'Nee, ik ben geen gast die opvliegt. Ik brand langzaam als een joint. Maar ik kan overkoken, snap je?'

Javier leunde achterover. 'Ik snap het niet. Je verdient dikke doekoes. Cruist rond in een dope wagi. Wat is je probleem?'

· 'Ik ben hun bitch weet je. Het is anders voor jou, Robban, jij loopt je eigen race. Kleine zelfstandige zegma. Maar mij houden ze aan de riem als de eerste de beste hoer. Het zijn net cipiers, bepalen wat ik moet doen, wanneer ik dat moet doen. Dreigen dat ze het m'n pa vertellen als ik niet meedoe, het zullen verpesten voor m'n zus. Het zijn zulke klootzakken gewoon, ik moet iets doen.'

Robert, ernstig voor de eerste keer die avond: 'Mahmud, luister naar me. Ik geloof misschien niet in de Joego's over tien jaar, maar nu – pas op. Dat is het enige wat ik zeg. Pas op. Het zijn beesten, speel niet met ze. Zolang je doekoes verdient, ga door en wees blij, woellah.'

Het werd stil in de auto.

De stad in gloeiend hete partysfeer. Mahmud herinnerde zich: de Zwedo's vierden Allerheiligen of zoiets. De novemberduisternis verlicht door platinablonde grietjes met naaldhakken en ijskoude benen. Kakkers met Barbour-vesten die meer op binnenvoering dan op buitenkleding leken.

Maar de avond was van hun. Javier had een drinktafel gereserveerd bij de White Room. Als Mahmud geprobeerd zou hebben om te reserveren: afwimpeling zonder omwegen. Zijn getto-Zweeds was niet te verbergen. En aan de deur kon je het zonder reservering vergeten. 't Was keer op keer bewezen door een stel allootjes die iets op de universiteit gestudeerd hadden: die gasten hadden het apartheidsregime aan de deuren van Stockholm opgenomen op video en hadden de kroegen voor de rechter gesleept. Het zouden helden in Zweden moeten zijn – maar voor Mahmud was er niks veranderd.

Maar Javier was haast net een Zwedo. Superchill.

In de White Room: in de tafel ingebouwde ijsemmers, kristal aan het plafond, roze verlichte bar met luxewodka en champagne. Sieraden aan de muur – een soort tentoonstelling. De dansvloer was een cirkel in het midden van de ruimte. Knettergoeie sfeer. Het enige kloterige was dat ze niet in de viproom mochten. Schijt ook: hier zou er eens flink op los gejazzt worden. Maar begrijp het niet verkeerd: erop los jazzen betekende niet dat Mahmud danste. Never nooit niet dat een buitenwijkkill als hij zich zo zou vernederen. Dat was voorbehouden aan Zwedo's, mietjes.

Toch: het gevoel binnen te zijn overtrof bijna alles. Hij dacht aan die keer in Sturecompagniet toen hij Daniel en zijn vrienden had gezien. Angst in zijn buik. Paniek in stoten door zijn hoofd. Hij vroeg zich af wat erger was. Born to be hated cash schuldig zijn of de hoer van de Joego's zijn.

Drie neusjes later: Mahmud, Robert en Javier zaten aan de drinktafel.

Mahmud deed zoals altijd rustig aan met de drank. In plaats daarvan: drank voor de chicks. Het plan: voer ze genoeg voor een beurt maar niet te veel – niemand wou kots op zijn pik. Mahmud vond de Zwedokakkers bedreigend staren. Ze digden dit spelletje niet. Allokings die chickies vingen.

Hij voelde de trilling in zijn broekzak. De telefoon stoorde hem. En hij moest hem checken. Het kon business zijn. Het sms'je was een klinkklaar bevel: 'D wil 50 briefjes vanavond.' Met andere woorden: hij moest naar een Shurgard-opslag, vijftig gram c regelen en de shit daarna afleveren bij Dijma. Hier zat hij met zijn gaps, drie, vier gewillige poesjes, het leven top, de mogelijkheid van een hattrick binnen handbereik. En net op dat moment moest Mister R. hem weg sommeren. Als een kapotte anti-jackpot. Hij zou moeten weigeren, ze de middelvinger geven. Alle haat kwam in één keer naar boven. Gutste door hem heen. Het was alsof zijn gloeiende woede ontvlamde. Een zieke lavastroom werd. Hij zou schijt aan de Joego's moeten hebben. Zeggen dat ze konden oprot-ten. Maar tegelijkertijd, heel sterk, krachtiger dan de haat, de roes, de hitte: hij wist wat hij moest doen. Het was gewoon een kwestie van leveren.

Hij was blij dat hij niet had gezopen. Beter om auto te rijden met een afne-mende c-roes dan met een heleboel promille in je bloed. Zette de stereo op barstensvolume. Snoop in topvorm. Niet zoals Mahmud zich nu voelde.

De stad door, pauper-Söder door, de snelweg recht naar het zuiden. Langs Liljeholmen, Årsta en verder. Langs Kungens Kurva – *kurwa*, Pools voor hoer.

Geen mensen te zien bij de opslag. Tuurlijk: het was zaterdagavond halfeen. IJskoude motregendruppels. Hij checkte in, rommelde een tijdje in de lades van het magazijn, haalde alle grammetjes die daar lagen tevoorschijn – zes vijfjes. Terug de auto in. Swish-swish de nacht door. Naar de volgende opslag, Årsta-berg. Hij kende deze ruimtes op zijn duimpje. In/uit als een idioot.

Anderhalf uur later: vijftig gram in een zakje in zijn zak. Levensgevaarlijk – als de skotoe hem nu pakte, moest hij twee jaar brommen. Minstens. De recht-bank volgde hoeveelheidstabellen, starre oordelen, bikkelharde vonnissen voor dealers.

Terug in de stad. Nauwelijks parkeerplaatsen. Mahmud bracht het niet op om rondjes te gaan rijden. Schijt als ie een boete kreeg – hij zette zijn wagen voor een gebouw waar KONINKLIJKE BIBLIOTHEEK op stond. Stuurde een sms'je naar Dijma op het nummer dat de Albanees deze week waarschijnlijk gebruikte. Wachtte tien minuten. De novembernacht donker. Weinig lantaarnpalen waar hij geparkeerd stond. Hij dacht aan zijn pa. Als die deze shit ontdekte zou hij zich doodjanken.

Opeens kwam er een zilverkleurige Saab naast hem staan. Mahmud sprong bijna op. Was hij ingesuft in de duistere auto?

Hij zag een glimp van Dijma voorin. Er stapte een vent uit de Saab. Trok de achterdeur van de Merrie open. Ging op de achterbank zitten. Mahmud op

scherp. Kende die gast niet. De grammetjes in zijn zak een straatwaarde van meer dan driehonderd mille. Probeerde Dijma hem te naaien?

De kerel zag bleek. Donkere kringen om zijn ogen, donkerblond haar met een recht afgeknipte pony die er Oost-Europees uitzag.

'*Move*,' zei hij in gebroken Engels.

Mahmud startte de auto. Zag de Saab een stukje voor zich rijden.

Ze reden de Sturegatan op. Mahmud kreeg slechte vibes. Zo ging het normaal niet.

De vent op de achterbank zag zijn vragende blik in de achteruitkijkspiegel. '*Park the car at the Stadion.*' Mahmud vertrouwde het niet: die gast sprak het woord Stadion iets te goed uit om een vers ingevlogen drugs-Albanees te zijn.

Hij reed de Sturegatan uit. Bij de Karlavägen sloeg de Saab rechts af.

'*Don't follow him,*' beval de koerier achterin.

Mahmud minderde vaart. Hij zei: '*I don't know you.*'

De Albanees antwoordde: '*Are you delivering or not?*'

Mahmud gaf geen antwoord. Had geen puf om tegen te sputteren. Wilde terug naar de chicks.

Ze reden over de Valhallavägen. Er was amper verkeer. Mahmud parkeerde zijn auto naast het roodachtige Stadion. Het bleef miezeren.

Mahmud zette de motor af. Zocht in zijn jas naar de grammen. Er kwam een donkere Volvo naast ze staan. Parkeerde, zette de Merrie klem.

De vent op de achterbank leunde voorover. Zei in het Zweeds: 'Je bent een goeie jongen, Mahmud.' Wat was dit godverdomme? Praatte die Albanees opeens Zweeds. Mahmud wilde begrijpen wat er aan de hand was. Probeerde Dijma hem te naaien? Zaten de Joego's hem te stangen? Of de skotoe? Van al die kloteavonden lag net vanavond zijn vlindermes thuis.

'Hé man, wie ben jij? Oprotten jij.' Mahmud keek naar de Volvo buiten, voorin twee gasten die er Zweeds uitzagen.

'Ik ben zo weg, wees niet bang. Je kunt me Alex noemen.'

Mahmud voelde het in zijn hele lichaam: dit was een juut.

'Ik praat niet met jou.'

'Waarom niet? Ik wil dat je naar me luistert, een paar minuten maar. Ik neem aan dat je iets in de auto hebt dat je niet mag hebben. Klopt dat?'

'Ik praat niet met jou, zei ik.'

'Je zegt gewoon tegen Dijma dat er gelazer ontstond en ik ervandoor ging. Ik ben de hele avond al lastig geweest, dus hij zal niet verbaasd zijn.'

'Ik heb niks illegaals gedaan, of waar je het ook over hebt.'

'Het is oké, Mahmud. Ik neem niks mee. We zullen vanavond niet proberen je voor de rechter te krijgen. Deze keer niet. Luister alleen even.'

Mahmud begreep niet waar die rotsmeris het over had. Alles was nu toch naar de klote. De Volvo naast ze. De mogelijkheden om hem te smeren minimaal.

'We weten waar jullie mee bezig zijn. Maar we hebben meer informatie nodig. We hebben iemand in de organisatie nodig. Jongens als ik kunnen erin en eruit gaan en kleine klusjes doen, maar we worden niet echt toegelaten. Jij bent een goeie jongen. Je vader is bezorgd over je. Je hebt zussen die je kunt helpen. Je wilt niet nog een keer de bak in. Kom op Mahmud, echt niet dat je het naar je zin had in de nor. Stel je eens voor wat je vader zou zeggen.'

Mahmud staarde strak voor zich uit, weigerde oogcontact te maken met die klootzak van een smeris.

'Ga je moeder neuken.'

Het leek die gast koud te laten. Hij ging door: 'We zijn niet onredelijk. We kunnen vergeten wat we tot nu toe van je hebben. Ik zou je nu op kunnen pakken en dan krijg je twee jaar voor die grammen die je nu in je zak hebt zitten. Verder hebben we genoeg bewijs voor nog twee keer dealen. Je krijgt minstens acht jaar, dat weet je. Maar als je meewerkt, schrappen we dat. Het enige wat we willen...'

'Ben je fokking doof of zo?' Nu moest hij ophouden, Mahmud wou de kop van die vent vastpakken, tegen de versnellingspook rossen en dan wegrennen. Het was de moeite van het proberen waard.

'Rustig maar, Mahmud, luister nog een paar seconden. We hebben je nodig. We laten die misdrijven die we van je hebben, zitten. En het enige wat we willen, is dat je af en toe met ons afspreekt en ons een beetje op de hoogte houdt van wat er gebeurt.'

Dit: kapot ziek. Ze dachten echt dat hij een *snitch* zou worden. Shit zeg, ze waren niet goed snik, die blauwe smurfen.

'Is dit een geintje of zo? Denk je dat ik een matennaaier ben? No way.'

Alex klonk teleurgesteld. 'Je zou het moeten overwegen. Het is geen verlinken of zo. Helemaal niet. We pakken dit netjes aan. Niemand zal er ooit achter komen. Maar ik zal je niet langer ophouden. Denk er maar over na. Doe niks stoms nu. Ik stap zo in de auto hiernaast.'

De smeris pakte de portiergreep, stak zijn andere hand uit. 'Hier, mijn kaartje.'

Mahmud negeerde het.

Alex de flik legde het op de passagiersstoel.

'Bel me als je van gedachten verandert.'

'Vergeet het maar.'

'Denk er een paar dagen over na. Anders zien we elkaar de volgende keer tijdens een verhoor in het huis van bewaring. Snap je?' Alex wachtte zijn antwoord niet af. Hij stapte uit. Draaide zich om voor hij het portier dichtsloeg. 'En nog iets. Als ons gesprekje op een of andere manier uitlekt, komen we je halen. Meteen.'

De smeris stapte in de Volvo. Reed met plankgas weg.

Mahmud bleef een paar minuten in het donker zitten. Pakte het kaartje. Daar

stond alleen ALEXANDER WREN, INGENIEUR, en een mobiel nummer. Goeie dekmantel. Hij draaide zijn raampje naar beneden. Gooide het kaartje naar buiten.

De White Room zou nog wel even open zijn maar hij had weinig zin meer om erheen te gaan. Stel dat Dijma ook een agent in burger was. Onmogelijk, Dijma kwam zo authentiek over als een Albanees maar kon zijn.

Hij was een loser. Zelfs de skotoe geloofde blijkbaar niet dat hij een echte G was. Tegelijkertijd: wie zat hij nou te verdedigen? Mensen die hem in de problemen brachten door misbruik te maken van zijn liefde voor zijn aboe en zus.

Mahmud sms'te Dijma. Vroeg hem de shit zelf te komen halen. De Albanees zocht hem op voor de Koninklijke Bibliotheek. Dijma was niet eens verbaasd toen Mahmud vertelde dat die lul die het zou afhandelen over de prijs was gaan zeiken. Mahmud zei dat hij hem eruit had geflikkerd. Mahmud nam tweehonderdvijftig mille in ongevouwen duizendjes in ontvangst. Alles voelde meteen beter. Jezus, hij zou misschien toch nog even langs bij de White Room. Even kijken of Robban, Javier en de chicks er nog waren.

Tussen de champagneflessen heerste een wildwestsfeer. Kakkers met dubbele manchetten aan hun overhemden en meer wax in hun haar dan Mahmud in drie maanden gebruikte, spoten champagne over elkaar heen. Zodra Mahmud was neergeploft stak Robban een pruimtabakdoosje naar hem toe. Mahmud deed de deksel op een kiertje: een prachtig hoopje c. Hij ging naar de wc. Snoof een neusje. Tweehonderdvijftig mille – hij voelde zich steeds beter. Oké, het was niet alleen zijn geld, maar jezus, hij moest even relaxen na dat gedoe met die smeris.

Terug onder de mensen. De dansvloer was bomvol. De schijnwerpers pompten kleuren over de hele ruimte. De eurotechno dreunde op de maat van de armen van de meiden in de lucht. Dit was fokking groots. Javier was hem gepeerd met een chick. Robban zat zich bij een eigen sweetie in te likken. Ze keek in zijn ogen. Mahmud vroeg zich af wat voor schitterende leugens hij zat op te dissen.

Twee grietjes slurpten de laatste druppels Gray Goose Vodka op. Mahmud knipoogde naar een van hen. Overschreeuwde de muziek: 'Hé schatje, zullen wij niet wat bubbels nemen?' Onduidelijk of ze hoorde wat hij zei. Maar drie minuten later was hij terug bij de tafel met een flesje superlekkere roze champagne. Toen begrepen ze het zeker. Hij schonk in. Ze proostten. Hij dronk niet. Maar ze glimlachten. De chick naar wie hij had geknipoogd was de knapste meid die hij had gezien sinds Lindsay Lohan. Geblondeerd haar dat er engelachtig fijn uitzag. Grote fonkelende ogen. Een grijs topje met pofmouwtjes. Ze sloeg haar glas achterover. Mahmud schonk bij. Fluisterde in haar oor: 'Wil je nog leuker, echt dynamiet hebben?'

Ze lachte. Hun handen naar elkaar, Mahmud overhandigde haar het sealtje.

Toen zij en haar vriendin zich uit de box langs hem wurmden, kneep hij in haar kont.

Vijf minuten laten kwam het engelmeisje terug. Haar pupillen als potloodpuntjes. Nieste achter haar hand. Glimlachte naar hem. Mahmud de king. Vanavond zou het een hattrick worden. Ha, ha, hattrick!

In de taxi naar zijn kamer waren ze al heftig bezig. Haar hand in zijn broek. Heen en weer. Hij werd gek, wilde hem erin hangen. Maar nergens voor nodig om gezeik met de chauffeur te krijgen.

De regen buiten was lekker fris. Ze heette Gabrielle. Haar spijkerbroek liep als een afvoerpijp over haar zwarte hakken. Ze wankelde, straalbezopen.

Ze struikelden de flat in. Hij wilde het licht niet aandoen – gênant hoe rommelig en goor het overal was. Ze pakte zijn pik al in de hal. Begon hem te pijpen. Geen overbodig voorspel en gepiel. Precies zoals hij het wilde.

Hij kwam bijna. Zijn ademhaling ging sneller. Gabrielle merkte het. Ze probeerde hem buiten haar mond te laten spuiten.

Mahmud zei: 'Laat hem daar maar zitten.'

Ze knikte, zijn pik volgde het ritme van haar hoofd.

Ze gingen op het bed liggen. Hij rustte een paar minuten uit. Zette muziek aan.

Trok haar spijkerbroek uit. Liet het topje aan. Duwde zijn pik naar binnen.

Gabrielle kreunde als in een pornofilm. Ze neukten een tijdje. Mahmud kletste haar op haar reet.

'Doe even een condoom om.'

'Ach, joh, ik kom wel op je rug.'

Ze leek het prima te vinden. Mahmud nam aan dat ze aan de pil was. Hij ging door, wham-bam. Kwam een paar minuten later klaar, haalde hem er niet uit. Onduidelijk of ze het überhaupt merkte. Relaxed, tweede deel afgehandeld. Dit zouden zijn vrienden morgen eens moeten horen.

Gabrielle ging naar de wc. Toen ze terugkwam had hij een lijntje gelegd op een cd-hoesje. Ze zei: 'Voor mij is het oké nu, ik hoef niet meer. Kun je geen taxi bellen?'

Wat was dat voor onzin? Er was nog iets over. De hattrick moest volbracht worden. Het anale was de finale.

Hij boog zich over haar heen. Begon haar in haar nek te zoenen, omhoog naar haar gezicht. Liet zijn lippen haar ogen, wangen, voorhoofd beroeren. Speelde het romantische-kusser-spel. Hoopte dat ze van gedachten zou veranderen. Hij likte in haar oor, streelde haar haar, borsten, kont. 'Kom op joh, meissie, wees een beetje lief. Is het niet lekker?'

Ze gingen weer liggen. Hij moest en zou in haar, zo was het gewoon.

Mahmud trok haar topje uit. Haar lichaam was zo mager als wat. Hij ging voorzichtig op haar liggen, hij was ongeveer tien keer zo groot. Bleef haar op

haar voorhoofd zoenen. Ze deed haar ogen dicht. Schoof zijn pik naar binnen.

Een paar minuten missionaris. Daarna draaide hij haar om. Zijn pik tegen haar anus.

'Nee, daar niet,' fluisterde ze.

'Jawel, het is geweldig, echt.'

Hij pakte haar billen vast. Probeerde zijn pik naar binnen te duwen.

'Dat wil ik niet.' Haar stem klonk harder nu.

'Kom op zeg, even snel.'

Gabrielle bewoog haar kont. Hij hield haar steviger vast.

'Hou op. Ik wil het toch niet.' Haar stem weer een fractie harder.

Het was ziek: hij de machopik, de bitchking, de chickenballer – werd slap. Vette kans, een meid op haar buik, hem alleen erin duwen en zijn ding doen. Wat was er eigenlijk mis met hem? Hij liet haar los. Zag hoe ze ontspande.

'Blijf nog even liggen alsjeblieft. Je bent fantastisch.'

Hij stond op. Keek naar Gabrielle. Haar benen languit op het bed. Dit moest hij kunnen. Hij grabbelde tussen zijn kleren, jack, portemonnee, spijkerbroek. Ten slotte vond hij wat hij zocht: een sealtje waarin hij nog wat milligrammetjes had zitten. Hij stopte zijn vinger in de cocaïne. Wreef hem over zijn lul. Dit moest werken. Hij moest hem weer omhoog krijgen.

Nu.

38

Niklas hield het wapen vast. Woog het. Bewonderde de glans van het metaal. 't Was haast net als *down there*, behalve dan dat dit wapen nauwelijks gebruikt was.

Dacht terug aan de afgelopen weken. De vrouw van Black & White Inn had zijn bestelling geleverd. Een clean, fatsoenlijk pistool: een nieuwe Beretta. Hij had de eerste keer proefgeschoten in een stuk bos bij Sätra. Twintig keer op een paar bierblikjes die op stenen stonden. Een echt Bagdad-gevoel midden in de Stockholmse herfst. Hij moest het wapen leren kennen. De veiligheidspal, de trekker, het vizier, de beweging van de haan, de slagpin, de blokkering van het magazijn enzovoort. Hij en de Beretta: zouden één worden. Zoals het hoort.

Daarna de training thuis: de trekkerbeweging van deze *piece* moest als een automatisme in zijn elleboog zitten. Hij deed het licht uit, oefende in het donker, oefende in flodderige kleren, zonder kleren, lopend, liggend, rennend. Links, rechts, rechts, links.

Alle mishandelende schoften – nu begint het offensief van Operation Magnum. Hier komt jullie nachtmerrie. Verdwijn en verstop je – als jullie kunnen.

Vandaag was het zover. Hij zou de eerste afknallen. Mats, het zwijn, Strömberg.

De maanden waren snel gegaan, topresultaten op spionagegebied. Het enige kloterige: Niklas was uit zijn flat in Aspudden gezet. De zwarte makelaar had een andere woning geregeld en Niklas moest dokken. Heftiger dan verwacht aangezien hij ook de Audi had verpatst en in plaats daarvan een Ford had gescoord. Over veiligheid sloot hij geen compromissen. Maar over een paar dagen zou het geld op zijn. Wat moest hij doen? Het grondprincipe stond vast: oorlog mag geld kosten.

De verhouding met zijn moeder was alleen maar slechter geworden. Hij bracht het niet op van zich te laten horen. Ze had gebeld, gesms't, zelfs een brief geschreven. Na hun ruzie van een paar maanden geleden: het voelde niet oké. Zijn moeder was haar halve leven vernederd. Toch leek ze het belang van wat hij vandaag wilde doen, niet te begrijpen. Hoe kon ze zo beperkt denken?

Maar het antwoord lag waarschijnlijk in die denkwijze. Dat zoveel vrouwen accepteerden dat mannen hen sloegen, onderdrukten, intimideerden, terroriseerden. Dat ze zich niet verdedigden, er niks aan deden, niet terugsloegen. Niklas kende de argumenten van de hardcorefeministen hoewel hij sinds het Biskops-Arnö-incident niet meer op hun pathetische internetsites kwam. Het waren de structuren van de samenleving, de sekseongelijkheid, ingebouwde patronen die elk individu blijkbaar na moest apen.

Niklas had op een nacht in oktober een gps-peilzender onder Mats Strömbergs auto gehangen. Sindsdien had hij Strömbergs autobewegingen als een echte kaartenfreak gevolgd. Deed hem denken aan een Britse sergeant bij Dyncorp. De grootste liefde van die gast waren kaarten – en serieus. Als de anderen naar hun mp3-spelers zaten te luisteren, pornoblaadjes bekeken of pokerden, zat sergeant Jacobs met een ongelofelijke intensiteit kaarten te bekijken. Maar shit, wat was die gast scherp in het veld. Als hij zich eenmaal had ingelezen op een gebied, kende hij het beter dan zijn eigen wapen.

Onderweg naar huis reed Strömberg vaak langs een kiosk in Sundbyberg. Parkeerde zijn auto, hing een kwartiertje rond in de kiosk. Niklas begreep eerst niet wat die vent daar deed. Op een dag was hij mee naar binnen gegaan. Mats Strömberg zou hem toch niet herkennen. Hij bleek te gokken. De man leek het huishoudgeld in te zetten bij onder meer de voetbaltoto, de ploegentoto en V75. En Niklas begon een patroon te bespeuren. Op de avonden waarop de uitslagen kwamen, zag Mats Strömberg zich genoodzaakt zich af te reageren op zijn vrouw.

Toen oktober kouder werd, begon Strömberg een geruite sjaal te dragen, sloeg hem als een echte ouwe lul om zijn nek, met een enkele knoop terwijl het grootste gedeelte over zijn borst hing. Zijn spijkerjack werd verruild voor een spuuglelijk groen nylon jack. Zijn leren schoenen werden vervangen door hoge schoenen die er militair uitzagen. En pas toen, in oktober, constateerde Niklas nog een patroon: elke eerste maandag van de maand sprak Strömberg met wat vrienden af in een café aan het Mariatorget. Hij wist het nu: dezelfde pub, ongeveer dezelfde tijd, dezelfde kerels. De foto's die Niklas had genomen waren duidelijk. Drie maanden achtereen.

En vanavond was het vier november. De eerste maandag in november. Definitief: *time for attack*. Hij wist dat Mats Strömberg laat thuis zou komen zonder auto. Operation Magnum ging de volgende fase in.

Niklas had een neutrale auto gehuurd, een grijze Volvo V50. Wilde op geen enkele manier het risico lopen dat die klote-Mats de Ford die de afgelopen dagen zoveel uren voor zijn huis had gestaan, zou herkennen. De vent kon zich dingen in zijn hoofd halen. De Volvo perfect: niemand besteedde aandacht aan zo'n nietszeggende wagen.

Wachtte. Voor de pub waar Mats Strömberg vrolijk zat te wezen. Vreemd ge-

noeg was het nooit saai – de tijd laten gaan zonder iets anders te doen dan door de voorruit staren. Strömberg zou niet vrolijk mogen zijn. Vier dagen geleden had hij zijn vrouw in elkaar geslagen voor de ogen van hun zoon. Het enige wat ze deed was huilen. Het enige wat hij deed was slaan. De zoon verstopte zich achter de bank.

Niklas was niet van plan hem hier in de stad te grazen te nemen – te veel mensen. Wel: de vent volgen naar Sundbyberg. En daar op straat, een plaats die hij geanalyseerd had: een einde aan de tragedie.

Het geluid van zijn mobiel uit. Hij lag in zijn tas op de passagiersstoel. Toch voelde hij hem trillen, alsof hij hem in de zak van zijn spijkerbroek had zitten. Op de display stond BENJAMIN. Het kwam hem nu absoluut niet uit om op te nemen. Aan de andere kant zou Niklas Benjamins hulp misschien weer nodig hebben. De realiteit van het cashprobleem was moeilijk te negeren.

'Hoi, met Benjamin.'

'Ik zie het.'

'Waar heb jij de afgelopen maanden uitgehangen? Jezus man, dit is de eerste keer in tijden dat we elkaar spreken. Ben je soms teruggegaan naar Irak?'

Niklas had geen zin in die sukkel. Wat wou hij eigenlijk?

'Zeg, ik heb nu eigenlijk geen tijd. Wat is er?'

Benjamin zweeg een paar ademhalingen te lang. Duidelijk verrast door Niklas' norsheid.

'Als je zo tegen me praat kun je hem beter weer peren naar de zandbak. Mij kan het niet schelen. Je hebt me de afgelopen weken goddomme minstens tien keer weggedrukt.'

Dat klopte. Niklas had niet opgenomen, de telefoontjes gescreend, zelfs zijn voicemail niet afgeluisterd. Focus was het punt, niet al die waardeloze gesprekjes. Toch: het geld raakte op.

'Ik weet het, sorry. Ik heb het gruwelijk druk gehad de afgelopen tijd. Waar bel je over?'

'Ik denk dat je dit wel wilt horen. Als je je voicemail nog niet hebt afgeluisterd.'

Niklas dacht: ik trek dit niet.

Benjamin vervolgde. 'Een paar weken geleden ben ik weer door de politie gebeld. Opgeroepen voor verhoor en zo. Ik ben langs geweest, half oktober geloof ik. Raad eens waar het over ging?'

'Geen idee.' Niklas was lichtelijk verontrust.

'Het ging over dat gedoe van afgelopen zomer. Weet je nog?'

'Wat?'

'Beter nadenken. Weet je naar wie ze vroegen?'

Niklas' ongerustheid nam toe. Hij wist het antwoord al. Dat kon maar over één ding gaan – kut zeg.

'Ze vroegen naar jou.'

'Waarom?'

'Weet je nog dat je me vroeg te zeggen dat we de hele avond bij mij thuis waren geweest?'

'Ja, maar wat zeiden ze nu dan?'

'Je hebt me nooit verteld waarvoor dat was. Waar heb je me verdomme bij betrokken, man? Ze hebben me zeker twee uur verhoord. Hebben me vet onder druk gezet. Hadden we echt naar een film gekeken? Welke film dan? Wanneer kwam je bij me, wanneer ging je weg, ben ik zeker van de datum? Begrijp je?'

'Je hebt toch niks gezegd?'

'Nee, ik heb niks gezegd. Maar ik wist nergens van. Je had me niet verteld dat het hierom ging. Jezus man, moord. Niklas, waar gaat dit eigenlijk over? Dat is toch ziek. Moord.'

'Ik weet niet meer dan jij. Ik heb geen idee. Echt waar. Werd ik dan ergens van verdacht?'

'Hoe moet ik dat nou weten? Moord dus. Kom op, Niklas, wat is dit voor shit?'

Niklas voelde zich koud en warm tegelijk. Hoe had dit kunnen gebeuren? Hij kon Benjamin geen antwoord geven.

Hij bevond zich op een splitsing: hij kon deze shit niet accepteren. Tegelijkertijd, Benjamins alibi: van onschatbare waarde. Hij moest als een waanzinnige gaan lopen slijmen.

'Ja, het gaat over iemand die dood is gevonden in het flatgebouw van mijn moeder. Ze hebben mij ook verhoord. En mijn moeder. Een arme stakker die in de kelder finaal in elkaar was geslagen. Een hele hoop politie erbij en zo.'

'Oké. Maar wat heeft dat met jou te maken? Waarom hebben ze mij weer opgeroepen voor verhoor en me zo onder druk gezet? En wat moest je eigenlijk met dat wapen?'

'Niks, dat is gewoon leuk speelgoed. En wat die dooie in het huis van mijn moeder betreft, dat weet ik eerlijk gezegd niet. Geen idee. Maar als ik ergens van verdacht zou worden, hadden ze me al tijden geleden opgepakt. Maar je begrijpt wel, met mijn achtergrond en zo, je kunt een hoop gelazer met de politie krijgen.'

Stilte.

Meer stilte.

Een zweetdruppel over zijn slaap.

Benjamin zei langzaam: 'Weet je, we zijn natuurlijk vrienden en zo, maar... dit begint wel erg groot te worden vind ik. Wat schiet ik ermee op?'

'Hoe bedoel je?'

'Ik bedoel, ik dek je nu zomaar helemaal voor niks. En wat verdien ik eraan? Jij vindt dus niet dat ik wat zou moeten krijgen omdat ik dingen loop te verzinnen over dat dvd-avondje van ons?'

'Wat bedoel je nou, man? Wil je geld zien of zo?'

'Ik weet het niet. Maar ja, eigenlijk wel. Vind je dat niet eerlijker? Ik dek jou. Dan kun jij wel een gebaar maken.'

Nu was de maat echt vol. Eerst die klootzak van een zwarte makelaar, daarna een andere auto en een huurauto en nu dit: een vriend die hem liet zitten. Hem zat af te persen. Wat zou hij zeggen? Hij moest die eikel wat bieden.

'Dat had ik niet van je verwacht, Benjamin. Maar ik weet het goed gemaakt, jij hebt me geholpen en dat moet iets waard zijn. Ik kan je vijfduizend geven. Meer heb ik niet.'

Benjamin klakte met zijn tong.

'Goed dat we elkaar begrijpen. Verdubbel dat bedrag en we hebben een deal.'

Om twaalf uur wankelden Mats Strömberg en een van zijn vrienden het café uit. Rood opgezet gezicht. De ouwelullensjaal slordig omgeslagen.

Hij stapte in de auto van zijn drinkebroer die drie auto's vóór Niklas bleek te staan.

Het was niet goed als die kennis van plan was Strömberg helemaal naar huis te rijden, maar Niklas had het eerder gezien – die schoft van een Mats werd vaak afgezet bij het Centraal Station en moest dan zelf met de stoptrein naar Sundbyberg.

Niklas volgde de auto zonder enig probleem in het rustige verkeer.

Zoals hij had verwacht: bij het Centraal Station werd Mats Strömberg afgezet. Liep naar de stoptreinen. Niklas had alles uitgedacht. Had de dienstregeling voor de hele avond en nacht bestudeerd. Mats zou de trein van drieëntwintig over richting Bålsta halen. Er konden vertragingen zijn. Niklas surfte met zijn mobiele telefoon naar de site met verkeersinformatie. Vanavond zou de trein van 00.23 uur op tijd vertrekken. Voor hem was het in het nachtelijke verkeer negen minuten naar Sundbyberg. De trein zou er maar zeven minuten over doen, maar die ging pas over acht minuten. Hij zat safe.

Op de snelweg, een gedachte in zijn hoofd: het schot moest hem goed raken. Hem meteen uitschakelen. De klus zou netjes en snel afgehandeld worden. In Operation Magnum werden geen gewonden achtergelaten.

Hij parkeerde de auto dertig meter van de uitgang van het station. Draaide een raampje naar beneden. Wachtte. Er stroomde koude lucht naar binnen. Checkte de verkeersinformatie nog één keer op zijn mobiel. De trein zou over drie minuten aankomen. Hij legde de Beretta op zijn schoot. Over straat kwam een vrouw met een labrador langs. Verder geen mensen. Hij dubbelcheckte het magazijn, de veiligheidspal, de haan.

Nog een minuut tot de trein het lagergelegen station binnen zou rijden. Niklas boog zich voorover, controleerde weer of zijn veters goed gestrikt waren. Voelde het in zijn buik, net als in de uren voor een aanval. Kleine, piepkleine bewegingen. Alsof ze een eigen leven leidden. Tegelijkertijd: een verwachting,

een spanning in de lucht. *Excitement*, zoals de andere jongens daarginds gezegd zouden hebben. Excitement over de mogelijkheid echt iets goeds te kunnen doen.

Nu hoorde hij de knarsende remmen van de trein. Keek op de klok. Niklas had proefwandelingetjes gemaakt op de trap van het perron naar boven en door het station naar buiten. Afhankelijk van de plek waar de vent uitstapte, zou het tussen de dertig en vijftig seconden moeten duren.

De deuren gingen automatisch open. Er kwamen twee mensen naar buiten. Geen Mats. Daarna een gezin: de moeder duwde een dubbele kinderwagen vol kleintjes en de vader droeg een slapend kind. Daarachter: een paar pubers.

Ten slotte: Mats Strömberg.

De rode kleur in zijn gezicht was weggetrokken. Hij zag eruit als een modelburger. Liep langs de Volvo waar Niklas in zat. Niklas stapte uit. Tien meter achter het doel. De Beretta in zijn binnenzak. Strömberg liep in een normaal tempo. Het was vierhonderd meter naar zijn woning. Over ongeveer vijftig meter zou hij door een parkje heen lopen. Geen straatverlichting daar, en geen huizen.

Het was bijna kwart voor een. Behalve het doelwit zag Niklas geen mens op straat. Hij had dit zo goed gepland, zo lang, niet alleen om dit perfect te kunnen doen, maar ook om te weten dat hij de juiste pakte.

Dertig meter tot het park. Niklas versnelde. Zeven meter achter Strömberg. De man leek niet te merken dat hij gevolgd werd.

Niklas stak zijn hand in zijn binnenzak. Voelde het warme staal van het pistool.

De bomen in het park waren goed zichtbaar, donkergroen.

Niklas wist: op het hoofd schieten is onzeker als je wilt dat het doelwit zal sterven. Het hoofd is beweeglijk en heeft delen die kapot kunnen gaan zonder dat het slachtoffer sterft: oren, kaak, schedel, zelfs delen van de hersenen. De rug daarentegen. Als je de ruggengraat raakt is het schot direct dodelijk. Bovendien: het gaat goed als je van dichtbij schiet. Groot, zeker raakvlak. Mis je het ruggenmerg, dan heb je grote kans dat je de lichaamsslagader, de grote holle ader of de grote longslagader raakt. Dat is ook genoeg.

Mats de schoft drie meter voor hem.

Links stond een klimrek dat nauwelijks te zien was in het donker. Maar Niklas wist dat het daar stond. Mats ging niet vaak met het openbaar vervoer, maar Niklas had besloten: dit is de beste plek.

Nog twee meter.

Mats draaide zich om. Niklas keek hem aan. Vroeg zich af of die schoft begreep wat er zou gebeuren.

Nog één meter. Niklas strekte zijn arm. De zwarte Beretta verdween bijna in het donker.

Een schot.

Meteen daarna nog een schot.

Perfecte treffer. Het kogelgat zou ongeveer twintig centimeter onder de nek moeten zitten. Hij zag het niet goed. Boog zich voorover. Mats lag met zijn gezicht naar de grond. Twee kleine gaatjes. Op de juiste plaats in de rug. De gaten aan de andere kant zouden een stuk groter zijn, maar dat kon hij nu niet controleren.

Niklas draaide zich om. Op een holletje door het park. Op straat: rustiger passen. Terug naar de auto.

Drie uur later. De Volvo uitgebrand en klaar. Eventuele DNA-sporen verbrand. Het wapen gewassen en begraven. Misschien zou hij de volgende keer hetzelfde pistool gebruiken, dat had hij nog niet besloten.

Hij was een geweldig soldaat. Een bevrijder. Een held.

Toen hij met de Ford onderweg was van het verkoolde autowrak, stopte hij bij een telefooncel in het centrum van Aspudden.

De telefoon ging vaak over voor er werd opgenomen. Dit zou een goed gesprek worden.

Slaperig of huilerig, hij wist niet hoe hij haar stem moest duiden.

'Met Helene.'

Hij had met zichzelf afgesproken het kort te houden.

'Hallo, sorry dat ik midden in de nacht bel.'

'Met wie spreek ik?'

'Ik wil je alleen laten weten dat ik je zojuist heb bevrijd.'

'Wie ben je, wat bedoel je?'

'Ik heb hem verwijderd. Je hoeft je geen zorgen meer te maken. Hij komt niet meer terug.'

Hij had graag langer met Helene Strömberg gepraat, ze leek hem lief. Maar het kon niet. Op dit moment in elk geval niet.

39

Thomas stond in de keuken ontbijt te maken. Het was elf uur. Het was laat geworden gisteravond. Hij was pas tegen zessen thuisgekomen. Åsa sliep sowieso, dus het maakte niet uit. Of hij nou om halftwaalf of om halfzeven thuiskwam – ze wist toch niet wat hij uitspookte. Godverdomme, soms werd de angst hem haast te veel. Hij kon klam van het zweet wakker worden. Onmogelijk om weer in slaap te vallen.

Hij had het zo geregeld bij Verkeersovertredingen dat hij deeltijd werkte. Kon vanaf woensdagavond tot laat bij de club werken en overdag uitslapen. De helft van de week draaide hij dag en nacht om. Maandagmorgen was zwaarder dan hij had verwacht.

Op de keukentafel lag een opengesneden envelop. Ernaast wat papieren. Er stond ADOPTIECENTRUM op. Toen hij zich vooroverboog, voelde hij zijn hartslag sneller gaan. Het kan niet waar zijn. Alsjeblieft, laat ons er eentje krijgen. Eentje waar ik iets mee kan.

Het leek net alsof de papieren aan elkaar kleefden. Zijn nervositeit, hij trilde, probeerde rustig te lezen. Een heleboel standaardfrasen. *De gegevens zijn gecontroleerd. De adviserend arts is geraadpleegd. Het is onze ambitie om het gezin niet alleen snel te berichten over hun adoptiekind, maar ook om zo juist en compleet mogelijke informatie te verstrekken. De hoeveelheid informatie die we over het kind kunnen krijgen, varieert echter per land en per streek.* Hij las het toch, hoewel hij steeds wilde bladeren. Misschien ter voorbereiding op een eventuele afwijzing. Hij vroeg zich af waarom Åsa niet gebeld had.

Daarna een stapel onvertaalde Estse overheidsdocumenten, stempels, vreemde handtekeningen. De bladzijden daarna: beschrijvingen van het kindertehuis, de leeftijd van de jongen, de situatie, familieverhoudingen. Regels voor het ophalen, eisen aan verdere vergunningen, enzovoort. En, op de laatste bladzijden: de foto's. Van Sander.

De jongen was het geweldigste kind dat hij ooit had gezien. Een zestien maanden oud, mollig, bruinogig kotertje met blonde krullen. Hij hield meteen van het kereltje: Sander. Zijn hartslag veranderde in ritmische vreugdeklokken. Voor de eerste keer in zo vele jaren voelde hij zich helemaal warm vanbinnen.

Gelukkig, vermoedde hij. Het was fantastisch. Hij belde Åsa.

Ze nam meteen op. Liep over van vreugde. Praatte en huilde tegelijk. Thomas ergerde zich er deze keer niet aan. Hij voelde zich net zo, ze zouden een zoon krijgen. Ze begonnen meteen plannen te maken. Wanneer ze het jochie konden halen, de inrichting van een kinderkamer. Behang, lamp, kinderbedje, kinderzitje, kinderwagen, draagzak. Al die dingen waar Åsa haar vriendinnen al jaren over had horen zeuren.

Åsa zei dat ze hem niet had willen wakker bellen met het nieuws. Hij zou de verrassing zelf in de keuken mogen vinden, net als zij. Thomas lachte. Misschien was hij te strikt tegen haar over de slaap die hij nodig had.

Godallejezus – hij zou vader worden. Hij kon niet kiezen: lachen/huilen. Huilen/lachen. Huilen van het lachen.

Hij trainde in de televisiekamer. De vreugde hield aan als een ondertoon. Maar de andere gedachten drongen zich op. Meer dan tien weken geleden sinds hij werd overgeplaatst naar de verkeerswatjes. Meer dan acht weken geleden sinds hij de eerste klus voor zijn nieuwe werkgever had gedaan. Het bijbaantje als man van de Joego's was beter dan hij had verwacht. De stripclub begon te voelen als een thuis. Zijn leven veranderde snel. Zijn kijk op het werk. Zijn instelling tegenover de hele zooi. Het kwam met de jaren, beetje bij beetje. De verleidingen maakten eigenlijk geen deel uit van het werk – ze maakten deel uit van de persoon. En op een mooie dag bevond je je in de woestenij, waar het niet uitmaakte hoe je het uitschot en jezelf behandelde. Toen voelde het normaal. Hij dacht vaak aan zijn vader. Gunnar had Zweden opgebouwd. Had gedacht dat iedereen mee omhoog kon. Dan zou er geen tuig het bouwwerk mogen verknoeien. Maar nu wist hij het niet zeker meer. Hoe was hij door zijn eigen collega's behandeld? Ljunggren en Lindberg? O ja, ze proostten op hem bij hun vrijdagmiddagbiertje, maar wat deden ze eigenlijk echt? Dat Ljunggren het had geaccepteerd dat hij die avond was overgeplaatst en niet met hem zou surveilleren. Zijn angst achteraf kwam in feite te laat. Er was geen korpsgeest waar die nodig was. In vergelijking daarmee waren Ratko, Radovan en de anderen die hij had leren kennen, echte mannen. Fatsoenlijk op hun eigen wijze. Ze hielden hun woord, hielden hun belofte. Hij kreeg het loon dat ze afgesproken hadden zonder schriftelijke overeenkomsten, maar het belangrijkste van alles – niemand lekte naar Åsa of een diender. Thomas vertrouwde de Joego's. Meer dan wie dan ook bij de politie. Dat was vreemd, maar waar.

Dus, hoe raar het misschien ook klonk, het werk bij de club gaf hem een zekere rust. Een routine waar hij zichzelf vond. Dit was hij, met vrijere handen. Lastige stripclubklanten kregen met Andrén te maken als ze te ver gingen.

Soms deed hij ook andere dingen, complexer, geavanceerder. Deed mee aan de beveiliging van feesten van wat hogere klasse. Zweedse en buitenlandse zakenlieden die vermaakt wilden worden. De stripsters werden opgepimpt tot

meiden met klasse, er werden profgrimeuses opgetrommeld, jonge kakkers van Östermalm regelden de party. Thomas zag niet veel van de feesten zelf, maar hij deed er klusjes omheen. Leerde de jonge sportschoolgastjes die Ratko aan hem voorstelde op de juiste manier met wapenstokken en stroomstootpistolen omgaan. Legde uit hoe je een bezopen vijftigjarige rustig en beheerst maar toch bikkelhard tegemoet treedt. Zorgde dat de juiste kogelvrije vesten, walkietalkies, riemen, handboeien en handschoenen werden ingekocht. Hij kende dit op zijn duimpje. Ratko was dol op hem. Misschien was dit een doorbraak. Misschien kon hij dit fulltime gaan doen.

Ten slotte was daar natuurlijk nog de grote kwestie. Die de hele tijd knaagde. Als een post-itbriefje dat aan de binnenkant van zijn schedel was geplakt. De zaak-Palme. Zijn hele jeugd lang was Palme de leider van de sociaaldemocraten, de minister-president van het land geweest. De moord waarmee Zweden zijn onschuld kwijtraakte. Het was krankzinnig. Alles wees erop dat Rantzell de vermoorde man was die hij vijf maanden geleden had gevonden. En Rantzell was Cederholm. En Cederholm – die naam had een belletje moeten doen rinkelen – was een van de belangrijkste getuigen in het onderzoek naar de Palme-moord. De man die beweerde dat hij een revolver van het model Smith & Wesson aan Christer Pettersson had gegeven. De revolver waar de halve rechtszaak om had gedraaid. Had Christer Pettersson zo'n wapen gehad of niet? Was Cederholm geloofwaardig of niet? Wat was hun onderlinge relatie? De vragen gingen tekeer in zijn hoofd. Maar het ergste van alles: waar was hij in verzeild geraakt? Hij dacht aan de manier waarop Rantzell was gedood. Professioneel uitgevoerd. De ingesneden vingertoppen, het verwijderde kunstgebit, geen andere manieren om het slachtoffer te identificeren. Tegelijkertijd: zo goedkoop en zo simpel. In een kelder, bloederig, een godvergeten kliederbende. Er moesten betere manieren geweest zijn.

En nog iets: het voelde haast persoonlijk. Hij dacht weer aan zijn vader. Voor zijn pa was het net zo vanzelfsprekend om sociaaldemocraat te zijn als dat hij een man was. Er waren geen alternatieven. Niet dat hij op theoretisch niveau echt geïnteresseerd was in politiek, maar omdat hij met zijn buik stemde. Wat goed is voor mij is goed voor Zweden – iedereen mag meedoen. Gunnar had zijn hele leven als schilder gewerkt. Werkte niet zoals iedereen tegenwoordig: tachtig procent zwart en een beetje wit vanwege de Belastingdienst. Gunnar werkte voor iemand, niet voor zichzelf. Hij was werknemer, een loonslaaf – zijn hele leven. Sinds zijn achttiende lid van de vakbond. 'De sociaaldemocraten,' zei hij altijd, 'hebben me een kans gegeven. En Olof Palme,' vervolgde hij, 'geeft Zweden een kans.' Mensen zeiden dat Palme gehaat was omdat hij zijn klasse verraadde. Maar Gunnar zei iets anders. 'Palme werd gehaat omdat hij zo kon spreken dat het gevoeld werd, tot in een hard afgelakt schildershart.'

Thomas herinnerde zich zijn vader voor de televisie. Samen met hem toen Palme op Norra Bantorget sprak. Het voetenwerk achter het spreekgestoelte.

Gunnars schaterlach als Palme glimlachte na een scherpe formulering.

Nu had iemand die Cederholm omgelegd die de persoon had verraden die op een haartje na veroordeeld was voor de moord op Olof Palme. Thomas wist niet wat hij hiermee moest doen. Hij had de huidige onderzoeksleider, Ronander, immers al verteld over zijn ontmoeting met Ballénius op Solvalla plus al het andere. Maar hij gaf geen kik over zijn gesprek met Ljunggren die avond in de auto.

Hij wist het, hij voelde het heftiger in zijn buik dan ooit tevoren – hij moest niet gaan graven. Toch had hij het gedaan. Voor Thomas was het glashelder. Als Adamsson het bezoek van Hägerström en hem aan het mortuarium niet had afgekapt, had hij er misschien niet meer aan gedacht. Maar daarna, toen Ljunggren vertelde dat Adamsson er ook voor had gezorgd dat hij niet meer mee kon surveilleren, wist Thomas: Adamsson is bij deze vuile zaak betrokken.

De alternatieven voor actie waren vrij simpel: of hij had schijt aan Adamsson, of hij deed zijn eigen onderzoek. De conclusie was nog simpeler: niemand mocht hem zo behandelen – hij zou die klootzakken vastnagelen. Het raadsel Rantzell oplossen.

Die avond twee maanden geleden waarop Ljunggren hem had verteld wie Rantzell eigenlijk was, had hij zijn besluit genomen.

Meteen nadat ze uit elkaar waren gegaan, was hij in zijn auto gaan zitten. Had zijn best moeten doen om zich aan de maximumsnelheid te houden. Het zou al te gênant zijn als hij voorwerp van onderzoek door zijn eigen afdeling Verkeersovertredingen zou worden. Hij ging naar binnen bij een pizzeria aan de Sveavägen. Bestelde een calzone en een glaasje whisky van een goedkoop merk. Sloeg de whisky in twee minuten achterover. Alles draaide. Hij had het toen net gehoord. Cederholm was Rantzell. Rantzell was Cederholm. Adamsson was erbij betrokken. In hoeverre? Op welke manier? Door Ljunggrens nieuwe informatie ging er een beerput open.

Thomas werkte de pizza naar binnen.

De gebeurtenissen begonnen samenhang te vertonen. Als dit te maken had met zoiets groots als de Palme-moord, kon wie dan ook erbij betrokken zijn. Het was ziek. Die kerel die drie maanden geleden voor hun huis had gestaan, kon politieman, Zuid-Afrikaans legionair, Mossad-agent of Koerdisch PKK-terrorist zijn. Alles. Thomas hoorde bij de mensen die geloofden dat Christer Pettersson inderdaad de man was die Palme om zeep had gebracht. Maar toch was er twijfel. Hij had natuurlijk ook andere theorieën gehoord. Iemand wilde niet dat de naaldsporen in de arm van Claes Rantzell gesignaleerd zouden worden. Iemand liet Thomas overplaatsen. Iemand met onvermoede middelen.

Thomas had tot op dit moment onberispelijk gehandeld, in elk geval volgens hemzelf. Zelf een beetje rondneuzen kon niet verboden zijn voor een agent – en

zodra hij iets te weten was gekomen, had hij de nieuwe vooronderzoeksleider gebeld. Maar nu was het tijd om volkomen buiten de regels om te gaan werken. Hij moest zijn naam zuiveren.

Na de pizza stak hij de straat over naar een Cubaanse kroeg. Ging aan een tafeltje zitten. Bestelde een glas Gran Reserva. Voelde zich eenzaam. De muren zwartgeverfd. Grote Cubaanse vlaggen. Zou hij Åsa moeten vertellen waar hij mee bezig was?

Hij vroeg de serveerster of hij pen en papier kon lenen. Begon aan een lijstje met punten van wat hij over de moord wist.

Nam grote slokken van de wijn. Zijn pistool trok een kant van zijn jasje naar beneden. De serveerster zette een bordje met gegrilde stukjes scampi voor hem neer. Hij bestelde nog een glas.

Keek naar zijn lijst. Namen, plaatsen, tijden. Te weinig punten. Groot vraagteken rondom Rantzell. Wie was hij?

Zijn mobiel ging. Het was Åsa die vroeg waar hij uithing. Hij zei hoe het was: 'Ik zit in mijn eentje in La Habana rode wijn te drinken.' Ze vroeg zich af waarom. Hij zei bijna naar waarheid: 'Ik kreeg een slecht humeur nadat ik Ljunggren had gesproken.'

Een uur later: toen hij ging pissen zag hij zichzelf in de spiegel. Een roodpaars lachje vol ongerustheid. Hij dacht: kom op man – dit komt wel goed.

Hij liep naar buiten, ging in de auto zitten. Had schijt aan zijn promillage. De afdeling Verkeer kon in de stront zakken. Hij reed naar Fruängen. De roes voelde in elk geval oké.

De herfstduisternis die hem normaal gesproken deprimeerde, was verfrissend. Dit was zijn onderzoek.

Al bij het portiek had hij begrepen dat er iets aan de hand was in het gebouw. Er waren twee grote stukken papier op de liftdeur geplakt. *Op de derde en op andere verdiepingen is een politieonderzoek gaande. Daarom zal de Regionale Politie de komende tijd aanwezig zijn in uw gebouw. Onze excuses voor eventueel ongemak. Voor vragen kunt u contact opnemen met 08-401 26 00.*

Hij nam grote passen. De juiste verdieping. De juiste naam op de brievenbus. Versperringstape. Thomas liep erheen. Er zat een coating op de deur. Zwaar hangslot. Hij liep weer naar de auto beneden. Nam zijn loper mee. Trok zijn handschoenen aan. Had het slot binnen een minuut open.

Ging naar binnen. De hal was donker. Hij deed het licht aan. Rechts jassen op knaapjes. De vloer was leeg. Zijn collega's hadden de schoenen en andere zooi vast opgeruimd. De spullen naar Linköping gestuurd. Thomas vroeg zich af waarom ze de jassen niet ook mee hadden genomen.

De keuken was klein. Onafgewassen borden en bestek, ranzige bende zoals altijd in junkflats. Hij kende deze troep. Was in zijn leven in meer van dit soort

holen geweest dan in gewone flats. Hij probeerde te analyseren wat de politie hierbinnen voor werk had gedaan. Had het gevoel alsof de drank hem scherper maakte. Hij kon het verloop van de huiszoeking volgen. Hoe ze DNA-sporen hadden veiliggesteld, vingerafdrukken hadden gezocht. Oppervlakten hadden bepoederd, vieze voorwerpen in bewijszakjes hadden gestopt. Hij liet zijn blik de details registreren. Rantzell had zijn leven niet op orde. De sporen waren duidelijk, de viezigheid sprak voor zich.

De woonkamer: leren bank, leren leunstoel, kitsch aan de muur, lege boekenplanken. Thomas liep erheen. Stof in de boekenkast. Hij stond daar een poosje. Observeerde, registreerde. Analyseerde. Probeerde zich te verplaatsen in de denkwijze van rechercheurs. Wat zou Hägerström hier hebben gezien? Er was iets, dat voelde hij aan zijn water. Hij nam de kamer weer op. De salontafel was opgeruimd, stof, vlekken, schroeiplekken. De tv, de video: niks vreemds. Hägerström, waar zou hij naar gezocht hebben? Dingen die niet klopten. Anomalieën. Afwijkingen van het normale. Thomas kende de junkieholen. Hij zag de boekenplank voor zich voordat iemand hem had leeggehaald. Een paar pockets misschien, eventueel wat geërfde ingebonden boeken of verzamelde werken. Ook verslaafden wilden wat cultuur. Waarschijnlijk wat foto's, misschien herinneringen aan een betere tijd, vroeger.

Toen zag hij het: de sporen in het stof op de boekenplank. Ze waren niet recht, niet regelmatig. Zoals ze geweest zouden zijn als de technici de boeken er een voor een uit hadden gehaald en in bewijszakken hadden gestopt. Dit was iets anders – de boeken waren eruit gerukt. Dat betekende ofwel dat Rantzell dat zelf had gedaan, of dat iemand anders het flatje had doorzocht voor de politie was gekomen.

Hij liep de slaapkamer in. De lakens waren van het bed gehaald. Toch zag je diep doorgedrongen vuil en vlekken op het matras. Een kleed op de vloer. Een spiegel aan het plafond. Thomas stond op scherp. Zocht naar meerdere sporen die erop wezen dat een of meerdere personen de flat doorzocht hadden. Probeerde het nog een keer – denken als iemand anders. Hij zag niets. Deed de kleerkasten open. Er zaten geen kleren meer in. Hij zag een bak. Deed hem open. Leeg.

Hij bleef proberen iets te zien. Aan de muur achter in de kleerkast zat een metalen kastje, twee bij twee decimeter. Het luikje op een kier, leeg. Het leek een sleutelkastje met drie rijen haakjes. Hij keek beter naar het kastje. Er zaten duidelijke braaksporen op. Dat gaf de doorslag: Rantzell zou zijn eigen kastje toch niet openbreken? En wat betekende dat nog meer? Misschien had er nooit iets in dat kastje gezeten. Of de technici hadden meegenomen wat erin zat, waarschijnlijk sleutels. Maar er was hier iemand voor hen binnen geweest. En misschien had diegene de sleutels meegenomen die in het kastje hadden gehangen. Welke sleutels bewaarde je in zo'n kastje? Dat kon voor van alles zijn, voor de fiets, de zolder, de kelder, het vakantiehuisje, de auto. Hij dacht: nee, niet voor

de auto, het zou erg onpraktisch zijn om je autosleutels in een kastje helemaal achter in de kleerkast achter allemaal kleren en andere zooi te hangen.

Hij scande de kamer weer met zijn ogen. Probeerde waar te nemen wat belangrijk was. Het ging niet. Hij voelde zich moe, de dronkenschap nam af. Het voelde vreemd om hier te zijn. Zou hij ontdekt worden, dan kon hij meteen afscheid nemen van de trieste verkeersafdeling.

Hij liep de woning uit.

Nam de trap naar beneden. Het was halftwaalf. Bij de ingang. Tuurde weer naar het papier met de mededeling. *Op de derde en op andere verdiepingen is een politieonderzoek gaande.* Andere verdiepingen? Waar kon dat zijn? Hij dacht aan het sleutelkastje. Hij moest nog even één andere plek bekijken.

Liep naar de kelder. Een van de boxen was afgezet met versperringstape. Hij stapte over het plastic heen. De box was open. Een oud vloerkleed, twee verhuisdozen. In de ene stoffig servies. In de andere: oude pornoblaadjes. Verder was de box leeg. Thomas liep weer richting uitgang. De andere boxen zaten min of meer vol met rommel. Ski's en skischoenen, leunstoelen, koffers, meubels, logeerbedden, troep en zooi. De tralies waren maar dun. De hangsloten aan de houten deuren miezerig. Hij liep langs een box die bijna leeg was, op een computer van bijna twintig jaar oud na. Dat mensen die dingen bewaarden. Thomas begon hoofdpijn te krijgen. Hij wilde naar huis. Het was stom geweest om hierheen te gaan. Hij keek bij een andere box naar binnen. Verstijfde. Dit kon geen toeval zijn. Plastic tassen. Allemaal met dezelfde opdruk: WILLYS. Hij zag het beeld helder voor zich: de dame die in Solvalla naast Ballénius had gezeten, had zo'n tasje gehad.

Hij zag weer scherper. Er was een verband. Dit was zijn kans. Hij maakte het slot open met zijn loper. Stapte de box in. Boog zich voorover. Bekeek het stof, zocht naar voetsporen of andere tekens dat zijn collega's hier waren geweest. Het leek er niet op. Maar: naast de tassen was de stoflaag iets dunner dan op de rest van de vloer. Duidelijk: iemand had iets meegenomen uit deze box.

Thomas liep naar zijn auto. Haalde twee grote zwarte vuilniszakken die in zijn achterbak lagen. Nam ze mee naar de kelderbox. Leegde de inhoud van de tassen in de twee grote zakken. Verkreukelde de tasjes ook. Niemand zou morgen doorhebben dat hij hier was geweest.

Hij was al klaarwakker geweest toen Åsa wakker werd. Er gingen te veel gedachten door zijn hoofd. Hij moest zijn ideeën onder controle houden. Zijn onderzoek op orde krijgen. Begrijpen wat de vondst die hij in Rantzells kelder had gedaan betekende. Het was veel papier. Het zou tijd kosten om het door te nemen en hij hield niet van papier. Hij moest echt nadenken. De tijd nemen.

Het thema van de dag was het Adamsson-spoor. De vragen stapelden zich op. Waar zou hij beginnen met de ontrafeling? Waar zou hij beginnen? In het heden of in het verleden? Hij probeerde te analyseren.

Maar hoe verricht een verkeersagent onderzoek naar een bevelhebber die ook nog eens de baas was van al zijn collega's in Zuid? Zou hij naar de Palme-groep gaan, dat overblijfseltje van het Palme-onderzoek, en zeggen dat Adamsson ze gehinderd had in het mortuarium? Misschien was er een logboek dat kon bevestigen dat die interventie had plaatsgevonden, anders liep het daar al dood. Maar zelfs als hij kon bewijzen dat Adamsson achter dat gedoe in het mortuarium zat, dan betekende dat nog niks. Adamsson had immers gelijk gehad – ze waren zonder toestemming in het mortuarium geweest.

Thomas was er echter meer van overtuigd dat er geen bewijs bestond dat Adamsson degene was die Ljunggrens surveillancedienst had verplaatst. Behalve Ljunggrens woorden dan, en die legden weinig gewicht in de schaal vergeleken bij die van Adamsson.

En Hägerström? Zou hij Hägerström niet moeten bellen? Nee, nooit van zijn leven dat hij die Interne-rat zou bellen. Enige trots had hij nog wel.

Alle verdenkingen kwamen uit het heden, maar daar viel voor hem niet veel te halen. Misschien was het beter om te proberen in het verleden te zoeken. Te achterhalen wie Adamsson eigenlijk was en wie hij was geweest. Thomas voelde zich alleen. Zijn gewone collega's en vrienden waren niet betrouwbaar. De lui van de schietclub waren geen steun. En Åsa, zij was voor deze zaak vooral een last.

De enige die hij kon verzinnen was Jonas Nilsson. Hij was eenvoudig – dacht niet zoveel na. Thomas kende hem indertijd als door en door vriendelijk. Nilsson had hem in elk geval geholpen om Ballénius na te trekken – zonder dat hij daarover gelekt had, in elk geval niet voor zover Thomas wist. Het enige probleem met Nilsson: hij was een *voormalig* collega. Eigenlijk kende Thomas hem niet meer. Maar het was de moeite van het proberen waard.

Hij belde de man voor de zekerheid vanaf Åsa's mobiel. Ze spraken af voor een avond later die week. Een netelig punt: hij wist niet of hij Nilsson zou moeten vertellen waar het eigenlijk om ging, om de moord op een minister-president. Hij zou een tussenversie vertellen.

Het ging allemaal makkelijk, ze zagen elkaar in Friden. Nilsson leek blij om hem weer eens te zien. Ze bestelden bier, begonnen meteen flink te ouwehoeren. Vergeleken hun districten, mopperden op de uitrusting, bazen, collega's. Zanikten eendrachtig over Zweden, de directie van de Rijkspolitie, het weer.

Thomas legde zijn situatie uit: 'Ik ben flink pissig over wat me is overkomen.'

Nilsson was vol begrip. Overgeplaatst worden naar de Verkeerspolitie was immers een regelrechte nachtmerrie voor een echte politieman.

Thomas vervolgde. Legde uit dat hij vond dat het Adamssons fout was, dat hij graag een manier wilde vinden om die zak te grazen te nemen. En toen kwam zijn punt. Hij zei: 'Nilsson, ken jij misschien een oudere collega die Adamsson nog van vroeger kent? Je weet wel, je hoort natuurlijk het een en ander over

die vent. Hoe hij in de jaren tachtig bezig was en zo. Het zou goud waard zijn als je iemand kende die meer wist dan wij. Gewoon om wat meer greep op die Adamsson te krijgen.'

Nilsson beloofde erover na te denken. Het er eens met de oude rotten over te hebben, misschien een van de mannen die hem met Ballénius geholpen had.

Een paar dagen later had Jonas Nilsson een naam voor hem: Göran Runeby. Zat bij district Norrmalm, commissaris bij de Recherche. Niet slecht. Volgens Nilsson was Runeby een man die ongeveer net zoveel wist van de politiemannen in het Centrum als een genealoog van al zijn neven en nichten.

Runeby vond het prima om Thomas zonder voorbehoud te ontmoeten, zoals hij tegen Jonas had gezegd. Thomas wist niet wat hij kon verwachten en het maakte ook niet uit – zelfs als Runeby alleen dingen wist die iedereen had kunnen verzinnen, dat Adamsson af en toe een secretaresse in haar kont had geknepen, dat hij geneigd was tot mishandeling, dat hij het niet op immigranten had, dan was het goed.

Ze hadden bij Runeby thuis in Täby afgesproken. De man woonde in een prima villa, twee verdiepingen, meer dan tweehonderdvijftig vierkante meter. Thomas vroeg zich af of een commissarisloon zoveel beter was of dat Runeby het spel op dezelfde manier had gespeeld als hijzelf.

Runeby's vrouw was thuis. Verwelkomde hem bij de voordeur. 'Hallo, wat leuk om eens een nieuw gezicht te zien. Hoe kennen jullie elkaar?'

Thomas wist niet wat hij moest zeggen. Hij glimlachte alleen en zei iets over politieaangelegenheden.

'Ja ja, zoiets is het altijd.' Runeby's vrouw glimlachte. Thomas dacht: ze is waarschijnlijk gewend aan het jargon van haar man. Ze deed hem denken aan zijn moeder.

Runeby kwam van de bovenverdieping naar beneden. Nam Thomas mee naar de woonkamer. Hij had wit haar en een snor. Een dun gouden horloge om zijn arm: meer dan dertig jaar in dienst van de staat. Deze vent was echt een oude rot.

'Wat goed dat je helemaal hierheen bent gekomen. Kan ik je iets aanbieden? Cognac, whisky?'

Thomas nam een cognac. Runeby deed de deuren van de kamer dicht.

Hij wond er geen doekjes om.

'Zo, ik hoorde van Nilsson dat je een speciale belangstelling voor Adamsson hebt.'

Thomas mocht die stijl wel. Geen slap geouwehoer. Authentieke politiementaliteit.

'Dat klopt.'

'Je moet weten – je kunt me vertrouwen. Ik heb die halve fascist nooit gemogen,' zei Runeby.

Thomas reageerde inwendig. Het gebeurde niet vaak dat een politieman het woord 'fascist' op die manier gebruikte.

Hij keek Runeby aan.

'Je weet neem ik aan wat me overkomen is.'

Runeby zei niets.

'Ik ben overgeplaatst na dat voorval met die bokser. En daar ben ik goed chagrijnig van geworden. Ik voel me in de steek gelaten en slecht behandeld. De collegialiteit bij Zuid lijkt als sneeuw voor de zon verdwenen. Ik zal open kaart met je spelen, Runeby – dat verwijt ik Adamsson.'

Runeby knikte, maar zei niets. Wachtte op meer van Thomas' kant.

'Maar dat is niet wat ik met je zou willen bespreken. Het gaat om de geschiedenis. Het verleden. Ik heb van alles over Adamsson gehoord. Maar Nilsson zei dat jij nog meer wist. Dat je heel gedegen kennis hebt van de agenten uit het centrumdistrict. Dus ik zou je heel vriendelijk willen vragen of je mij dingen over Adamsson, die halve fascist zoals jij zegt, zou kunnen en willen vertellen. Wie is hij en wie was hij?'

'En mag ik vragen waarom je dat wilt weten?'

'Ik hoop dat je begrijpt dat ik daar niet verder op in kan gaan. Maar hij heeft me laten vallen. Ik heb natuurlijk niet het recht iets van je te verlangen. Maar Nilsson zei dat je er waarschijnlijk wel voor voelde om me wat informatie te geven.'

Runeby zag er tevreden uit. Hoewel de oude man zich tot nu toe niet bewezen had, kon Thomas niet anders dan hem mogen. De oudere commissaris had iets rustigs en waardigs over zich, dwong respect af. Weer: authentiek agentengevoel – maar met iets speciaals, iets extra's. Thomas kon er de vinger niet op leggen. Maar hij merkte het heel goed. Een soort warmte.

'Oké. Ik geloof dat ik het begrijp,' zei Runeby zacht. 'Ik weet niet goed waar ik moet beginnen. Wat de Adamsson van tegenwoordig betreft, kan ik je meteen zeggen dat ik niets dan goeds over hem hoor. Hij lijkt geliefd te zijn bij de ordepolitie in Zuid. Dat klopt toch?'

'Als je het me een paar weken geleden had gevraagd, dan zou ik ja geantwoord hebben.'

'Maar daar ben je nu niet meer zo zeker van? Dat begrijp ik, maar dat heeft toch met je overplaatsing te maken?'

'Niet alleen.'

'Nou goed, ik kan me niet uitlaten over de Adamsson van tegenwoordig. In de jaren zeventig en tachtig had ik echter geregeld met hem te maken. Dat waren rare tijden voor ons bij de politie. Wanneer ben je zelf begonnen?'

'In vijfennegentig.'

'Aha, zó jong ben je nog. Maar je hebt de verhalen misschien gehoord? In elk geval, er heerste toen een heel ander politiek klimaat. We leefden in de schaduw van de Koude Oorlog, dat weet je ongetwijfeld nog wel. Maar misschien was je te jong om de nuances daarvan aan te voelen.'

'Dat weet ik niet.'

Runeby praatte in rustig tempo verder. 'Dat maakt misschien ook niet uit. De eerste keer dat ik Adamsson heb ontmoet, was in militair verband, zou je kunnen zeggen. Ik werkte toen nog niet bij Norrmalm, maar binnen de politie hadden we diverse speciaal opgeleide eenheden die ingezet konden worden in geval van oorlog. De politie van Norrmalm had de opdracht om bij een aanval, in de beginfase, dus voor het leger zou kunnen reageren, het koninklijk paleis, het parlementsgebouw en Rosenbad te verdedigen. Samen met drie anderen van wat nu West heet, maakte ik deel uit van die eenheid omdat we reservisten waren. Zodoende kwam ik Adamsson voor het eerst tegen bij een simulatie-oefening. Hij was competent en beleefd, herinner ik me. Bij de politie stond hij bekend als een uitmuntend schutter, met veel kennis van wapengebruik. We oefenden over het algemeen een keer of wat per jaar met de nationale reserve. Dat was best vermakelijk. Als een herhalingsoefening, maar dan midden in de stad. Er waren echter kerels bij onze eenheid die sceptisch waren. Veel van hen vonden dat er niet genoeg geïnvesteerd werd in defensie. Ze vreesden dat een aanval onder leiding van bijvoorbeeld Russische elitetroepen, zoals Spetsnaz, Stockholm binnen een paar uur in kon nemen. Ik herinner me dat Adamsson meedeed aan die discussies. En hij was een van de mensen die het hardst pleitten voor een sterker leger. We stonden een keer met een groep op wacht achter Riddarhuset. Ik weet nog hoe Adamsson een jongere man uitschold. Hij stond echt te briesen. "Je verloochent het vaderland," schreeuwde hij. Dat herinner ik me nog tot in detail.'

Thomas keek rond in Runeby's woonkamer terwijl hij ondertussen geconcentreerd luisterde. Donkere houten boekenkasten met foto's van het gezin, de Nationale Encyclopedie, het verzameld werk van Jan Guillou en fotoalbums. Aan de andere muur hingen vier grote, ingelijste zwart-witfoto's met een kuststrook erop. Thomas nam aan dat Runeby of zijn vrouw die zelf had gemaakt.

'Misschien moet ik je toch wat meer achtergrondinformatie geven. Veel mensen bij de politie waren van mening dat er een oorlog gaande was. Niet alleen de oorlog waar we altijd al in verwikkeld zijn, dat wil zeggen wij tegen het gajes, maar een grotere oorlog. Het was de vrije wereld tegen het communisme. De Russen konden elk moment binnenvallen. En veel agenten zagen zichzelf als een onderdeel van de laatste verdediging die een aanval zou kunnen weerstaan.'

Thomas dacht aan zijn vader. Hoezeer hij ook sociaaldemocraat was geweest, hij had het ook altijd over de Russen gehad. Als we niet oppassen, kan het ons net zo vergaan als de Baltische Staten, zei hij vaak.

Runeby sprak langzaam. 'In 1982 begon ik bij Norrmalm te werken. In die tijd waren daar zes bijstandsteams. Een ervan maakte deel uit van het zogenaamde peloton "wachtdistrict 1", dat werd geleid door een commandant die nu dood is. Hij heette Jan Malmström. Heb je weleens van hem gehoord?'

Thomas herkende de naam vagelijk, maar wilde meer weten. Hij schudde zijn hoofd.

'Hij was op vele manieren een legende. Maar WD1 was gesloten, ze praatten nauwelijks met de anderen, volgden alleen Malmströms orders op, handelden hun mishandelingen achter gesloten deuren af. Het was algemeen bekend dat ze zich beestachtig gedroegen, en dat hun sympathieën bij extreem-rechts lagen. Ik herinner me dat een van hen, Leif Carlsson, zichzelf openlijk nazi noemde. De anderen waren ook bikkelhard. Hoe het ook zij, sommige mannen van WD1 waren ook politiek actief. Er was een verbond dat eens per maand bijeenkwam in Gamla Stan. Die club had banden met een extreem-rechts tijdschrift dat *Contras* heette. In dat verband ontmoette ik Adamsson enige tijd later. Ik stond zelf, hoe zal ik het uitdrukken, zeer kritisch tegenover het feit dat bepaalde elementen binnen de Zweedse regering zich zo slap opstelden tegenover het communisme.'

Nu begon het interessant te worden. Thomas kon het niet laten een vraag te stellen: 'Leeft Leif Carlsson nog?'

'Leif Carlsson leeft nog voor zover ik weet, maar hij moet inmiddels rond de zeventig zijn. Waar was ik? O ja, WD1 en Gamla Stan. Ik geloof dat de Palme-groep onderzoek heeft gedaan naar de mensen die die bijeenkomsten organiseerden. Dat heb ik ergens gelezen of zo. Maar de mensen die naar die bijeenkomsten toe gingen zijn nooit nagetrokken. Malmström, Carlsson, Adamsson – niemand nam de moeite naar hen te informeren. Omdat ik zelf reserveofficier en lid van de nationale reserve was en de boefjes niet bepaald met zijden handschoentjes aanpakte, beschouwde Malmström mij als betrouwbaar. Daarom werd ik een keer uitgenodigd voor zo'n bijeenkomst in Gamla Stan.'

Runeby pauzeerde even. De stilte weerkaatste in de kamer.

Hij haalde diep adem, daarna ging hij verder. 'Het was in een kelderbar aan de Österlånggatan. Eigenlijk werd die geloof ik gebruikt door EAP, de Europese Arbeiderspartij, een groepje dat eigenlijk bestond uit mafkezen met wortels in de VS. Ik weet nog dat je bij de ingang als eerste een poster zag met een getekende karikatuur van Olof Palme die op een rotsig scherenkusteilandje zat. Hij hield zijn handen voor zijn ogen en het water om hem heen zat vol omhoogstekende periscopen. "Palme sluit zijn ogen voor de veiligheid van ons land," stond er. Ik was verbaasd, haast gechoqueerd over hoeveel mensen er waren. Een collega van me die er eerder was geweest, had me verteld dat er hooggeplaatste politiemannen waren, officieren van de marine, intendanten van de veiligheidspolitie en ander hooggeplaatst personeel. Ik kende een paar agenten, maar ik heb geen idee wie de anderen waren. Bij de ingang van het café stond de organisator, Lennart Edling, en hij gaf iedereen een hand. Toen iedereen er was, kregen we wat te drinken. Een politieman, die overigens mijn eerste baas bij Norrmalm was geweest, hield de welkomstrede. Het klinkt misschien vreemd, maar ik weet nog precies waar die over ging. Het onderwerp was belangrijk, vonden

we. Patriottisme, de bedreiging van Zweden, de expansionistische ideeën van het communisme. We stonden voor een directe dreiging, zei de spreker; als we geen maatregelen namen tegen het gevaar, konden de Russen elk moment binnenvallen. Daarna namen we plaats aan tafel voor het diner en ik kwam naast Adamsson te zitten. We waren even oud maar we kenden elkaar alleen oppervlakkig van de simulatieoefeningen met de nationale reserve. Dit was ergens in 1985, we waren een jaar of veertig – geen groentjes meer dus. Hij maakte een haast krankzinnige indruk, weet ik nog. Ratelde maar door dat iemand toch eens iets aan die haakneus – Palme dus – moest doen, dat hij met zijn invloed de weg effende voor het binnenrukken van de Sovjet-Unie. Later tijdens het diner werd Adamsson dronken en gedroeg hij zich bijna vertrouwelijk. Begon te raaskallen dat hij me mocht, dat het korps mannen zoals ik nodig had. Daarna kwamen er vreemdere zaken aan bod. Hij had het erover dat hij van plan was een groep op te richten en te leiden die die verrader in de gaten zou houden. Die misschien genoodzaakt zou zijn iets aan die Moskouse marionet te doen. Ik vroeg wie hij in die groep zou willen hebben. Hij antwoordde dat de helft van de mannen in het peloton al akkoord was. Ik wilde het er toen niet verder over hebben, want ik vond dat hij gênant bezig was. Na het diner werd er een lezing gehouden. Na die bijeenkomst dacht ik niet veel meer aan wat Adamsson had gezegd. Er waren daar zoveel extreme mensen. Maar later, na de moord, heb ik er veel over nagedacht. Ik ben ook degene die de Palme-groep heeft opgebeld om over die bijeenkomsten te vertellen.'

Runeby zweeg. Thomas merkte dat hij vragen had, maar kon er op dat moment geen verzinnen. Het enige wat hij wist was dat hij meer namen nodig had, meer personen van wie hij leidraden kon krijgen. Uiteindelijk kwam hij op één vraag.

'Wie hield die lezing na het eten?'

Runeby leunde voorover op de bank en zuchtte.

'Dat was ik.'

40

Vanavond: ontslagfeestje met klasse. Fitness Center vergrendeld. De eigenaars, de mannen die de zaak eigenlijk runden, de helft van de spierbundels die er trainden – iedereen zou mee feesten. Er was een stamgast ontslagen uit de nor: Patrik. Mahmud digde hem: de ex-skin die oké was geworden. Het enige wat die gozer tegenwoordig wat kon schelen was bodybuilding en loyaliteit aan Mister R.

Niet alleen Fittness-klanten zouden feesten: de viproom in Clara's wemelde van de mensen die iets voorstelden in de onderwereld van Stockholm. Net als bij de gangstagolf waar een oud OG-lid mee was begonnen: iedereen met een green card die meer dan twee jaar had gezeten, was welkom. Een heleboel vroegere skins die geaccepteerd hadden dat Arische metal en siegheilen geen cash opleverde en over waren gestapt op vettere zaken. Motorbendes, fighting, professionele afpersing. Bovendien: superveel Joego's. Mahmud zag Ratko. Hij was smerig zonnebankbruin en geblondeerd. Ratko gaf Mahmud een licht knikje. Maar geen hand. Zak.

Andere genodigden: een paar Albanezen, vier, vijf Syriërs, wat gasten uit het X-team, de supportersclub van de Bandido's. De Joego's en Albanezen onderling: wangzoenen en vriendschapswoorden. Het hing in de lucht: dit was niet alleen georganiseerd om een onbeduidend vrijlatinkje uit Kumla te vieren. Dit was georganiseerd om generositeit, gentlemanschap te etaleren, om toekomstige bondgenoten te inviteren. De Albanezen waren de stad aan het overnemen. De Joego's moesten uitkijken, zoals Robert zei.

En natuurlijk, er was nog een groep gasten die niet vergeten mocht worden: de hoeren. Mahmud had er nog nooit zoveel bij elkaar gezien. Eigenlijk was er niets wat ze onderscheidde van de smatjes in de kroeg, behalve dan dat ze er misschien niet even lekker uitzagen. Hij dacht hoe dicht hij afgelopen weekend bij een hattrick was geweest. Toch was het duidelijk voelbaar – de hoertjes waren hier in het café zonder dat het iemand eigenlijk iets kon schelen. Als het gewone chicks waren geweest, zouden de kerels in elk geval hebben gestaard, geflirt, in wat lekkers geknepen hebben. Maar nu was het net alsof iedereen ergens op liep te wachten en niet van plan was om zich een van hen al toe te

eigenen. Alsof ze alleen maar de achtergrond in een film waren, iets wat op zijn plaats moest zijn voordat de opnames konden beginnen. Want iedereen wachtte. Op Mister Mister. Radovan zou op een gegeven moment wel opduiken.

Mahmud baande zich een weg naar de swa die zojuist was vrijgekomen, Patrik. Hij had het gevoel alsof zijn jasje strak om zijn schouders zat – de eerste keer sinds de herdenking van de tiende sterfdag van zijn moeder dat hij zich zo erg had opgedoft. Het voelde ongewoon, maar ook cool. Allebei met brede grijnzen. 'Yo Patrik, super om je weer buiten te zien. Hoeveel kilo's ben je kwijtgeraakt?'

Patrik, belittekende geschoren schedel, lichtgrijs kostuum en smalle stropdas met een losse knoop. De tattoos in zijn nek kwamen boven zijn overhemd uit. Hij lachte.

'Mahmud, terroristje, binnen drie weken ben ik terug op wedstrijdgewicht, ik zweer het je.' Daarna op serieuzere toon: 'Maar ik ben in de bak ook goed bezig geweest. Hoorde dat jij ook hebt gezeten.'

'Een halfjaartje maar, geen probleem.'

'Dan weet je hoe het is. Sommige gasten proberen de tijd binnen slapend door te komen. Meer dan genoeg kalmerende troep die ze uitschrijven voor al die fokking ADHD'ers. Maar als je je best doet, kun je er heel behoorlijk trainen.'

'Absoluut.'

'Ik heb gehoord dat je nu voor ons werkt.' Patrik stretchte zijn arm midden in het gesprek naar achteren. Mahmud dacht even over Patrik. Ze gaven een feest als voor een fokking koning. Maar wat had die gast nou eigenlijk voor de Joego's gedaan? Een beetje garderobeprotectie, had bonje gekregen met wat uitsmijters in een kroeg in Södermalm, was door het lint gegaan en had een van die uitsmijters flink in elkaar geslagen, was voor een paar jaar de bak ingegaan. Waarom was hij een held? Waarom zo'n feest voor hem? Patrik was over de rooie gegaan, wist zich niet professioneel te gedragen. Niet zoals Mahmud – de kill die doorploeterde, vet veel doekoes binnensleepte. Het nooit verneukte. Niets.

Hij wou hem gewoon peren. Patrik zeggen zijn muil te houden, Ratko en Stefanovic konden zichzelf gaan fucken. Radovan, als hij nou nog kwam, kon zijn moeder gaan neuken.

'Maar je zat wel op een relaxte plek, toch?' zei Patrik. Mahmud was bijna weggedroomd, was bijna vergeten dat hij met iemand aan het lullen was.

'Ja, Asptuna. Mijn hood zo'n beetje, Botkyrka. Die gevangenis was eigenlijk op geen enkele manier gesloten.'

'Je mag blij zijn dat je op zo'n plek hebt gezeten. Het zijn harde tijden voor ons in de bak.'

'Hoe bedoel je?'

'Heb je het niet gehoord? Ze hebben geprobeerd een gast in Kumla koud te maken. Een van ons. Er gingen zeven mannen de douche in, zes kwamen er

weer uit. Ze hebben hem tien keer met een geslepen tandenborstel gestoken. Hij ligt op de intensive care maar hij overleeft het zeker, het is een harde, die vent. Heeft op de Balkan gevochten en zo. Zo'n gast krijgen ze er niet zo makkelijk onder, die klootzakken.'

Mahmud was ergens anders. Zijn concentratie was op de andere kant van de ruimte gericht. Alle stemmen waren wat rustiger geworden. Alle blikken richtten zich op de ingang – Radovan en zijn gevolg waren binnengekomen. Achter hem liepen twee vrouwen. De mensenmassa splitste zich, vormde een pad alsof hij een topartiest op een MTV-gala was. Mahmud had Radovan één keer eerder gezien, ongeveer een halfjaar geleden op het K-1-gala. Maar dat was uit de verte geweest. Nu: de eerste keer dat hij de boss van dichtbij zag. Of beter gezegd: hem voelde. Want zo was het: Radovan was voelbaar aanwezig. Die kerel walmde gezag. Zelfs de Albanezen verstijfden. Stapten op hem af, schudden de Joegoboss de hand, kusten, glimlachten, neplachten.

Radovan was absoluut niet de grootste man, had niet de wreedste blik, de soepelste tred – al kon je goed zien dat de boss twintig jaar geleden een van de grofst gebouwde mannen geweest was. Het was iets anders: hij straalde een bepaalde *feeling* uit, bewoog zich met een losheid die één enkel woord behelsde – macht. En de buitenkant: niet dat Mahmud iets van kostuums wist, maar dat van R. zag er kapot exclusief uit.

De twee meiden achter hem waren totaal verschillend. De ene: moest een hoer zijn, of een soort minnares. Hoge laarzen, ontzettend laag uitgesneden hals, veel te veel make-up. En de andere: jong, heel jong en raar netjes gekleed. Ze deed hem denken aan Jivan. Hij vroeg zich af wie ze was.

Stefanovic kwam naar voren, kuste Radovans hand. Mahmuds blik viel op de vinger die de pikkenlikkers kusten: Radovan droeg een grote zegelring. Duidelijk: dit was de man, de mythe, machtsfactor numero uno – de megalegende – al tien jaar de godfather van Stockholm.

Patrik liep naar de boss toe. Deed hetzelfde als alle anderen – kuste Radovans vinger. Je zag dat hij het niet gewend was, dat deden Zwedo's normaal gesproken niet. Radovan zei enkele verwelkomende woorden. Stelde zijn vrouwen voor. Van de ene noemde hij alleen de naam. Maar de andere verbaasde Mahmud – het was zijn dochter. Daarna maakte hij een klein gebaar naar Patrik: trok de dasknoop van de Zwedo recht. Een openlijk signaal: leuk dat je weer vrij bent, maar jij bent niemand. Prentte de boodschap in: dit feest is niet voor Patrik. Misschien ging het alleen om de Albanezen.

Mahmud op minder dan een meter van R. Voelde zijn aanwezigheid in zijn buik. Daarna een verrassing – de boss keek Mahmud aan. Trok zijn wenkbrauwen op.

'En wie ben jij?'

Mahmud wist niet wat hij moest zeggen. Wist uit te brengen: 'Mahmud al-Askori. Ik werk voor u.'

Radovan zag er nog verbaasder uit. 'Nou, dat geloof ik toch niet. Ik weet wie er bij mijn bedrijven werken.'

Stefanovic, vlak achter Radovan, boog zich voorover. Fluisterde iets in Radovans oor.

Mahmud had genoeg begrepen. Begreep dat hij had geblunderd. Tegelijkertijd: begreep dat het zo niet ging.

Radovan liep verder. Mahmud zou vanavond geen lol kunnen hebben. Hij kon net zo goed naar huis gaan. Maar dat deed hij niet. Dat paste niet bij het beeld dat hij van zichzelf had. Hij ging in plaats daarvan naar de wc. Snoof een lijntje. Probeerde op gang te komen.

De volgende dag belde Ratko. Mahmud voelde zich groggy. Had er de nacht ervoor op los gefeest. Zo was het gewoon gelopen. Een paar neusjes coke en wat gerotzooi met een meid hadden hem op dreef geholpen. Niet goed voor zijn training. Nam een glas water. Twee Diazepam Desitins – tegen de angst.

Ratko had achter hem aan gelopen afgelopen nacht. Liep te lullen dat Mahmud zo goed werk leverde. Had geslijmd, zijn hielen gelikt. Gezegd: 'Ik wil dat je ons ook met andere dingen helpt.'

Mahmud weifelend. Hij wilde immers bij ze weg. Zijn leven op orde krijgen. Tuurlijk, hij verdiende dikke doekoes, maar hij baalde van de vernedering. De Joego's zaten hem te zieken. Toch zei hij niets.

Ratko legde het uit. Ze hadden overdag hulp nodig. Wat meiden in de gaten houden, zoals hij het noemde. Mahmud nam aan dat hij het over hoeren had. De meiden woonden in woonwagens op een camping. Ratko wilde dat Mahmud ervoor zou zorgen dat de meiden overdag kregen wat ze nodig hadden. 'En dat ze niet zelf op pad gaan. Dan kunnen ze verdwalen.' Smile. Blink-blink, je-begrijpt-wel-wat-ik-bedoel.

'Ik weet niet of ik er tijd voor heb.'

Ratko zei: 'Dat lukt je best.' Klopte hem op de schouder.

Het was een bevel.

41

Irak. Samen met zijn eenheid. Mike bezweet als altijd. Collin met zwarte strepen onder zijn ogen. Grappen dat ze Harry, de prins van Engeland, misschien ergens in de bush tegen zouden komen. Het Britse accent. De maniertjes. De gebaren. De schouderband van het machinegeweer zwaar over zijn rug. Zwarte rook verderop. Kauwgumsmaak in zijn mond. Collin had altijd een paar pakjes Stimorol bij zich. Genot in de hitte. Er reed een jeep op ze af. Maar hij zag niemand achter het stuur. Om hen heen veranderde het landschap. Stenen en rotsen verdwenen, werden vervangen door brandende olievaten. Overal vuur. De wereld verlicht door hitte. De jeep kwam dichterbij. Collin, Mike en de anderen waren verdwenen. Niklas liep naar de wagen toe. Op de achterbank lag een man. Uit zijn ene oor stroomde bloed. Het gezicht naar beneden. Niklas draaide hem om. Hij zag hem nu – het was Mats Strömberg. 'Waarom?' vroeg hij. De vlammen om hem heen likten de hemel.

Niklas werd wakker. Probeerde te kalmeren. Een hartslag van honderdtien. Dacht aan zijn droom van zonet.

Hij kwam niet meer in slaap. In de wereld van tegenwoordig was de moraal uitgesteld op een buffet. Je koos ethische regels op basis van een wereldbeeld. De baardkrijgers daarginds kozen een ethiek op basis van hun haat tegen de VS. Verzonnen dat ze de steun van de Koran en de soenna hadden. De Amerikanen kozen hun regels op basis van hun ontzetting over het feit dat ze niet langer de baas van de wereld waren. Maar Niklas kende de echte regels van het spel. Er bestond geen juist en onjuist, eigenlijk waren er geen regels. De moraal ontstond in de hoofden van de mensen zelf. Maar toch was er één regel: als je geen actie onderneemt, kun je niets veranderen. Je bereikt je doel door te handelen. Moraal was een constructie die mensen verzonnen hadden, de moraal had geen waarde. Zijn opdracht was om vrouwen bescherming te bieden. Geen nachtmerrie kon hem stoppen. Niets in de werkelijkheid kon hem tegenhouden.

Hij keek intens naar de muur: een vuilgrijze kleur. De structuur van het behang duidelijk zichtbaar.

Hij dacht aan de twee kogelgaten in Strömbergs rug. Overwoog wie hij hierna zou nemen. Roger Jonsson of Patric Ngono? Niklas had de mannen de afgelo-

pen week nadat hij Strömberg had afgehandeld, nog intensiever geschaduwd. Ngono was erger voor zijn vrouw. Maar er was ook iets met Roger Jonsson. Iets wat niet klopte. Niklas had hem de afgelopen week meerdere malen gezien. Vertrok van zijn werk. Nam de auto naar Fruängen. Pikte voor het winkelcentrum een vrouw op. Ze reden naar huis. Kwamen een uurtje later weer naar buiten. Roger bracht haar terug. Duidelijk: hij speelde dubbelspel. Ontrouw op klassieke wijze. Maar wie was die vrouw? Een prostituee, natuurlijk. Die vent ging naar de hoeren. Dubbel schuldig.

Maar iets anders was doorslaggevend voor Niklas' besluit. Hij had zo veel mogelijk openbaar toegankelijk materiaal over die twee schoften opgevraagd als hij maar kon vinden. Veel was het niet. Patric Ngono was betrokken bij een oude case van de Immigratiedienst, maar op dat punt was de vent veilig. Had een vaste werk- en verblijfsvergunning gekregen, woonde hier al meer dan acht jaar. Had een tijdje in de bijstand gezeten maar nu werkte hij. Vast zwart, maar toch.

Over Roger Jonsson bestonden zulke dingen niet. Maar er was iets veel ergers. Een veroordeling. Ernstige schending van het recht op lichamelijke integriteit in de periode 1998-2002. En verkrachting met geweld. Jonsson had drie jaar gekregen. De uitspraak was openbaar. Niklas had al het materiaal opgevraagd.

Wat hij daar las, was hem bijna te veel geworden. Nee, nooit – niets was een elitesoldaat die de echte shit daarginds in de zandbunker had meegemaakt te veel. Integendeel: hij werd sterker. Zekerder van Operation Magnum. Si vis pacem, para bellum.

*

Rechtbank Stockholm-Zuid

Schriftelijke aanklacht   Zaaknummer: C-98-25587

Verdachte, volledige naam: Roepnaam:
Roger Karl Jonsson   Roger
Persoonsnummer: Telefoon:
671001-8563   08-881968
Adres:
Gamla Södertäljevägen
Verdediging:
Advocaat Tobias Åkermark
Vrijheidsbeneming:
Aangehouden 3 maart 2002, in voorlopige hechtenis gesteld 5 maart 2002

Strafvordering
ERNSTIGE SCHENDING VAN DE LICHAMELIJKE INTEGRITEIT
Verzoekster
Carin Engsäter bepleit haar zaak via advocaat Lina Eriksson.

Tenlastelegging
Roger Jonsson heeft in de periode maart 1998 tot januari 2002 Carin Engsäter meerdere malen bedreigd en mishandeld. De delicten, die elk op zich een onderdeel vormen van herhaalde schendingen van de lichamelijke integriteit van de verzoekster, hebben bijgedragen aan de ernstige schade die aan haar gevoel van eigenwaarde is toegebracht. Zo heeft Roger Jonsson:

1. in april 1998 in de woning de verzoekster meerdere klappen in het gezicht gegeven. Later op dezelfde dag heeft hij haar in Tumba met gebalde vuisten herhaalde malen op de bovenarmen geslagen. Ten slotte heeft hij haar op dezelfde dag in de woning bij de keel gegrepen. De mishandeling heeft bij de verzoekster gezorgd voor pijn, een gezwollen oog en blauwe plekken in de hals.

2. haar op 14 of 15 oktober 1998 in haar woning in Stockholm mishandeld door haar met zijn hand bij de nek te pakken en haar op haar rug te trekken. Toen zij probeerde los te komen, heeft hij haar met gebalde vuisten meerdere malen op de bovenarmen geslagen. Deze mishandeling leidde tot veel pijn.

3. op een zeker moment eind december 1998 in de woning een aantal maal met gebalde vuist op haar dijbenen en rug geslagen – zeer pijnlijk.

4. haar op een zeker moment in juni 1999 in de woning tegen haar rechterknie geschopt, waardoor ze op de grond viel. Daarna heeft hij haar nog een keer geschopt, ditmaal tegen het rechterbovenbeen. De mishandeling leidde tot pijn en blauwe plekken.

5. haar op een zeker moment half september 2000 in de woning meerdere malen met gebalde vuist op haar rug geslagen. Verder heeft hij haar bij dezelfde gelegenheid met de vuist op haar bovenarmen en met vlakke hand tegen haar hoofd geslagen. De mishandeling leidde tot pijn en blauwe plekken.

6. haar op een zeker moment in oktober 2000 in de woning meerdere

slagen in haar gezicht en tegen haar hoofd gegeven met als gevolg pijn en een bloedneus.

7. op 14 augustus 2001 in de woning haar gezicht met één hand vastgepakt en geknepen, en haar op de grond gegooid. Verder heeft hij haar aan haar haar getrokken. De mishandeling, die tot pijn en blauwe plekken leidde, vond plaats in aanwezigheid van hun vierjarige kind.

8. op een zeker moment in september 2001 de verzoekster thuis opgebeld – op een manier die de verzoekster als zeer bedreigend voor haar persoonlijke veiligheid ervoer – en uitlatingen gedaan met de strekking dat ze zou worden gedood.

9. op 25 januari 2002 opgebeld naar de verzoekster – op een manier die de verzoekster als zeer bedreigend voor haar persoonlijke veiligheid ervoer – en uitlatingen gedaan met de strekking dat ze zou worden verwond of gedood.

Ten slotte heeft Roger Jonsson herhaalde malen naar het werk van de verzoekster gebeld en heeft hij haar daarbij – op een manier die bij de verzoekster ernstige vrees voor de veiligheid van haar persoon veroorzaakte – bedreigd door te zeggen dat ze niet levend van hem afkomt, dat hij zal dansen op haar graf en dat hij haar als hij haar met een andere man ziet, zal onthoofden.

VERKRACHTING MET GEWELD
Verzoekster
Carin Engsäter bepleit haar zaak via advocaat Tobias Eriksson.

Tenlastelegging
Roger Jonsson heeft Carina Engsäter van 1999 tot en met 2001 meer dan vijftig keer gedwongen tot geslachtsgemeenschap, zowel oraal, vaginaal als anaal, door haar met geweld op het bed of op de grond te duwen, haar polsen vast te houden en haar gezicht in een kussen of tegen de vloer te duwen. Daarbij heeft hij haar onderlichaam in 2001 bij minstens twintig gelegenheden met voorwerpen gepenetreerd, onder andere een massagestaaf en een tang, met als gevolg pijn en verwondingen.

Wetsartikelen
Hfst. 4, par 4a, art. 2, hfst. 3, par. 5, hfst. 4 par. 5 en hfst. 6 par. 1 van het Wetboek van Strafrecht.

42

Op een heldere dag half september was hij naar het tehuis gegaan. De omgeving was mooi. Achter het uit baksteen opgetrokken hoofdgebouw zag Thomas een meer. De bomen waren nog groen, maar je kon voelen dat de herfst in aantocht was, een soort vochtigheid in de lucht die hem besloop toen hij uit de auto stapte.

Tallbygården: een particulier verzorgingshuis aan het strand van Mälaren. Een hoge kwaliteit van leven en goede verzorging, stond op de homepage van het huis. Het tehuis voor idyllische laatste levensjaren. Het tehuis waar kwaliteitszorg centraal stond. Het tehuis waar Leif Carlsson – voormalig politie-inspecteur, ME'er, neonazi – woonde.

Stig Adamsson had beweerd dat hij een rechtse groep wilde oprichten die Olof Palme in de gaten zou houden. Maar wat betekende dat eigenlijk?

Thomas had geprobeerd zich in te lezen. Een paar geleende boeken en internet – het was bijna te veel. De moord op Olof Palme was de Zweedse tegenhanger van de schoten op Kennedy vijfentwintig jaar eerder. Een smeulend vuur van samenzweringen dat nooit leek te doven. Hij maakte een lijstje van een paar theorieën tot hij zijn belangstelling verloor – ze tierden welig als onkruid. Een van de theorieën kwam erop neer dat de gevreesde doodseskaders van Augusto Pinochet in de week van de moord op Palme in Stockholm waren, maar omdat onderzoeksleider Holmér dacht dat de twee Chileense huurmoordenaars Michale Canes en Roberto Tartino een en dezelfde persoon waren, werd dat spoor nooit onderzocht. Een andere theorie beweerde dat Christer Petterson zich vergist had en eigenlijk Rantzell, toen Cederholm, wilde neerschieten, maar vanwege het prutswerk van de politie was men genoodzaakt om delen van dat onderzoek in de doofpot te stoppen. De kogels ontbraken, de verslagen van telefonische afluistering waren vervalst, de politie weigerde uit te leggen wat de twee politieauto's die de avond van de moord voor de bioscoop Alexandra hadden gestaan, daar eigenlijk deden. Er was zo ontzettend veel.

Thomas had echte informatie nodig. Van mensen. Niet een hele hoop aanwijzingen, fixatie op details en samenzweringstheorettes. Bovenal: hij moest

de verbanden met het heden zien – met Rantzells gehavende lichaam in de kelder van de Gösta Ekmansväg.

Runeby had de ME-eenheid in WD1 genoemd waar Adamsson deel van had uitgemaakt. Dat was het punt waar Thomas moest beginnen. Bij de mensen die Adamsson kenden, die zijn opvattingen deelden, ten tijde van de moord met een hoofdletter M. In totaal ging het om acht politiemannen, onder wie Adamsson zelf. Hun chef, Malmström, was dood. Bleven er nog zes mensen over. Het was niet zo moeilijk om informatie over hen te krijgen. Jonas Nilsson kende ze allemaal wel, de meesten werkten nog steeds bij de politie, al waren de posities die ze bekleedden niet meer zo gevoelig voor conflicten. Het klassieke lot van een lid van de ordepolitie: de laatste vijftien jaar in een kelder zitten om fietsendiefstallen te registreren.

Zijn beslissing was zo genomen: Leif Carlsson zou als eerste bezoek krijgen. De man was het oudst. De man was een uitgesproken nazi. Bovendien: de man had alzheimer – hij was een perfect verhoorobject.

Tallbygården leek vredig. Op een paar van de balkons met uitzicht over het groen zag hij oude mensen. Tussen de bomen slingerden smalle wandelpaadjes. Hij liep de entree in. Ficussen, banken met Josef Frank-bekleding en een prikbord met vastgeprikte mededelingen en informatieve brochures. *Donderdag zingen met Lave Lindér. De zeventiende, om acht uur, komt de bibliothecaris van Trosa langs om over de nieuwe boeken in de bibliotheek te praten. De herengymnastiek van dinsdagochtend vervalt.*

Thomas wachtte even. Er was geen receptie. Hij dacht aan Runeby. Als laatste had de commissaris verteld dat hij degene was die de rede in Gamla Stan had gehouden. Eigenlijk was dat niet zo gek als het eerst leek – de oude man had eind jaren zeventig twee jaar lang deel uitgemaakt van een soort privéleger in Zuid-Afrika. 'Vanwege de strijd,' zoals hij had gezegd, 'niet omdat ik racist was.' Het kon Thomas eigenlijk niet schelen waarom – maar hij moest uitkijken, hoezeer was Runeby eigenlijk bij die club in Gamla Stan betrokken?

Na een paar minuten kwam er een verpleegster door een glazen deur.

'Ik ben op zoek naar ene Leif Carlsson,' zei Thomas.

De verpleegster bracht hem naar de eerste etage. Planten op de vensterbanken, ingelijste posters met Zweedse klassiekers: Zorn, Carl Larsson, Jirlow. Een televisiekamer, een eetzaal, vrij veel personeel. De verpleegster klopte op een deur. Vroeg niet eens wie Thomas was.

Leif Carlsson zag er niet zo gammel uit als Thomas had verwacht. Strakke scheiding. Blond haar dat grijsde bij de slapen. Een scheef glimlachje, een spoor van sceptische twijfel in de blauwe ogen. Had hij echt alzheimer? Leif Carlsson was lang. Thomas kon zich hem dertig jaar geleden voorstellen, waarschijnlijk aanzienlijk steviger dan nu: een angstaanjagende aanblik voor het gespuis.

De televisie in zijn kamer stond aan. Carlsson leek in een leunstoel ervoor

gezeten te hebben. Toen Thomas binnenkwam stond hij op. De verpleegster liet ze alleen. Deed de deur dicht.

'Goedemorgen. Ik heet Thomas Andersson, commissaris, de Palme-groep.'

Carlsson liet zijn hand los. 'Dus daar zijn jullie dan.'

Thomas kon niet inschatten of het een aantijging was of een constatering van het noodlot.

De oude man ging zitten. Het was net alsof hij voortdurend ergens op aan het sabbelen was. Waarschijnlijk een tic.

Thomas ging op een stoel bij een bureautje zitten. De serviceflat had twee kleine kamers: een slaapkamer waarvan de deur op een kier stond, en de woonkamer waar ze nu zaten. Carlsson had het ingericht als een echt huis. Een vloerkleed op de grond, wat schilderijen aan de muren, leunstoel en bureau in rococostijl.

'Ik wil alleen wat vragen stellen. Ik hoop dat dat in orde is.'

Carlsson scheen al vijf jaar ernstig ziek te zijn. Zijn weerstandsvermogen in een verhoor zou slechter moeten zijn dan dat van een kind.

Carlsson knikte. 'Ik heb niets te verbergen.'

Thomas zette de bandrecorder in zijn zak aan.

'Vertel me over het peloton.'

'Je bedoelt de A-ronde?'

'Ja, dat is toch de enige groep die je ooit "het peloton" hebt genoemd?'

'Jazeker, zo noemden we het, geloof ik.'

'Wie waren jullie?'

'Wie ben jij, als ik vragen mag.'

Thomas antwoordde rustig: 'Thomas Andersson, van het Palme-onderzoek.' Echt wel dat die vent alzheimer had.

Carlsson bewoog zijn tong weer in zijn mond. Herhaalde: 'Dus daar zijn jullie dan.'

Thomas vervolgde: 'Vertel eens over het peloton, de A-ronde. Wie waren jullie?'

'Bij het peloton? Malmström, natuurlijk. Verder Jägerström, Nilsson, Wallén. En nog een paar, ik weet niet meer wie.'

'En Malmström, hij was de baas?'

'O ja. Malmström. Dat was een echte bevelhebber. Dat soort mannen is hard nodig bij de politie. Maar hij is ermee opgehouden. Hij woont tegenwoordig bij Nykvarn.'

'Malmström is dood.'

'Echt waar? Wat sneu. Ik heb hem sinds zijn pensioen niet meer gezien.'

Thomas begon zich af te vragen of hij niet moest ophouden met het verhoor. Carlsson was veel te verward. Maar de vraag was of zijn geheugen voor de jaren tachtig beter was dan zijn geheugen van tegenwoordig.

'Wie gingen er naar die bijeenkomsten in Gamla Stan, daar bij EAP?'

Leif Carlsson keek verward. 'Daar ben ik nooit geweest.'

Thomas was verbaasd. Die man kon toch niet liegen?

'Echt niet?'

'Nee, echt niet. Ik werd niet uitgenodigd door de mannen die dat organiseerden. Ålander en Sjöqvist. Niet omdat ik iets tegen ze had, of dat ze iets tegen mij hadden. Dat was het niet. Ik deelde hun vaderlandsliefde en bezorgdheid over de rode infiltratie. Maar ik werd nooit uitgenodigd. Misschien was dat eigenlijk ook niet zo vreemd. Mijn vader werkte bij een van de bedrijven van Bolinder. Dus hij was bang om mij erbij te betrekken.'

'Wat zei je?'

'Ze waren bang om mij erbij te betrekken.'

'Maar waarom zei je?'

'Mijn vader werkte voor Bolinder.'

'En wie was die Bolinder?'

'De financier.'

'De financier waarvan?'

Plotseling begonnen de ogen van Carlsson weer te glimmen, hij proefde met zijn tong aan zijn eigen gehemelte. Daarna zei hij: 'Bolinder. Hij financierde die bijeenkomsten, de organisatie, het project. Alles. Maar ik was waarschijnlijk de enige die dat wist.'

'Waarom was jij de enige die dat wist?'

Leif Carlsson begon te giechelen. 'Dat ik hier zit en alleen nog maar onzin uitkraam, betekent niet dat ik het mijne voor Zweden niet heb gedaan.'

'Ik begrijp het. Maar vertel eens meer over Bolinder.'

'Bolinder herinner ik me niet. Maar Bohman, hij was te zwak.'

'Welke Bohman?'

'Gösta Bohman, bedoel ik. De voorzitter van de Rechtse Partij. Ben je te jong om te weten wie hij was?'

Carlsson zag er vergenoegd uit.

Gösta Bohman was in de jaren zeventig de partijleider van de Liberaal Conservatieve Partij. Leif Carlsson was verward. Door de alzheimer was het moeilijk uit te maken wat relevant was. Thomas probeerde nog een paar vragen te stellen, maar hij kreeg alleen maar onsamenhangende antwoorden.

Hij had iemand anders nodig.

Onderweg naar huis. Thomas' gedachten tolden in zijn hoofd. Bolinder – waar had hij die naam eerder gehoord? Het paste niet in het plaatje. Geen agent. Geen agent van de veiligheidspolitie die Runeby genoemd had. Wie was Bolinder?

Toen viel het kwartje: hij had Ratko horen praten over de planning van 'wat chiquere events' bij ene Bolinder. Thomas had zelfs een paar gorilla's uitgelegd hoe een set met walkietalkies functioneerde alleen omdat ze misschien nodig waren bij zo'n event – zou dat dezelfde persoon zijn?

43

Hij lag nog in zijn bed. Zijn gedachten draaiden maar rond, rond. In dezelfde banen. Dacht aan de agent in burger die hem een week geleden had geapproacht. Misschien probeerden ze het ook bij anderen. Wie kon je vertrouwen? Robert voelde safe. Tom en Javier ook. Maar Babak? Godver, man – hij miste Babak.

Om een uur of twee stond hij op. Zette koffie. Laadde er suiker bij. Kwam enigszins bij. Slikte een Diazepammetje. Later zou hij wat oppeppends nodig hebben om te kunnen trainen. Zette een pornofilm op. Probeerde te rukken. Hij dacht aan die meid van afgelopen weekend. Gabrielle. De pornofilm was maar mager vergeleken bij haar.

Om drie uur belde Ratko. Het was Mahmud bijna gelukt zijn order te vergeten. Hij kleedde zich aan. Spijkerbroek, capuchontrui. Baseballjack. De herfst was het ergste jaargetijde. Het weer zou een keuze moeten maken. Niet blijven twijfelen als een fokking slomo.

Ratko had hem geïnstrueerd waar hij heen moest. 'Ga bij de worstentent van Bigge zitten wachten.' Jezus, wat waren ze met hem aan het sollen. Hij was hun bitch.

Een halfuur later. Mahmud kende deze buitenwijken op zijn duimpje. Serieus, misschien kon hij naar de universiteit gaan. College geven over Shurgard-magazijn- en buitenwijkkunde. Hij wist waarom ze dit soort wijken bouwden. Ze creëerden een wereld waar niemand het in zijn hoofd zou halen om verder te willen komen. Gewoon blijven waar je bent, zonder je al te druk te maken. De maatschappij had hem gevormd.

De uithangborden hier probeerden niet eens sexy te zijn: GEMEENTELIJKE TANDARTSENPRAKTIJK, BIBLIOTHEEK, COOP KONSUM, SWEDBANK, ACCOUNTANTSKANTOOR HÅKANSSON & HULT, KAPPER, PASTAHUIS – EXTRA VEEL, EXTRA GOEDKOOP, SVEDIN SCHOENEN, PIZZERIA, APOTHEEK. En ten slotte: BIGGES WORSTEN. Daar ging hij zitten. Bestelde een Sprite light. Probeerde wat mensen te bellen. Eerst Robban, daarna Tom, daarna Javier, daarna zijn zus. Niemand nam op. De tijd ging langzamer dan een oud wijf met een rollator. Hij wachtte.

Na twintig minuten kwam Dejan binnen. Een achterbakse motherfucker, die

gast. Likte Ratko's reet voor elk kroontje. Vuilbekte over Arabieren zodra hij de kans had. Ze schudden elkaar de hand.

Mahmud ging in zijn Mercedes zitten. Reed achter Dejans auto aan. Eerst de flats. Een paar kleine vrijstaande huizen. Daarna industrie. Een heleboel natuur. De weg kronkelde. Weg uit de betonjungle. Na tien minuten: een bord. CAMPING UITZICHT – huisjes en caravans.

Op een kluitje in de novemberregen: een stuk of twintig caravans. Vijf afgeragde auto's. Een modderpoel. Armzalige boompjes eromheen. Elektriciteitskabels van de palen naar de caravans.

Dejan parkeerde zijn auto. Mahmud ging achter hem staan. Een trailerpark gewoon.

Dejan liep naar een van de caravans. De witte kleur was grijzig. Een verbleekte sticker op een van de ramen: HUP GÄSTRIKLAND HUP.

Ze gingen naar binnen. De rooklucht sloeg Mahmud tegemoet als een uppercut. Er klonk zachte radiomuziek. Eerst zag hij de meisjes niet. Het was net alsof ze deel uitmaakten van de inrichting van de caravan. Grijs, beige, bruin. Etensverpakkingen, pizzadozen, colablikjes op het aanrecht. Ze zaten aan het minitafeltje. Donkerbruin haar. Zo dun als Chinese eetstokjes. Eentje heel bleek. Dunne lippen. Treurige ogen. De ander: roziger wangen, maar nog donkerder ogen. Pakjes met nep-Marlboro's voor ze. Een vermoeide sfeer. Dejan zei iets in het Russisch of zo'n soort taal. De meisjes zagen er ongeïnteresseerd uit. Keken niet eens op.

Dejan legde in zijn belabberde Zweeds uit: 'Hier zijn Natasja en Juliana. Ze zijn misschien niet de lekkerste die we hebben, maar ze zijn oké.' Hij grijnsde: 'Hier, er zijn een heleboel geile, echt man.'

Mahmud wist niet wat hij terug moest zeggen.

'Nu, je weet wie ze zijn. Dat is genoeg,' zei Dejan.

Ze gingen naar buiten. Dejan loodste hem langs nog zeven caravans. Twee hoeren per caravan. Dezelfde verveelde houding. Dezelfde doorrookte ruimtes. Dezelfde lege blikken.

Onderweg terug naar de auto vroeg Mahmud: 'En wat willen jullie dat ik ga doen?'

Dejan bleef staan. Spreidde zijn armen.

'Dit is onze opslag, zeg maar. Jij houdt alles hier een beetje in de gaten. Zorgt dat er niets verdwijnt, soms vervoer je spullen. Als een klant is hier – ze mogen de opslag niet kapotmaken. Alleen overdag. Als je niet met je andere business bezig bent.'

Mahmud snapte het: ze waren van plan hem in te zetten als een luizige hoerenwacht. Als zijn pa dit eens zou weten.

's Avonds deed hij zijn gewone zaken. Verkocht meer dan zestig gram aan een contact dat een Irakese familie met restaurants representeerde.

Jamila belde om een uur of tien. Wilde hulp bij de installatie van een nieuwe dvd-speler. Shit, ze deed luxe van de duizendjes die Mahmud haar na een geslaagde transactie toestak. Alleen de laatste weken al had ze een Gucci-tas met bamboehandvat van achtduizend, hoge hakken voor drie ruggen en een zilveren hanger met vette letters – Dior – gekocht. Ziek, maar Mahmud kon niet anders dan houden van de twinkeling in haar ogen als ze thuiskwam met de spullen. Hij wilde haar en zijn kleine zusje blijven verwennen. Goede spullen.

Hij zat met de dvd-speler te pielen. Wilde die avond de stad in. Had afgesproken met Robert. Stockholm piranhaseren. Misschien dat die Gabrielle vanavond uitging. Anders was hij van plan iemand anders te vinden.

Jamila vertelde over de nieuwste Louis Vuitton-tas, de nieuwste roddels over Britney, haar toekomstplannen: een eigen solarium beginnen. Mahmud dacht: als de Joego's het maar niet voor haar verknallen. Ze vertelde over ranzige sms'jes die ze van haar ex-vriend kreeg.

Mahmud zei: 'Hij durft niks te doen. Dat mietje.'

Jamila zuchtte. 'Ik weet het niet, Mahmud. Hij is gek. En die Niklas is nu verhuisd. Dat was echt een schatje.'

'Ja, hij lijkt cool. Waar woont hij nu?'

'Niet ver van hier.' Hij had haar het adres gegeven.

'Oké, valt hij op je of zo? Je weet wat papa van hem zou vinden.'

'Ik heb niet het gevoel dat het zo'n jongen is. Ik geloof dat hij me alleen wil helpen. Oprecht, bedoel ik.'

'Misschien ja.'

Mahmud kreeg een inval. Die Niklas leek een dope Zwedo. Bovendien: een echte commandosoldaat. Misschien moest hij hem beter leren kennen. Plus: die commandogozer kon af en toe een beetje op Jamila passen.

Jamila vond het een prima idee. Dat terwijl ze normaal begon te schreeuwen en dwarsliggen zodra papa liet vallen dat ze beter in de gaten gehouden moest worden. Mahmud grijnsde naar haar: 'Kom op zussie, een beetje val je wel op die Zwedo, geef maar toe.'

Ze besloten erheen te gaan. Niklas woonde niet ver weg.

Ze belden aan.

Niklas deed open. Op zijn gezicht zowel verwondering als blijdschap. Hij begon in zijn steenkolenarabisch met Jamila te praten. Mahmud bekeek de gozer voor het eerst eens goed. Droeg een T-shirt met de tekst DYNCORP: zat strak over zijn borst en armspieren. De jongen zag er goed getraind uit. Niet zoals Mahmud – postuur kleerkast – maar peziger, taaiere spieren. Hij vroeg zich af wat Dyncorp voor iets was. Hij zag er bezweet uit. Misschien was hij thuis aan het trainen. Mahmud probeerde de flat in te gluren. Zag een computer, een bed, allemaal papieren, gereedschap, troep. Zag nog iets, op de tafel: een lang, glanzend mes. Shit, Niklas leek wel een beetje psycho.

Een tijdje later gingen ze weer weg. Toch leuk. Jamila losjes. Mahmud lachte weer.

'Zet hem uit je hoofd, joh. Je weet wat papa ervan zou vinden.'

Jamila draaide zich naar hem toe. Ernst in haar blik.

'Kom niet aanzetten met wat aboe tegen me zou zeggen. Als hij maar tien procent wist van alles wat jij uitvreet, dan zou hij doodgaan.'

Mahmud bleef staan. 'Waar heb je het over?'

'Je weet wat ik bedoel. Hij zou zich doodschamen.'

Dat kwam aan. Draaide rond. Hakte er nog eens in.

Schamen.

Zich doodschamen.

Hij wist hoezeer ze gelijk had.

Zijn hele lichaam schreeuwde tegen hem. Ga bij ze weg. Kap ermee voor het te laat is.

Hou op met de Joego's.

44

Niklas kwam uit bed. Vermoeider dan anders. Vier uur slaap. Zijn camera's draaiden 's nachts op volle toeren. De films die hij in fastforward had bekeken, lieten niets interessants zien. Maar dat kwam wel. Hij wilde bewijs. Rechtvaardigheid stond bovenaan. Van Strömberg, Jonsson, Ngono wist hij al genoeg. Niklas een man van eer: als een van hen er niet zo een bleek te zijn, zou hij niet aanvallen. Dat was geen moraal: dat was optreden.

Na het ontbijt gespte hij de meetband van zijn hartslagmeter vast. Trok thermo-ondergoed en sportkleren aan.

Er zat meer kou in de lucht. Het asfalt nat. Hij jogde in een rustig tempo. Ademde de frisse lucht in. Heerlijk.

Weer thuis: oefende kata's met zijn mes. Voelde zich beter in vorm dan sinds tijden. De halen door de lucht. De boogvormige bewegingen vormden pareerruimte in de kamer. Zwiepende stoten. Vlugge houwen. Het mes moest de wil van de spieren in zijn hand volgen als de vingers zelf.

Hij douchte langer dan anders. Gister was hij Jamila's broer weer tegengekomen. Mahmud. Niet iemand die hij tien jaar geleden zou hebben leren kennen. Al helemaal niet iemand die hij daarginds zou hebben leren kennen. Actuele vraag: was het iemand die hij nu zou moeten leren kennen? Kon Mahmud hem misschien helpen bij de strijd? Niklas begreep dat deze gozer zijn idealen niet deelde, maar hij had wel een drive. Iets in zijn ogen. Niet de fonkelende kwaadaardigheid van ongedierte. Iets anders.

In de eerste plaats leek de Arabier net zo geldbelust als Niklas. Wat Mahmud met zijn geld wilde doen interesseerde Niklas niet. Geld was een middel om doelen te bereiken. Maar misschien, misschien kon de Arabier iets anders voor hem betekenen. Benjamin was een verrader. De anarchofeministen waren niet bereid mee te doen aan de Operatie. Mama Catharina stond buitenspel. De Arabier kon een puzzelstukje in de oorlog worden.

Na het douchen at hij weer. Zijn financiële situatie begon op een crisis te lijken. Had de kracht niet er nu over na te denken. Hij wist niet wat hij moest doen.

Ging in de Ford zitten. Miste de Audi een beetje. Hij moest denken.

Reed langzaam. Probeerde te beslissen waar hij heen wilde rijden.

Dacht weer aan zijn geld.

Hij reed via Norrtull de stad uit. Bleef nadenken over Mahmud. Waar kon hij die Arabier voor gebruiken? De Biskops-Arnö-lui hadden alleen maar geluld en geluld. Ze beïnvloedden alleen zichzelf – de rest van de maatschappij had schijt aan ze. Daarna dacht hij weer aan zijn ma. Waarom konden ze niet meer met elkaar praten? Waarom kon ze het niet accepteren? Alles wat hij deed, dat deed hij immers voor haar.

Niklas keek om zich heen. Het was vreemd. Hij bevond zich in Edsviken, Sollentuna. Waar Nina Glavmo Svensén woonde. De vrouw die hem de Audi had verkocht. Hij reed naar haar straat. Zag haar groene ogen voor zich. Het kind op haar arm. Haar scheve glimlachje.

Hij kwam in haar wijkje. De Hedvigsdalsvägen liep als een slagader tussen de villa's door. De zijstraatjes waren net binnenweggetjes naar de innerlijke sferen van de idylle.

Daar, dertig meter verderop, lag de villa waar ze woonde. Nummer eenentwintig. Het gele hout zag er in de motregen minder stralend uit dan afgelopen zomer. De bomen bladloos. Hij dacht aan hoe haar leven moest zijn. Een man die haar het recht op een leven ontzegde. Ze had Niklas nodig. Dat was duidelijk. Volstrekt duidelijk.

De auto reed langzaam. Hij hield zijn hoofd achterover. Probeerde door het raam naar binnen te kijken. Of het licht aan was. Vijftien meter van het huis. Hij zag dat de garagedeuren dicht waren. De herfsthemel had de kleur van verchroomd staal. Ergens daarbinnen leefde Nina in de warmte.

Hij voelde: ze was thuis. Reed langs het huis. Langzaam. Spiedde. Rekte zich uit om naar binnen te kunnen kijken. Zag een beweging achter in een kamer. Ze was er.

Niklas sloeg rechts af. Heuvelopwaarts. Zweterige handpalmen. Het stuur plakte. Weer rechts. Naar beneden. Terug in haar straat. Zijn hart bonsde. Nummer elf. Bons. Nummer vijftien. Bons. Zo dadelijk nummer eenentwintig alweer.

Hij wilde zo graag aanbellen. Haar zien. Haar aanraken. En ze wilde hem vast ook zien.

Hij parkeerde de auto voor het huis. Jammer dat hij de Audi niet meer had. Dan zou Nina blij zijn.

Zo blij.

45

Jasmine verscheen laat op de club. Thomas zag het meteen. Hij vond dat er iets anders aan haar was vanavond. Ze had een baseballpetje ver over haar ogen getrokken, een slobberige capuchontrui, een knielange rok over haar strakke spijkerbroek. Zonnebankbruin als een mulat na twee weken op een playa. Wat klopte er niet? Hij bekeek haar weer. Ze wilde iets verbergen. Haar kleding-keuze sprak duidelijke taal: de capuchontrui, de rok. Haar kleur, het petje.

Toen zag hij het: haar lippen. Ze puilden uit als bij iemand die zich aanstelt. Daarna zag hij meer: haar borsten. Puilden ook belachelijk uit. Of ze had twee handballen onder haar trui gestopt, of – waarschijnlijker – ze had elke tiet met minstens een kilo implantaat bijgevuld.

Thomas grijnsde. 'Je ziet er, hoe zal ik het zeggen, welvarend uit.'

Jasmine was eerst dodelijk ernstig. Niet-begrijpend. Na drie seconden: ze grijnsde terug. 'Wat vind je ervan?'

Thomas stak zijn duimen op. 'Prima. Maar je lippen? Trekken die nog wel bij?'

Jasmine lachte. 'Ik geloof van wel. Ik stap over op een andere branche, dus ik heb dit wel nodig.'

'Lypsylmodel misschien?'

'Haha, heel leuk. Ik ga carrière maken.'

'Aha. Ga je me vertellen waar of moet ik het raden?'

'Erotiek.'

Thomas zweeg wat te lang. Jasmine merkte zijn reactie.

'Wat? Heb je daar soms problemen mee?'

Hij wilde niet zitten zeuren. Uit de kleren gaan voor mensen en af en toe achter de kassa zitten bij een goed bewaakte stripjoint was misschien geen we-reldbaan, maar toch – het was goed betaald. En hij hield het uitschot immers in de gaten. Porno daarentegen – dat was op een of andere manier ranziger. Maar hij kon niet uitleggen waarom. Hij hield wel van porno. Maar hij hield ook een beetje van Jasmine – ze lachten veel. Niet alleen om dezelfde grap, maar sámen om dezelfde grap. Alsof ze elkaar begrepen. Hij wilde niet dat haar iets verve-lends overkwam.

'De producent heeft betaald voor de implantaten en alles. Het is helemaal gratis. Snap jij het? Weet je wat zulke dingen kosten?'

'Ik heb geen idee. Maar is het de juiste keuze voor jou?'

'Natuurlijk.' Jasmine beschreef verder hoe goed de erotiekbranche voor haar zou zijn. Vertelde over haar plannen, carrièremogelijkheden, roemkansen.

'Erotiek is veel beter dan strippen, weet je. In Zweden zit er geen geld in strippen. En je weet, stripteasedanseressen zijn van die bitches met ontzettende kapsones. Maar iedereen zegt dat het in de filmbranche andersom is. Daar is het zeg maar één grote *happy family*.'

Thomas schakelde zichzelf uit. Het deed pijn om aan te horen. Hij had zelf te veel porno gezien om zich Jasmine voor te willen stellen in de scènes waar hij zich normaal gesproken bij aftrok.

Later die avond dook Ratko op. Lachte ook om Jasmine. 'Ik denk dat dit goed voor je is, meisje,' zei hij alsof hij haar vader was. Wat een bullshit.

Ratko ging naast Thomas zitten. Sloeg zijn arm om zijn schouder. Jasmine was binnen een show aan het doen. Een van haar laatste.

'Wat vind jij van Jasmines plannen?'

Thomas keek recht voor zich uit. Vroeg zich af wat Ratko wilde met die vraag. Was het een provocatie? Het kon hem niet schelen – hij zei altijd wat hij vond.

'Het klinkt waardeloos, vind ik. Het is een gore branche.'

'Dus je vindt dit hier veel beter?'

'Hier houden we de boel op orde.'

Eerst gaf Ratko geen antwoord. Thomas draaide zich naar hem toe. 'Wil je iets?'

Een scheef lachje op Ratko's lippen. 'Je werkt goed, Thomas. We vinden dat je het prima doet. Dat je het weet.'

Ratko stond op. Liep de showzaal in.

Thomas probeerde niet eens te begrijpen wat de Joego net had gezegd.

Als de gelegenheid zich voordeed, zou hij naar Sven Bolinder vragen, de zogenaamde financier waar Leif Carlsson over had zitten kwekken.

Om een uur of elf werd hij wakker. Åsa was naar haar werk gegaan zonder hem, zoals anders, wakker te maken.

In de badkamer. Hij liet het scheerschuim extra lang zitten. Schoor zich secuur: korte haaltjes met een nieuw mesje. Hij bekeek zichzelf in de spiegel. Probeerde om niet alleen zijn spiegelbeeld te zien, maar ook zichzelf. Wie was hij? Wat wilde hij?

Hij wist wat hij wilde: de moordenaar van Rantzell te pakken krijgen en zijn adoptiekind hierheen halen. Het voelde als een balans. Eén project buitenshuis op te lossen. En één binnenshuis. Maar wie was hij? Overdag een fatsoenlijk

burger. 's Nachts maakte hij deel uit van de onderwereld. Als de vijand. Was hij misschien de vijand?

Hij dacht aan Leif Carlssons warrige antwoorden. Daarna dacht hij aan Christer Pettersson, die bijna veroordeeld was voor de Palme-moord. De vraag was niet of er verbanden waren. De vraag was hoe sterk ze waren. Jammer dat hij het Pettersson zelf niet kon vragen. Die vent had een paar jaar geleden al het loodje gelegd na een ogenschijnlijk natuurlijke hersenbloeding.

Thomas had alles wat iedereen van boven de dertig in Zweden wist over de moord gemixt met zijn specifiekere kennis vanuit het korps. Bovendien had hij zich de laatste tijd ingelezen.

Er was een beeld ontstaan. Van de meest gezochte man van Zweden – Christer P. Het grootste moordonderzoek ooit, het nationale trauma: een onopgeloste moord op een premier. Een open wond in het Zweedse bewustzijn. Een onaangenaam, brandend raadsel voor iedereen met dezelfde achtergrond als Thomas – mensen uit de gewone Zweedse middenklasse die toch wisten waar hun wortels lagen. Die wisten aan wie ze het te danken hadden dat ze tegenwoordig waren waar ze waren.

Olof Palme was op een nacht meer dan twintig jaar geleden midden op straat doodgeschoten. Thomas had niet zo'n grote belangstelling voor politici als zijn vader, maar volgens hem was Palme internationaal gezien de grootste politicus van Zweden ooit. Een man van eer, een vriend van de gewone Zweed. Geëxecuteerd met een loepzuiver schot in zijn rug. Een prachtschot, dat moest hij toegeven.

Drie jaar later veroordeelde de rechtbank Christer Pettersson tot levenslang wegens moord. De man werd door Lisbet Palme aangewezen bij een daderconfrontatie. Bovendien werd beweerd dat getuigen hem bij de moordplaats hadden gezien en dat hij net zo met zijn been trok als de dader gedaan zou hebben. Hij: een agressieve zuiplap aan lagerwal. Misschien een zeer geschikte zondebok. Maar dit was de moord op een minister-president. Je kon iemand niet zomaar veroordelen op basis van aanwijzingen en onzuivere daderconfrontaties – Pettersson werd in hoger beroep vrijgesproken. Het stond niet buiten redelijke twijfel, zoals het heette.

Claes Rantzell, voorheen Claes Cederholm, kwam een paar jaar later in beeld als een van de centrale getuigen in de vordering van de procureur-generaal aan de Hoge Raad tot herziening van de zaak. De staat wilde Pettersson echt veroordeeld zien.

Claes Rantzell: drugsdealer, katvanger, zelf uiteindelijk bijna ten onder gegaan aan drank- en medicijnverslaving. In de herfst van 1985, een paar maanden voor de moord, had hij verteld dat hij een Magnum van het merk Smith & Wesson, kaliber .357 aan Pettersson had uitgeleend. Rantzell had de revolver nooit teruggekregen, zei hij. Bovendien was Pettersson op de avond van de moord thuis geweest bij Rantzell, die in de buurt van de moordplaats woonde.

Rantzell was de meest verhoorde getuige in het hele vooronderzoek, maar zijn herinneringen varieerden – Magnum-leverancier, munitie-uitdeler, verklikker. Een uitgesproken aanwijzer van Pettersson.

Maar de Hoge Raad heropende de zaak niet. Het verzoek werd afgewezen. Geen nieuwe rechtszaak voor Pettersson. Ook die keer geen veroordeling voor de legende van Sollentuna. Maar in de ogen van de meeste mensen was hij toch de schuldige. Lisbet Palmes verkeerd afgehandelde aanwijzing bij de dader-confrontatie in combinatie met Claes Rantzells beweringen over de Magnum deden hun werk. De logica van het Zweedse volk was simpel: Lisbet herkende Pettersson op een of andere manier, hij was in de buurt geweest en hij had de beschikking over een revolver van hetzelfde soort als het moordwapen. Plus: hij was een aan lagerwal geraakte zuiplap, dat maakte alles op een bepaalde manier makkelijker.

En nu was Rantzell vermoord. Dat was niet per se vreemd – mannen als Claes Rantzell stierven aan levercirrose, andere ziektes die mensen met een ongezonde levenswijze troffen, of aan geweld.

Maar in dit geval: iemand probeerde de sporen op een al te geraffineerde wijze weg te werken.

Dit was tien keer groter dan hij had begrepen vóór hij wist wie Rantzell was. Zo veel groter dat het hem duizelde.

De twee sporen groeiden langzaam. Adamsson in het verleden. Rantzell in het heden.

Na het matig geslaagde verhoor met de demente Leif Carlsson moest hij iemand anders spreken. Hij had weer overwogen om Hägerström te bellen. Maar nee, niet nu.

Van wie van de andere leden van het peloton, de ME-eenheid waar Adamsson bij had gezeten, kon hij iets loskrijgen? Malmström was dood. Adamsson was de vijand. Carlsson had hij al gehoord. Bleven over: Torbjörn Jägerström, Roger Wallén, Jan Nilsson, alle drie nog steeds actieve politiemannen, en Carl Johansson en Alf Winge, de eerste was met pensioen, de ander had een particulier beveiligingsbedrijf. Verder moest hij ook meer onderzoek doen naar die Sven Bolinder.

Thomas besloot om te beginnen met Alf Winge: de man leek een rustig leven zonder al te veel inspanningen te leiden. Wat de doorslag gaf: Winge was geen diender meer en Runeby had hem genoemd als een van de aanwezigen bij de bijeenkomsten in Gamla Stan. Een ingewijde.

Om halfzes kwam Alf Winge naar buiten door de voordeur van Sturegatan 32. De bomen in Humlegård waren geel aan het worden. Op de derde verdieping lag het particuliere beveiligingsbedrijf van Alf Winge, WIP – Winge International Protection AB. Thomas had de homepage bekeken. WIP bracht openlijk

verslag uit van zijn werkzaamheden: verschillende bewakings- en beschermingsopdrachten, een aanvulling op andere spelers op de bewakingsmarkt. De branche was sinds 9/11 als een lawine gegroeid.

Alf Winge was een jaar of vijftig. Nog steeds een vitaliteit in zijn tred die krachtig aandeed. Politiestijl: waardigheid, rechte houding, zijn blik gericht op een punt verderop in de straat. Hij had een geschoren schedel, grimmige groeven in zijn wangen, lichtblauwe ogen die wat grauw leken. Hij was gekleed in een donkerblauwe lange jas, stevige zwarte schoenen, de draadloze handsfree nog in zijn oor zonder dat hij hem op dat moment gebruikte.

Thomas zag hem in zijn auto stappen, een Aston Martin, een echte sportwagenuitstraling. Het ging blijkbaar goed met WIP. Thomas startte de motor van zijn eigen auto. Winges pooierbak reed de Sturegatan uit. Thomas volgde hem. Hij wist waar Winge woonde. Hij wist welke weg Winge normaal gesproken naar huis nam. Hij wist waar hij de ex-ME'er onderweg zou laten stoppen.

Een kwartier later: Bromma, een luxe voorstad waar maar weinig dienders zich een woning konden permitteren – behalve de dienders die het vak vaarwel zeiden en particulier aan de slag gingen. Kiselgränd: daar lag een kinderdagverblijf omgeven door bomen die ver uit elkaar stonden. Verlaten nu, om zes uur was het dichtgegaan. De enige beweging kwam van de auto's die langsreden, onderweg naar huis.

Thomas merkte nergens aan dat Winge reageerde op het feit dat hij hem achtervolgde. Of hij zag het wel, maar trok zich er niks van aan. Misschien was het een harde, die Winge.

Thomas gaf gas. Ging naast Winges superauto rijden. Hij had een zwaailicht geleend bij de Verkeerspolitie. Hing het achter zijn voorruit. Flashte. Zag dat Alf Winge zijn hoofd draaide. Begreep dat een burgerpolitiewagen hem probeerde te laten stoppen.

Winge remde af. Zette zijn auto langs de kant van de weg. Thomas reed langzaam naar de kant. Zette zijn auto schuin voor de Aston Martin. Was bijna verbaasd dat hij Winge zo makkelijk naar de kant had gekregen.

Thomas hield zijn politiepenning voor het gezicht van Winge. De vent vertrok geen spier.

'Wat wil je?'

'Kun je je rijbewijs laten zien?'

Winge strekte zijn arm, liet zijn rijbewijs zien. Hij zag er jong uit op de foto. Alf Rutger Winge.

'Dit is slechts een routinecontrole. Zou je misschien even uit kunnen stappen?'

Winge bleef zitten. 'Wat heb ik volgens jou gedaan?'

'Niets. Gewoon een routinecontrole. Er zijn wat dingen gaande hier in de buurt.' Hij voegde er iets aan toe waarvan hij vermoedde dat Winge het zou

waarderen: 'We moeten het tuig grenzen stellen, weet je. We willen ze hier niet in Bromma.'

Winge zag eruit alsof hij even nadacht. Daarna opende hij zijn portier. 'Oké,' zei hij. Er reed een auto langs over de weg. Thomas wachtte, de wapenstok in zijn hand. Daarna ging hij over tot daden. Sloeg Winge zo hard hij kon in zijn knieholtes. De vent zakte in elkaar, langzaam op zijn knieën. Hij schreeuwde niet eens. Thomas meteen erbovenop. Haakte de handboeien snel om zijn pols. Winge draaide zich om, probeerde terug te slaan. Thomas sneller: bespoot hem met pepperspray. Nu schreeuwde hij in elk geval. Thomas handelde als in trance – de andere pols in de handboei achter zijn rug, liet de spuitbus los, pakte zijn pistool, drukte hem in Winges zij, zei met duidelijke stem: 'Sta op.'

Winge stond op. Moest denken dat Thomas een of andere straatrover was die een politiepenning te pakken had gekregen. Thomas duwde hem naar zijn eigen auto. Tranen uit Winges rode ogen: knipperde, knipperde, knipperde.

Hij startte de auto, maakte Winges geboeide handen met nog een stel handboeien vast aan de handgreep van het portier. Reed het lege schoolplein op. Weg van de weg. Weg van de inkijk. Vrij om met het verhoor te beginnen.

Winge had zich hersteld. 'Wie denk jij godverdomme dat je bent?'

Thomas gehard. 'Bek dicht.'

'Weet je wie ik ben?'

'Het interesseert me niet wie jij bent.'

'Ik heb geen geld bij me en de auto hebben ze binnen vijf minuten opgespoord, ik heb ingebouwde gps. Wat wil je?'

'Bek dicht, zei ik. Ik stel hier de vragen.'

Winge keek op. Herkende hij de meest afgezaagde verhoorfrase van de politie? *Ik stel hier de vragen.*

Hij zei: 'Zit je bij de politie?'

'Heb je me niet gehoord? Ik stel de vragen.'

Er liepen nog steeds tranen uit de ogen van de man.

'Alf Rutger Winge, dit gaat niet om je geld of je auto. Dit gaat over het peloton, de bijeenkomsten in Gamla Stan en Sven Bolinder. We weten het meeste al, dus ik hoef alleen maar antwoord op een paar vragen.'

'Ik weet niet waar je het over hebt. Het peloton, dat is lang geleden.'

'Jawel, je weet best waar ik het over heb. Geef gewoon antwoord op de vragen. Was je betrokken bij Adamssons groep?'

'Zoals ik al zei, ik heb geen idee waar je het over hebt.'

'Ik herhaal: was je betrokken bij Adamssons groep?'

Winge liet zijn blik niet los. Maar hij zei niets.

'Ik herhaal het nog één keer: was je betrokken bij Adamssons groep?'

Niets.

Thomas wist dat wat hij nu van plan was, het hoogste spel was dat hij tot nog toe had gespeeld. Het was één ding om zuipschuiten, junks en allochtoon

uitschot af te ranselen. Iets anders om dat een ex-diender te flikken die zijn rechten beter kende dan zo'n rottige advocaat. Toch, het was alles of niets.

Hij trok handschoenen aan. Sloeg Winge vol op zijn neus. Die brak. Bloed bespatte de voorruit. Godver – Thomas zou de boel grondig schoon moeten maken. Hij sloeg Winge tegen zijn oor. Daarna tegen zijn voorhoofd, kaak, oor. Alf Winges gezicht aan flarden.

'Was je betrokken bij Adamssons groep?'

'Vergeet het maar.' Gemompel vermengd met bloedbellen.

Thomas mepte hem weer op zijn neus.

'Was je betrokken bij Adamssons groep?'

Stilte.

Winges hoofd hing. Spuug, bloed, snot, slijm druppelden op zijn schoot.

Thomas: voelde zich als op straat. Opwinding. Adrenaline. De geur van bloed, zweet. De combinatie beter dan alcohol en Rohypnol. Alf Winge zou dit niet mogen saboteren. Hij moest antwoord geven.

'Voor de laatste keer: was je betrokken bij Adamssons groep?'

Geen antwoord.

Thomas sloeg hem voor de derde keer op zijn neus. Die zou nooit goed genezen.

Winge kermde. Hief langzaam zijn hoofd. Keek Thomas recht in de ogen. Thomas probeerde zijn blik te interpreteren. Die was volkomen blanco, leeg. Misschien had daar nooit iets gezeten.

Hij zei: 'Je weet niet waar je mee bezig bent.'

Na het voorval met Alf Winge had Thomas het een paar dagen rustig aan gedaan. Afgewacht wat er zou gebeuren.

Hij had Winge laten gaan. Hij kon niet verdergaan. Als hij hem meer sloeg, liep hij het risico van echt ernstig lichamelijk letsel, en dat risico kon hij niet nemen. Godverdomme.

Maar er waren andere draden uit te pluizen. Thomas was de tassen die hij meegenomen had uit Rantzells kelder, direct nadat hij ze gevonden had, gaan doorspitten. Dat was een week of acht geleden. Niks voor hem om documenten en papieren te lezen, maar hij deed zijn best. Het leek ondoenlijk: overeenkomsten, verslagen, registratieaktes, VAR-verklaringen, declaraties, bewijsstukken, kwitanties, verzendingsberichten, bankafschriften, papieren. Zoveel informatie die hij niet begreep. En zo moeilijk om te bepalen wat relevant was.

De avonden voor de Joego's en de dagen op de kutverkeerseenheid kostten tijd. Hij voelde zich aan één stuk door gejetlagd. De ene nacht tot vijf uur werken. De volgende middag koffiedrinken en over milieuauto's praten met de verkeersagenten. Hij had geen tijd om de documenten door te nemen. Toch: na een paar weken begon hij enig overzicht te krijgen. Het was duidelijk dat Rantzell de laatste tijd flink bezig was geweest. De afgelopen zeven jaar katvanger

voor achttien bedrijven. Thomas dacht aan een grap van de oude politierotten over John Ballénius: 'Er is maar één beestenvanger die met hem kan wedijveren, en dat is de rattenvanger van Hamelen.' In ongeveer de helft van de firma's waar Rantzell bestuurslid was geweest, was Ballénius plaatsvervangend lid, en andersom. Bij sommige firma's leek ook een aantal andere kerels betrokken te zijn. Thomas noteerde dat hij ze na moest trekken.

Hij kon geen patroon ontdekken in de bedrijven waar de mannen actief waren geweest, behalve dat er veel in de bouwbranche zaten, maar dat was altijd zo. Täby's Schoorstenen & Plaatwerk AB, Loodgietersbedrijf Frenell AB, Bouwbedrijf de Gele Boei, Roaming GI AB, Skogsbacken AB, Acute Leveranties Stockholm NV, Dolphin Leasing AB, enzovoort. Elf van de bedrijven leken failliet te zijn gegaan. Drie van de bedrijven waren verwikkeld in een controverse met de Belastingdienst. Zeven van de bedrijven hadden facturen uitgebracht als een waanzinnig snelvuurwapen – vast factuurfraude. Twee van de bedrijven hadden normale besturen met leden die ook bij andere, serieuze bedrijven zaten. Vijf bedrijven hadden dezelfde accountant. Een van de bedrijven verkocht pornofilms.

Hij wist te weinig van dit soort dingen. Waar moest hij beginnen met zoeken?

Ten slotte legde hij de hele zooi in chronologische volgorde. Dacht: ik begin met het laatste. Misschien is daar iemand die Rantzell bij leven heeft ontmoet, en hoe dichter ik bij de daad kom, hoe dichter ik bij de moordenaar zou moeten komen.

Het nieuwste document was een koopcontract tussen de firma Dolphin Leasing AB en een autohandelaar. Een Bentley. Het contract was ondertekend door Rantzell, zo leek het, op de dag voor hij koud was gemaakt.

De Bentley-zaak lag aan de Strandvägen. De zonzijde van Stockholm, het klassieke adres voor de rijke kringen. Thomas dacht aan de overdreven minachting van zijn vader.

Hij ging er begin november heen. De stad was warmer dan anders. Het geouwehoer over het milieu liet Thomas normaal gesproken koud, maar vandaag dacht hij wel even aan het weer. Warme zomers met veel te veel regen en dijken in de omgeving van Jönköping die doorbraken, rare winters met te veel sneeuw en ijspegels die zich rond het vriespunt vormden en op de hoofden vielen van arme mensen die gezagsgetrouw op de stoep liepen. Soms was het net alsof de hele zooi op barsten stond. De pogingen van de politieke clowns om de stad, het klimaat, zijn leven te regelen.

Hij ging naar binnen.

Het licht van de spotlights schitterde op de zes tentoongestelde auto's. Geen gewone autohandelaar voor doorsnee-Zweden hier. In plaats daarvan: klein, exclusief, extreem duur.

Achter een toonbank stond een jong fatje te doen alsof hij druk bezig was. Licht achterovergekamd, halflang, beetje warrig haar, jasje, bovenste knoopjes van zijn overhemd open als bij een flikker. Thomas vroeg zich af: zouden er geen echte mannen met zulke sterke auto's moeten werken?

Er waren twee andere bezoekers in de zaak. Hij wachtte tot ze weg waren. Flashte zijn politiepenning voor de winkeljongen.

'Hallo, ik ben van de politie. Mag ik je een paar vragen stellen?'

Thomas noemde bewust zijn naam niet.

De slungel zag er verbaasd uit. Zo vaak zag hij waarschijnlijk geen dienders in zijn winkel – een eerlijk verdiend politieloon maal tien was niet eens genoeg voor zo'n auto die ze hier verhandelden.

Ze gingen een kantoortje achter de toonbank in. Eikenhouten bureau, computer en een vulpen in een marmeren standaard. Stijlvol, hoor.

Thomas legde het koopcontract van de Bentley op tafel.

'Heb jij dit ondertekend? Ben jij Niklas Creutz?'

De jongen knikte.

'Maar ik kan me deze overeenkomst niet herinneren.'

Thomas nam hem op. Hoeveel auto's zouden ze hier per maand kunnen verkopen? Vijf, zes? Misschien minder. Elke verkochte auto moest een grote gebeurtenis zijn. Elke verkochte auto moest deze dandy een behoorlijke provisie opleveren. Hij zou het nog moeten weten.

'Weet je het zeker? Hoeveel auto's van dit model heb je dit jaar verkocht?'

De jongen deed zijn ogen dicht. Probeerde eruit te zien alsof hij nadacht. Maar waarom zou hij na hoeven denken? Hij zou dat op een lijst of zo moeten kunnen nakijken.

'Vier, denk ik,' zei hij na een tijdje.

Thomas vroeg het weer. 'Weet je heel zeker dat je het niet meer weet? Het is nogal belangrijk.'

'Mag ik vragen waar het om gaat?'

'Dat mag je zeker vragen. Maar een antwoord krijg je niet.'

'O nee?'

'Ik vraag het je nog één keer, gewoon om je het gevoel te geven dat je de tijd hebt gekregen om erover na te denken. Herinner je je de persoon die deze auto heeft gekocht?'

De jongen schudde zijn hoofd.

Thomas dacht: hij liegt slecht, die fat.

*

Hello boys,
My name is Juliana. I'm a sexy, fun and sociable young woman. I'm 21 years old, 1.60 tall and 52 kg. I look even younger.

I'm visiting Stockholm for a few weeks and look for generous men here for pleasure. My tight body want to make you happy.

Half hour with me is 1000 SEK plus taxi.
One hour with me is 1500 SEK plus taxi.

I do normal sex in any position you like. I give pleasure with my body, mouth and tight pussy. You may cum as many times as you can ;)
Everything with condom for your and my safety. I do not do anal.
If you want to come on my breast it will cost +500 SEK.

You contact me easiest by phone. I don't reply to hidden numbers or sms. I have male friend who look after me.

46

Mahmud: de prostitueebewaker, de hoerenwacht, de temeierchauffeur. De afgelopen twee weken had hij meer dan de helft van zijn tijd op de camping doorgebracht. Het overgrote deel van de dag zat hij in een van de caravans. Uitzicht op de rest van de camping. In totaal tweeëntwintig vuilwitte caravans. Acht waren van Dejan en zijn kornuiten. In de vier andere woonden halve *white-trash dropouts* als uit een Eminem-nummer. De rest van de caravans: leeg in afwachting van de zomer.

Shit, wat was dit triest. Hij luisterde naar zijn iPod: Akon, Snoop en muziek uit zijn vaderland: Majida El Roumi, Elissa, Nancy Ajram. Bladerde in pornoblaadjes en autotijdschriften. Sms'te met Robban, Tom, Javier en z'n zus. Zeurde. Mopperde. Mokte. Probeerde de tijd te laten gaan. Hoopte bijna dat een van de meiden over het veld kwam rennen. Hem zou smeren. Dan zou hij erachteraan kunnen. Beetje *action*.

Maar nee. Ze hielden zich gedeisd. Af en toe kwam er een auto het terrein op rijden. Dejan belde meestal van tevoren om te waarschuwen. Soms stapte zo'n vent direct de caravan binnen. Soms kwam het hoertje naar buiten. Stapte in de auto. Mahmud kon haar gezichtsuitdrukking zelfs vanuit de verte zien – de slavenhandel liet zijn sporen na. Een paar uur later kwamen ze terug. Of ze belden – het teken dat alles oké was. *Same, same but different* op een bepaalde manier.

Mahmud moest ze vervoeren. Natasja, Juliana en de anderen. Dunne meiden. Bleek, uitgeteerd, moe. Opgemaakt zo goed ze konden. Sommigen waren misschien knap geweest. Ze gingen naar adressen in de hele stad – vooral in de buitenwijken maar soms ook naar de chiquere wijken in de binnenstad. Soms bracht hij vier meiden tegelijk naar hetzelfde adres. Als ze terugkwamen waren ze beter opgemaakt, beter gekleed. Mahmud trok zijn eigen conclusies: iemand probeerde ze een beetje klasse en stijl te geven.

Mahmud kletste nooit met de hoeren. Hij wist zelf niet waarom. Voelde alleen duidelijk: ik wil niet horen wat ze te vertellen hebben. Maar eigenlijk maakte het misschien niet uit. Hun Zweeds was nog slechter dan dat van zijn vader.

Soms kwam Dejan langs. Regelde praktische shit: boekte hotelkamers en temeiertransport. Administreerde internetadvertenties. Alle hoertjes stonden op

internet. Belde rond bij klanten: informeerde ze over prijzen en service. Die gast rook gruwelijk. Mahmud had veel geroken in de bak. Binnen de muren kwam je soms vrij dicht bij de mannen met wie je rondliep, veel van hen wasten zich niet goed. Het ergste waren de gasten die het douchen lieten zitten maar wel elke dag deo over hun zweet smeerden. Dejan: een van hun. Zoetige parfumlucht verpest door zweet en vuil.

Elke dag om een uur of zes, zeven, werd Mahmud afgelost. Hij ging de stad in. Deed zijn eigenlijke werk. Waarom deden de Joego's dit met hem? Hij wist het antwoord eigenlijk wel. Ze wilden laten zien dat je binnen hun organisatie niet binnendoor kon sneaken. Je begint onderaan en als je goed bent, kun je je opwerken. Hij wilde niet eens carrière bij ze maken.

Godvergeten teringzooi.

Vandaag werd hij afgelost door een gozer die eruitzag als een muisje. Gele tandjes in zijn onderkaak en een trippelende tred. Mahmud vroeg niet hoe hij heette. Dat voelde het best. Had net een dikke negentigprocenter gesnorkeld. Wilde gewoon weg. De gozer checkte Mahmuds opengeslagen pornoblaadje. Close-up van een beaderde paal die een reet inging. Mahmud sloeg het dicht. Schaamde zich. De gast zei in bagger-Zweeds: 'Waarom jij leest dat?'

Mahmud had geen zin in een discussie. Wilde gewoon in de auto van zijn c-roes zitten genieten. Hij stretchte zijn nekspieren. 'Heb je er soms problemen mee?'

'In de caravans, daar zitten echte.'

Mahmud trok zijn jack aan. Deed de deur open. 'Weet je, ik hou van chicks die zin hebben. Ben je die weleens tegengekomen?'

De gast staarde terug. Mahmud sloeg de deur dicht.

Buiten sneeuwde het. Was dat niet wat vroeg? Het was een paar dagen geleden nog redelijk warm geweest. Eenentwintig november. Wit tegen een zwarte achtergrond: televisiesneeuw. Vonkend, fladderend. Net als in zijn kop.

Beetje beter humeur toen hij in de Merrie was gaan zitten. Weg van de shit. Hij dacht aan de juut die een paar weken geleden contact met hem op had genomen. Hij moest voorzichtiger worden. De smerissen konden hem nu bijvoorbeeld aan het schaduwen zijn. Hij parkeerde zijn auto langs de kant van de weg. Niemand achter hem. Er reed een auto in tegengestelde richting voorbij. Het zou in orde moeten zijn.

Toch: hij pakte zijn mobieltje. Haalde de accu eruit. Pulkte de simkaart los. Draaide het raampje naar beneden. Schoot het weg. Als een van de sneeuwvlokken.

Onderweg naar de stad dacht hij aan Babak. Oké, Mahmud had geblunderd. Had nooit gedacht dat de Joego's die Wisam koud zouden maken. Maar Babak stelde zich aan. Toch: Mahmud wilde hem bellen. Effe ouwehoeren. Het hele

gedoe rechtzetten. Net als vroeger zijn. Homies. Bloedbroeders.

Hij reed over de snelweg langs Axelsberg. Dacht aan zijn zus. Dacht aan haar gestoorde vroegere buurman. Niklas. Wat was er met die gast? Een week nadat hij en zijn zus bij hem langs waren geweest, ging Mahmuds telefoon. Onbekend nummer. Kon elke willekeurige koper, dealer, Joego zijn – maar het was Niklas. Vaag. Mahmud knetterbang. Dacht dat er wat met Jamila was. Maar nee, die Niklas wou gewoon praten. Misschien wat afspreken. Tijdens het gesprek, de hele tijd zo'n beetje, begon die Niklas het over mishandelde vrouwen te hebben, over hoerenlopers die afgeknald moesten worden en, wat hij noemde 'de verrotting van Zweden'. Mahmud digde dat gewauwel niet. Hij was Niklas dankbaar dat hij de ex van zijn zus had gebeukt. Maar wat was dat voor gelul over hoerenlopers, het verval van de maatschappij en de ratteninvasie in de buitenwijken?

Volgende dag: weer naar de caravans. Het weer was beter. Ragheb Alama zachtjes in zijn koptelefoon. Dejan belde 's ochtends. Had het over een vette levering. Ratko had ook gebeld. Opgewonden. Geëxalteerd. 'Mahmud, nu hou je ze extra goed in de smiezen. Begrepen? Er komt een vette levering aan.' Mahmud vond dat ze zaten te zeiken. Herhaalden allemaal dezelfde woorden. Vette levering. VETTE LEVERING.

's Middags kwam er een bestelwagen langs. Een vrouw samen met Dejan. Nertsmantel. Ze zag er zo Russisch uit dat het haast grappig was. Ze sprak geen Zweeds. Dejan probeerde te tolken, stelde haar voor als de grimeuse. 'Vanavond hebben we een vette levering. Ze moeten allemaal naar hetzelfde adres.'

Het kon Mahmud niet verdommen. Ze mochten wat hem betrof zulke grote hoerenfeesten houden als ze maar wilden. Als hij maar op tijd weg kon.

Een paar uur later verscheen er een Hummer. Er stapten twee kerels uit. Mahmud zag het meteen door de gore ruiten van de caravan – dit waren geen Joego's of zomaar wat klanten. Dit waren ultrakakkers. Een van hen herkende hij zelfs: Jetset Carl. Die rukker die allemaal kroegen had, kapot chique feesten organiseerde, kapot veel cash cashte. De gast die volgens de geruchten meer bitches van Stureplan had genakt dan Mahmud in zijn hele leven had gezien. Een legende. Een koning onder de kakkers. Zelfs voor gewone Zwedo's een machtsfactor. Mahmud vroeg zich af wat die knakker hier deed.

Mahmud zette de muziek uit. Ging dichter bij het raam zitten. Keek naar de hoeren die een van de caravans ingingen waar Dejan en de Russin zaten. Hij wachtte. De meisjes kwamen een voor een naar buiten. Ten slotte: alle twintig afgehandeld. Opgemaakt, opgepimpt, klaar voor een wip. Ze gingen naar hun caravans. De jetsetkerel stond met zijn vriend te roken. Lange beige jas tot op zijn knieën, donkerblauwe spijkerbroek, kleurige sjaal. Dunne suède bordeelsluipers. Zijn kapsel gelikter dan een kattenvachtje. Ze sloegen de procedure gade.

Na veertig minuten waren alle meiden klaar. De tijd stond stil. Mahmud staarde. Speurde. Spioneerde.

Dejan liep rond en klopte op alle caravandeurtjes. De meiden kwamen naar buiten. Ultrakorte rokjes, tight topjes, jarretels, hoge laarzen, hakken, sjaaltjes nonchalant om hun nek geslagen. Erger opgedoft dan anders. Chiquer dan Mahmud ze ooit gezien had.

Ze gingen in een rij in de kou staan. Achttien stuks. Als een fokking paardenmarkt. De jetsetvent en zijn vriend liepen de rij langs. Bekeken de meiden een voor een. Wogen ze met hun blik. Zogen ze op met hun ogen. Kletsten, discussieerden, waardeerden.

Na tien minuten. Zij, zij en zij, enzovoort. Jetset Carl wees twaalf meisjes aan. De uitverkorenen.

Dejan en de Russin dreven ze naar de bestelwagen en een andere auto. Jetset Carl stak nog een sigaret op. De rook was goed te zien.

Mahmud dacht: een vette levering. Hij wist niet eens waar ze heen zouden.

Hij kon het niet loslaten. Nog twee uur tot hij afgelost werd. Zette de muziek niet meer aan. Had geen zin meer om Tom te sms'en over de plannen voor die avond. Mahmud: geen gozer die iets tegen hoeren had. God zeg, het was het oudste beroep van de wereld en zo. In zijn vaderland namen vaders hun zoons op hun achttiende verjaardag vaak mee naar de sloeberiger wijken van Bagdad voor een introductiewip. Het was een goede oefening, een les. Jonge jongens moesten een beetje kunnen spelen. Maar toch: dit verdroeg hij niet. De meisjes in de caravans werden behandeld als dingen. Werden als een willekeurig product op internet gezet. Echt man, hoe konden mensen chickies diggen die niet uit zichzelf wilden ballen? Ergens was het ziek.

Hij keek naar de parkeerplaats. Alles rustig. Vroeg zich af of de meiden die niet meegenomen waren zich gered, of juist wanhopig voelden.

Zijn mobiel ging. Onbekend nummer. Eerst wou hij niet opnemen. Daarna dacht hij: ik moet stoppen met die sombere gedachten. Kan net zo goed kijken wie het is.

Op het moment dat hij de telefoon pakte had hij een vage feeling. Het gevoel dat er iets groots stond te gebeuren. Zijn hele buik schreeuwde één boodschap: dit gesprek zou zijn leven veranderen.

'Mahmud.'

'Yo Mahmud, ik ben een gap van een gap van je, Javier.'

Mahmud herkende de stem niet. Maar hij wist wel wat van accenten. Een latino. Klonk ongeveer net zo als Javier. Na al die jaren in de betonnen buitenwijken herkende Mahmud accenten als de beste taalexpert. Toppunt van kennis: hij hoorde zelfs verschillen tussen verschillende Koerdische talen. Sorani en Kirmanci, *you name it*. De swa die hij nu aan de lijn had: zachtere s-klanken dan andere latino's. Zuiver Chileens accent.

Mahmud antwoordde: 'Oké, Javier is een gap van me. En wat wil jij?' Eigenlijk had hij geen zin om nu met een naar coke hunkerende miniklant te praten. Hij wilde vanavond liever chillen met Robert en de anderen.

'Ik wil je zien. Ik heet Jorge. Ik weet niet of je over me gehoord hebt. Ik heb in Österåker gezeten met de vent van je zus. Zijn ze nog bij elkaar?'

'Nee.'

'Mooi. Kan ik eerlijk tegen je zijn?'

'Ja.'

'Die vent van je zus was een echte *cabrón*.'

Mahmud kon niet anders dan in de lach schieten. Wat was dit voor een gozer?

'Maar goed. Javier heeft me over je hang-upje verteld. En dat interesseert me.'

'Wat voor hang-upje? Waar heb je het over?' De naam, Jorge, deed in de verte een belletje rinkelen. Hij wist dat hij een paar jaar geleden over deze gast had horen lullen. Veel.

'Je hebt lopen kletsen. Volgens mij weet de halve stad van je feelings voor Mister R.'

'Wat wil je?'

'Ik wil je live spreken. De hele boel met je doornemen. Ik denk dat we een gemeenschappelijke vijand hebben. En je weet wat we zeggen in mijn hood: de vijand van mijn vijand is mijn vriend.'

Mahmud wist weer wie Jorge was. Een paar jaar geleden: kapot veel gelul over een supersnel opklimmende latino die de cokebranche in Stockholm revolutionair op zijn kop had gezet. Had de Joego's geholpen het cokegebruik de buitenwijken in te krijgen. Had de shit onder de Zwedo's, de middenklassekinderen, de buitenwijkkids verspreid. Had een neusje c veranderd in iets even normaals als een biri in de kroeg. Maar later was het misgelopen. De geruchten gingen: dat de Joego's de gasten die hen hadden geholpen het imperium op te bouwen, massaal geëxecuteerd hadden, dat diezelfde gasten geprobeerd hadden Radovan de vette buit door de neus te boren, dat het allemaal te maken had met interne fights binnen de Joegomaffia. Jorge, de naam was bekend. Echt wel, Mahmud had Javier over de gozer gehoord – hij was het eigen dealerconsulentje van de Joego's geweest. Hij vroeg zich af wat de latino van hem wou.

Jorge lulde door. 'Je zegt niet veel, maar volgens mij ben je wel nieuwsgierig om me eens te zien. Weet je wie ik ben? Zeggen de Västberga koelhallen je iets? Abdulkarim? Mrado Slovovic? Weet je wie dat waren?'

Mahmud herinnerde het zich. Hij wist het. En hij gaf toe: hij wilde deze latino inderdaad weleens zien.

Jorge stelde een plek voor. Een dag. Een tijdstip. Ze hingen op.

Na het gesprek een heldere gedachte in zijn hoofd: dit kon een opening zijn.

47

Niklas was binnen een microseconde wakker. Een knarsend geluid. Was er iemand in de kamer? Hij greep het mes dat op de vloer naast het bed lag. Luisterde weer.

Rust.

Stilte.

Duisternis.

Hij hield het mes in gevechtsstand voor zich. Kroop uit zijn bed. Gehurkt. Hij zag zwakke contouren van de kamer. Vanuit de keuken viel wat licht naar binnen. Daar hing geen rolgordijn.

Weer geknars. Maar geen grote bewegingen in de kamer voor zover hij zag. Hij liep langs de muur. Zijn spieren tot het uiterste gespannen. Elke stap een oefening in *stealthfight*.

Het appartement bestond uit slechts één kamer plus een keuken. De kamer had hij dus snel gescand. Hij leek leeg. Geen mensen in elk geval. Maar het risico bestond natuurlijk altijd dat ze binnen waren gekomen. Zoals ze uiteindelijk altijd lukte.

Hij ging de keuken in. Aanzienlijk lichter daar. Het schijnsel van de straatlantaarns van verderop in de straat viel door het raam naar binnen. De keuken was nog geen vijf vierkante meter. Hij zag meteen dat er geen mens was. Maar anderen? Hij moest nauwkeurig zoeken: zijn lege voorraadkast, onder het aanrecht, het kastje waar hij muesli en knäckebröd bewaarde. Onder de pizzadozen, yoghurtpakken, plastic zakken. Hij vond ze niet. Zijn flat was *secured*.

Hij moest wakker zijn geworden van zijn droom. Sterker dan vroeger. Eerst de moskee daarginds. De scherven van het raam en de kapotte gebedskleedjes. De typische geur van Irak: gistend afval en riool. Scènewisseling. Terug in Zweden, maar dan twintig jaar geleden. Mama die door Claes tegen de muur werd geduwd. Een schilderij dat naar beneden donderde. Ze viel. Onverwacht. Bleef liggen. Niklas boog zich voorover, pakte haar arm vast. Trok, rukte. Hij schreeuwde. Brulde. Maar er kwamen geen woorden.

Niklas kleedde zich aan. Hij gluurde door de luxaflex. Het duister buiten was compact. Halfacht. Vandaag zou een hectische dag worden.

Hij at yoghurt. Kookte twee eieren. Vier minuten precies. Zachtgekookt, maar niet al te zacht.

Hij ging in de kamer zitten. Inspecteerde de Beretta. Vanavond zou hij een geluiddemper gebruiken. Haalde de zwarte metalen cilinder tevoorschijn die hij ook bij Black & White Inn had gekocht. Schroefde hem erop, schroefde hem weer los. Richtte op proef op het raam. Woog het wapen in zijn hand. Deed zijn jack aan. Stopte het pistool in zijn binnenzak. Trok hem tevoorschijn en maakte een vloeiende schietbeweging. Herhaalde. Snel. Sneller. Snelst. Hij zou van dichtbij moeten schieten, hollow point-munitie moeten gebruiken om het beperkende effect van de geluiddemper te compenseren.

Hij dacht aan Nina. 't Was duidelijk dat er iets speciaals tussen hen was. Ze had zijn hulp nodig. Die keer, toen hij voor haar deur had gezeten, was ze opeens naar buiten gekomen. Helemaal alleen. Niklas' eerste gedachte was geweest: waar is het kind? Hij stapte uit. Keek naar haar. Vijftien meter bij hem vandaan. Ze leek hem niet te zien.

Nina: gekleed in een lange witte jas met een zwarte riem. Kraag omhoog als een echte agent. Strakke blauwe broek en zwarte leren laarzen met een lage hak. Op haar hoofd: een rode gebreide muts die niet goed over haar hoofd getrokken was. Hij kon haar niet loslaten met zijn blik. Haar uitstraling verraste hem als een zandstorm daarginds.

Ze liep in zijn richting maar leek hem niet te herkennen. Daarna realiseerde hij zich: ze wilde hem niet herkennen. Natuurlijk niet. Ze wist dat hij haar had doorzien. In haar treurige blik had gezien hoe het met haar ging. Hoe ze behandeld werd. Vernederd werd.

Niklas stond roerloos. Nina met haar blik recht voor zich. Resolute stappen. Een flauw glimlachje om haar lippen.

Nog drie meter. Haar handtas zwiepte op de maat van haar stappen.

Nog twee meter. Hij stond roerloos. Zijn adem kwam in wolkjes naar buiten.

Nog één meter. Hij moest iets zeggen, haar vastpakken. Ze liep langs hem. Een vleugje van haar parfum. Raakten elkaar bijna aan. Bijna.

Hij riep. 'Nina!' Tegelijkertijd dacht hij: wat moet ik nu zeggen?

Nina draaide zich om. Een meter bij hem vandaan. Verwondering, vragend. Ze herkende hem blijkbaar niet. Glimlachte toch vriendelijk.

'Herken je me niet? Ik heb jullie auto gekocht, de Audi.'

Nina's glimlach werd breder. 'Nu zie ik het. We zijn elkaar toen ook nog bij die benzinepomp tegengekomen.' Ze wierp een blik op zijn auto. 'Heb je hem niet meer?'

Niklas wist niet wat hij moest zeggen. Wilde haar niet teleurstellen.

'Jawel, maar ik heb meer auto's.' Hij probeerde te lachen maar had het gevoel dat zijn lach ergens halverwege bleef steken.

Nina leek niets te merken.

'Goh. Woon je hier in de buurt?'

Nog een vraag die hij niet kon beantwoorden.

'Nee, ik ben op doorreis.' Wat een antwoord. Het klonk stompzinnig. 'Op doorreis', wat betekende dat?

'Aha. Leuk je weer eens te zien. We lijken elkaar geregeld tegen het lijf te lopen dus we zien elkaar vast wel weer een keer.' Ze draaide zich om om verder te lopen. Maar Niklas ving er weer een glimpje van op. Haar blik. Het verdriet in haar. Het gevoel van onmacht. Onderdrukking. Folterende vernedering. Hij moest haar helpen. Ze was zo mooi.

'Nina, wacht even.'

Ze draaide zich weer om. Deze keer: haar glimlach onzekerder.

'Ja.'

'Waar ga je heen?'

'Hoezo?'

'Ik vroeg het me gewoon af.'

'Ik ga met een vriendin naar de manege. Je moet je tijd goed benutten als je een oppas hebt. Maar ik moet er nu vandoor. Ze wacht op me.'

'Kunnen we niet een keer afspreken. En het erover hebben?'

Nina's glimlachje nog onzekerder. Maar haar ogen: hij zag dat ze hem om hulp vroeg. Hem bij zich in de buurt wilde hebben.

'Hoe bedoel je?'

'Praten over hoe het met je is en zo.'

'Ik begrijp niet wat je bedoelt. We kennen elkaar toch niet, je hebt alleen een auto van me gekocht. Meer niet. Maar leuk je gesproken te hebben. Tot ziens.' Snellere passen. Bij hem vandaan.

Niklas bleef staan en keek haar na. Haar kont wiegde ritmisch. En hij had het heel goed gezien toen ze 'tot ziens' zei – ze wilde hem weer zien. Het hem vertellen. Het hem laten begrijpen. Ze had hem nodig. Hoe zou ze ook kunnen weten dat hij het al begreep, maar al te goed.

Zijn looprondje voelde vandaag extra goed. Zijn gedachten helder. Nina's gezicht in perfectie. De actie van vanavond zo tot in de details gepland dat zelfs Collin jaloers zou zijn geweest. Klaar voor het tweede offensief van Operation Magnum. Het enige wat hem dwarszat: die klootzak van een Benjamin. Maar Niklas wist wat hij daaraan zou doen.

Na het opdrukken en de sit-ups trainde hij met zijn mes. Vooral ter ontspanning. Hij had gemoedsrust nodig. Hij douchte. Lunchte. Nam de films van de bewakingscamera's door. Hij kende de gewoontes van zijn uitgekozen mannen beter dan zijzelf.

Om twee uur pleegde hij het telefoontje dat hij al dagen aan het plannen was. Belde Mahmud, Jamila's broer. Hij hoopte dat het resultaat zou hebben.

Niklas stapte in zijn auto. Reed naar Alby. Mahmud zou nu thuis zijn.

Weer thuis. Een uur na de afspraak met Mahmud. Niklas was tevreden. Het gesprek was goed gegaan. Mahmud was geen krijger van zijn kaliber, maar de Arabier was oké. En het beste: hij was Niklas een wederdienst verschuldigd. Wat Mahmud beloofd had voor hem te doen, loste problemen op. Het drukte weliswaar nog zwaarder op zijn financiën, maar dit was onvermijdelijk. Hij kon niet al te veel risico's boven zijn hoofd hebben hangen.

Hij pakte zijn tas met de gebruikelijke spullen. De verrekijkers, de uitrusting voor deurafluistering, films en geheugens voor de bewakingscamera's, de computer, het mes, de handschoenen. Bovendien: de Beretta en de geluiddemper.

Nam twee Nitrazepammetjes. Ging op de bank zitten. Zette de tv en dvd aan. De taxichauffeurs in discussie in het nachtcafé. Travis met ontbloot bovenlichaam. Testte zijn Magnum. Later: het kindhoertje, Jodie Foster, ontmoette Travis.

Niklas dacht aan wie hij een paar dagen geleden had ontmoet. Hij had Roger Jonsson op een avond gevolgd. Had hem naar winkelcentrum Fruängen zien rijden. Zijn auto bij het busstation zien parkeren. Niklas had de vent langs het metrostation zien lopen. Hij was zelf uit zijn auto gestapt. Bleef twintig meter achter hem lopen. Roger: liep met zijn bovenlichaam naar voren alsof hij voortdurend op het punt stond iets te pakken.

Niklas had de alternatieven overwogen. Het was nog geen tijd voor een offensief, maar als er gelazer kwam, zou het geen probleem zijn om te doen wat binnenkort toch met Roger Jonsson zou gebeuren. Het was laat op de avond, nauwelijks mensen op straat op een groep aangeschoten jongeren na, die achter de glazen deuren van het station hingen. Waarschijnlijk om het iets warmer te hebben terwijl ze wachtten tot er iets zou gebeuren.

De klootzak van een Roger liep wat verder. Ging Pizzeria Fruängen binnen. Niklas bleef staan. Wilde onder geen beding argwaan wekken. In de pizzeria: halfduister. Er klopte iets niet.

Hij kreeg een idee. Rende terug naar de auto. Zocht in zijn tas. Haalde de uitrusting eruit. Rende terug. Liep voorzichtig naar de pizzeria. Hij sloop langs de muur. Toen hij vlak voor het raam van het restaurant was, bukte hij. Deed alsof hij zijn veters strikte. Eigenlijk: tapete een bug onder het raam, precies op de voeg in het beton.

Hij wist niet of het zou werken. De bug die hij daar vastgeplakt had, was eigenlijk bedoeld voor gebruik in dezelfde ruimte als het object. Het was de vraag hoeveel hij nu zou kunnen horen. Maar misschien als hij geluk had.

Tien minuten later: er kwamen nog twee mannen de pizzeria binnen. Niklas op gepaste afstand. Zat op een bankje. Een fles in zijn hand. Deed alsof hij zat te drinken.

Het oortje in zijn oor. De rest van de uitrusting zat in zijn jaszak. Het was koud. Hij zat al te rillen.

Tot nu toe had hij niks vanuit de pizzeria gehoord, maar nu begonnen ze.

Eerst twee mannen die een andere taal spraken. Klonk als Servisch. Daarna switchten ze naar het Zweeds. Meer mannen. Een dof geknetter, ongeveer als wanneer hij door een kussen heen zou luisteren. Sommige woorden vielen weg, soms ook hele zinnen. Hij snapte wat er aan de hand was: ze wachtten. Smachtten. Verlangden. Zo dadelijk zou er een presentatie zijn. Van vrouwen.

Er verstreken een paar minuten. De gespreksonderwerpen leken op te raken. De mannen in de pizzeria zwegen. Soms wisselden de Servische mannen een paar woorden.

Even overwoog Niklas de tent te bestormen. Korte metten met die schoften te maken. Maar in zijn eentje tegen vijf kon moeilijk worden.

Hij moest het laten voor wat het was.

Daarna hoorde hij een nieuwe, hese stem. Eerst Servisch. Daarna Zweeds met een sterk accent. Hij pikte genoeg woorden op om te snappen hoe het zat.

De hese stem zei: 'Het zijn zes mooie dingetjes. Heel mooi.'

'Is een van hun zo toegerust als ik wil?'

'Absoluut. Ik hou altijd mijn woord.'

Toen volgde een korte woordenwisseling die hij niet goed kon horen. Maar hij verstond wel hoe die werd afgerond: 'Het zijn jullie eigen witte slaven.'

De man met het accent ging verder: 'We hebben ze hier achter. Zoals altijd. Heren, zoek iets van uw gading uit.'

De stemmen verdwenen.

Niklas bleef nog een paar minuten zitten. Zijn hoofd bomvol gedachten. Misschien was de kans om deze zwijnen af te slachten groter nu hun aandacht duidelijk sterk afgeleid was. Misschien was het voldoende als hij er twee, drie afmaakte en daarna vertrok. Maar nee, dit was niet de juiste situatie. Hij moest plannen maken.

Ze moesten de vrouwen via een achterdeur naar binnen hebben gebracht of ze waren er al lang voordat Roger gekomen was. Hij keek om zich heen. Geen mensen. Het schijnsel van de straatlantaarns verlichtte eilandjes van asfalt. Hij liep weer naar de pizzeria. Niemand te zien binnen. Hij haalde de bug los. Liep om het gebouw heen. Het was vastgebouwd aan het overdekte winkelcentrum. Leek een kantoorruimte op de verdieping erboven te hebben. Op de begane grond had je restaurants, kappers, een schoenenwinkel, een bankfiliaal. Hij moest de andere kant proberen. Het gebouw hield na een meter of zestig op. Aan de achterkant zag hij metalen deuren, leveranciersingangen, garagedeuren. Nu hoefde hij alleen nog uit te rekenen welke deur bij de pizzeria hoorde.

Hij wachtte. Uit een van de deuren waar Niklas op had gegokt kwamen een man en vrouw naar buiten. Het was Roger niet. Veel donkerder uiterlijk, misschien een Indiër of een Pakistaan. Hij was gekleed in een bruin leren jack en een zakkige broek. Leek haast wel een zwerver. Sjofel, onverzorgd haar, ongeschoren. Het meisje zag er jong uit. Veel te dun gekleed, ze sloeg haar armen om zichzelf heen zodra ze buiten kwamen.

De man had een arm om haar schouders geslagen. Niklas dacht: alsof ze een echt stel waren. Leugens.

Ze liepen in de richting van wat geparkeerde auto's. Niklas besloot: het was de moeite niet waard om op Roger te wachten. Hij zou meer uitzoeken over deze vent. Nu.

Hij rende weer terug naar zijn auto. Hijgde zo hard dat zijn longen er pijn van deden. Hij mocht ze niet missen. Zijn broek spande over zijn knieën, zijn schoenen voelden traag vergeleken met zijn hardloopuitrusting. Hij trok er zich geen fuck van aan. Versnelde. Sprong in de Ford. Trok met plankgas op, reed naar de plaats waar hij ze had gezien. Hij zag nog net een gele Volvo wegrijden. Vagelijk zag hij het krullende haar van de hoerenloper boven de bestuurders-stoel.

Hij reed achter de auto aan. Naar het zuiden. Richting snelweg.

De auto stopte in Masmo. Weer leidde de man het meisje. De portiekdeur door. Op dezelfde rustige, al te zelfverzekerde manier. Alsof ze van hem was. Alsof hij dacht dat zijn gedrag ongestraft zou blijven.

Twee uur later kwam het meisje alleen naar buiten. Ze belde met haar mobieltje. Leunde tegen de muur van het gebouw. Stak een sigaret op. Niklas dacht dat hij de rooklucht rook hoewel hij in zijn auto zat.

Ze ging op een laag hekje zitten. Boog haar lichaam voorover. Sloeg haar armen om haar benen. Haar gezicht naar de grond. Ze moest het beestachtig koud hebben. Zowel in haar lichaam als in haar ziel.

Niklas stapte uit. Wilde haar een lift aanbieden. Haar een toevluchtsoord aanbieden. Haar weghalen uit de oorlog. Uit de shit. Uit het vuil.

'HET VUIL.

Hij liep naar haar toe. Het meisje leek hem niet te horen. Hij slofte met opzet over het asfalt. Geen reactie. Hij ging voor haar staan, tikte haar op de schouder.

Ze keek op. Ze had een smal gezicht, achterovergekamd donker haar in een staart en lichtbruine ogen die glinsterden in het licht van de straatverlichting. Haar blik: vol schaamte. Ook zag ze er niet-begrijpend uit.

Niklas stak zijn hand uit.

'Ik heet Niklas.'

Ze schudde haar hoofd. In slecht Zweeds: 'Ik versta niet zo goed Zweeds.'

Niklas herhaalde het in het Engels. Het meisje bleef er verbaasd uitzien.

'*What do you want?*'

Hij had al een tijd geen Engels meer gesproken. Maar het was nog steeds goed.

'Ik ben gekomen om je mee te nemen.'

Het meisje stond op. Hij zag haar hele lichaam voor het eerst van dichtbij. Een kort rokje en een dikke, huidkleurige panty. Lange benen. Een leren jack dat niet dicht leek te kunnen. Daaronder ving hij een glimp op van haar naar voren stekende borsten. Ze stond stil. Leek hem net zo op te nemen als hij haar.

Niklas schaamde zich: hij had haar zonet bekeken als een stuk vlees. Exact zoals beschreven stond in al die feministische boeken die hij had gelezen.

Ten slotte vroeg ze: 'Hoe bedoel je?'

'Ik zal je meenemen. Je hoeft niet te doen wat je doet. En ik zal ze straffen.'

'Je kunt me meenemen. Maar het kost wel wat. Vijftienhonderd kronen voor een uur.'

'Nee, nee. Je begrijpt me verkeerd. Ik wil je niet kopen. Juist niet, ik wil dat je hiermee ophoudt. Je zult vrij zijn. En ik zal de mensen die denken dat ze jou kunnen verkopen, straffen. Dat beloof ik je.'

Er stopte een donkerblauwe Opel op straat. Het meisje keek naar de auto. Toen weer naar Niklas.

'Ik moet nu gaan.'

'Doe toch niet, ga met mij mee.'

'Nee, ik gaan.'

Niklas wierp een blik op de Opel. Er zat een man achter het stuur. Keek naar ze. Niklas zei: 'Ik zal hem ook straffen.'

Het meisje begon naar de auto te lopen. Vlak voor ze instapte draaide ze zich om.

'Je kunt ze nooit allemaal straffen.'

Eindelijk was het zover. Gebukt als in een strijd. Onderweg naar de achterzijde van Roger Jonssons villa. Want hij wist: vandaag was Patricia Jacobs, de vriendin van die klootzak, naar een conferentie. En hij wist meer: de schoft volgde de ijshockeywedstrijden van de eredivisie zoals een goed afgerichte hond zijn baasje volgt. Vanavond om zeven uur: Färjestad tegen Linköping. Een superwedstrijd, een kijkcijferkanon.

Hij dacht aan de laatste opmerking van het hoertje. Ze zou eens zien vanavond. Roger Jonsson – de hoerenloper, de tippelant, de vrouwenmishandelaar. Hij zou zo hard gestraft worden dat hij zou willen dat hij nooit geboren was.

Niklas droeg lichtgewicht donkere kleren die eigenlijk voor winterhardlopers waren bedoeld: een dikke, nauwsluitende legging en een winddicht, dun jack van Gore-Tex. Op zijn hoofd: een zelfgemaakte balaclava, een gewone muts waar hij gaten voor zijn ogen en mond in had geknipt. Die zou hij naar beneden rollen als het zover was. Een rugzakje strak tegen zijn rug. De Beretta in een holster.

Voor hem: een grasveldje, een terras met een trapje, tuindeuren die uitkwamen op het terras. Hij was er in vijf stappen. De televisie stond in een kamer met ramen aan de straatkant dus hij liep niet het risico dat Roger iets zou ontdekken. Bovendien: op dit moment zat hij midden in de tweede helft. Zelfs het risico dat die vent zou gaan pissen was minder dan nul.

De tuindeur maakte hij open met een loper. Had dat al twee keer eerder getest toen het stel naar hun werk was.

Hij hoorde zwakke geluiden van de wedstrijd. Het applaus van het publiek, de

opgewonden clichés van de commentatoren, de snelle geluiden van de ijshoc- keyers in close-up.

Niklas wist hoe het huis in elkaar zat. Had dagenlang van buitenaf zitten koekeloeren. Had een beeld van hoe de kamers ten opzichte van elkaar lagen. Of ze een alarminstallatie hadden, waar de draadloze telefoon meestal lag, of ze de buitendeur op slot deden, naar welke kant de scharnieren opengingen. En zoals gezegd: hij was twee keer met de loper op bezoek geweest. Alleen om snel een kijkje te nemen. Zich thuis te voelen.

Hij bleef staan. Zijn hart bonsde erger dan de hakken van de fans op televisie als ze op de tribunes stampten. Heel even: hij bracht zijn handen in de startpo- sitie voor Tanto Dori. Ademde diep in. Liet de lucht door zijn mond naar buiten komen. Merkte hoe hij vervuld raakte van rust.

Nog een paar stappen. De geluiden van de ijshockeywedstrijd helderder. Hij haalde zijn pistool tevoorschijn. Hij was één met zijn wapen.

Niklas zou een sluipschuttersgeweer hebben kunnen kopen. Had op het dak van een huis hier tegenover kunnen gaan liggen. Een enkel schot in zijn smoel – eitje. De hersensubstantie van de vrouwenmishandelaar tegen de muur van het huis gesplasht. Hij had een bom in de televisie kunnen monteren, veertig vierkante meter villa-idylle in een fractie van een seconde op kunnen blazen. Of waarom Roger Jonsson niet simpelweg vergiftigen? Er waren veel makkelijkere manieren dan die hij had gekozen. Maar het ging niet om makkelijk. Operation Magnum was een school. Een didactisch signaal aan alle daders. Jullie zullen gestraft worden. Jullie zullen lijden.

Het was zover. Niklas stapte de televisiekamer in. Het behang was gestreept. Een bank en twee leunstoelen. Een ranzige vaste vloerbedekking en een kastje voor de stereoinstallatie. Op de bank: Roger Jonsson. Vadsig, bleek, goor.

Niklas richtte de Beretta op het hoofd van de man. Pakte de afstandsbedie- ning, zapte naar een ander kanaal.

'Ik hou niet van ijshockey.'

Roger Jonsson zag eruit alsof hij het in zijn broek zou doen. Als hij eerst bleek was geweest, dan was hij nu eerder groen. Hij probeerde iets te zeggen.

Niklas maande hem tot stilte.

'Zeg niks. Dan moet ik je afschieten.'

Hij liep het risico dat iemand ze van buitenaf zag. De villa aan de overkant had geen directe inkijk in deze kamer. Maar als iemand op straat bijvoorbeeld langsreed in een suv, een hoge auto, dan konden ze een blik naar binnen wer- pen. Niklas pakte zijn rugzak. Tapete Rogers mond dicht. Wikkelde tape om zijn handen, voeten. Gooide hem op de grond.

'Vreet die vloerbedekking op, klootzak.'

Niklas tevreden met zijn opmerking. Hij had hem al tijden geleden bedacht.

Hij ging op de bank zitten. Legde de Beretta op zijn schoot. Nu kon niemand ze van buitenaf zien. *Time for some action.*

Hij gaf toelichting. Hield een weloverwogen betoog. Minstens tien minuten. Het was afgelopen met de vrouwenonderdrukking. Iedereen die sloeg, vernederde, misbruik maakte van zijn kracht, zou het binnenkort weten. Iedereen die vrouwen kocht, mensen verkrachtte, met levens speelde.

Ondertussen gaf hij Roger regelmatig een trap.

De zweetdruppels op het voorhoofd van de vent moesten zout in zijn ogen lopen.

Niklas vouwde een papier open. Het was het vonnis van Roger Jonsson. Ernstige schending van het recht op lichamelijke integriteit en verkrachting met geweld.

Niklas rommelde in zijn rugzak. Haalde er een kleine snijbrander uit. Roger sperde zijn ogen wijd open.

Nu begon het.

Niklas las gedeeltes uit het vonnis.

Een lange nacht voor een vrouwenmishandelaar en hoerenloper.

Vier uur later. Niklas vertrok via dezelfde weg als waarlangs hij gekomen was. Door de tuin. Eruit aan de andere kant van het huis. De huurauto tweehonderd meter verderop geparkeerd. Misschien zag iemand hem door de wijk lopen. Maar ze zouden zijn haarkleur of gelaatstrekken niet zien. Het was pikdonker buiten en hij had de straatverlichting de vorige avond vernield.

Pakte zijn mobiel. Hij had er een nieuwe prepaidkaart ingestopt.

Had het nummer van Patricia Jacobs uit zijn hoofd geleerd.

Luide muziek op de achtergrond. Disco op het bedrijfsfeest? Hoopte dat Patricia vanavond kon dansen.

'Hallo.'

'Hallo, kun je me horen?'

'Momentje, ik loop even naar buiten.'

Zeven seconden. Het lawaai nam af.

'Nu hoor ik je vast beter. Met wie spreek ik?'

'Je kunt me Travis noemen.'

'Wat zeg je?'

'Je kunt me Travis noemen.'

'Ik geloof niet dat ik je ken.'

'Dat hoeft ook niet. Ik wilde alleen zeggen dat ik hem heb verwijderd. Je hoeft je geen zorgen meer te maken. Hij komt niet meer terug.'

'Wat bedoel je? Wie ben je?'

'Vraag de politie hoe het is als je onderlichaam met een snijbrander behandeld wordt. Ik weet wat hij met je heeft gedaan. Ik weet wat hij met zijn vorige vrouw heeft gedaan.'

48

Hij dacht aan zijn privéonderzoek van de afgelopen weken. Alf Winge had geen woord gelekt. Maar de Bentley-verkoper hield iets achter. Thomas was geen doorgewinterde rechercheur. Maar zijn onderbuikgevoel was duidelijk. Zou hij toch niet een van zijn oude collega's bellen? Het antwoord op die vraag was niet veranderd. De anderen in Zuid zaten te dicht bij Adamsson. Moest hij contact opnemen met Hägerström? Die eikel had hij niet nodig. Toch: er was zoveel om in verder te graven. Runeby's informatie over Adamssons project in de jaren tachtig. Het moeilijk te doorgronden materiaal dat hij had meegenomen uit de box van Rantzell. De onzekerheid van de Bentley-jongen.

Thomas achterhaalde zo veel mogelijk informatie over de jongen van de showroom. Niklas Creutz. Geen strafblad, geen belastingschulden of krediet-waardigheidsaantekening. Kwam uit een oud bankiersgeslacht. Waarschijnlijk betaalde zijn vader nog steeds voor zijn appartement, en de auto waarin de jongen reed. Toch: hij had het gevoel dat er iets niet klopte. Zag Niklas Creutz' gezicht voor zich. Herhaalde de scène. De bijna paniekerige gezichtsuitdrukking.

Deze keer deed Thomas zelf een multizoekopdracht in de registers. Het kon hem niks verdommen als iemand zich afvroeg waarom hij naar Creutz had gezocht. Geen treffers bij de verdachten of mensen tegen wie aangifte was gedaan – maar wel bij de mensen die zelf aangifte hadden gedaan. Bingo: Niklas Creutz was afgelopen zomer slachtoffer van een misdrijf geweest. Thomas vroeg de aangifte op bij Centrum: zware mishandeling, in de winkel aan de Strandvägen. Daders onbekend. Het enige wat het fatje in het verhoor liet weten, was dat hij zich kon herinneren dat de daders donker waren en er buitenlands uitza-gen, een van de twee was vrij klein van stuk, maar gespierd – erg gespierd. Ze waren het kantoortje binnengedrongen. Hadden Creutz behoorlijk in elkaar geslagen. De medische verklaring noemde een gescheurde rib, zwellingen en blauwe plekken in het gezicht en twee uitgeslagen tanden in de bovenkaak. In het verhoor dat ter plaatse was afgenomen, had hij antwoord gegeven op de re-den waarom: *Ze wilden weten of ik een Continental GT had verkocht aan iemand die Wisam heette. Daarna wilden ze alle papieren van de auto zien. Toen zeiden*

ze dat ik een racist was. Wisam Jibril geloof ik. Ik begrijp niet waarom. Daarna
sloegen ze me in elkaar. Ik dacht dat ik doodging.

Dat kon geen toeval zijn. Het laatste document dat Rantzell ondertekend had: een koopcontract, Bentley Continental GT, 1,4 miljoen kronen. En ook: iemand had die arme jongen volledig in elkaar geslagen. En uitgerekend vanwege díe auto. Waarom?

Hij moest Wisam Jibril vinden. Voerde dezelfde zoekopdracht in als bij de Bentley-verkoper. Kreeg meteen treffers. Die gozer had een flink strafblad: bedreiging, mishandeling, overval, narcoticamisdrijven, enzovoort. Een draaideurcrimineel, een overvaller, een kerel die al een tijdje meeliep. Thomas vroeg vonnissen, vooronderzoeksverslagen, onderzoeksleidraden en uittreksels uit het algemene misdaadregister op. Werkte als een bezetene. Die Jibril was verdacht van betrokkenheid bij minstens drie grote overvallen, met de nadruk op grote. Een waardetransportoverval in Tumba in het voorjaar van 2002 en een in de buurt van Norrtälje in het najaar van hetzelfde jaar. Totale waarde anderhalf miljoen kronen. Maar nog groter: een overval op Arlanda. Thomas kon zich de krantenartikelen vaag herinneren. Een vliegtuiglading met bankbiljetten. Veel, heel veel miljoenen kronen. Wisam Jibril was absoluut niet de eerste de beste.

Waanzinnige bedragen. Legendarische overval. Magisch mooie werkwijze. Maar niemand die ook maar ene reet zag, hoorde of wist. Toch: de geruchten in de stad gonsden volgens de memo die Thomas las: Wisam Jibril zou omgekomen zijn bij de tsunami. Maar eigenlijk was hij nu al ongeveer een jaar terug in Zweden. Jibril *the king* van de overvallen, Jibril was als een bezetene kapitaalgoederen aan het consumeren. Appartement, flatscreentelevisies, Bentley, Porsche, BMW. Volgens een andere memo uit het verdachtenregister: de auto's die de verdachte had aangeschaft, waren eigenlijk geleased door een en hetzelfde bedrijf: Dolphin Leasing AB.

Jibril: een gast die wilde verbergen dat hij geld had. Zo'n gast had alle reden om een arme luizige katvanger koud te maken die een probleem zou kunnen zijn als hij te loslippig zou worden.

Summa summarum: misschien had Thomas de dader gevonden. Er was een verband met Rantzell en, het belangrijkst van alles, er was een motief. Het enige wat niet in de puzzel paste: waar kwam Rantzells betrokkenheid bij de Palmemoord in beeld als Jibril hem uit de weg had geruimd? Hij kon het niet loslaten. Er klopte nog steeds iets niet.

Toch: Thomas moest Wisam Jibril zien te vinden.

Thomas nam weer contact op met Jonas Nilsson. Nilsson was een goeie vent. Had Thomas onlangs nog geïntroduceerd bij die ouwe Runeby.

De dagen verstreken. Thomas werkte als een bezetene. Overdag bij Verkeer. 's Nachts in de club. Hij, Jasmine, Belinda, Ratko, een nieuwe gozer die Kevin heette. Zijn bijbaan was normaal gaan voelen. Meer nog zelfs, hij digde de striptent nog ook. De gemeenschap, de vrijheid.

Hij zou de mannen van het peloton stuk voor stuk afwerken. Hij herhaalde het lijstje in zijn hoofd. Malmström, Adamsson, Carlsson en Winge: daar kon hij niets meer doen. De resterende namen: Torbjörn Jägerström, Roger Wallén, Jan Nilsson en Carl Johansson. Vier ex-ME'ers. Iemand zou meer moeten weten over de Palme-haat van Adamsson. Maar Thomas had de zaak heroverwogen – deze kerels bleken harder dan hij had verwacht. Winge was het bewijs. Hij moest andere middelen inzetten.

Ergens was hij verbaasd dat die man niet terugkwam, die man die hem en Åsa voor hun huis had bedreigd. Hij begreep dat het niet was uitgekomen dat hij Leif Carlsson verhoord had, die man was zo ver heen dat hij zich waarschijnlijk niet eens herinnerde wat hij bij het ontbijt had gegeten. Maar Winge – zou er binnenkort niet iets moeten gebeuren? Anderzijds: Winge wilde hier misschien niets mee doen voor hij wist wie Thomas was, en dat kon hij nu nog niet weten. Thomas prees zichzelf – hij had niet zijn eigen auto gebruikt toen hij Winge had achtervolgd.

Thomas achterhaalde het nummer van Kentje Magnusson, de ouwe junk die Ljunggren en hij afgelopen zomer op het schoolplein in Skärholmen te grazen hadden genomen. Thomas kende veel figuren zoals hij, maar Kentje was de laatste die hij een dienst bewezen had.

Thomas belde hem. De junk begreep eerst niet wie hij aan de lijn had. Thomas vertelde hem wat hij van hem nodig had. Het klonk alsof het niet goed met Kenta ging, maar ten slotte kreeg Thomas een belofte: de junk zou eens rondvragen bij zijn contacten. Eens horen of ze aan injectievloeistof met Scopolamine konden komen.

's Ochtends vroeg: Thomas weer bezig met privéonderzoek. Deze keer voor de villa van Torbjörn Jägerström in Huddinge. Hij dacht aan de mislukking met Winge. Het risico dat hij had genomen. Weer: stel je voor dat Winge begreep wie hij was. Hij moest ervoor zorgen dat Åsa zich bewapende. Of beter nog, een paar maanden ergens anders ging wonen tot dit afgehandeld was. Godverdomme, binnenkort zouden ze Sander immers gaan halen.

Torbjörn Jägerström woonde in een huis van hetzelfde formaat als dat van Thomas. Geen chique wijk zoals Bromma waar Winge huisde. Geen dikke vette villa zoals Runeby. Gewoon normaal. Jägerström was de jongste van het peloton, zevenenveertig. Hij kon niet ouder dan vijfentwintig geweest zijn toen hij met de andere mannen aan het werk ging. Tegenwoordig was hij verantwoordelijk voor de ME op Norrmalm. Leidinggevende in het veld. Hij was ergens gekomen.

Thomas had nu al drie, vier ochtenden zo voor zijn huis gezeten. Het ochtendschema van Jägerström en zijn vrouw bestudeerd. Hij wist nu hoe het ging: de vrouw ging een halfuur voor Jägerström naar haar werk. Dat zou ook vandaag zo moeten zijn.

Hij keek op de thermometer in de auto. De kou was sluipend gekomen. Ok-

tober was de ergste maand van het jaar, op november na misschien. Een hele winter voor de boeg, geen pleziertjes in het verschiet.

Jägerströms vrouw kwam op exact hetzelfde tijdstip de deur van de villa uit als de vorige keer dat hij hier zat. Gehaaste passen. Een handtas over haar schouder. Proper, kantoorstijltje. Hij vroeg zich af wat voor werk ze deed.

Hij wachtte nog even.

Checkte het kleine leren tasje naast zich nog een keer. Een breed elastiek. Een injectienaald. Een ampul scopolamine. Hij opende het portier. Liep naar het huis. Belde aan.

Het duurde lang voordat Torbjörn Jägerström opendeed. Fors postuur. Open overhemd. Nette broek. Dikke gouden ketting met een hamer van Thor om zijn nek. Een gezichtsuitdrukking die stijver was dan die van een lijk.

'Goedemorgen,' zei Thomas.

'Goedemorgen? En wat wil jij als ik vragen mag?'

'Ik ben van Nationale Verzekeringen en we doen een onderzoekje hier in de buurt naar de inboedelverzekeringen van de bewoners.'

Jägerström staarde hem aan. 'Ik ken jou.'

Kut. Thomas had precies hetzelfde gedacht toen de deur openging. Hij moest Torbjörn Jägerström ooit tijdens zijn werk ontmoet hebben. Maar hij had geen tijd te verliezen. Hij drukte het stroomstootwapen tegen Jägerströms borst. Voelde de trillingen tot in zijn eigen arm, zijn spieren spanden zich onwillekeurig. Jägerström zakte in elkaar. Thomas deed de deur achter zich dicht. Boog zich voorover, groef in zijn tas. Viste het elastiek eruit, spande het om Jägerströms bovenarm. Wreef over zijn onderarm. Zocht een ader. Pakte de naald. Duwde hem erin. Drukte twee volledige doses Scopolamine naar binnen.

Wachtte. Dacht aan het preparaat. Scopolamine: spierverslappend met kalmerende werking. Het werd normaal gesproken gebruikt als pijnstiller voor operaties. Maar ook: de actieve stof in waarheidsserum.

Na een halfuur kwam Jägerström bij. Thomas had hem in een leunstoel in de woonkamer neergezet. Had zijn handen voor de zekerheid vastgetapet. Hij was een kei.

De kamer deed denken aan Runeby's woonkamer. Dezelfde donkere houten boekenkasten met ingelijste foto's van de familie, een encyclopedie, alle boeken van Guillou over geheim agent Hamilton en een paar John Grishams en Tom Clancy's. Het enige verschil met Runeby's kamer was het ontbreken van foto's aan de muur. Wel hing er een grote litho aan de muur met twee jonge trommelslagers die naast elkaar over een besneeuwd veld marcheerden. Thomas herkende het motief, het kwam van een schilderij van Albert Edelfelt, *Björneborgarnas mars*. De twee trommelslagers in een oud soldatenuniform moesten de twee bevolkingsgroepen in Finland voorstellen, Zweden en Finnen die samen voor de onafhankelijkheid van hun land streden. Maar dit motief

betekende nog iets anders: *Björneborgarnas mars* was ook een muziekstuk. De ere- en parademars van de Finse strijdkrachten. Maar het was ook de mars die het peloton vaak had gezongen tijdens hun zogeheten speciale acties op straat. Algemeen bekend binnen het korps: *Björneborgarnas mars* was in de jaren tachtig ontelbare malen geneuried terwijl alcoholisten, immigranten en daklozen werden afgeranseld. Een oorlogsmars. Een oproep tot strijd.

Thomas dacht: ze bekijken het maar, die klootzakken.

Jägerström was nog steeds groggy. Kwijlde als een baby. Hij mompelde iets.

Het was tijd om te beginnen.

Thomas ging in de leunstoel tegenover hem zitten.

'Ik wou je wat vragen stellen. Begrijp je wat ik zeg?'

Jägerström knikte, knipperde. Er hing een spuugdraad aan zijn kin. Thomas veegde hem af met Jägerströms overhemd.

'Je vertelt me alles en precies zoals het was. Ik wilde beginnen met te vragen hoe je heet.'

'Torbjörn Elias Jägerström.'

'Goed. Hoe heet je vrouw?'

'Eva Elisabeth Jägerström-Silverberg.'

'Goed. Hoe is jullie seksleven?' Een testvraag.

'Dat is beter geworden sinds onze zoon het huis uit is.'

'Oké. Hoe was het daarvoor dan?'

'Zeker beter dan het jouwe.' De waardeloze humor van de vent leek niet aangetast. Thomas moest zich niet laten afleiden door het grapje. Moest zich op zijn verhoor concentreren.

'Nu wil ik je wat andere vragen stellen die gaan over het vroegere peloton. Zat je daarbij?'

'Absoluut. Het was mijn beste tijd bij de politie.'

'Was je betrokken bij de bijeenkomsten die in de jaren tachtig georganiseerd werden door Lennart Edling?'

Jägerström trok met een van zijn mondhoeken. Thomas legde zijn hand op zijn schouder. 'Rustig maar. Niks aan de hand. Je kunt er gerust over vertellen.'

Jägerström leunde achterover in zijn stoel. Hij leek zo mogelijk nog meer te ontspannen.

'Lennart Edling, die ouwe gek. Hij was wat extreem, maar een man van eer.'

'Wat bedoel je met "een man van eer"?'

'Je weet toch wat ik bedoel. Er zijn er goddomme niet veel van over in dit land, maar Edling was er een van. Als hij nog leeft tenminste.'

'Ja, maar wat bedoel je met "een man van eer"?'

'Ik zei toch dat je weet wat ik bedoel. Mannen die zich bekommeren om de toekomst van Zweden. Die staan voor wat ze zijn, die dit land niet over laten nemen door Arabieren, vuile rooien en vieze joden. Begrijp je wat ik bedoel? Nu we eindelijk een centrumrechtse regering hebben, maken ze een nikker

minister. Dat is een aanfluiting. Sinds vierennegentig heb ik niet meer op die partijen gestemd.'

'Ben jij een man van eer?'

'Ik doe mijn best. De plicht staat boven alles.'

'Vertel eens over die bijeenkomsten in Gamla Stan.'

Jägerström vertelde langzaam. Hij was niet elke keer dat er een bijeenkomst was ook gegaan – hij was jong, had net zijn huidige vrouw leren kennen, je had niet overal tijd voor. Maar Malmström was een goeie baas en hij had veel kunnen leren. Voor Jägerström waren de bijeenkomsten vooral leuke avonden geweest, een manier om contacten te leggen. Maar ook: een manier om het korps en Zweden te dienen. De Scopolamine werkte beter dan verwacht – Jägerström sprak aan een stuk door.

Thomas vroeg naar Adamsson.

'Adamsson? Een betere man kun je moeilijk vinden. Hij is geslaagd in het leven, vind ik. Leidt Zuid als zijn eigen regimentje. Een echte patriot. Een respectabel burger.'

'Zat jij ook in Adamssons Palme-groep?'

Jägerström zweeg abrupt. De tic in zijn mondhoek kwam terug. Hij bracht zijn aan elkaar getapete handen naar zijn gezicht. Mompelde weer iets.

Thomas vroeg: 'Wat zeg je?'

'Daar kan ik niet over praten.'

Thomas probeerde hem te paaien, geruststellend tegen hem te praten, hem te laten ontspannen.

Het enige antwoord: 'Ik kan het niet. Je moet het begrijpen. Ik kan het niet.'

Dit ging niet. Hij kon maar één ding doen: Thomas pakte de naald weer. Spoot nog een ampul met waarheidsserum in Jägerströms lichaam. Wachtte vijftien minuten. Jägerström leek haast te slapen.

Thomas probeerde het weer. 'Zat jij ook in Adamssons Palme-groep?'

Jägerströms weerstand was als sneeuw voor de zon verdwenen. Het was haast komisch. Jägerström: de stalen politieman, de macho, de supersmeris – kletserig als een driejarige. Toch was zijn antwoord vlijmscherp.

'Ik zat erbij. Het was noodzakelijk. Het parlement had de politie en de veiligheidspolitie opgedragen Zweden te beschermen, en aan die opdracht moesten we ons houden, wie er ook in de regering zat. Omdat Palme een bedreiging voor Zweden was, waren we genoodzaakt hem, net als alle andere potentiële bedreigingen van het land, te bewaken. Palme stond te dicht bij de Russen.'

'En wat deden jullie in de praktijk?'

'Ik was nog maar vijfentwintig. Geen leidinggevende of zo. Dus ik weet niet zoveel, maar we waren onderverdeeld in cellen. De mensen in mijn groep kenden de andere groepen niet. Ik tenminste niet. Mijn verantwoordelijkheid betrof wapens. Ik zorgde ervoor dat de groep beschikking had over voldoende arsenaal en gevechtsuitrusting. Er hing een staatsgreep in de lucht.'

Dit was ziek. Thomas kon zijn oren nauwelijks geloven. Hij wilde een pauze nemen. De krant *Expressen* of Hägerström bellen. Iets doen. Maar hij moest doorvragen, iets concreets boven water krijgen.

'Vertel verder.'

Jägerström vertelde hoe vaak ze elkaar hadden gezien. Wie in zijn groep zaten. Wat ze hadden besproken, hoe ze van alles hadden georganiseerd, gepland. Hoe bang ze waren geweest voor de Russen, communistische samenzweringen, hoe ze geprobeerd hadden betrouwbare hoge politiemannen, marineofficieren en medewerkers van de veiligheidspolitie te werven. Toch: Thomas kreeg niets uit hem dat erop wees dat Adamsson of iemand anders direct betrokken zou zijn bij de moord op Olof Palme. Hij moest de draadjes aan elkaar weten te knopen. Er moest een verband zijn. Waar Adamssons mannen toen mee bezig waren: een poging tot landverraad – en waar hij nu mee bezig was: belemmering van het onderzoek naar een moord op een belangrijke getuige.

Hij vroeg: 'En heb je tegenwoordig nog contact met Adamsson?'

'Nee, met hem niet.'

'Waarom niet?'

'We zijn uit elkaar gegroeid, meer niet.'

'En met anderen uit die groep?'

'Ja, we spreken af en toe met een paar mensen af, twee keer per jaar of zo. Ik, Roger Wallén en nog een paar. Sven Bolinder is er zelfs een paar keer bij geweest. Dan werden we getrakteerd op wat chiquers, op kosten van een of ander bedrijf.'

Thomas probeerde Jägerström meer te laten vertellen. De tijd verstreek. Jägerströms mobiel ging continu. Men begon zich vast af te vragen waar hij uithing. Waarom hij niet naar zijn werk kwam, opnam, terugbelde. Thomas zette de telefoon uit. Toch was het te gevaarlijk. Hij kon hier niet heel veel langer blijven. Jägerström kwekte maar verder. Over de bijeenkomsten, over mannen van eer, over patriotten. De Scopolamine maakte hem al te praatgraag. Het meeste was onzin. Moeilijk verstaanbare onzin. Onsamenhangend geleuter.

Thomas moest dit afronden. De vraag was of hij überhaupt informatie van belang los had gekregen. Eigenlijk niet, maar hij moest ervandoor. Er zou hier iemand langs kunnen komen.

Verder denken moest thuis maar.

Jonas Nilsson belde hem op een avond een paar weken later.

'Hoi, met mij.'

Thomas had het gevoel dat hij met een reden belde.

'Ha Nilsson. Alles goed?'

'Ja, alles super, man. Ik heb een nieuwe auto gekocht.'

'Gaaf, wat voor eentje?' Thomas wilde eigenlijk ter zake komen. Wist Nilsson iets over Jibril?

'Een Saab 95, Aero.' Goeie auto voor een politieman, dacht Thomas. Dienders reden niet in al te coole modellen, maar ook niet in barrels, sneue Japanse wagens of Skoda's.

'Wauw, klinkt cool. En heb je al wat gehoord over waar we het over hadden?'

'Ja, daar bel ik over. Heb vandaag een van onze informanten gesproken. Een echte harde jongen die ermee gekapt is. Die gast is nu getrouwd en heeft kinderen, maar soms geeft hij ons wat spoortjes om zijn goede wil te tonen.'

'Oké. En?'

'Jibril is dood. Op straat gaat het gerucht dat de Joego's hem koud hebben gemaakt.'

Klote.

Thomas probeerde meer te weten te komen. Maar Nilsson wist niks. Ze hingen op. Thomas bleef staan. Plotseling was hij ongerust. Hoe stom was het om dit gesprek telefonisch te voeren? Hij dacht voor de duizendste keer aan de man voor hun huis. Winge. Jägerström. Bolinder. Ze waren bereid heel ver te gaan om hem tegen te houden. Misschien wisten ze nog niet wie hij was. Maar de man voor hun huis wist dat wel.

Ze hadden hem eruit laten trappen op zijn werk. Hadden hem en Åsa bedreigd. Met zijn rapport geknoeid. De held van zijn vader vermoord. De moraal van Zweden stond op het spel. Als zelfs Zweedse politiemannen van middelbare leeftijd zo totaal verrot waren – dan was er geen hoop. No fokking way dat het ze zou lukken. Dit was zijn weg terug.

Thomas pakte de telefoon weer.

Toen hij de cijfers intoetste was hij haast kinderlijk opgewonden. Nervositeit vermengd met spanning.

Hij had een hekel aan Hägerström. Tegelijkertijd wist hij dat hij al een hele tijd geleden had moeten bellen.

Toen de telefoon overging hoorde hij een korte klik aan de andere kant.

'Hallo, dit is het antwoordapparaat van Martin Hägerström. Laat een boodschap achter na de piep. *Hi, you have reached Martin Hägerström, please leave a message after the beep.*'

Antwoordapparatenhel. Reuzeteleurstelling.

Thomas hield zijn boodschap kort: 'Andrén hier, bel me.'

49

Mahmud onderweg van de sportschool. Eén hand aan het stuur. In de andere hand een pot met de Lionhart-mix: creatine en andere voedingssupplementen. Rietje en aardbeiensmaak als van een milkshake. De bijwerkingen van de vorige kuur waren nog steeds niet helemaal verdwenen. Hij moest wachten voor hij met een nieuwe begon. Het was zuur. Maar waar.

Nu was hij onderweg naar de latino die hem gebeld had. Jorge.

De autostereo bonkte. Ragheb Alama zong als een god.

Hij dacht aan Niklas, de commando, die gister bij hem langs was gekomen. Hem om een gunst had gevraagd. Een heel, heel grote gunst. Die gast wilde dat Mahmud een vriend van Niklas aanpakte. De details interesseerden Mahmud niet.

Niklas leek op een bepaalde manier echt psycho. Zijn blik schoot altijd zo heen en weer. Maar die gozer was vooral levensgevaarlijk – als je tenminste moest geloven wat hij met Jamila's vorige vriend had gedaan. Waarom kon hij die Benjamin niet zelf intimideren?

'Ashabi,' zei Niklas in het Arabisch. 'Je moet me echt helpen. Het ziet er niet goed voor me uit en misschien draai ik de bak in. Dus deze Benjamin moet begrijpen dat als hij me erbij lapt er anderen zijn die hem straffen. Begrijp je?'

Mahmud dacht: eigenlijk moet ik het niet doen. Maar eer was eer. Niklas had zijn zus geholpen. En niets ter wereld was belangrijker dan een zus. Hij was het Niklas verplicht.

Mahmud knikte. 'Ik doe het, gap. Waar woont die sukkel?'

Niklas leek dolgelukkig.

De rest was simpel. Gisteravond, voor de hoerenoppasserij, was hij bij die gast langsgegaan. Niklas had hem getipt dat hij dan thuis zou zijn. Mahmud had al gauw door waar in het gebouw die gozer woonde. Trok vlug een lijntje in het portiek. Nam de lift naar boven. Neuriede voor zichzelf: 'Cola geeft je vleugels.'

Belde aan bij de huisdeur. Voelde zich kwaad. Het leven gaf hem op zijn lazer en nu zou hij die flikker van een Benjamin op zijn lazer geven.

Een baardige flip van gemiddelde lengte deed de deur open. Verbazing in zijn ogen. Mahmud deelde een rechtse directe uit. De boksbeugel op zijn plaats.

De gozer tuimelde de flat in. Bloed uit zijn neus. Hij probeerde zijn dekking omhoog te krijgen, haalde uit naar Mahmud. Maar het was geen gelijkwaardig gevecht – hij had immers zijn boksbeugel. Hij wist hem nog een keer te raken. De gozer ging om. Lag op de grond. Probeerde zijn hoofd te beschermen terwijl hij schreeuwde: 'Wie ben jij goddomme? Ophouden. Mijn neus, man.'

Mahmud haalde duct tape uit zijn zak. Tapete de handen en voeten van de gozer vast. Keek in zijn paniekerige ogen. Voelde zich machtig. Nu was hij de Gürhan. Zo, wat zeg je nu? Nu ben je niet meer zo bijdehand, hè? Snitcher.

Benjamin lag doodstil. Kermde. Mahmud ging op een krukje zitten.

'Hé, baardaap.'

Benjamin zei niks.

'Als jij je maat Niklas loopt te verraden, kom ik je echt beuken. Snap je?'

Benjamin deed zijn ogen dicht.

Mahmud wachtte niet op antwoord. Deed de deur open, liep naar buiten. Dacht: shit zeg, de geweldsbranche is misschien toch wel wat voor mij. Hij moest een week werken om dertigduizend te verdienen met coke. Dit had inclusief reistijd een kwartier gekost.

De Malmvägen. Er kwam een zwarte kill naar hem toe. Flow in zijn loopje. Zijn tred deed denken aan die van Robert. Maar dan overdrevener. Ging om de stap door zijn knie. Liep hij op het ritme van een nummer in een onzichtbaar iPod-koptelefoontje? Gekleed in een capuchontrui met de capuchon over zijn hoofd en achter zijn oren. Ze flapten als bij een super Mickey Mouse. Een donzen bodywarmer over zijn trui. Wijde camouflagebroek. Om zijn nek het silhouet van Afrika in rastakleuren: groen, geel en rood. Het gras, de zon, het bloed.

Duidelijk onderweg naar Mahmud. Dit was Jorge in elk geval niet.

De rastagozer hield zijn hoofd scheef. Slechte, kapotte tanden – ze leken elk moment uit zijn mond te kunnen kletteren. Zwaar dialect, klonk als Sean Paul, bijna onverstaanbaar: '*Hey, you Arab man. My friend wants to meet you.*'

Mahmud spreidde zijn armen. Ontspande. Die nikker bleek Jorges loopjongen. Stelde zich voor als Elliot. Mahmud liep achter hem aan. De kniebuiging in zijn passen. De flow in zijn tred.

De Malmvägen was lang, vertakte zich. De schotelantennes hingen als oren aan de hoge gebouwen. Dit was de woningbouwbuitenwijk van Noord.

Elliot keek niet achterom.

Ze gingen een gebouw in. De trap op.

Elliot belde ergens aan. Door de deur heen hoorde je muziek: reggaeritmes.

Er deed een brede vent open. Eerst kon Mahmud niet zien of hij zwart was of een latino. Dikke dreads. Vette ganjagrijns toen hij Elliot zag. De deur sloeg voor Mahmuds neus dicht. Hij bleef alleen buiten staan.

Hij dacht: waar is die eikel mee bezig?

Mahmud wist niet wat hij moest doen. Aanbellen? Bonzen? Afnokken? Dat

laatste was nog het beste alternatief. Hij begon de trap af te lopen.

Toen ging de deur half open. Elliot keek weer naar buiten. Riep: '*Hey Arab brother, you welcome!*'

Mahmud draaide zich om. Ging naar binnen.

In de hal: de muziek klonk sterker vanuit de andere kamers. Backbeats. Zoete marihuanalucht. Een gang. Blauw voddenkleed. Witgeschilderde muren. Op een van de muren was een grote dierenhuid gespannen. De leeuw van Juda met een kroon en een van zijn klauwen in een groet. De gozer met de dreads zat een joint te bouwen in een stoel.

Elliot knikte.

Nam Mahmud mee door de gang.

De woonkamer: een marihuanaparadijs. Banken, kussens en zitkussens overal. Dekens over andere delen van de vloer. Er zaten, lagen én, vooral, rookten hier een stuk of tien personen. Een waterpijp tussen twee banken. Twee hasjpijpen, modelletje versierd hout, op de salontafel. Hopen vloeitjes. Zakjes wiet. Aan de muren hingen foto's van Bob Marley, Haile Selassie, en het silhouet van Afrika. Naast een andere bank stond een stereotoren. Er draaide een lp met een groen, rood, geel etiket.

De mensen hier: kankerstoned.

Elliot wees hem een plaats. Mahmud belandde op een kussen naast een leuk meisje dat leek te slapen. Door een haarband bij elkaar gehouden blonde dreads. Alles was gruwelijk vaag.

Een van de jongens op de bank stond op. Kwam naar Mahmud toe. De stem van deze gast was maar nauwelijks hoorbaar door de muziek. Hij reikte hem de hand. Iemand zette de muziek zachter.

'Welkom bij Sunny Sunday. Ik ben Jorge, Jorgelito. En jij bent de mattie van Javier, lijkt me.'

Mahmud knikte.

'Kan ik je wat te roken aanbieden?'

Mahmud pakte het plastic zakje met marihuana aan. Pakte een van de pijpjes. Maar deed niets. Zijn blik op Jorge.

Jorge glimlachte. 'Ze komen hier elke zondag bij elkaar. Weekend Jah. Relaxen met een beetje wiet. Doen wat de zwarte man moet doen. Chillen, de muziek diggen, de kracht voelen.'

Mahmud wist niet of hij moest schaterlachen of vertrekken. Hield zijn gezicht geïnteresseerd.

Jorge ging verder. 'Jij bent natuurlijk geen Afrikaan. Ik ook niet. Maar we zijn toch negers. Begrijp je wat ik bedoel?'

Mahmud snapte niet waar de latino het over had. Hij legde het hasjpijpje op tafel. Stond op.

Jorge legde een hand op zijn schouder. 'Chill man. Ik wou je alleen even laten relaxen. We gaan naar de keuken.'

Ze gingen in de keuken zitten. Jorge deed de deur dicht. Schonk twee glazen water in.

Mahmud nam hem op. De gozer was slank maar toch goed gebouwd. Kort haar en een lelijk snorretje. Donkere ogen met naast wietnevelen ook iets anders.

'Oké, het spijt me als je het hier niet leuk vindt. Ik vind het hier geweldig.'

Mahmud grijnsde. 'Ik heb er niks tegen. Maar ik word altijd een beetje zenuwachtig van te veel zinji's bij elkaar.'

'Geen probleem voor mij, man, maar zeg dat niet tegen hun daar. En zoals ik al zei, we zijn allemaal negers, begrijp je wat ik bedoel?'

'Nope.'

'Laat me het zo zeggen. Segregatie is als apartheid. Het miljoenenprogramma van de sociale woningbouw heeft hetzelfde effect op ons als slavernij. Snap je het nu?'

Mahmud had een vaag idee. Jorge probeerde serieus te zijn. Vergeleek jongens uit het buitenland zoals Mahmud met de situatie van de zwarten in Zuid-Afrika. Hij had geen trek in een discussie. Knikte alleen maar.

Jorge begon te vertellen. De latinokill was nog maar een maand in Zweden. Eigenlijk woonde hij in Thailand. Dat was eenvoudiger, zegma, omdat hij in Zweden gezocht werd vanwege een drugsincident bij de Västberga koelhallen.

Het was er allemaal mee begonnen dat de Joego's hem jaren geleden hadden laten vallen in een rechtszaak. Hem hadden afgeslacht als een hond. Maar Jorge was uit de gevangenis ontsnapt door als een soort Spiderman over de muur te klimmen. Mahmud kende dat verhaal wel, maar serieus – hij had gedacht dat het een mythe was. Jorge legde uit: hij had steeds geweten dat het niet goed kon aflopen met de Joego's. Ze hadden hem moeten helpen, hun verantwoordelijkheid voor hem moeten nemen omdat hij voor ze werkte, maar ze hadden hem laten vallen. Jorge begon ze dwars te zitten. Dat geklier had effect – ze hadden hem echt ernstig gebeukt en sinds die dag haatte hij Radovan erger dan wie of wat dan ook. Jorge was geen gozer die je ongestraft sloeg.

Mahmud zag zichzelf in de tori. Jorge had de energie gehad die hij op dit moment niet voelde, maar toch. Ze hadden dezelfde drijfveren.

Jorge vertelde verder. Hoe hij geprobeerd had dingen te verzinnen om het Joego-imperium op te blazen. Radovan had bespioneerd, allemaal dingen over hun organisatie opgesnord, smokkelwegen, dealtactieken, drugsmethodes. Hij keek Mahmud aan. 'Gebruiken jullie nog steeds de Shurgard-magazijnen die direct aan de parkeerplaats liggen?'

Mahmud grijnsde. De latino wist waar hij het over had.

Maar alles was finaal fout gelopen. Jorge was genaaid. Had moeten vluchten. Nu zat hij hier met tantoe veel doekoes en een Joegohaat die heter was dan lava. Maar zoals Jorge zei: 'Als dit alles was geweest, zou ik me erbij neergelegd hebben. Had ik het zaad met een smile doorgeslikt.' Maar er was nog iets. Iets grovers. Erger. Duisterder. Hij wilde niet in details treden. 'Het was een heel

vuil soort mensenhandel, zei hij alleen. Hij focuste op Mahmud. 'Ik denk dat je wel weet wat ik bedoel.'

Mahmud vroeg zich af of de latino wist wat hij deed, behalve coke verkopen. De gozer leek de zaakjes goed in de smiezen te hebben.

Jorge begreep misschien wat hij dacht. Hij zei: 'Ik weet wat je voor ze doet, ouwe. Dat is niet mooi, maar ik verwijt je niks. Je bent nu in hun greep. Ik weet dat je oké bent. Javier heeft het me verteld. En ik vertrouw hem. Hij is een *hermano*.'

Jorge nam een slok water.

'Jij voelt hetzelfde als ik. Je haat ze. Je wilt eruit. Ik zal je wat vertellen.'

Jorge begon dingen over Radovans andere werkzaamheden uit te leggen. Afpersing, financiële oplichting, bordelen. Vertelde over de georganiseerde feesten met luxehoeren. De stukjes vielen voor Mahmud op hun plaats. Het klopte met wat hij afgelopen week had gezien: het bijeenbrengen van de hoertjes, het opmaken, het oppimpen, de chique kakkers die de hele zooi organiseerden.

Na tien minuten was Jorge klaar. Hij staarde in de verte. Leek alsof hij met zijn gedachten nog in het verhaal zat.

Mahmud zei: 'Het is ziek, maar wat kan ik eraan doen?'

Jorges antwoord kwam langzaam. 'Jij en ik zijn niet de enigen die dit vinden. Ik heb andere contacten, die nog liever willen dat de Joego's een goed pak slaag krijgen. Als je wilt, heb ik een opdracht voor je.'

Mahmud begreep niet goed waar Jorge het over had.

'Je krijgt doekoes om een aanval te doen op Radovans hoerenbusiness. Een contract. Goed betaald. En alles wat je buit maakt mag je houden.'

Mahmud snapte het nog steeds niet helemaal, vroeg hem meer te vertellen.

Jorge legde het uit. Iemand was bereid om drie ton te lappen als Mahmud de Joego's en de luxehoerenhuurders aanpakte.

Driehonderdduizend. Shit. Hoewel de zaken nu behoorlijk liepen, was dat veel geld.

Toch: hij vroeg of hij erover na mocht denken. Moest het idee verwerken. Jorge begreep dat hij niet meteen antwoord kon geven. 'Laat binnen een week van je horen. Anders moeten we naar iemand anders gaan.'

Toen ze terug waren in de woonkamer vroeg Mahmud: 'Toch begrijp ik het niet. Waarom willen jullie mij hiervoor hebben?'

Aan Jorges antwoord had hij niet veel: 'Omdat je perfect bent.' Daarna lachte hij. 'Laat maar zitten. Denk maar na over m'n voorstel.'

Ze gingen op de bank zitten.

Jorge zei: 'Blijf nog even. Luister wat naar Marley. Neem wat te roken en voel de kracht. Haile Selassie Jah, zoals ze hier zeggen.'

Mahmud liet alles even los. Leunde achterover. Nam vier halen van de joint die Jorge had gerold. Een man met een gehaakt mutsje in rastakleuren lag half op een kussen naast hem. Nam de joint van hem over. Inhaleerde diep.

De rook, de muziek. Hij inhaleerde de sfeer.

Mahmud voor het eerst in tijden superrustig.

No woman, no cry.

Met flow. Ritme.

Een van de ontspannende momenten in het leven.

Zijn frustratie over alles in een nevel. Driehonderdduizend zichtbaar aan de horizon.

Hij zweefde weg.

Praise the rastafari, Jah.

Sunny Sunday shines.

*

Aftonbladet
25 november

Verdachte seriemoordenaar actief in Stockholm

Vanmorgen is een dode man aangetroffen in een villa in Stockholm-Noord. De politie vermoedt dat de man is vermoord en dat deze moord verband houdt met een eerdere moord in Stockholm.

De man is rond de veertig, aldus de woordvoerder van de politie Jan Stanneman. Er is niemand opgepakt en tot nu toe is er ook geen verdachte.

De politie vermoedt dat de moord verband houdt met een andere moord, die in Sollentuna is gepleegd. Daar werd een man van dezelfde leeftijd buitenshuis doodgeschoten.

'We vermoeden dat er een verband is tussen de moorden omdat de echtgenotes van beide mannen een telefoontje hebben gekregen van de persoon die de dader kan zijn,' zegt een welingelichte bron.

De moorden zijn professioneel uitgevoerd en de politie krijgt maar zeer weinig informatie van getuigen. Volgens de bron is ook gebleken dat een van de mannen is veroordeeld voor mishandeling van zijn vrouw en dat de vrouw van de andere man heeft opgegeven dat ze jarenlang mishandeld is.

'We sluiten niet uit dat dit een vendetta van een krankzinnige betreft, maar het is te vroeg om daarover te speculeren,' zegt de bron van Aftonbladet.

De man die vanmorgen is gevonden, is volgens de politie gemarteld.

Karl Sorlinder
karl.sorlinder@aftonbladet.se

50

Het was nog donker buiten toen Niklas wakker werd door een sms'je van Mahmud: 'Ik las dat er een lijk met vieze voeten, hangzak en harige reet is gevonden – bel me dan weet ik dat je leeft.' Niklas nam aan dat de Arabier een grapje probeerde te maken.

Toch wachtte hij met terugbellen. Moest de informatie van vannacht verwerken. De Operation was de derde fase ingegaan: Patric Ngono. Niklas was inmiddels geroutineerd: wist hoe je een offensief inleidde en afrondde. De planning van de aanslag zelf was in volle gang.

Het ging niet alleen om Ngono: na hem stonden drie andere schoften te wachten.

Een deel van het succes was dat de media door begonnen te krijgen waar hij mee bezig was. Ze zouden snel meer stof krijgen.

Hij dacht aan Nina Glavmo Svensén. Hij overwoog wat hij verder met Benjamin zou moeten doen. Hoopte dat Mahmuds behandeling het gewenste resultaat had. Zoveel mensen in verschillende rollen. En hij was de enige die optrad – ervoor zorgde dat Zweden een beetje rechtvaardiger werd, een beetje logischer.

Niklas ging achter zijn computer zitten. Opende de map die hij 'Hoerenlopers' had genoemd. Roger Jonsson was niet de enige die vrouwen kocht.

's Middags na de training belde hij Mahmud.

'Hoi, met mij. Het lijk.'

Mahmud lachte. 'Dus je leeft nog, ashabi. Heb je tijd om vandaag wat af te spreken?'

Niklas vroeg wat hij wilde. Mahmud wilde het niet over de telefoon vertellen – ze spraken af voor die avond.

'Wil je meedoen aan een actie?' vroeg Mahmud meteen toen ze elkaar bij hem thuis zagen.

Niklas vond zijn flat ranzig. Zijn eigen vuil kon hij wel hebben. Maar Mahmuds zooi deed hem walgen: onafgewassen borden, flessen met proteïne-

drankjes, kommen met ingedroogde poedermengsels. En de kledingstijl van de Arabier: joggingbroek en een T-shirt waar BEACH WRESTLING op stond. Liep je er zo bij als je bezoek kreeg? Maar: Niklas *owed him one*. Hij zei niets.

Wat Mahmud hem vertelde was het beste wat hij sinds hij terug was in Zweden had gehoord. Hij voelde zich bijna religieus. Dat iets zó goed bij Operation Magnum kon passen. Mahmuds overweging was simpel: hij had het verzoek gekregen voor een klus – een contract. Dit was niet zomaar iets – dit zou een aanslag zijn op een paar vette pooiers in Stockholm. En het zou de mensen en de organisatie die met mensenhandel bezig waren zo erg beschadigen als maar kon.

Mahmud wilde geen details vertellen. Misschien wist hij niet veel meer. Hij zei alleen dat iemand die nog een appeltje met Radovan en de hoerenbusiness te schillen had, wilde dat er wat gebeurde. Zonder dat de Arabier het zou kunnen begrijpen, was niemand geschikter voor dat werk dan Niklas.

Ze spraken kort een aantal ideeën door. Mahmud wilde een paar principes afspreken: geen gesprekken via mobiele telefoons of vaste lijnen, geen gelul met buitenstaanders, als ze moesten praten, stuurden ze eerst een sms'je – hij gaf hem verschillende codes om te gebruiken.

Ze bespraken of ze meer mensen in de arm moesten nemen. Niklas dacht na: Benjamin was uitgesloten. Misschien iemand van Biskops-Arnö? Felicia? Erik? Nee, die waren te soft. Konden de strijd niet aan als er een echte storm op komst was. Dat was al bewezen.

Mahmud spreidde een logica en vechtersmentaliteit tentoon die hij niet had verwacht. Niklas draaide op volle toeren. Begon over het soort wapens, de aanvalsmethode, strategische planning. Mahmud smilede.

'Gap, alles op zijn tijd. Daar komen we nog op.'

'Maar je moet me iets geven waar ik nu al mee bezig kan.'

Mahmud dacht na. 'Oké. Ik heb het adres van de plek waar we toeslaan. We moeten weten hoe die plek eruitziet. Dus het zou perfect zijn als je hem checkte.'

Mahmud: een echte generaal. Niklas vond het geweldig. Vooral: hij vond het geweldig dat hij een partner had. Weer deel uit te maken van een TF – een *Task Force*.

De volgende dag reed Niklas met de Ford naar Smådalarö. Het adres dat hij van Mahmud had gekregen, was geen straat, het was alleen de naam van een plaats, misschien van een huis, Näsudden, en een postcode. Mahmud had gezegd dat de opdrachtgever gewaarschuwd had: wees voorzichtig – deze gasten hebben bewaking. Ze hadden zich eerder vergist en wilden dat niet weer doen. Het was onduidelijk of Mahmud wist met wie ze te maken zouden krijgen. Niklas had geen idee, maar hij was een expert.

Een goede dag: helder weer. De herfst was over aan het gaan in winter. Hij

verheugde zich op de sneeuw. Als het daarginds op zijn ergst was, dacht hij vaak aan schone, witte, fonkelende sneeuw. IJspegels die tegen de lente begonnen te druppelen. Het knerpende geluid als je door de ijslaag op de sneeuw heen trapte. Dat was zijn jeugd. Geen gelukkige jeugd, maar in elk geval wel schoon. Niet vol stof, wapenolie, zweet en zand.

Toch miste hij de echte oorlog. Alles was zo vanzelfsprekend te midden van de andere mannen. Hij wist hoe elke dag eruit zou zien. Wat van hem verwacht werd. Hoe hij zijn bed op zou maken, zijn uitrusting zou verzorgen, grapjes met Collin en de anderen zou maken, de dagplanning zou doornemen van de bewakingsopdracht, het lijfwachtkonvooi of waar ook maar sprake van was. En soms hun extra opdrachten, de dingen die te smerig of te gevaarlijk waren voor het officiële leger. De raids in de buitenwijken, de dorpen, de gehuchten waar de vijand zich verzamelde, tot zijn god bad en op geluk in de strijd hoopte. Niklas wist waarom hij soldaat was geworden. Het was een waardig leven. Een leven dat zin had.

Hij reed over de brug naar Dalarö. Sloeg links af bij het bord SMÅDALARÖ. Een bochtige weg langs het water. Op de kant getrokken boten beschut door houten bouwsels en zeildoek. Het was één uur. Over minder dan twee uur zou het donker worden. Hij dacht: Zweden is een vreemd land. In het winterseizoen leven de mensen meer dan de helft van de tijd in het donker.

Hij bleef rechtdoor rijden. Golfbanen, naaldbos, privéwegen die van de hoofdweg afbogen en waarschijnlijk naar poenige vakantiehuisjes leidden. Niklas had de plattegronden en luchtfoto's die hij via Eniro en Google Earth had gedownload, uit zijn hoofd geleerd.

Nog tweehonderd meter.

Een zwart metalen hek sloot het zijweggetje af. Hij kwam tot stilstand. Aan de ene kant van het steunpunt van het hek zaten een camera en een groot bord: PRIVÉTERREIN. BEWAAKT DOOR G4S. Ze konden zoveel bewaken als ze maar wilden.

Hij parkeerde op een klein bosweggetje. Ging terug door het bos. Zijn laarzen zompten in de natte ondergroei.

Na een paar minuten: een metalen hekwerk. Twee meter hoog – als een hek om een fabrieksterrein maar dan zonder prikkeldraad aan de bovenkant – maar niet onmogelijk om overheen te klimmen. Toch: er kon camerabewaking zijn. Hij liep langs het hek, kwam na een paar meter bij de toegangspoort. Oké, nu wist hij het. Het hele terrein was omheind. Hij draaide zich om. Liep terug langs het hek, het bos in. Gelukkig dat de bladeren waren gevallen. Na een meter of honderd zag hij vagelijk gebouwen door de bomen heen.

Hij haalde zijn verrekijker tevoorschijn. Het hoofdgebouw was duidelijk te zien. Drie verdiepingen. Zuilen bij de entree. Je reinste kasteelstijl. Een parkeerplaats met grind ervoor, een geparkeerde auto. Naast het grote gebouw: een garageachtig gebouw en een kleiner bijgebouw, misschien een stal, misschien een

schuur. Hij richtte zijn verrekijker op het grote gebouw. Kon een entree zien. Hij telde ramen, schatte het aantal kamers, de hoogte van de verdiepingen.

Liep verder langs het hek, zijn ogen voortdurend gericht op de bomen erachter. Hij zag geen camera's. Keek beter naar de palen en de steunpunten van het hek. Stelde vast: geen elektriciteit. Geen bewegingssensoren. Het zou een eitje zijn om door het hek te komen.

Weer een paar meter verderop boog het hek af. Hij zag het huis nu duidelijk, maar veertig meter aan de andere kant van het hek. Nauwelijks bomen. Hij pakte zijn verrekijker weer. De achterkant van het huis. Daar zat nog een ingang. Hij bestudeerde het slot, het materiaal waar de deur van gemaakt was, probeerde uit te rekenen waar de deur uitkwam. Bij een paar kamers kon hij recht naar binnen kijken. Een keuken, een eetzaal, een soort salon. Hij zag duidelijk bewegingsmelders in de hoeken, aan de plafonds, in de kamers.

Hij liep verder langs de achterkant. Schatte de afstanden, de mogelijkheid om door de ramen naar binnen te gaan. Hij had antwoord nodig op twee belangrijke vragen. Ten eerste: waar zou het target zich op de avond van de aanval bevinden? Ten tweede: zou het bewakingspersoneel zwaarbewapend zijn?

Het antwoord op de eerste vraag zouden ze moeten kunnen nagaan. Uitzoeken hoe de villa er vanbinnen uitzag. Voor zo'n protserig gebouw waren zeker meer bouwvergunningen nodig geweest dan voor de hele Söderledstunnel. De aanvragen voor al die vergunningen moesten bij de gemeente liggen. En zulke vergunningen waren openbaar.

Hij was goddomme een genie.

Vraag nummer twee kon moeilijker worden. Maar misschien kon Mahmud aan informatie komen.

Onderweg naar huis zag hij beelden in zijn hoofd. In plaats van scènes uit Irak: de aanval op het huis. Het welbekende geratel van snelvuurwapens vermengd met het geluid van glassplinters die tegen de grond kletterden. De paniek in de ogen van die mannen. Hijzelf met volledige uitrusting, *battle rattle*.

Het zou een *killing zone* worden.

Met genoegen.

51

Het was te veel informatie. Waar moest hij beginnen? Hoe zou hij alles kunnen begrijpen? Hij probeerde te snappen wat relevant was en wat dwaalsporen waren. Hoe je zo'n vooronderzoek verrichtte. De Palme-groep was goddomme met zeker vijftien personen meer dan twintig jaar bezig geweest zonder ergens te komen. Hoe zou Thomas Andrén – in zijn eentje, eenzaam, opgejaagd, en bovendien: van de ordepolitie – dit dan klaarspelen?

Toch: Thomas had feiten gevonden. De bijeenkomsten van Adamssons toezichtsgroep in de jaren tachtig werden gehouden in een ruimte van Skogsbacken AB. Die firma was eigendom van Sven Bolinder. En: in Rantzells tassen had Thomas documenten gevonden die verband hielden met uitgerekend Skogsbacken AB: een jaarverslag, een paar betalingsopdrachten en bewijsstukken. De conclusie was glashelder: er was een verband – verleden tijd, tegenwoordige tijd.

Sven Bolinder: een welbekende multimiljonair, financier, speler in de grijze economie. Producent van reserveonderdelen voor de auto-industrie, aanbieder van dealerdiensten. Maar klaarblijkelijk ook een hoerenliefhebber, prostitutieorganisator, arrangeur van zogenaamde 'wat chiquere events'. Bolinder werd ervan verdacht de hoofdeigenaar te zijn van een concern dat meer dan vijfentwintig bedrijven in zeven verschillende landen had. En dan wisten de dienders van Economische met wie Thomas had gesproken zeker de helft nog niet.

Thomas werkte als een bezetene. Bleef voor de schijn en de toegang tot de databases bij Verkeer werken. Bleef avonddiensten draaien op de club, nu met hernieuwde geestdrift – er waren hier ook verbanden met het onderzoek. Thomas viste, vroeg, verhoorde Ratko zonder dat de Joego het zelf in de gaten had. Bolinder bleek zijn vrienden normaal gesproken twee keer per jaar uit te nodigen voor een feest. Altijd als zijn vrouw in het buitenland zat. En de organisatoren van de party waren de Joego's samen met wat chiquere feestbouwers.

Thomas bleef proberen het materiaal uit Rantzells kelder door te spitten. Steeds opnieuw. Met toegenomen kracht, concentratie, organisatie. Meer focus op Skogsbacken AB. Hoe lang bestond dat bedrijf al, wat deed het precies, wie zaten er in het bestuur, wie waren de eigenaars, waar hadden ze fabrieken en bedrijfsruimtes, wie waren de werknemers, waar hadden ze hun bankrekenin-

gen? Veel hiervan zat niet in de tasjes, maar hij leerde al doende bij. De Kamer van Koophandel, de Belastingdienst, jaarverslagen, jaarrekeningen. Hij werkte zo systematisch als hij maar kon. Maar eigenlijk had hij hulp nodig. Aan de andere kant: binnenkort moest er wel iets opduiken.

Hij had een boek van een journalist, Lars Borgnäs, over de moord op Palme gelezen. Daar zat een verband, in theorie. De tunnelvisie van de rechercheurs in de moordzaak was van invloed geweest op hun blik op de moordenaar en de moord op de minister-president. Ook hun blik op een ander belangrijk punt, het moordwapen, was beïnvloed.

Borgnäs beschreef dit gedetailleerd. Op dezelfde manier waarop ze zich hadden vastgepind op het idee dat Christer Pettersson of eventueel een andere eenzame gek Palme had koudgemaakt, hadden ze zich vastgepind op één enkele hypothese wat betreft het soort revolver dat was gebruikt en waar zodoende naar was gezocht. Deze tunnelvisie was eigenlijk meteen na de moord al opgetreden. Het publiek kreeg te zien hoe hoofdcommissaris Hans Holmér tijdens een persconferentie een paar revolvers omhooghield. Ze waren allemaal van het kaliber .357 Magnum. 'Wat we nu zeker weten,' scheen Holmér gezegd te hebben, 'is dat het moordwapen een Smith & Wesson revolver van het kaliber .357 is.' Behalve een Smith & Wesson waren een paar andere, minder gebruikelijke revolvers mogelijk, legde de hoofdcommissaris uit. Maar waarschijnlijk was het een Smith & Wesson. Dat er een .357 Magnum was gebruikt, stond buiten kijf. Vanaf dat moment was het uitgangspunt van het onderzoek naar het wapen dat het van een .357 moest zijn. Het Palme-wapen werd synoniem aan een Magnum. Thomas probeerde het zich te herinneren, en iedereen die hij kende was er inderdaad altijd van uitgegaan dat er een Magnum was gebruikt.

Maar volgens Borgnäs was de waarheid anders, en niet alleen volgens hem – de meeste wapenexperts waren het met hem eens. Het moordwapen kón van dat kaliber zijn, maar het kon ook van een heel ander kaliber zijn geweest. Maar naar zo'n wapen had niemand gezocht, hoewel ze vaker voorkwamen dan Magnums.

Het verband zat hem in het moordwapen. Rantzell was de man die had getuigd dat Christer Pettersson in het bezit van een wapen was dat waarschijnlijk niet eens met de moord te maken had. Rantzell had het slim gespeeld. Het wapen, de tijd, de mogelijkheid. Hij had Pettersson als de moordenaar opgevoerd. En nu had iemand Rantzell vermoord. Misschien iemand die niet wilde dat de valse getuigenis bekend zou worden.

Åsa vroeg zich af wat er gaande was. Ze zagen elkaar steeds minder. Thomas was voortdurend moe – de wallen onder zijn ogen waren net donkere blauwe plekken. Het adoptiecentrum zou weer op huisbezoek komen. De laatste keer voor Sander.

'We moeten ons nog meer gaan nestelen, zodat ze zien dat we het echt belangrijk vinden.'

Thomas zuchtte. 'Wat houdt dat in, nestelen?'

'Je weet wel, het huis inrichten op een kind.'

'Maar we kunnen de kinderkamer toch niet gaan inrichten voordat Sander hier is?'

'Jawel, dat moeten we nu al doen. Dan zien ze dat we hier een kind kunnen en willen hebben. We zouden ook een kinderwagen moeten kopen en met die opvoedcursus moeten beginnen.'

Thomas schudde zijn hoofd. Åsa draaide haar gezicht van hem af. Streek haar haar uit haar gezicht zoals altijd als ze verdrietig was. Ze probeerden er verder over te praten. Vanuit Thomas' perspectief: hij wilde niets liever dan dat jongetje hierheen halen, het was zijn droom. Maar op dit moment was er van zijn kant even geen tijd voor betrokkenheid.

Dit gevoel bleef hangen, dit was niet goed, dit was helemaal niet goed.

Hij liep de garage in. Bekeek de Cadillac. Het was al weken geleden dat hij hem zelfs maar aangeraakt had. Hetzelfde gold voor de schietvereniging: sinds hij Ljunggren daar had gezien, was hij er niet meer geweest. Het was vreemd: alsof zijn hele leven op zijn kop gezet was. Hij ging op in het onderzoek op een manier die hij nooit eerder had meegemaakt. Het was onaangenaam. Hij ging in zijn gewone auto zitten. De garagedeur ging automatisch open.

Hij reed naar het bureau. Luisterde naar Springsteen. Probeerde zijn gedachten te ordenen.

De garage van het bureau. Het enige voordeel van de afdeling Verkeer: een eigen garage.

Thomas stapte uit. Inhaleerde de lucht van uitlaatgassen die nooit helemaal wegtrok. De tl-buizen verspreidden een bleek schijnsel. Het beton zag er gestreept uit, bijna als hout. Hij hoorde zijn eigen stappen. Nam de geparkeerde auto's op: probeerde te zien welke collega's er al waren.

Hij hoorde passen achter zich. De deur naar het trappenhuis lag twintig meter voor hem. Thomas begon in zijn zak naar zijn pasje te zoeken.

De passen achter hem klonken sneller. Thomas liep langzamer, zag geen reden om niet bij de deur op een collega te wachten die duidelijk haast had.

Maar er klopte iets niet. De stappen waren te snel. Thomas draaide zich om. Zag de man met de bivakmuts te laat. Hij droeg donkere kleding. Thomas kon niet meer op tijd reageren. De man kwam aanrennen, hield iets in zijn rechterhand. Een pistool. Bliksemanalyse: misschien een Colt, misschien een Beretta.

De man zei met heldere stem: 'Blijf staan.'

Thomas probeerde de situatie in te schatten. Hij kon niets doen. De tromp van het pistool, een vaste greep. Dit was een prof.

De man dirigeerde hem naar een donkere hoek van de garage. Waar de tl-buis het niet deed.

'Wat moet je van me?'

'Je weet wat ik van je moet. Hou op met wroeten.' De zachte stem van de man – hij fluisterde haast.

'Vergeet dat maar. Ik ben niet bang voor jullie. Ik heb mijn verhoren met diverse personen opgenomen, dat je het weet.'

'Lul verdomme niet zoveel. Als je nu niet bang bent, dan ben je dat binnenkort wel. Hou op met wroeten. Dit is de laatste keer dat je de boodschap krijgt.'

'Hou je bek.'

Thomas voelde iets hards tegen zijn hoofd komen. Terwijl hij richting de betonnen vloer viel, dacht hij nog: met zo'n mooi wapen moet je niet slaan. Daarmee moet je schieten.

Daarna sloeg hij tegen de harde vloer.

Thomas deed een oog open. Zijn andere oog. Ademde de uitlaatgassenlucht in. De man was weg. Hij greep naar zijn hoofd. Het bloed was plakkerig.

Zijn jaszak begon te trillen. Daarna klonk het geluid van zijn mobiel. Hij bracht het niet op om op te nemen. Aan de andere kant: hij moest hem toch pakken om om hulp te bellen.

Een bekende stem aan de andere kant. Hägerström.

'Ha Andrén, sorry dat ik niet eerder heb teruggebeld.'

Thomas was perplex. Vergat heel even in wat voor toestand hij verkeerde.

'Hägerström. Goed dat je belt. Sorry dat ik laatst zo zat te zieken.'

'Geen probleem. Hoe is het ermee?' Hägerström klonk opgewekt.

Thomas overwoog of hij zou vertellen dat hij als een of andere sukkel neergeslagen in de garage onder het politiebureau lag. Nee. Ja. Nee. Het antwoord: ja – het was zover. Hij kon niet alleen blijven werken.

Hij antwoordde: 'Niet zo goed eigenlijk. Ik ben net bedreigd en mishandeld door een gemaskerde man.'

'Serieus? Alles oké met je?'

'Serieus, en ik voel me niet helemaal oké. Maar het is niks alarmerends.'

'Zeker weten?'

'Zeker weten.'

'Maar waarom?'

'Dat vertel ik je later wel. We moeten wat afspreken. Zo snel mogelijk. Wanneer heb je tijd?'

'Overmorgen lukt wel. Maar weet je zeker dat het wel goed met je gaat?'

Thomas probeerde het na te gaan. Zijn voorhoofd bonkte, maar leek niet meer te bloeden. Hij antwoordde: 'Het komt wel goed met me. Het is niet ernstig. Dus we zien elkaar overmorgen?'

'Absoluut. Ik wou je alleen nog iets vertellen.'

'Wat dan?'

'Adamsson is dood.'

52

Het was makkelijk geweest Niklas over te halen mee te doen aan de klus. De gozer was wel vaag ergens, maar een betere partner kon Mahmud in dit geval niet verzinnen.

Een paar dagen nadat Mahmud het adres had gegeven, was Niklas al op verkenning uitgegaan rondom de villa op Smådalarö. Een echte prof: had een verrekijker, lasermeter en camera met een vet objectief meegenomen. Had het huis vanuit alle hoeken gefotografeerd, ingezoomd op de ramen, close-ups gemaakt van het hek, de sloten, het alarm, de toegang, de hoogte van de ramen ten opzichte van de grond.

Volgens Mahmud: de villa was een perfecte plek voor een overval. Het was net zoiets als die flatraid die Babak, Robban en hij bij die ecstasyflapdrol hadden gedaan. Niemand zou ze storen als ze eenmaal binnen waren. Niemand zou ze van buitenaf kunnen betrappen. Maar beter nog dan bij de raid: ze zouden binnenstappen bij een enorm hoerenfeest – geen risico dat iemand de skotoe belde. Het was geniaal.

De Joego's zouden gruwelijk hard genaaid worden. De hoerenneukers zouden een flinke klap krijgen. Mahmud zou het snelste geld van de hele stad verdienen. Rastafari Jah! Die sunshinezondag had zijn leven veranderd. Die Jorge was de king.

Daarna zou het afgelopen zijn met Shurgard-magazijnen, hoerenbewaking, dealeropdrachten. Hij was Dejan, Ratko, Stefanovic en de andere rotzakken zo zat dat hij al misselijk werd als hij hun naam alleen maar hoorde. De aanval op Smådalarö zou zijn laatste klus zijn. Echt, hij was van plan naar Erika Ewaldsson, zijn vader en zijn grote zus te luisteren. Jorges geld gebruiken om iets cleans te beginnen. Iets fatsoenlijks. Iets wat in de Zwedo-maatschappij paste.

Niklas en hij hadden elkaar twee keer gezien. Hadden kaarten en tekeningen bekeken die Niklas had geregeld. Een echte Tom Lehtimäki die gast. Meer nog dan dat: een echte elitesoldaat. Mahmud voelde zich net een SWAT-team *number one*.

Ze bestudeerden het huis van bovenaf. Bekeken hoe de wegen liepen, de

hoogteverschillen in het terrein, hoe het bos rondom de villa in elkaar stak. Het was nu winter: geen dichtbegroeide bomen die bescherming zouden bieden. Ze analyseerden waar ze kraaienpoten konden neerleggen, of ze een afleidende manoeuvre moesten doen – misschien de garage of een bijgebouw in de fik steken.

De architectuurtekening van het huis was nog cooler. Niklas had hem van de gemeente gekregen. Zweden was vaag – je kon zo ongeveer alles opvragen bij openbare instanties. Het huis was groot, meer dan vijfhonderd vierkante meter. Immense keuken, eetzaal, bubbelbaden in de kelder, fitnessruimte, salons, slaapkamers, logeerkamers, walk-in-closets. Vraag: hoe kwam je het huis het beste binnen? Waar kon je elektronische bewaking of bewakers verwachten? Welke deuren zouden open zijn en welke op slot? De grootste vraag: waar zou het hoerenfeest gehouden worden? Ze legden de plattegrond naast de foto's die Niklas had gemaakt. Identificeerden de kamers, zagen de inrichting door de lens van Niklas' camera. Konden kamers uitsluiten. De geile bokken zouden waarschijnlijk niet in de keuken of de eetzaal zitten. Waarschijnlijker: de grote salon, de bubbelbaden, misschien de logeerkamers. Dat hing ervan af wat voor event het eigenlijk zou zijn. Dat moest Mahmud proberen uit te vogelen.

Ze overlegden over met z'n hoevelen ze moesten zijn. Niklas was bikkelhard: Mahmud en hij zouden het nooit alleen aankunnen. Dat verstoorde Mahmuds idee maar hij sprak hem niet tegen. Ze overwogen verschillende wapens. Niklas wist megaveel. Het was haast griezelig – wat had die swa eerder in zijn leven gedaan? Snelvuurwapens, lasterviziers, schijnwerpers. Misschien hadden ze een granaat, flak jackets en donkere kleren nodig die ze als alles achter de rug was, zouden verbranden. Dit zou serieus aangepakt worden.

Ze maakten plannen, praatten, fantaseerden. Ontwikkelden strategieën, maakten lijstjes, prentten zich de foto's, het terrein, de kaarten in. Probeerden de stappen van de aanval te visualiseren, de risico's in te schatten. Toch: ze wisten te weinig. Mahmud moest ook naar de villa om de boel te bekijken. Niklas wilde er zelf ook weer heen, 's nachts.

Weer: hij was vreemd. Gebruikte militaire termen als een echte commando. Strooide met afkortingen, strategische woorden, wapentermen waar Mahmud geen reet van begreep. Maar: hij was perfect.

De laatste keer dat ze elkaar hadden gezien, besloten ze met huiswerk. Mahmud zou wapens en een betonschaar regelen, plus wat jongens die hij vertrouwde vragen of ze mee wilden doen. Niklas zou de kleding, de kogelvrije vesten, nachtkijkers, granaten en kraaienpoten voor zijn rekening nemen.

Zoals Niklas zei: het zou een killing zone worden.

Als in een gruwelijk vette game.

53

Niklas leek wel in trance. Zijn gedachten hielden nooit op. Zijn slaap werd gereduceerd tot korte rustpauzes tussen de voorbereidingssessies achter zijn computer, de tijd in het bos rondom de villa op Smådalarö en het bekijken van de films van de bewakingscamera's die hij zelf had opgehangen in de bomen rond het huis. Zijn motto rijmde: bestudeer meer.

Patric Ngono was *on hold* – de hoerenfeesten waren zoveel groter. De aanranders in actie op hoog niveau. Het absolute verval van de samenleving in duidelijk contrast. Het vuil dat de lichamen binnendrong zou aangepakt, verdreven, gezuiverd worden.

Benjamin belde niet meer. Dat was lekker. Als Niklas hiermee klaar was, zou die verrader eens een lesje krijgen. Een superdienst van Mahmud dat hij even met die gozer was gaan praten. Benjamin moest begrijpen dat Niklas niet alleen was.

Hij bracht het niet op te reageren op de telefoontjes en sms'jes van zijn moeder. Ze zou het toch niet begrijpen. Dezelfde gedachte keer op keer: hij deed dit allemaal voor haar.

Hij liep niet meer. Trainde niet eens met zijn mes.

Dit was het rechte stuk weg, de laatste fase, de eindsprint.

De bewakingscamera's gaven hem wat interessante informatie. Het beveiligingsbedrijf bezocht het huis een paar keer per week. Sven Bolinder, de man die in het huis woonde, en zijn vrouw leken niet vaak thuis te zijn. Maar Niklas had het gevoel dat er op D-day aanzienlijk meer bewaking zou zijn. De vraag was hoe ze daarmee om zouden gaan.

Mahmud had ook wat informatie weten te achterhalen. De Joego's deden de bewaking met eigen mannen. Maar het was niet duidelijk wat dat inhield. Hij wist niet of ze pistolen of andere vuurwapens hadden. Of ze kogelwerende vesten hadden. Of ze opgeleid waren voor oorlog.

En: Mahmud begon door te krijgen hoe die zogenaamde luxe-events in zijn werk gingen. Het zou een groot feest worden, een paar feestbouwers regelden eten, barkeepers, een dansvloer. Pimpten de meiden op. Niklas keek met die in-

formatie in zijn achterhoofd naar de tekeningen van het huis. Trok conclusies. Vermoeden: de plaats voor de party moest de grote salon op de begane grond aan een van de korte zijdes van het huis zijn.

Alles verliep volgens plan. Maar het zou de Arabier tijd kosten om de wapens te versieren. Als dat maar niet mislukte. Misschien moest Niklas dat zelf doen? Maar: Mahmud had hem verzekerd dat zijn contacten steengoed waren. En Niklas vond het niks om business te doen met die griet van Black & White Inn.

Zijn eigen huiswerk had hij meteen afgehandeld. Bestelde de uitrusting op internet. Nu hoefden ze alleen maar te wachten – zoals tijdens de advent – aftellen, dag na dag. Over vier weken was het zover. Bolinders event zou op oudejaarsavond worden gehouden. Operation Magnum zou aan een crescendo beginnen.

De afgelopen nacht waren er wat sneeuwvlokjes gevallen, maar die smolten al snel weg. Niklas dacht aan tranen op een steenharde wang. Een gezicht dat gedwongen was tot geduld. Zoals het zwarte asfalt dat blonk in de winterduisternis.

Niklas was onderweg van de villa naar huis. De achtste keer dat hij daar geweest was. Hij kende de omgeving nu. Het terrein was zo vertrouwd als de grasveldjes in Axelsberg waar hij was opgegroeid. Hij bepaalde de ideale weg naar binnen. Voor de aanval moesten ze met vier tot zes personen zijn, afhankelijk van het aantal bewakers. De vraag was of Mahmud er zoveel zou kunnen regelen.

Hij dacht aan de tijd dat hij terug was in Zweden. De hele wereld was één grote oorlog. Het was alleen zaak te zien waar de frontlinies lagen. Mensen buiten Zweden dachten dat Zweden zo vredig, gelukkig, volmaakt was. Eigenlijk was het nóg erger – zelfs ín Zweden dachten mensen dat ze in harmonie leefden. Dat was bullshit. Als je aan de oppervlakte krabde, was alles pure rattenstront.

Hij sloeg bij Handen af naar de snelweg. Niet veel auto's op de weg. Misschien zou hij zijn moeder toch moeten bellen? Er flashten beelden door zijn hoofd. Claes Rantzell. Mats Strömberg. Roger Jonsson. Soms overwon het verzet.

De Nynäsvägen. De Södertunnel in. Richting Årsta. Een soort kunstwerk aan weerszijden van de ingang van de tunnel. Het was haast magisch. Als een soort blauw licht dat de hele bovenkant van de tunnel verlichtte. Tussen de twee openingen van de tunnel: veel lichtjes, net sterretjes, met een grote bol in het midden. Een hemellichaam misschien. Hij dacht: nog een holte in het bestaan. Hij verviel in zijn gewone gedachtegang. De steunpilaren van de beschaving zijn de gaten. Dat was toch merkwaardig. De samenleving was gebaseerd op gangen, buizen, stortkokers, kabels, holtes. Maar dat bewees alleen de werkelijkheid. Hoe goed alles er aan de oppervlakte ook uitzag, in de holtes zat de waarheid.

Niklas reed door Årsta. Sloeg af naar de Hägerstensvägen. Bijna thuis. Hij was

moe. Maar toch ook niet. Zijn gedachten hielden hem in vorm. Als constante adrenalinekicks.

Hij kon geen parkeerplaats in de buurt van het huis vinden en zette de auto vier straten verderop. Liet de sporttas met zijn uitrusting in de auto liggen, die kon daar blijven tot de volgende keer als hij naar Smådalarö zou gaan. Dat zou niet lang duren.

Hij sloeg het portier dicht. Liep naar zijn huis.

Het licht van de straatlantaarns deed het asfalt weer glinsteren. Zijn adem vormde rookwolken.

In zijn portiek toetste hij de deurcode in. Deed de deur open.

Ging naar binnen. Drukte op het lichtknopje.

Hij keek in de lopen van vier MP5's.

Iemand schreeuwde: 'Handen omhoog, Brogren! Je bent gearresteerd!'

Vier ME'ers. Zwarte kleren, kogelwerende vesten, helmen, viziers, alles. Automatische karabijnen van het kleinere politiemodel, op hem gericht. Achter hem stroomden meer politiemannen binnen. Sloegen hem in de handboeien. Drukten hem tegen de grond. Het was te laat. Te laat om te denken. Hij was gepakt.

Hij vroeg zich af voor wat.

*

K0202-2008-30493

Verhoor met Niklas Brogren, nr 2
7 december, 10.05-11.00 uur
Aanwezig: Verdachte Niklas Brogren (NB), verhoorder Stig H Ronander (SR), advocaat Jörn Burtig (JB)

Uitgeschreven in dialoogvorm

SR: Hallo Niklas. Om te beginnen wil ik zeggen dat we dit gesprek zoals gebruikelijk opnemen, dan weet je dat.
NB: Oké.
SR: Goed. Dan beginnen we nu. Ik zal je eerst in kennis stellen van de verdenking. Je wordt dus verdacht van moord, of medeplichtigheid aan moord, op 3 juni dit jaar.
NB: Daar weet ik niets van. Ik ben onschuldig.
SR: Aha. Kun je misschien iets vertellen over wat je die dag hebt gedaan?
JB: Wacht even. De formulering van de verdenking moet nader gepreciseerd worden zodat mijn cliënt stelling kan nemen tegen de beschuldiging.

SR: Wat wilt u dat er gepreciseerd wordt?

JB: Het is niet voldoende dat u alleen het soort misdrijf noemt. Wat vermoedt u eigenlijk dat Niklas gedaan heeft? En waar?

SR: Bleek dat niet uit wat ik zojuist zei?

JB: Nee. Hoe kan hij nou begrijpen wat u denkt dat hij gedaan heeft?

SR: Dat was toch vrij duidelijk, lijkt me. Maar ik doe een nieuwe poging. Niklas Brogren, je wordt ervan verdacht Claes Rantzell vermoord te hebben, of meegeholpen te hebben aan de moord, op de avond van 3 juni van dit jaar, in een kelder aan de Gösta Ekmansväg 10 in Stockholm. Is advocaat Burtig nu tevreden?

JB: Hm... (onhoorbaar)

SR: Dus, Niklas, wat zeg jij ervan?

NB: Ik weet wie Claes Rantzell is. Maar ik heb hem niet vermoord. Ik was die avond niet eens aan de Gösta Ekmansväg.

SR: Je ontkent dus?

NB: Ik ontken.

SR: Kun je vertellen wat je op 3 juni gedaan hebt?

NB: Ja, hm... (onhoorbaar)

SR: Hoewel het lang geleden is, kun je je misschien toch iets herinneren. Je zei dat je die avond niet op het genoemde adres was. Dat herinnerde je je nog.

NB: Ik heb het jullie toch al verteld. Volgens mij had ik die dag een sollicitatiegesprek. Ik was net terug in Zweden, na een paar jaar in het buitenland. Verder had ik 's avonds afgesproken met een oude bekende. Hij heet Benjamin Berg. Zijn telefoonnummer staat in mijn mobiel. En dat heb ik de vorige keer dat ik verhoord werd ook verteld. Jullie hebben hem toch gesproken?

SR: Inderdaad.

NB: Aha. Wil je nog meer weten?

SR: Je kunt misschien wat meer vertellen over wat je die avond hebt gedaan. Wat gedetailleerder.

NB: Het is al even geleden, dus misschien herinner ik me niet elk detail. Maar we hebben een film gezien. *The Godfather* geloof ik. Die is vrij lang, dus we hebben ook wat gegeten. Ik kwam om een uur of zeven, en toen gingen we de dvd huren. Als ik me niet vergis, gingen we ongeveer meteen nadat we terugkwamen kijken, zagen de eerste twee uur of zo. Daarna hebben we dus pizza's besteld die ik ging halen. We hebben ze opgegeten terwijl we de rest van de film zagen. Zo was het.

SR: Wat heb je na de film gedaan?

NB: Ik ben nog een paar uur bij Benjamin gebleven, we dronken wat bier en hadden het over vroeger. We kennen elkaar van school. Maar

dat kunnen jullie hem toch allemaal vragen. Dat hebben jullie toch al gedaan? Hij kan alles bevestigen. Waarom zit ik hier eigenlijk?

JB: Ja, dat is een terechte vraag. Niklas heeft klaarblijkelijk een alibi voor het tijdstip in kwestie.

SR: We hebben Benjamin eerder gehoord. Maar ik ben niet van plan om daar nu verslag van uit te brengen. Er is geheimhouding van kracht in verband met het vooronderzoek, iets wat advocaat Burtig je zeker uit kan leggen.

JB: Ja, maar mijn cliënt moet de mogelijkheid krijgen om zich tegen deze verdenking te verdedigen. Het betreft immers bijzonder ernstige aantijgingen. Als hij geen kennis mag nemen van de informatie die Benjamin Berg heeft afgegeven, is hij kansloos. Hij heeft een alibi.

SR: Ik vind dat hij vandaag de mogelijkheid heeft gekregen om over de avond in kwestie te vertellen. Dus daar gaat het niet om. Ik wil echter vertellen dat we je moeder hebben verhoord. Heb jij, Niklas, daar iets over te zeggen?

NB: Nee, zij weet ook wie Claes Rantzell was. Het is haar ex-vriend.

SR: Inderdaad, dat heeft ze verteld. Denk je dat ze iets meer verteld kan hebben, over die avond in juni, bedoel ik?

NB: Nee, dat lijkt me niet, wat zou dat moeten zijn?

SR: Ik zal het kort houden. Haar getuigenis klopt niet met wat jij me zojuist hebt verteld.

NB: Hoezo niet? Op welke manier niet?

SR: Daar ga ik nu niet op in. Maar de officier van justitie zal je in hechtenis laten nemen, dan weet je dat. We zijn van mening dat we genoeg van je weten.

NB: Dan heb ik niets meer te zeggen.

SR: Niets meer?

NB: Helemaal niets. Ik ben niet van plan iets te zeggen.

Deel 4

Drie weken later

54

De overval in de garage was nu drie weken geleden – toch speelden de herinneringen minstens elk uur op. Niet omdat hij zo bang was geworden door het incident op zich – hij had eerder al erger geweld meegemaakt – maar omdat de bal die hij aan het rollen had gebracht zo groot leek te zijn. Dit ging niet alleen over een bedreiging van hem, het ging zelfs niet alleen over de bekendste moord van Zweden – het ging godverdomme over een samenzwering in het hart van zijn eigen thuis: politie. En hij had geen idee hoe hij die kon stoppen.

Eerder, toen iemand die nacht voor zijn huis had gestaan, was het hem gelukt de angst weg te schuiven naar een hoekje in zichzelf. Hij functioneerde zoals hij altijd functioneerde: hij liet de ongerustheid verdwijnen in cynisme en ontkenning. De doelen waren belangrijker. Hij werd voortgedreven door zijn eigen woede. Hij werd voortgedreven door de gedachte dat reflectie capitulatie betekent. En toen hij de verbanden met de Palme-moord begon te ontdekken, werd hij ook voortgedreven door een merkwaardig gevoel: een soort plichtsbesef jegens zijn oude vader en Zweden. Maar nu, nadat hij was neergeslagen en na het telefoongesprek met Hägerström over Adamsson, wist hij niet meer of hij zich überhaupt nog voort moest laten drijven.

Adamsson was omgekomen bij een auto-ongeluk op de snelweg, de E18 bij verkeersplein Stäket. Volgens Hägerström bleek uit het politieonderzoek dat de man tegen de vangrail in het midden van de weg was gereden en terug was gestuiterd op de rijbaan. Daar maakte een vrachtwagen, een veertigtonner, moes van Adamssons Land Rover. Misschien was het toeval, misschien was het deel van iets groters.

Het zou hem ook treffen, ongetwijfeld. Met die gedachte kon hij leven. Maar gedachte nummer twee was moeilijker: het kon Åsa treffen. De derde gedachte deed hem bijna de das om: het zou het kind treffen dat ze nog niet hadden gekregen: Sander.

Toch: het was niet anders. Thomas kon geen alternatief verzinnen. Hij moest verder zoeken.

Hij praatte met zijn broer, Jan. Eigenlijk hadden ze slecht contact. Verpest door al te veel jaren van stilte. Het enige waardoor ze het gevoel hadden dat ze

broers waren, was de irritatie, die was anders dan wat je voor een onbekende voelde. Maar toch waren ze op elkaar gesteld, stuurden elkaar ansichtkaarten van vakantieadressen, kerstwensen en felicitaties met verjaardagen. Thomas had geregeld dat Åsa en hij op kerstavond bij Jan waren uitgenodigd.

De dag erna, op eerste kerstdag, ging hij 's avonds naar Åsa toe. Ze zat in de televisiekamer met de televisie aan: een documentaire over extreem-rechts in Rusland. Ze zagen er allemaal dik en bedwelmd uit. Hij vroeg zich af waarom ze uitgerekend vandaag van die tragische rotzooi lieten zien.

Ze zat met haar benen opgetrokken op de bank. Op de salontafel lag de map die ze zo vaak voor zich had liggen, die met foto's van Sander.

Het laatste huisbezoek van het adoptiecentrum vorige week was goed gegaan. Ze hadden de indruk dat de vrouwen die langs waren geweest, vonden dat Åsa en Thomas goed voorbereid waren om een klein kind te kunnen ontvangen. Åsa had hun huis dit jaar extra versierd voor kerst. Misschien om zich goed voor te doen voor de vrouwen, misschien als een voorbereiding op het gezinsleven dat ze binnenkort zouden hebben.

Ze keek op. De Russen op de televisie praatten op de achtergrond over hoe de eigendommen van hun vaderland verkocht werden aan vreemde nationaliteiten. Åsa zei: 'Het was gister echt gezellig bij Jan.'

Thomas haalde diep adem: 'Åsa, er staat ons een zware beslissing te wachten.'

Ze ademde met haar mond open, het zag er vrij stom uit.

Thomas ging verder: 'Binnenkort komt Sander. Dat zal het mooiste moment van ons leven zijn.'

Ze glimlachte. Knikte. Bleef in de map bladeren – niet meer geïnteresseerd in Thomas. Ongeveer alsof ze probeerde te zeggen: ik ben het met je eens, je kunt nu gaan.

Thomas zei: 'Ik wil dat moment niet verpesten. En ik wil het ook niet op het spel zetten. Daarom moeten we een aantal dingen veranderen. Samen.'

Åsa's glimlach betrok.

'Ik bevind me op het moment in een vervelende situatie. Een gevaarlijke situatie. Het gaat om een onderzoek waar ik mee bezig ben. Herinner je je die interne onderzoeker nog waar ik eerder over zat te zeiken?'

Åsa zag er niet-begrijpend uit.

Thomas merkte hoe hij stond te draaien. 'Hij en ik zijn betrokken geraakt bij iets wat ik niet in de hand heb, en de politie evenmin. Er zijn mensen die het persoonlijk op me gemunt hebben. Ze hebben gedreigd me wat aan te doen en hebben me ook al aangevallen.'

'Waarom heb je niets gezegd?'

'Ik wilde je niet ongerust maken. Niet nu Sander komt en zo. Maar het gaat nu te ver. En ik kan er niet mee ophouden. Ik moet doorgaan, ik moet het tot op de bodem uitzoeken. Er is niemand die het van me over kan nemen.'

'Kunnen we geen persoonsbescherming krijgen?'

'We kunnen niet genoeg bescherming krijgen. Dat is de prijs die je als politieman moet betalen. Het spijt me heel erg. Als het alleen om mij zou gaan, dan zou het oké zijn geweest, maar nu gaat het ook over jou. Sander kan er ook bij betrokken raken, als hij komt.'

'Maar je moet toch bescherming kunnen krijgen? Er moet toch hulp zijn voor agenten die betrokken zijn bij gevaarlijk onderzoek? Ja toch?'

'Dat bestaat zeker, maar dat helpt nu niet.'

'Maar het is nu kerst.'

'Dat maakt minder uit dan ooit.'

'Hoe bedoel je?'

'Zoals ik al zei, de politie kan ons nu niet helpen. Kerst houdt niemand tegen. Waar ik nu bij betrokken ben, kan door niemand tegengehouden worden.'

Ze zweeg. Thomas wachtte tot ze iets zou zeggen. In plaats daarvan bladerde ze in de map.

Hij zei: 'Je kunt een paar weken bij Jan logeren tot het voorbij is. En als het over twee maanden niet voorbij is, dan kan Sander niet komen. Dan is dat te gevaarlijk.'

Ze zei niets.

'Åsa, ik vind dit net zo erg als jij. Maar er is geen andere oplossing.'

Het industriegebied bij Liljeholmen. Hägerströms auto stond met de neus naar het water. Thomas' auto ernaast, maar met de neus de andere kant op. Het was al donker. Hägerström draaide zijn raampje als eerste naar beneden.

'En, hoe was kerstavond?'

'We zijn bij mijn broer geweest. Een enorm gezin heeft hij. Talloze kinderen, honden, katten, zelfs een hamster. De eerste keer in vijftien jaar dat ik kerst met hem gevierd heb. Jij dan?'

'Ik was bij mijn ouders, daarna ben ik naar de Half Way Inn gegaan. Ben je daar weleens geweest?'

'Weleens, ja, dat ligt toch in de buurt van bureau Södermalm? Die kroeg direct naast een homobar.'

'Klopt. Mijn stamkroeg. Niet die homobar dus.'

'Ik had er misschien ook heen moeten gaan.'

'Volgend jaar ben je welkom.'

'Volgend jaar heb ik zelf een gezin. Maar hopelijk geen hamster.'

Hägerström zag er down uit.

Hij zei: 'Hoe lang moeten we elkaar nog zo ontmoeten? We werken beter als we ergens fatsoenlijk kunnen zitten.'

Thomas knikte. 'Ik heb Åsa ergens anders heen gestuurd. Dus ik voel me beter, veiliger.'

'Ach jezus, hoe ging het?'

'Het was kut. Maar ik geloof dat ze het wel begreep. We kunnen later bij mij thuis afspreken.'

'Goed.'

Thomas draaide zijn autoverwarming nog hoger. Er lag een duimdikke laag sneeuw op de motorkap. 'Dus, wat hebben we vandaag te bespreken?'

Hägerström leunde door het omlaag gedraaide raampje naar buiten. 'Ik heb ontzettend veel te vertellen. Ik was vandaag op het werk en ving wat op in de wandelgangen. Ze hebben een verdachte opgepakt voor de moord op Rantzell.'

Thomas merkte hoe zijn adem een paar seconden stokte.

'Hij heet Niklas Brogren, de Brogren die ik een paar maanden geleden ter informatie heb verhoord. Toen had die jongen een goed alibi. Maar dat begint barstjes te vertonen. Hij zei dat hij de hele avond van de moord bij een vriend was geweest, tot diep in de nacht. Die vriend was verhoord en heeft getuigd dat Brogren bij hem was, maar de verhoorder twijfelt aan zijn inlichtingen. Die vriend schijnt een onsamenhangende en gestreste indruk te hebben gemaakt. Maar het belangrijkste is dat de moeder nu is gaan praten. Ze zegt dat Niklas Brogren die avond vrij vroeg is thuisgekomen en dat hij zat was en in een slecht humeur. Je weet hoe het is met alibi's: of je hebt er eentje, of je zit goed in de penarie omdat je hebt geprobeerd te liegen.'

'Hm.'

'Je klinkt sceptisch.'

'Die Niklas heeft toch helemaal niks te maken met wat wij onderzoeken.'

'Nee, maar zijn moeder heeft eind jaren tachtig en begin jaren negentig een langdurige relatie met Rantzell gehad. Dus er is een verband, plus een mogelijk motief.'

'En wat is dat motief?'

'Rantzell blijkt de moeder mishandeld te hebben.'

'Hoe weten ze dat?'

'De vooronderzoeksleider heeft waarschijnlijk oude dossiers bij het ziekenhuis en dergelijke opgevraagd, dat zou ik in elk geval gedaan hebben. Ze zeggen dat ze meerdere malen opgenomen is geweest, soms met fracturen.'

'Jezus christus.'

'Inderdaad.'

Thomas zuchtte. 'Misschien heb ik me te veel vastgebeten in ons spoor, maar toch weet ik het niet. Het klinkt gewoon te simpel, dat het de zoon van een oude mishandelde vrouw zou zijn die wraak neemt op zijn stiefvader. Net een pathetische detective. Het verleden speelt op in het heden, zoiets. Maar zo gaat het in werkelijkheid nooit.'

'Ik heb hetzelfde gevoel als jij. Maar weten, ho maar. Er is veel te zeggen voor die Niklas Brogren. Al heeft het forensisch lab niks dat matcht.'

Thomas haalde diep adem. 'Ik vind toch dat we niet met ons project moeten stoppen.'

'Absoluut niet. Maar wat heeft het opgeleverd? Adamsson is dood, maar niets wijst op iets verdachts. Wisam Jibril is dood, dus daar komen we niet verder mee. Ballénius hebben we niet te pakken kunnen krijgen. Wat hebben we nou eigenlijk? Jij hebt stapels papier thuis waaruit we niks substantieels krijgen. Je hebt op slinkse en bedreigende manier wat informatie van oud-politiemannen los weten te krijgen waaruit blijkt dat ze extreem-rechts zijn. En? Dat leidt nergens toe.'

'Hou op, Martin. We hebben heel wat. Tot nu toe alleen niets wat in de richting van de moord wijst. Maar binnenkort hebben we alle papieren uit Rantzells kelder doorgenomen. Zonder jou was me dat nooit gelukt. En daar staan allerlei vreemde zaken in. Een heleboel namen van personen om te verhoren, bedrijven om na te trekken, geldstromen die we kunnen volgen.'

Dat klopte. Thomas en Hägerström hadden de stapels verdeeld. Thomas had al heel wat doorgenomen, maar er was nog steeds veel dat hij niet begreep. Ze moesten er samen naar kijken. Hägerström wist raad met cijfers en financiën – legde zo goed hij kon uit, maar dat was niet genoeg. De hoeveelheid informatie leek haast te veel. Al die cijfers, adressen, namen. Ze werkten systematisch. Thomas sorteerde, ordende het materiaal, Hägerström analyseerde het. Ze werkten volgens een zelfontworpen puntensysteem. Beoordeelden de mate van verdachtheid van de informatie die ze onderzochten. Maakten lijsten van personen, telefoonnummers, bedrijfsnamen. Maakten een indeling naar prioriteit: alles wat wees op verbanden tussen Rantzell en Bolinders bedrijven, alles wat wees op verbanden tussen Skogsbacken AB en iets illegaals.

Tot nu toe leidden er geen sporen naar Adamsson. Maar er was nog van alles niet onderzocht.

Hägerström zei: 'Het zal ons maanden kosten. Jaren misschien. Zo lang kun je Åsa niet ergens anders laten wonen en als ze erachter komen dat ik hierbij betrokken ben, kan ik meteen een andere baan gaan zoeken. Het gaat niet. We moeten snel succes boeken, anders moeten we ermee ophouden en de officier van justitie die Brogren gevangen laten zetten. Als je het mij vraagt is het in elk geval niet volstrekt onwaarschijnlijk dat die jongen het gedaan heeft.'

Thomas ademde door zijn neus. De winterkou drong door tot in zijn longen. Vervulde hem hoewel het nog steeds warm was in de auto. Hij was niet van plan commentaar te leveren op de vraag of Brogren de moordenaar was of niet.

'Ik ben in elk geval van plan verder te gaan. Ik geloof in ons spoor, al lijkt het op het moment nogal ondoorzichtig. En er is vooral één spoor dat we moeten volgen. We moeten Ballénius vinden. Ik heb heel sterk het gevoel dat hij iets weet. Zo'n sluwe vos als hij zou zich op Solvalla niet zo gedragen hebben, als er niet iets speciaals aan de hand was. Hij weet iets.'

De Stockholmers vermoeiden zich met het ruilen en inleveren van kerstcadeautjes en de uitverkoop, terwijl iedereen ook goed probeerde uit te rusten en

vakantie te vieren. Thomas sprak Åsa een miljoen keer per dag. Ze zat in huis bij alle dieren van Jan en verveelde zich. Misschien kon ze met oud en nieuw naar een paar vrienden gaan en ze wilde dat hij meeging. Hij kon niet overal nee tegen zeggen. Goddank: Åsa maakte zich vooral zorgen over hoe ze tegenover haar vriendinnen op dat feestje moest verzwijgen dat ze bij haar zwager logeerde. Voor Thomas leek dat de grootste futiliteit ooit.

Thomas was langzaamaan steeds minder bij de club gaan werken en probeerde ondertussen zo goed mogelijk naar Bolinder te vissen. Hij praatte met politiecollega's. Zocht op internet. Vroeg Jonas Nilsson weer om hulp – die zou zijn oudere collega's eens vragen. Ging naar een bibliotheek en vroeg of hij het krantenbestand kon bekijken. Hij vroeg rond op de club. 'Bolinder,' zei Ratko. 'Waarom ben je steeds zo in hem geïnteresseerd?' Daarna hield Thomas zich een paar dagen gedeisd op de club.

Het was zondag. Weidse, helderblauwe hemel, voor deze ene keer. Een knisperigheid in de lucht. Thomas en Hägerström stonden voor de ingang van Solvalla. De ren van de dag heette Het Zilveren Paard. Het was een V75-finale van hoog niveau met een koninklijke onderscheiding in de vorm van een zilveren paard als kers op de taart. Het zou bomvol zijn. Ballénius zou er moeten zijn. Deze keer zouden ze hem niet kwijtraken.

Agria dierverzekeringen domineerde de reclame nog steeds. De spanning hing bijna net zo dik in de lucht als de aardappelpuree op de borden van de gokkende mannetjes. Maar er waren minder mensen buiten dan de vorige keer dat Thomas er was geweest – dat ene graadje onder nul had effect.

Ze werkten de mensenmassa af. Hoewel Thomas bijna zeker wist dat Ballénius niet buiten stond, wilde hij het echt zeker weten.

Ballénius was er niet.

Ze gingen naar Sportbar Ströget. Ongeveer dezelfde mensen met hun jacks aan als de vorige keer, zeker weten dezelfde baconchips op de bar. Hier stonden vooral jonge jongens die hamburgers en bier verstouwden. Hier zouden ze Ballénius niet vinden, dat wist hij bijna zeker.

Thomas nam Hägerström op, hij zag er nerveus uit. Of hij stond gewoon op scherp. Een dubbel gevoel: Thomas was dankbaar dat de ex-Interne mee was. Tegelijkertijd schaamde hij zich – hoopte dat ze niet samen gezien zouden worden door vroegere collega's.

Ze gingen verder naar de Bistro boven. Bij de ingang was het propvol met Finse zigeuners. Thomas drong langs hen heen. Liep naar de bar. Hij herkende de Deense restaurantchef met de bierbuik die hij de vorige keer had gevraagd. Het leek alsof zijn bierbuik iets verder was gezwollen. Hij wist de aandacht van de Deen te krijgen. Stelde zijn vragen. De Deen schudde zijn hoofd – helaas, hij wist niets. Thomas vroeg naar Sami Kiviniemi, de man die Thomas de vorige keer naar de juiste verdieping had doorverwezen. Maar de

Fin was er niet. Tot nu toe was het Solvalla-spoor waardeloos.

Thomas en Hägerström namen de roltrap naar het Congres. De namen van de paarden die de Elitekoers de voorgaande jaren hadden gewonnen, stonden op de muur geschreven. Gum Ball, Remington Crown, Gidde Palema.

Voor ze het Congres binnenstapten, keek Hägerström Thomas aan.

'Ben je gewapend, Andrén?'

Hij klopte op de revers van zijn jasje. Voelde de Sig-Sauer door de stof heen. 'Hoewel ik tegenwoordig maar een verkeersagentje ben, ben ik nog steeds de beste schutter van Zuid.'

Hägerström glimlachte flauwtjes. Daarna zei hij: 'Dan is het waarschijnlijk het beste als ik hier bij de ingang blijf staan. Jij gaat naar binnen, want jij herkent hem. Probeert die vent hetzelfde als de vorige keer, dan ontvang ik hem hier met open armen.'

Thomas knikte.

Hägerström vervolgde: 'En je belt me via je mobiel zodra je naar binnen gaat. Onze walkietalkie die geen argwaan wekt.'

Hägerström maakte een competente indruk. Thomas probeerde te ontspannen, ging naar binnen bij bar/restaurant het Congres. Hield de telefoon in zijn linkerhand. Ging helemaal bovenaan staan. Probeerde de tribunes onder zich af te speuren. Keek om zich heen. Alle tafels leken bezet. Hij rapporteerde aan Hägerström: 'Ik zie hem niet. Maar het is hier groot. Minstens vierhonderd mensen aan de tafels.'

Hij begon over de bovenste tribune te lopen. Zijn gezicht was voortdurend naar de lagergelegen tafels gekeerd. De mensen vonden de koers geweldig, hun concentratie was sterk op de baan gericht. De speakerstem in het restaurant opgewonden: een populair paard was blijkbaar aan de winnende hand. Vijfentwintig meter verderop zag hij tafel nummer honderdachttien. Ballénius' lievelingsplek. De plek waar hij de man de vorige keer had gevonden.

Er zaten vier mensen aan de tafel. Twee van hen zag hij van voren: een vrouw met enorme lippen die nep moesten zijn en een man van een jaar of dertig die bijna opstond uit opwinding over wat er op de renbaan gebeurde. Van de andere twee aan de tafel zag Thomas alleen de ruggen. Een van hen kon Ballénius zijn. Lang, dun.

Hij kwam dichterbij. Het zou makkelijker zijn als de man zich niet omdraaide.

Dichterbij. Nog tien meter. Grijs, slap haar – het kon hem echt zijn.

Dichterbij.

Hij zei tegen Hägerström: 'Zeven meter bij me vandaan zit een man die hem kan zijn.'

Thomas liep naar de tafel. Zag de man van voren.

Leek op Mr. Bean maar dan met grijs haar.

Dit was Ballénius absoluut niet.

55

Mahmud nam zijn opdracht om drie redenen serieus: Jorge was een dope gast, Mahmud voelde het in al zijn vezels – de latino had dezelfde instelling als hij, dezelfde agenda. Plus: Mahmud wilde die klootzakken van een Joego's echt naaien, wou ze laten zien dat ze niet zomaar met een Arabier met eergevoel konden fokken. Ook voor mensen die buiten de wet opereerden golden regels. En tot slot: het was vet spannend – een super commandoactie die tantoe veel doekoes op kon leveren.

Hij was vandaag voor het laatst bij Erika Ewaldsson geweest. Ze had hem zoals altijd meegenomen naar haar kamer. De rommel, de luxaflex, de koffiekopjes – alles was net als altijd. Behalve één ding: ze praatte langzamer dan anders. En ze zag er haast pissig uit. Niks voor haar – een kwaaie Erika zat stil en hield haar bek. Niet zoals vandaag: praatte wel, maar zag er toch niet blij uit.

Daarna dacht hij anders. Misschien was ze niet pissig. Misschien was ze verdrietig. Jezus man, het zou supervreemd zijn, maar misschien zou ze hem missen. Hoe langer hij daar naar haar gepraat zat te luisteren, hoe duidelijker het werd. Ze digde het niet dat dit hun laatste afspraak was. Maar wat nog gekker was: Mahmud voelde zich ook niet helemaal zichzelf, beetje treurig of zo. Shit, Erika was toch best oké. Hij zette de gedachte van zich af. Probeerde zich Erika bloot voor te stellen, vanbinnen om haar te lachen. Ze droeg altijd zakkige kleren. Ze was niet slank, maar was ze eigenlijk wel zo vet? Haar tieten konden toch best mooi zijn. Dikke reet, maar daardoor had ze misschien superweelderige vormen. Geen gelach voor hem – integendeel. Dat was niks voor een gangster zoals hij. Maar ten slotte grijnsde hij inwendig. Tussen haar benen: ze had er vast een megaschaambaard zitten. Zooo suédi.

Het was bijna tijd.

'Dus, Mahmud, we zien elkaar niet meer terug. Voelt dat vreemd voor je?'

Hallo, zij was degene die dat jammer vond. Hem kon het niet schelen.

'Geen probleem. Je ziet me vast op televisie als ik miljonair ben geworden.'

Erika glimlachte. 'Ik dacht dat je al miljonair was, dat zeg je in elk geval altijd.'

'Echt wel dat ik miljonair ben, een kind van het miljoenenprogramma. Dach-

ten jullie dat dat zou werken? Ons wegstoppen in een heleboel hoge flats in de betonjungle?'

Je zag het weer aan Erika's ogen: ze was niet vrolijk. 'Ik weet het niet, Mahmud, maar ik hoop echt dat het goed met je zal gaan. Maar hoe wil je miljonair worden, je hebt namelijk nog steeds geen werk gevonden?' Misschien hoorde hij daar toch een klein lachje.

Mahmud zei: 'Oké, dan zien we elkaar misschien bij het arbeidsbureau, of hoe het ook heet.'

'Dat zou leuk zijn.'

'Ja.'

'Er is maar één plek waar ik je niet meer wil zien, Mahmud.'

'Waar dan niet?'

'Hier.'

Ze lachten samen. Mahmud stond op. Reikte haar zijn hand.

Ze reikte hem ook de hand. Ze keken elkaar aan. Stonden stil.

Daarna omhelsden ze elkaar.

Erika zei: 'Pas goed op jezelf.'

Mahmud zei niets. Probeerde te voorkomen dat hij haar nog een keer omhelsde.

Mahmud was op de sportschool geweest. Buiten sneeuwde het. Stockholm nog steeds in kerstdracht. De Zweden hadden een paar dagen geleden met hun gezinnetjes thuisgezeten om het te vieren. Mahmud ging naar zijn vader en Jivan. Jivan was 's avonds gekomen. Ze had peperkoekjes en baklava meegenomen. Ze aten samen, keken een video die Mahmud uit had mogen zoeken: *I am Legend.* Zijn vader vond de film maar niks.

Op een bepaalde manier vierden ze ook kerst, al weigerde Beshar het woord 'kerst' tegenover Mahmud te gebruiken. 'Dat is iets voor Zweden, niet voor ons.'

Mahmud had zijn huiswerk gedaan. Zijn eerste taak was de wapens. Via Tom had hij contacten gekregen. Een paar echt zware jongens uit Södertälje. *Tight* netwerk – Syriërs. Waardetransportprofessionals. Explosievenexperts. Wapenfetisjisten. Tom kende ze niet zo goed, maar goed genoeg om drie *pieces* te mogen kopen. Twee AK4's die vast en zeker gestolen waren uit een wapendepot van het leger en een Glock 17. Het was machtig: drie echte wapens bij hem thuis in de flat verstoppen. Mahmud haalde de grendels eruit, wikkelde ze in een laken. Legde de overgebleven delen onder zijn bed, achter een paar tassen met papieren die hij maanden geleden uit die flat had meegenomen. Het laken met de grendels legde hij op een balk op zolder. Je moest niet stom zijn: als hij gepakt zou worden door de skotoe, zou hij in elk geval kunnen zeggen dat de wapens belangrijke onderdelen misten. Dat ze onbruikbaar waren.

Zijn tweede taak was nog makkelijker geweest: een betonschaar halen. Eerst

overwoog hij er een te nakken, maar hij besloot van niet. Niet nodig om risico's te nemen. Dus hij kocht er een bij de Järnia in Skärholmen – het vetste model dat ze hadden. Hij dokte cash.

De laatste taak was het moeilijkst, mannen regelen. Niet dat hij niet ontzettend veel mensen kende. Maar wie vertrouwde hij? Wie kletsten nooit, werkten goed samen, zouden de opdracht aankunnen? Eigenlijk wist hij al wie hij zou vragen: Robert, Javier en Tom. Maar de vragen hielden aan: kon hij zijn homies vertrouwen?

Tom zou weg zijn met oud en nieuw – waardeloos. Niklas wilde alles bij elkaar tien *boots on the ground*, zoals hij zei. Mahmud moest de boel ook doorspreken met de andere kills. Hij zag Robert en Javier die avond bij hem thuis. Javier droeg zo'n strak shirt dat zijn tepels te zien waren als bij een echte Jordan. Robert met zijn gewone wijde gettotenue à la Fat Joe himself: trainingsbroek en een roffe capuchontrui. Mahmud kon niet anders dan zich afvragen: zullen deze swa's de aanval wel aankunnen? Ze zagen zichzelf als echte gangsta's en misschien waren ze ook bikkel. Maar dit – dit was anders. Hierbij mocht hij gewoon niet gepakt worden. Hij zou het nooit mogen verneuken.

Ze lieten een joint rondgaan. Keken *Bourne Ultimatum*. Mahmud probeerde zichzelf op te zwepen. Zo meteen zou hij alles presenteren. Het moest niet suf klinken. Moest goed gaan.

Hij haalde de dvd uit de dvd-speler. Keek de gozers aan. 'Jongens, ik ben bezig met een actie. Een vette actie.'

Robban lurkte aan de jonko. 'Wat dan? Een cokeactie of zo?'

'Nee, dit is iets persoonlijks. En levert snel geld op.'

'Klinkt goed.'

'Het is net zoals dat feest dat we ripten, Robert, je weet toch.'

Robert smilede. 'Absoluut. Fuck wat chill van ons dat we je alle spullen gaven.'

'Ik zweer je, nu is het mijn beurt om jullie terug te betalen. Dit is net als toen we dat feest ripten, maal honderd. We gaan een dikke villa op Smådalarö overvallen.'

'Smådalarö. Waar ligt dat? In het hoge noorden misschien?'

Ze lachten.

Mahmud begon het uit te leggen. De ontmoeting met Jorge in de reggaeflat. Dat de latino voor tweehonderd procent ging voor wraak op de Joego's. Oud zeer en zo, maffiastijl. Hij vertelde over Niklas die Jamila's ex had gebeukt en die de hoerenbusiness gruwelijker haatte dan de ergste feministische pot. Hij vertelde over de rijkeluiskerels die wat meiden dachten te gaan nemen, maar die in een kapot mooie allochtonenaanval zouden belanden. Ze konden vertrouwen op die Niklas. Die commando wist megagoed waar hij mee bezig was: de planning, de spionage, de kaarten, de foto's, alles.

Mahmud merkte dat ze luisterden. Ze knikten tegelijk. Stelden wat pseudo-scherpe vervolgvragen. Digden het. Doorslaggevend: de wapens. Toen ze hoorden wat Mahmud op de kop getikt had, wilden ze meteen meedoen.

Mahmud de coolste commandoallochtoon in de Stockholm-oorlog. Het enige kutte was dat hij Niklas al tijden geleden had moeten spreken, maar dat die gast onmogelijk te bereiken was. Mahmud wilde niet bellen, omdat ze afgesproken hadden alleen codes te sms'en. Hij stuurde minstens tien berichtjes per dag. Kreeg geen antwoord. Misschien had hij de codes verkeerd begrepen? Dus hij ging naar Niklas' flat, belde aan, stopte zelfs een briefje in de brievenbus: *Lijk, bel me!*

Maar er gebeurde niks. Eén dag, twee dagen, drie dagen verstreken. Oude-jaarsavond kwam dichterbij. Waar hing die gast goddomme uit?

Bovendien moest hij nog een soldaat vinden. Niklas wilde dat ze met min-stens vijf man zouden aanvallen. Als het nog doorging.

Mahmud dacht aan zijn matties. Dejan, Ali, een heleboel andere kills. Ze zou-den dit niet kunnen. Hij wist niet eens of Robert en Javier het zouden redden. Als een vage jeuk had hij op de achtergrond steeds dezelfde gedachte: Babak zou hier perfect voor zijn.

Maar hoe zou dat moeten? Babak had hem kankerhard gedist. Zag hem als een megasnitcher. Terecht, te laat had hij het begrepen – de Joego's waren de vijand. Die hele zaak gaf hem een fokking slecht geweten.

Hij pakte pen en papier. Deed iets wat hij nog nooit eerder had gedaan: schreef op wat hij zou zeggen. Na tien minuten was hij klaar. Las het door. Veranderde een paar dingetjes. Hij herinnerde zich van school: steekwoorden, zo heette dat.

Hij hoopte dat het zou helpen.

Hij pakte zijn mobiel. Belde Babak.

56

De lucht in het huis van bewaring was zwaar van de rook en slecht karma. Hoewel het rookverbod dat in de rest van Zweden van kracht was ook deze plek had bereikt. Het linoleum in de gangen, de blauwgeverfde zware deuren van de cellen waren zo doorrookt dat je de Marlboro er vast vanaf kon schrapen.

Niklas registreerde alles. De gevangeniskleding: zakkig, groen, door slijtage zacht als pyjama's. De witgeschilderde metalen kozijnen in de ramen, het tien centimeter dikke onontvlambare matras op het bed, de houten stoel, het minibureau, de veertien inch tv. De drie PlayStationspelletjes die je op de afdeling kon lenen, waren hun gewicht in goud waard. Er was niks mis met de cipiers, ze deden gewoon hun werk. Maar de gevangenen sjokten rond op gevangenissloffen – ongeschoren, langzaam, down. Hier was geen reden om je te haasten. Het leven werd gemeten in de periodes tussen de rechtszittingen of, voor de mensen die daar toestemming voor hadden, de gesprekken met de familie.

Hij voelde zich misplaatst. Tegelijkertijd superieur. De meesten hier waren namelijk rotte appels. De logica was simpel volgens Niklas: daarom zaten die mensen hier ook.

Hij voelde zich net de robot in de *Terminator*-films. Registreerde de omgeving, de kamers, de mensen als een computer. Nam de locatie van de cellen, de toon, de attitude, de uitrusting van de cipiers op. Mogelijkheden. Hij had restricties, dus hij mocht met niemand praten, mocht niet bellen of gebeld worden, geen post sturen of ontvangen. Ze dachten dat hij bewijsmateriaal zou verdraaien als hij contact met de buitenwereld zou hebben. Het was ziek.

Hij dacht aan de verhoren die gehouden waren. Sommige duurden maar een kwartier. Andere uren. De rechercheurs bleven steeds maar weer dezelfde dingen herhalen. Hoe laat hij die avond bij Benjamin was gekomen, waar ze de dvd hadden gehuurd, wie de film had betaald, of hij wist wat Benjamin eerder die avond had gedaan, wat hij te zeggen had over de getuigenis van zijn moeder tijdens haar verhoor, wanneer hij weg was gegaan bij Benjamin, wat zijn moeder deed toen hij thuiskwam. En gisteren: ze waren vragen gaan stellen over Mats Strömberg en Roger Jonsson. Ze waren hem op het spoor.

Ze zaten in een kleine verhoorruimte in dezelfde gang als zijn cel. Op het eeu-

wige linoleum zat een sticker die in de richting van de Zwarte Steen in Mekka wees – iemand mocht hier blijkbaar bidden. Op de tafel stond een interne telefoon waarvan de buitenlijn was geblokkeerd. Op de muur zat een papiertje: LET OP! NEEM CONTACT OP MET HET GANGPERSONEEL VOOR DE CLIËNT DE GANG OP GAAT. Hij had niets te klagen over de bewaking. Zijn eindconclusie: het was niet makkelijk om uit het huis van bewaring Kronoberg te ontsnappen.

Vandaag was er weer een verhoor, al was er niks te zeggen. Hij had niks met de moord op Claes te maken, zo simpel was het.

Zijn advocaat zat een paar minuten voor het verhoor bij hem.

'Is er iets in je opgekomen sinds onze vorige ontmoeting? Iets wat je ter sprake wilt brengen tijdens het verhoor?'

Niklas zei wat hij dacht: 'Ik wil het niet hebben over hoe Claes mij en mijn moeder behandelde. Dat gaat die smerissen niks aan.'

Burtig zei: 'Dan raad ik je aan door je neus te ademen en je mond dicht te houden. Begrijp je? Je bent niet wettelijk verplicht om daar vragen over te beantwoorden.'

Niklas snapte het. Burtig was goed, maar zou dat voldoende zijn?

De verhoorder, Stig Ronander, kwam binnen. Grijs haar en een web van rimpeltjes rond zijn ogen. De man straalde ervaring en rust uit: ontspannen houding, ingetogen bewegingen. En vooral: een twinkeling in zijn blik en een gevoel voor humor waardoor het verhoor af en toe onderbroken kon worden door een schaterlach. Dat was slim, griezelig slim.

De andere smeris heette Ingrid Johansson. Ze was van dezelfde leeftijd als Ronander maar zwijgzamer, beschouwender, op haar qui-vive. Ze kwam binnen met een dienblad met koffie en zoete broodjes.

Niklas had in zijn cel urenlang geprobeerd hun verhoortechniek te analyseren. Die was beduidend subtieler dan de methodes die Collin en hij in het zand hadden gehanteerd. Een tolk, een geweerkolf, een laars: daarmee kreeg je over het algemeen genoeg informatie. Ronander/Johansson hanteerden de tegenovergestelde tactiek: vriendelijkheidsoffensief. Beheerst en bedachtzaam probeerden ze contact te krijgen, vertrouwen te creëren. Meer details los te krijgen door keer op keer dezelfde dingen te vragen. *Good cop bad cop* – dat leek iets van vroeger tijden. Allebei straalden ze vertrouwen uit, bezorgdheid ook. Maar Niklas doorzag het. Ze waren gehaaid.

Na tien minuten koffie slurpen en koetjes en kalfjes kwam de eerste echte vraag. 'Het kan toch geen kwaad om te vertellen hoe je jeugd was? Je moeder heeft het toch ook gedaan.'

'Geen commentaar.'

'Waarom heb je geen commentaar, kom op joh.'

Ronander lachte even.

'Ik heb geen commentaar.'

'Maar Niklas, wees toch redelijk. We zitten hier gewoon wat te praten. Weet je nog veel van je kindertijd?'

Stilte.

'Hield je van sport?'

Stilte.

'Speelde je vaak buiten?'

Stilte.

'Las je boeken?'

Nog meer stilte.

'Niklas, ik begrijp dat het vervelend kan zijn het hierover te hebben. Maar het kan de moeite waard zijn, voor je eigen bestwil.'

'Geen commentaar, zei ik toch.'

'Je moeder werkte toch als kassière?'

Niklas trok met zijn vinger een streep door de kruimels op de tafel.

'Dat is privé.'

'Maar waarom is het privé? Ze heeft het zelf immers al verteld. Dan is het toch niet meer privé?'

Stilte.

'Werkte ze inderdaad als kassière?' Zijn ogen gingen snel even naar rechts, naar Ingrid Johansson. Niklas gaf geen antwoord.

Zo ging het maar door. Herhaling, vriendelijke twijfel, herhaling. De advocaat kon niet veel doen, ze hadden het volste recht om vragen te stellen. Er verstreken twee uur. Meer herhaling. Verspilde tijd. Zijn jeugd was inderdaad een belangrijk onderwerp, dat gaf hij ze na. Maar ze begrepen niet hóé belangrijk. Ze begrepen niet wat je moest doen om mannen als Claes Rantzell te stoppen.

Hij was hier niet schuldig aan.

Nog maar twee dagen tot oudejaarsavond. Niklas dacht aan Mahmud en de voorbereidingen. Vroeg zich af of een *haij* als hij zijn zaakjes geregeld had: de wapens, de voetsoldaten, de betonschaar. Zelf had Niklas alles geregeld in de dagen voor hij opgepakt was. Maar nu: de tijd vloog weg. Hij hoopte dat de Arabier zijn spullen bewaarde tot een later moment.

Hij probeerde te trainen in zijn cel. Opdrukken, sit-ups, tricepsoefeningen, rug, benen, schouders. Hij delibereerde, structureerde, visualiseerde. Er moest een oplossing zijn. Een uitweg. 's Nachts had hij andere, zwarte gedachten. Het gezicht van de geprostitueerde vrouw. Beelden van hoe ze zich aan haar vergrepen, haar mishandelden, verkrachtten. Flitsen van haar eenzaamheid, huilend in een bed, smekend om hulp. Waar was de hulp? Waar was de vrijheid? En andere beelden: Nina Glavmo Svensén in de villa-idylle. Het kind op haar arm. De gesloten deuren van de villa. Hij wist niet of hij droomde of fantaseerde.

Binnenkort was het weer tijd voor een raadkamerprocedure. Ze hadden er

al twee gehad, zonder succes. Advocaat Burtig had uitgelegd: 'Eerst mochten ze je niet langer dan vier dagen vasthouden zonder dat de rechter besloot je in hechtenis te nemen. Daarna moeten ze elke veertien dagen een raadkamerprocedure houden zodat je gedwongen kunt worden hier te blijven zitten. Maar ik denk dat we een vrij goeie case hebben. Je hebt immers een alibi. Er zijn geen getuigen. Tot nu toe ook geen technisch bewijs, ze hebben niets over je gevonden via het forensisch lab in Linköping. De vraag is alleen wat je moeder eigenlijk zegt. En wat ze eigenlijk over die andere mannen hebben gevonden in je computer.'

Niklas wist al heel lang wat hij zou antwoorden: 'Ik wil dat er een raadkamerprocedure komt. Zo snel mogelijk.'

De advocaat noteerde het.

Niklas had een plan.

*

DIRECTIE RIJKSPOLITIE
Palme-groep Rijksrecheche

Datum: 29 december APAL – 2478/07

Memo

(Geheimhouding conform H9 §12 van de wet op geheimhouding)

Betreffende de moord op Claes Rantzell (voorheen: Claes Cederholm, Reg.nr. 24.555)

Het onderzoek naar de moord op Claes Rantzell
Het vooronderzoek naar de moord op Claes Rantzell (voorheen Claes Cederholm) wordt geleid door rechercheur Stig H. Ronander, commissaris bij de politie Zuid. Ronander rapporteert persoonlijk aan de Palme-groep.

Fredrik Särholm, de op 12 september speciaal aangestelde rechercheur van de Palme-groep, heeft een rapport over Rantzell opgesteld (zie Bijlage 1).

In de memo van 28 oktober (APAL 2459-07) heeft de Palme-groep verslag uitgebracht van de voortgang van het onderzoek naar de moord op Rantzell.

In deze memo wordt verslag uitgebracht van een aantal nieuwe omstandigheden, samengevat:

1. Ene Niklas Brogren is in hechtenis genomen als verdachte van de moord op Rantzell (zie verder de detentiememo, Bijlage 2). Niklas Brogren is de zoon van Catharina Brogren die eind jaren tachtig en begin jaren negentig af en toe samenwoonde en af en toe niet samenwoonde met Rantzell. Ze heeft verklaard dat ze in deze periode meerdere malen door Rantzell is mishandeld. Ook enkele bekenden van Catharina Brogren hebben verklaard dat Rantzell haar in deze periode heeft mishandeld (zie verder de verhoorverslagen, Bijlagen 3-6). Een motief om Rantzell van het leven te beroven lijkt zodoende aanwezig te zijn.
2. Bij een huiszoeking bij Niklas Brogren zijn onder meer een computer, notitieblokken, instrumenten voor bewaking en afluistering alsmede een aantal steekwapens aangetroffen. De harddisk van de computer is onderzocht door de IT-afdeling van de politie. De harddisk bevat gegevens die erop wijzen dat Niklas Brogren betrokken kan zijn bij de moorden op twee mannen in Stockholm op 4 respectievelijk 24 november jl. Er is een vooronderzoek tegen Brogren begonnen (zie verder aangiften e.d. Bijlage 7).
3. In het kader van het gebruikelijke vooronderzoek zijn inlichtingen ingewonnen bij John Ballénius, persoonsnummer 521203-0135, die als goede vriend van Rantzell genoemd is. John Ballénius is bij de politie bekend als katvanger bij een aantal bedrijven die verdacht worden van economische delicten. In de jaren tachtig en negentig ging hij veel om met Rantzell. Volgens de politie wilde hij zich niet laten verhoren in het kader van het vooronderzoek. Daardoor is Ballénius enigszins verdacht, ofwel van betrokkenheid bij de moord, ofwel van kennis van relevante informatie (zie het verhoor, Bijlage 8).
4. Rantzells woning is onderzocht door de Technische Recherche van de politie Stockholm, waarvan monsters naar het Forensisch Laboratorium Linköping, FLL, zijn gestuurd. Uit de DNA-testen van het FLL kan o.a. het volgende geconcludeerd worden. Rantzells woning is bezocht door andere personen dan Rantzell en zijn familie. Er zijn DNA-sporen van minstens drie andere personen aangetroffen. Het is niet uitgesloten dat deze personen in de tijd ná de moord op Rantzell in de woning zijn geweest (zie verder het rapport van het FLL, Bijlage 9).
5. De technisch rechercheur vermoedt verder dat een onbekend persoon, niet Rantzell, zich voorwerpen heeft toegeëigend uit een kelderbox die naar alle waarschijnlijkheid door Rantzell werd gebruikt. De meegenomen spullen bestaan waarschijnlijk uit plastic tassen met onbekende inhoud.

Voorgestelde maatregelen

Op basis van het bovenstaande stellen wij de volgende maatregelen voor:

1. De Palme-groep wordt de gelegenheid geboden aanwezig te zijn bij de verhoren met Niklas Brogren.
2. De Palme-groep gelast Fredrik Särholm om alle verdenkingen van Niklas Brogren parallel aan het gebruikelijke vooronderzoek te onderzoeken.
3. De Palme-groep wordt de gelegenheid geboden om middelen toe te wijzen voor het zoeken naar John Ballénius.

Een besluit over deze kwesties zal genomen worden tijdens een vergadering op 30 december.

Stockholm

Commissaris Lars Stenås, Rijksrecherche

57

Ze zaten bij Thomas thuis op de benedenverdieping. Als Åsa thuis was geweest, had ze boven televisie zitten kijken. Thomas had de indruk dat ze hem diep van binnen had begrepen. Dat sterkte hem. Maar de angst voor de mensen die hij zocht, verzwakte hem nog meer.

Achter een van de ramen hing een kerstster. Hoewel Åsa het huis dit jaar meer had versierd dan anders, hadden ze geen boom of adventskrans in huis gehaald. Maar als Sander zou komen, zouden ze het huis potdomme zo versieren dat zelfs het huis in *National Lampoon's Vacation* er onkerstig bij afstak.

Hägerström zat in een fauteuil die Thomas van zijn vader had geërfd. Het houtwerk was van kersenhout. Versleten rood zit- en rugkussen. Het was misschien niet de mooiste stoel ter wereld, maar hij betekende veel voor hem. Als je er goed aan rook, zat de cigarillolucht van zijn pa er nog steeds in. Thomas dacht: ik moet hem opnieuw bekleden. Ooit.

Op de salontafel en de vloer: papieren, aktes, documenten. Ze hadden met behulp van hun puntensysteem een zekere schifting aangebracht. Voor een buitenstaander zou het een chaos lijken. Voor het diendersduo was het chronologie, orde, structuur.

De opdracht: hier de informatie uitfilteren die ze naar Ballénius kon leiden. Ze waren naïef geweest, dachten dat als ze maar naar Solvalla zouden gaan, John Ballénius daar net als de vorige keer op ze zou zitten wachten. Maar die vent was niet dom: begreep dat er iets gaande was. Hij wist dat Rantzell dood was.

Het Wisam Jibril-spoor wees duidelijk richting criminaliteit. Maar het lukte hun niet de puzzel te leggen, ze zagen niet hoe dat incident in het plaatje paste. Jibril was een roverkoning, een beroepscrimineel, maar niets wees erop dat hij persoonlijk contact met Rantzell had gehad. Wat Adamssons dood betrof, die betekende vast iets, maar het kon ook toeval zijn. Hägerström had zijn oor te luisteren gelegd. Thomas had rondgevraagd. Niemand dacht dat de ouwe sok door een misdrijf om het leven was gekomen. Alles wees erop dat het auto-ongeluk zo normaal was als een auto-ongeluk maar kon zijn. Dan had je nog een paar leden van het peloton. Dan had je nog alle papieren, bedrijven, kat-

vangers, transacties en al dan niet eigenaardige activiteiten. Je had Ballénius die iets wist. En dan had je nog Bolinders feest dat de Joego's op oudejaarsavond zouden organiseren. Thomas had dat nog niet aan Hägerström verteld.

Thomas had via Jasmine wat meer informatie over de feesten bij Bolinder achterhaald. Ze maakten er tegenover Thomas geen geheim van wat ze allemaal deden – maar dit, dat ze uitgerekend nu een event bij Bolinder zouden houden was niet alleen gek. Het was krankzinnig. Hij moest het vertellen, misschien zou Hägerström iets bedenken. Toch stond het hem tegen. Hij wilde niet lopen pronken met zijn bijbaantje. Al was Hägerström slim – hij had allang begrepen dat Thomas iets niet al te legaals deed – hij wist niet hoe grof het was. Dat kon nog even wachten.

Hägerström had een reep chocola meegenomen die hij op tafel had gelegd. Hij brak het in stukken door het zilverfolie heen. 'Pure chocola is toch verdomde lekker. En gezond, zeggen ze.' Hij grijnsde, de chocola als een bruin vlies over zijn tanden.

Thomas lachte. 'Ik zal maar niet zeggen wat je lijkt te eten.' Hij stond op. Liep naar de keuken. Haalde twee biertjes. Gaf er een aan Hägerström. 'Hier, neem wat mannelijkers.'

Ze namen de stapels papieren verder door. Bedrijf na bedrijf. Jaar na jaar. Alles ging zoveel beter als Hägerström meedeed. Ze hadden de adressen nagetrokken waar John Ballénius ingeschreven was geweest. In de loop der jaren alles bij elkaar veertien verschillende straten en postbussen. Andere personen in de bedrijven: meestal zat hij alleen in het bestuur, soms was hij vervangend bestuurslid. Vaak met Claes Rantzell. Soms met iemand die Lars Ove Nilsson heette. Soms met iemand die Eva-Lena Holmstrand heette. In oudere documenten stond hij vaak samen met een paar andere mannen die Thomas had nagetrokken – ze waren allemaal overleden. Hij vroeg hun strafbladen op: een paar veroordelingen voor vermogensdelicten en veel voor rijden onder invloed. Typisch alcoholistische katvangers.

Het bleek niet onmogelijk Lars Ove Nilsson en Eva-Lena Holmstrand te pakken te krijgen. Hägerström had met de man gepraat. Thomas had de vrouw verhoord. Ze wisten niets. De ene zat in de WAO, de ander in de bijstand. Allebei zaten ze in de schuldsanering. Ze herkenden de namen, zeiden ze – zowel Claes Rantzell als John Ballénius – maar ze beweerden dat ze ze nooit ontmoet hadden. Dat ze in ruil voor een paar duizendjes hadden ingestemd met de bedrijfjes. Misschien logen ze, misschien was het de waarheid. Thomas had de vrouw toch flink onder druk gezet. Ze had gehuild als een kind. Hägerström had hetzelfde gedaan – als ze iets wisten, was het naar boven gekomen.

Verder: ze trokken de accountants van een paar bedrijven na. Hägerström had met ze gepraat. Soms een echt verhoor afgenomen. Of zo echt als het maar kon zijn in een onderzoek dat volledig buiten de regels om werd gedaan. De hoofdzaak: hij maakte ze flink bang. Ze wilden niet betrokken zijn bij overtre-

dingen, schoven alles af op de boekhouders. En de boekhouders – alle bedrijven zaten bij hetzelfde bureau – waren failliet. De twee eigenaars, die tevens de enige medewerkers waren, woonden in Spanje. Misschien zouden Thomas en Hägerström ze te pakken kunnen krijgen – in de toekomst.

Meer: de flat aan de Tegnérgatan was verlaten. Ballénius hield zich echt schuil. Thomas kreeg twee kennissen van Ballénius en Rantzell van de laatste tijd te pakken. Ze zeiden dat ze geen idee hadden. Ze logen vast ook – maar geen van beiden leek veel te weten van de laatste maanden van Rantzells leven.

De dag na het fiasco op Solvalla gingen Thomas en Hägerström naar Ballénius' dochter, Kristina Swegfors-Ballénius, in Huddinge. Ze was jonger dan Thomas had gedacht toen ze elkaar telefonisch hadden gesproken. Kicki snapte meteen dat ze smerissen waren. Thomas dacht: hoe zien mensen dat toch altijd?

'Heb jij me afgelopen zomer gebeld?' vroeg ze voor ze zich ook maar hadden voorgesteld.

Ze zetten haar waanzinnig onder druk – trokken haar minutieus na. Ze werkte zwart als serveerster in een kroeg in de stad. Toch reageerde ze net zoals de twee oude katvangers. Thomas zei waar het op stond: 'We zorgen ervoor dat je je baan kwijtraakt en wordt aangemeld bij de fiscale opsporingsdienst als je niet vertelt hoe we je vader te pakken kunnen krijgen.' Maar ze bleef de hele tijd bij dezelfde verklaring: 'Ik weet niet waar hij is, ik heb al een hele tijd niks van hem gehoord.'

Ze gaven haar een dag om van zich te laten horen en te vertellen hoe ze hem zouden kunnen vinden.

Ze konden de plaatsen bezoeken waar de bedrijven contacten hadden gehad. Kijken of daar mensen zaten die Ballénius kenden. Ze zouden met de banken moeten gaan praten, nagaan of er een specifiek filiaal was waar hij geld opnam. Misschien klanten opsporen – kijken of er mensen waren die de persoon hadden ontmoet die zogenaamd aan het hoofd stond van het bedrijf waarmee ze zaken hadden gedaan. Er was nog veel te doen en het zou tijd kosten. Thomas kon de gedachte niet loslaten: op oudejaarsavond zou die Bolinder een feest geven dat Ratko en de andere Joego's hielpen organiseren. Van die situatie moest hij gebruik kunnen maken. Er moest een manier zijn.

Hägerström hees bier en knabbelde chocola. Spuide droge grappen waar Thomas om grijnsde. Hoewel deze vent een collaborateur was, was hij tamelijk grappig. Scherp, een eersteklas rechercheur. Hij zat over een stapel papieren gebogen toen hij opkeek.

'Ik denk niet dat Kicki nog van zich laat horen.'

'Waarom niet?' vroeg Thomas.

'Ik zag het gewoon aan haar. Mijn onfeilbare instinct.'

'Hoezo "onfeilbaar instinct"? Dat hebben agenten helemaal niet.'

'Daar heb je misschien gelijk in. Maar ik heb een collega op Kicki Swegfors-Ballénius' mobiel gezet. We hebben haar afgeluisterd sinds we daar gisteren waren. Ze heeft hem gebeld.'

'Dat meen je niet? Dan hebben we dus een nummer.'

'We hebben een nummer, maar dat heeft hij meteen na dat gesprek doodgemaakt. Het bestaat niet meer. En ze zei tegen hem dat iemand naar hem zocht en dat hij haar een tijdje niet meer moest bellen. Ze dekt hem.'

Thomas voelde zich kwaad, tegelijkertijd onthutst – waarom had Hägerström dat niet eerder verteld? Hij zei: 'Wat een rotstreek. Kutwijf.'

'Zo zou je het kunnen zeggen. Al met al, ik geloof niet dat het Kicki-spoor iets oplevert. Daarom zei ik er eerst niks over. Maar ik heb een ander idee.'

Thomas leunde voorover op de bank.

'Ik heb de adressen nagetrokken die Ballénius heeft gehad. Er is een patroon wat de postbussen betreft. Bij alle bedrijven die nog bestaan, gebruikt hij een postbus in Hallunda, of heeft hij die gebruikt.'

'En?'

'Dat betekent dat dat adres waarschijnlijk nog actief is. Dat wil zeggen, dat hij het nog steeds gebruikt om post te halen.'

'We gaan er nu heen.'

Een uur later arriveerden ze bij winkelcentrum Hallunda. Thomas had voorzichtig gereden. Hij dacht aan de chaos in de stad: er trok een enorme sneeuwstorm over Stockholm als waarschuwing vooraf dat de burgers bescherming nodig hadden tegen een catastrofe. Nog even en het nieuwe jaar zou aanbreken – voor deze ene keer zowaar met flink wat witte sneeuw. Zonder dat er tijd was om de smerige kleur aan te nemen die sneeuw meestal aannam in Stockholm. Grijsbruin – vol grind, vuil en de gesmolten verwachtingen van de bevolking.

Welkom in winkelcentrum Hallunda. Ze hadden een eigen logo voor het winkelcentrum verzonnen dat op alle borden stond: een rode H met een punt erachter. Thomas dacht aan hoe het was toen hij opgroeide begin jaren tachtig, vóór de tijd van de winkelcentra – zijn vrienden en hij gingen meestal met de metro naar Södermalm en wandelden vervolgens helemaal naar Sergels Torg terwijl ze van winkeltje naar winkeltje zigzagden. Platen, kleren, stereoapparatuur, strips en pornoblaadjes. Misschien zag hij een verband: het was de tijd vóór de winkelcentra en vóór het uitschot uit de buitenwijken de stad overnam.

Het postbusbedrijfje had geen ramen die uitkwamen op het winkelcentrum. Wel gingen ze een anonieme glazen deur door, zochten het bedrijf op in een lijst, namen de lift naar boven, tot boven de winkels. DE POSTBUSHAL stond er in dezelfde rode kleur als de letters op de borden van winkelcentrum Hallunda. Het onderschrift luidde: 'Heb je een postbus nodig? Ben je nieuw in de stad en heb je nog geen vast adres?' Wat een bullshit – iedereen wist wat voor mensen dit soort postbussen gebruikten.

Een deur. Een bel. Een bewakingscamera.

Thomas belde aan.

'Met de Postbushal, wat kunnen we voor u doen?'

'Hallo, de politie hier, mogen we binnenkomen?'

De stem aan de andere kant viel stil. De luidspreker knetterde alsof hij zelf probeerde te praten. Er verstreken al te veel seconden. Daarna klikte het slot. Thomas en Hägerström stapten naar binnen.

De ruimte: hoogstens twintig vierkante meter – metaalkleurige postbussen van twee formaten met Assa Abloy-sloten bedekten de muren. Aan een van de korte kanten: een ingebouwde balie met plexiglas erboven. Achter de balie stond een te dikke jongen met een donzig snorretje.

Thomas liep naar hem toe, hield zijn politiepenning omhoog. De gast zag er doodsbenauwd uit. Waarschijnlijk probeerde hij zich koortsachtig te herinneren welke instructies hij had gekregen voor het geval er een smeris langskwam.

'Wil je even hier komen?'

De jongen in gebroken Zweeds: 'Moet dat?'

'Het moet niet, maar dan moeten we je eruit trekken.' Thomas probeerde te glimlachen – maar voelde zelf dat er geen aardige smile verscheen.

De jongen verdween een paar seconden. Naast de balie ging een deur open.

'Wat willen jullie?'

'We willen dat je contact opneemt met een van je klanten en zegt dat hij hier moet komen.'

De jongen dacht na. 'Is dit een huiszoeking?'

'Reken maar van yes, jochie. We hebben het volste recht om inzage te krijgen in de gegevens van jullie klanten. Dat weet je. En als je dat niet weet dan zorg ik ervoor dat elke postbus hier op jouw kosten wordt opengebroken, jij zult er verantwoordelijk voor worden gehouden. Dat je het weet.'

De postbusjongen begon in een map te bladeren, door de contracten. Na een paar minuten: hij vond het contract van Ballénius.

'Wat willen jullie nu doen dan?'

Thomas begon ongeduldig te worden. 'Bel hem op en zeg dat hij een pakket heeft gekregen dat te groot is om in zijn postbus te stoppen en dat hij het vandaag op moet komen halen, anders stuur je het terug.'

'Wat zeg je?'

'Kop erbij, man. Of je doet wat ik je net zei, of we maken je het leven flink zuur.' Thomas liep demonstratief de ruimte achter de balie in. Haalde mappen tevoorschijn. Begon te bladeren. Hij vond het contract van Ballénius. Zowaar: daar stond een telefoonnummer dat hij nog niet kende.

Hägerström sloeg de situatie gade. De postbusjongen zag er vragend uit.

Thomas keek hem aan. 'Had je wat soms?'

De jongen zei niks.

Thomas liep de ruimte achter de balie uit. 'Misschien heb je niet goed begre-

pen wat ik zojuist tegen je zei.' Hij liep naar een postbus. Zocht in zijn jaszak. Haalde de elektrische loper tevoorschijn. Begon aan het slot te prutsen.

De jongen zag er doodsbang uit. 'Jezus man, dat kun je niet doen.'

Thomas antwoordde: 'Bel John Ballénius nu op en zeg dat hij een enorm pakket heeft gekregen. Een fiets of zoiets. Bel nou maar.'

De postbusjongen schudde zijn hoofd. Pakte toch de telefoon. Toetste het nummer in. Klemde de hoorn vast tussen zijn kin en schouder.

Thomas kon zijn eigen ademhaling horen.

Na vijftien seconden.

'Hallo, met Lahko Karavesan van de Postbushal in Hallunda.'

Thomas probeerde de stem aan de andere kant van de telefoon te horen. Dat lukte niet.

'We hebben een pakket dat veel te groot is om hier te laten staan.'

Er werd iets gezegd aan de andere kant.

'Het is zo groot als een fiets maar ik weet niet wat het is. Ik moet het helaas terugsturen als u het vandaag niet komt halen.'

Stilte.

Thomas keek naar de postbusjongen. De jongen keek naar Hägerström. Hägerström keek naar Thomas.

De jongen hing op. 'Hij komt hierheen, zo meteen.'

Jezus, dit ging goed.

De bel van het postbuskantoortje ging. In de tijd dat ze hadden gewacht, waren er vier klanten langs geweest. Hadden de arme jongen die er werkte discreet gegroet, een paar woorden met hem gewisseld, hun postbussen geleegd. Waren doorgegaan met hun anonieme bedrijfjes, katvangerconstructies, pornokluisjes, geheim voor hun vrouwen.

De postbusjongen gebaarde naar ze. Dacht dat Ballénius deze keer voor de deur stond.

De deur klikte. Er kwam een man binnen. Hetzelfde treurige, grauwe gezicht. Hetzelfde dunne haar. Hetzelfde magere, slungelige lichaam. Ballénius.

De man reageerde niet snel genoeg. Hägerström stond naast de deur en ging achter hem staan. Thomas voor hem, ging dicht bij hem staan. Ballénius leek niet eens verrast, hij zag er gelaten uit. Hägerström deed hem handboeien om.

Ballénius stribbelde niet tegen. Zei niets. Keek Thomas alleen met vermoeide ogen aan. Ze namen hem mee naar buiten. De jongen van de postbussen pufte, alsof hij zijn adem al die tijd dat Thomas en Hägerström er waren geweest, had ingehouden.

Hägerström ging voorin zitten. Thomas achterin. Naast John Ballénius. Het sneeuwde zo hard dat Thomas het bord van winkelcentrum Hallunda niet eens meer zag. De airco van de auto blies warme lucht uit.

Ballénius zat met zijn handen op schoot, de handboeien niet al te strak vastgezet. Wachtte totdat ze hem voor verhoor naar een bureau zouden brengen.

Hägerström draaide zich om: 'We houden het verhoor hier, dan weet je dat.'

Ballénius vroeg: 'Waarom?' Hij was al eerder verhoord – wist: officiële verhoren worden nooit in een auto gehouden.

Thomas antwoordde: 'Omdat we geen tijd voor gedoe hebben, John.'

Ballénius kreunde. De lucht van zijn uitademing vormde een rookwolk – de auto was nog niet helemaal op temperatuur.

'Je weet hoe het is. Je loopt al langer mee, John. We kunnen ons aanstellen en vriendelijk doen. Om je grappen lachen om sympathiek over te komen. Je naar de mond kletsen, je verleiden tot praten.'

Kunstmatige pauze.

'Of we zeggen je ongezouten waar het op staat. Dit is geen gewoon onderzoek. Dat weet jij ook. Dit gaat goddomme over de moord op Palme.'

Ballénius knikte.

'Je hebt je schuilgehouden. Je weet iets en je weet dat iemand wil weten wat jij weet. Hägerström en ik behoren tot de mensen die het willen weten. Maar er zijn ook anderen. Begrijp je?'

Ballénius bleef knikken.

'Ik begrijp dat je niet wilt praten. Je kunt in de problemen raken. Maar laat me dit zeggen: je hebt vast in de krant gelezen dat ze een man hebben opgepakt voor de moord op Rantzell. Maar weet je wie dat is? Dat schrijven ze niet in de media. Het is de zoon van Catharina Brogren.'

Thomas probeerde te zien of Ballénius op het nieuws reageerde. De man sloeg zijn blik neer. Misschien, misschien een reactie.

Thomas vertelde kort over de verdenkingen jegens Niklas Brogren. Hägerström bleef strak naar Ballénius kijken. Er verstreken vijf minuten.

'Je begrijpt wat dit betekent. Niklas Brogren wordt waarschijnlijk veroordeeld voor de moord op Claes. Maar hij heeft het niet gedaan, toch? Niklas Brogren is onschuldig. En de mensen die hier eigenlijk achter zitten, en die achter de moord op Palme zitten, zullen vrij rondlopen. Maar jij kunt daar iets aan veranderen, John. Dit is de kans van je leven. En dat komt omdat Hägerström en ik niet bij het echte vooronderzoek betrokken zijn. We doen dit privé, ernaast. Dus alles wat je vertelt blijft tussen ons en wordt nooit openbaar. Nooit.'

Ballénius keek weer naar beneden. Compacte stilte in de auto. Het was warm nu. Te warm. Thomas zat nog steeds met zijn jack aan. Zag zijn spiegelbeeld in de ruit tegenover zich. Hij voelde zich moe. Er moest hier nu een einde aan komen.

Hägerström verbrak de stilte.

'John, wij zitten net zo diep in de shit als jij. Vraag het welke diender dan ook. Andrén is overgeplaatst vanwege zijn onderzoek en ik ben ervan afgehaald. We zijn niet meer gewenst, we staan buiten het systeem. En we doen dit ernaast.

Als dit bekend wordt, is het met ons gedaan bij de politie. Begrijp je wat ik zeg? Je kunt een politiecontact van je bellen om het te vragen.'

'Dat hoeft niet,' zei Ballénius. 'Ik heb al over jullie gehoord.'

Er klopte een ader in Ballénius' hals. 'Ik kan met jullie praten, op twee voorwaarden.'

'Welke?'

'Dat jullie me meteen daarna laten gaan en geen informatie aan anderen doorgeven over hoe jullie me te pakken hebben gekregen of wat jullie van me weten.'

Thomas keek naar Hägerström. Daarna zei hij: 'Dat is akkoord, dat wil zeggen, als je ons nuttige informatie geeft.'

'Dat is niet genoeg. Als het is zoals jullie me vertellen, hebben jullie het recht eigenlijk niet om me hier te verhoren. Ik wil iets van jullie als garantie. Ik wil een foto van ons drieën nemen met mijn mobiel. Als er gelazer van komt, lever ik hem af bij een geschikte hoofdsmeris, die dan zijn conclusies over jullie kan trekken.'

Een gevaarlijke koehandel. Een reuzegok. Een megarisico. Thomas merkte dat Hägerström weer een blik op hem wierp. Het besluit lag in zijn hand. Hij was hier persoonlijk het meest door getroffen. Hij brandde het vurigst. Werkte het hardst.

Thomas zei: 'Oké, we doen het. Jij praat, je maakt de foto, daarna mag je gaan.'

Thomas zette de radiator uit. De stilte klonk als een schreeuw in de auto.

De man opende zijn mond om iets te zeggen. Daarna sloot hij hem weer.

Thomas staarde hem aan.

Ballénius leunde achterover. 'Oké. Ik geef jullie wat ik weet.'

Thomas merkte hoe zenuwachtig hij was.

'Claes en ik waren niet meer zo dik. In de jaren tachtig en negentig gingen we veel met elkaar om. Vooral midden en eind jaren tachtig, jullie weten wel, al dat gedoe rondom Oxen en al die bedrijven waar we in zaten. We verdienden flink wat met z'n tweeën. Maar Classe en ik hebben allebei nooit goed met geld om kunnen gaan. Vraag mijn dochter maar, jullie weten alles van haar, heb ik begrepen. Claes' geld ging vooral op aan drank en het is niet moeilijk te raden waar het mijne aan op ging. Ik heb altijd veel van paarden gehouden.'

John Ballénius beschreef verder hoe het leven van hem en Claes Rantzell er twintig jaar geleden uitzag. Hasjfeesten, speelwinsten, katvangerklussen, alcoholproblemen, heibel en gedoe. De eerste bedrijfsconstructies in het begin van de jaren negentig, voor de politie de omvang van de blufbedrijven doorhad. Er kwamen namen langs, Thomas herkende een deel van de verhalen van de oudere dienders over vroegere tijden. Ballénius noemde plaatsen, flatbordelen, zwarte clubs, drugsholen. Het was een overzicht van het geteisem van toen.

'De afgelopen jaren heb ik Classe maar een keer of wat per jaar gezien. Hij

was afgeleefd, ik was afgeleefd. We brachten het niet meer op. Maar afgelopen lente hoorde ik geruchten over hem. Hij scheen met geld te smijten alsof hij miljoenen op Solvalla had gewonnen. En daarna begon hij me te bellen. We hebben elkaar een paar keer gesproken, daarna zagen we elkaar een keer in een kroeg in Södermalm.'

Thomas kon zich niet inhouden. 'Wat zei hij?'

'Het gebeurt niet vaak dat ik dingen nog goed weet, maar deze avond herinner ik me nog heel goed. Hij zag eruit als een echte patser. Pas gestoomd pak, gouden horloge aan zijn pols, nieuw mobieltje. En godallejezus, wat had hij een goed humeur. Bestelde de ene na de andere fles voor ons samen. Ik vroeg hem wat er gebeurd was, toen wilde hij zich terugtrekken. We gingen aan een tafeltje in een rustige hoek zitten. Ik weet nog dat Classe om zich heen spiedde alsof elke gast een stille was. Het stond natuurlijk als een paal boven water dat hij een beetje te veel verdiend had om het spierwit te laten zijn. Maar zo hadden we altijd geleefd. Daarna vertelde hij, met alle terzijdes van dien, hoe hij had nagedacht, angsten had gehad, had getwijfeld, maar ten slotte – zíj hadden hem betaald. Na al die jaren had hij eindelijk eisen durven stellen en toen gaven ze toe. Jezus christus, hij was echt dolgelukkig.'

'Wie waren "zíj"?'

Ballénius keek Thomas aan.

'Dat weten jullie toch al?'

58

Niklas had nog steeds niks van zich laten horen en ze hadden nog één dag tot oudejaarsavond – de aanval zou niet doorgaan. Fuck wat klote. Mahmud wilde Jorge niet laten zitten, het beloofde geld niet mislopen, de Joego's niet laten winnen. Maar zonder die commandokerel ging het niet.

Waar was die gast ergens? Mahmud bleef, ook vandaag, als een gek sms'jes naar hem sturen. Zijn briefje onder Niklas' deur had geen effect gehad. Maar hij was van plan nog een paar uur te wachten.

Vanmorgen hadden ze weer bij hem thuis gezeten. Met de wapens geklooid. Geprobeerd niet te snorkelen of te blowen. Ze waren toch niet bepaald experts – al hadden ze het altijd over blaffers. Concentratie was noodzakelijk. Ze haalden de patronen in en uit het magazijn. Klikten ze in het wapen. Haalden de veiligheidspal los, wisselden van automatisch naar enkelschot.

En bovendien: hij had gister met Babak afgesproken. Eerst een kort telefoongesprek. Zijn vroegere mattie hing de man van weinig woorden uit.

'Wat moet je?'

'Yo, ouwe. Kom op zeg, we kunnen toch wel weer gaan chillen?'

'Waarom?'

'Kunnen we niet afspreken. Ik leg het je uit, woellah.'

Babak stemde ermee in. Ze zagen elkaar 's middags in winkelcentrum Alby. Mahmud ging met zijn Merrie hoewel het maar een kilometertje was: wilde Babak laten zien – het gaat goed nu.

Het sneeuwde buiten alsof ze hoog in Norrland zaten. Grote, luchtige vlokken die rond waaiden. Mahmud herinnerde zich de eerste keer dat hij sneeuw had gezien: zes jaar oud in het asielzoekerscentrum in Västerås. Hij was naar buiten gerend. Was eerst voorzichtig op het dunne laagje sneeuw gestapt. Daarna had hij met zijn handen over de picknicktafel geveegd, genoeg sneeuw voor een bal verzameld. En ten slotte – giechelend – Jamila aangevallen. Beshar was niet boos geworden die keer. Integendeel, hij had gelachen. Maakte zelf een bal die hij naar Mahmud gooide. Hij miste. Mahmud wist toen, als zesjarige al, dat dat met opzet was.

In de McDonald's in Alby: Babak zat zoals altijd helemaal achterin. Had zelfs geen eten besteld – volgens Babak zou deze afspraak niet lang duren. Zijn mattie zat iets uit een groen blik te eten.

Mahmud groette hem.

Babak bleef aan tafel zitten. Stond niet op. Geen handdruk, geen omhelzing. 'Shit, Babak, dat is lang geleden, man.'

Babak knikte. 'Ja, lang geleden.' Hij viste wat groene balletjes uit het blik.

Mahmud ging zitten. 'Wat eet je?'

'Groene wasabi-erwten.' Babak legde zijn hoofd in zijn nek. Sperde zijn mond wijd open. Liet de wasabi-erwten er een voor een in vallen.

'Wasabi? Zoals bij sushi? Ben je een flikker geworden?'

Babak stopte nog een paar erwten in zijn mond. Zei niks.

Mahmud probeerde te grijnzen. Zijn grap was gevallen als een lompe steen. Hij zei: 'Het spijt me echt, man.'

Babak bleef zijn snacks eten.

'Ik heb het verkeerd gedaan. Je had gelijk, ashabi. Maar als je naar me luistert, zul je het begrijpen. Ik ben met grote dingen bezig. Echt groot. *Ahtaaj moesaa'ada lau simaht.'*

Mahmud schoof het blik met wasabi-erwten aan de kant. Leunde voorover. Begon op gedempte toon te vertellen. Hoe hij steeds vaker als hoerenoppasser had moeten werken, daarna gebeld was door Jorge, dat hij met de vroegere buurjongen van zijn zus had gepraat, die een echte *warrior* bleek. Hij vertelde over de planning, de foto's, de kaarten, de betonschaar. En vooral vertelde hij over de wapens: twee automatische karabijnen en een Glock. Het coolste arsenaal sinds de waardetransportoverval in Hallunda. Het duurde minstens twintig minuten. Normaal gesproken praatte Mahmud nooit zo lang achter elkaar. De laatste keer was waarschijnlijk toen hij Babak had verteld over de klote-Joego's die Wisam Jibril hadden gepakt. Die keer had hij angst gevoeld. Deze keer voelde hij trots.

'Begrijp je? We gaan dat Zwedo-feest bestormen. We zullen die Joego's flink op hun lazer geven. We zullen hun godverdomde lijken naaien.'

Eindelijk. Na dat laatste: een glimlach om Babaks lippen.

Toen Mahmud van Alby naar huis reed dacht hij aan zijn droom van de nacht ervoor. Hij was terug bij zijn moeder. Terug in Bagdad. Ze zaten samen onder een boom. De lucht was blauw. Mama vertelde dat je kon weten dat het lente was geworden, want dan bloeide de amandelboom. Ze stond op, plukte een roze bloempje. Liet het Mahmud zien. Ze zei iets in haar zachte Arabisch dat Mahmud niet goed verstond. 'Als het goed gaat met de ziel, heeft die dezelfde kleur als de amandelboom.' Daarna leek het alsof de bloemen van de boom vielen. Mahmud keek omhoog. Zag de lucht. Zag de boom. Het waren niet de bloemen die vielen, begreep hij. Het was sneeuw.

Hij was in een goed humeur. Weer homies – Babak en hij. Zijn mattie digde wat hij te horen had gekregen. Greep Mahmud bij de schouders – keek hem in de ogen. Ze omhelsden elkaar. Als twee broers die na vele jaren herenigd worden. Zo was het: Babak was zijn broer, zijn *ach*. Een pact dat niet verbroken mocht worden.

Nadat hij alles had uitgelegd, stelde Mahmud eindelijk de vraag: wilde Babak meedoen?

Babak dacht even na, daarna zei hij: 'Ik doe mee. Maar niet voor de cash. Ik doe mee voor de eer.'

Nu was er nog maar één ding dat alles leek te verpesten. Niklas kwam niet.

59

De cel lag op vijftien meter hoogte, geen schijn van kans. Als het Niklas zou lukken de gang op te komen, waren de deuren weliswaar van gewapend plexiglas dat hij misschien binnen een minuut of wat kapot zou kunnen krijgen, maar dat zou niet genoeg zijn. Ook als hij door de deuren kwam, moest hij de lift naar beneden nemen, en die ging niet verder dan tot de zesde verdieping. Daar stopte de lift, werd je door een aantal nieuwe, met camera's bewaakte deuren gesluisd en moest je verder met een andere lift. De weg via de gang was dus ook niks. Nog een alternatief: een wapen bemachtigen – een gijzelaar nemen. Het probleem: het personeel droeg alleen een wapenstok. De agenten die hier kwamen om te verhoren, leverden hun wapens ergens beneden in. Als hij die verschrikkelijke beperkingen niet had gehad, zou iemand – Mahmud of Benjamin misschien – eventueel een vuurwapen mee naar binnen hebben kunnen nemen. Maar waarschijnlijk ook niet: de metaaldetectors besnuffelden iedereen. Andere mogelijkheden waren het ventilatierooster in het plafond losschroeven – wegkomen door te kruipen en te glijden. Maar hij was er niet mager genoeg voor. Hij kon proberen rookontwikkeling te veroorzaken – hem te smeren in een zelf gecreëerde brandchaos. Een relletje beginnen – ontsnappen als er ongeregeldheden uitbraken in het huis van bewaring. Niklas schrapte die alternatieven snel van zijn innerlijke lijstje. Je kon niet ontsnappen uit het huis van bewaring Kronoberg – niet zonder grootschalige hulp van buitenaf.

Er was een betere manier. Advocaat Burtig had hem een paar dagen geleden uitgelegd dat ze hem niet meer dan twee weken achter elkaar vast mochten houden zonder een besluit van de rechtbank. Vandaag was het tijd voor de raadkamerprocedure in de rechtbank.

Niklas ontbeet vroeg. Hij deed push-ups en sit-ups. Hij had het gevoel alsof al het bloed uit zijn hoofd verdween toen hij weer opstond. Om tien uur klopte Markko, een grote cipier, op de deur. Niklas vroeg of hij een andere trui aan mocht trekken – hij was niet heel erg bezweet, maar wilde zich fris voelen in de rechtszaal.

Markko deed hem de handboeien om. Leidde hem samen met twee andere

bewakers door de gang. Er was niks mis met ze, ze deden gewoon hun werk. Niklas nam de informatiebordjes op de celdeuren op. ALLERGIE: NOTEN. GEEN VARKENSVLEES. ALLERGIE: VIS. GEEN VARKENSVLEES. Deed hem denken aan de ongure gevangenissen van de Amerikanen in de zandbunker.

Ze kwamen in een kamertje met een metaaldetector. Markko maakte de handboeien los. Niklas liep door het alarmpoortje: ze bleven stil. De boeien weer om. Ze gingen met de lift naar beneden. Dit was een deel van het gebouw waarvan hij niet wist dat het bestond.

Markko legde hem uit: 'We nemen de ondergrondse tunnel onder het Kronobergspark. "De gang der zuchten" wordt ie wel genoemd.'

De bewakers maakten twee dubbele metalen deuren open. De ondergrondse route naar de rechtbank. Als een door de moedjahedien van Al-Sadr uitgegraven bomtunnel. Hun stappen weergalmden. De tl-buizen gaven koud licht, het beton zag eruit als het zand daarginds in de regen: vol gaatjes. Markko probeerde een gesprekje aan te knopen, zo aardig mogelijk te zijn. Niklas kon zich niet concentreren.

Ze kwamen bij weer twee metalen deuren. Hij werd binnengeleid op de begane grond van de rechtbank. Gangen van graniet en versterkte houten deuren. Een kleine wachtcel. Een houten tafel. Twee stoelen. Aan de andere kant van de tafel: advocaat Burtig zat te wachten.

'Hallo Niklas, hoe is het met je?'

'Wel oké. Ik mocht gisteren tenminste een sneeuwbal maken.'

'Lag er sneeuw op de luchtplaats?'

'Heel veel.'

'Ja, het heeft iets met het klimaat te maken, het sneeuwt erger dan ooit. Voel je je klaar voor wat er vandaag staat te gebeuren?'

'Ik neem aan dat het hetzelfde is als de vorige keer.'

'In principe wel. Er zijn een aantal nieuwe zaken aan het licht gekomen. Ze hebben zoals je weet in je computer gezocht.'

'Wat hebben ze gevonden?'

'Hier.' Burtig legde een stapel papier op tafel. Niklas bladerde erin. Begreep al op bladzijde vier – een inbeslagnamerapport – dat ze zijn bewakingsfilms hadden meegenomen.

Hij bracht het eigenlijk niet op om verder te lezen. Was het verknald, dan was het niet anders, andere kwesties waren op dit moment belangrijker. Hij kon niet op een veroordeling wachten.

'Zitten we in dezelfde zaal als de vorige keer?' Zijn vraag zou misschien raar overkomen.

Burtig vertrok geen spier. 'Nee, we zitten in zaal zes.'

'En waar ligt die?'

'Hoe bedoel je?'

'Ach, ik vroeg het me gewoon af. Ik ben een beetje nerveus. Ligt die op dezelfde verdieping als de vorige keer?'

'De vorige keer zaten we in vier, geloof ik. Ja, dat is op dezelfde verdieping.'

Niklas knikte. Bleef in de inhechtenisnemingsmemo bladeren. De smerissen hadden niet alleen de files met films gevonden die hij had opgeslagen. Ze hadden ook zijn genoteerde informatie, de lijsten van gewoontes, foto's van de mishandelingen, afluisterapparatuur gevonden. Ze hadden bijna alles.

Hij stelde een paar vervolgvragen aan Burtig. Tegelijkertijd: zijn concentratie was elders.

De zaak werd even later uitgeroepen. Burtig stond op. De bewakers kwamen binnen. Deden hem de handboeien om. Leidden hem door een gang.

Ze gingen de rechtszaal binnen.

Die was groot: hoge ramen met lange gordijnen, de bank van de officier van justitie, de bank voor hemzelf en de advocaat, de getuigenbank, een verhoging, de balie. Daarboven zaten de rechter en een dunne, donkerharige jongen die zou notuleren: de griffier. De rechter: dezelfde vent als de vorige keer, een jaar of zestig. Geconcentreerde blik. Tweed jasje, lichtblauw overhemd, groene stropdas met eenden erop. Misschien was het zelfs dezelfde stropdas als de vorige keer. Op de tafel stond een computer en voor de rechter lag een wetboek.

Niklas draaide zich om. Bleef even kijken. De banken zaten vol toeschouwers. Burtig had hem al gewaarschuwd – journalisten, rechtenstudenten, het nieuwsgierige publiek. Ze zouden buiten staan dringen om een plekje te krijgen. Op de achterste rij zag hij zijn moeder.

De bewakers namen hun posities in. Markko en een van de andere bewakers gingen achter Niklas zitten. De derde ging bij de uitgang zitten. Bewaakten.

Markko deed Niklas' handboeien af en zei hem te gaan zitten.

Aan de andere kant: de twee officieren van justitie. Stapels papieren, notitieblokken, pennen en een laptop voor zich. Dat waren ook dezelfde als de vorige keer: een man en een vrouw. De man was blijkbaar de hoofdofficier. Burtig had uitgelegd: 'Je moet begrijpen, Niklas, dat dit niet zomaar een rechtszaak is. De belangrijkste getuige uit de Palme-zaak is om het leven gebracht. En iedereen denkt dat jij de moordenaar bent.' Niklas was het met hem eens: dit was inderdaad niet zomaar een zaak.

De rechter schraapte zijn keel.

'De rechtbank van Stockholm behandelt het verzoek tot verlenging van voorlopige hechtenis in zaak B14568-08. De verdachte, Niklas Brogren, is aanwezig.'

Burtig knikte. De rechter vervolgde.

'Tevens is zijn openbaar verdediger, advocaat Jörn Burtig, aanwezig. En aan de officierskant hebben we hoofdofficier van justitie Christer Patriksson en officier van justitie Ingela Borlander.'

Het officierspaar antwoordde bevestigend. Niklas had de indruk dat ze hun best deden om autoritair te klinken.

De rechter leunde achterover. Wierp een korte blik in de zaal. Daarna zei hij: 'Officier van justitie, gelieve uw eis kenbaar te maken.'

'De eis is dat Niklas Brogren in hechtenis blijft als verdachte van de moord op Claes Rantzell op 3 juni jongstleden aan de Gösta Ekmansväg te Stockholm. Ook wordt hij verdacht van moord op Mats Strömberg op 4 november dit jaar en vervolgens van de moord op Roger Jonsson. Voor deze misdrijven schrijft de wet een straf van minimaal twee jaar voor. De specifieke redenen voor de verlenging van de voorlopige hechtenis zijn dat het risico bestaat dat Niklas Brogren op vrije voeten het onderzoek zal bemoeilijken door bewijs te vernietigen, dat verwacht kan worden dat hij doorgaat met zijn misdrijven alsmede dat hij zich aan de straf zal onttrekken. Verder verzoeken wij om de zaak verder achter gesloten deuren te behandelen.'

De griffier zat als een bezetene aantekeningen te maken.

De rechter wendde zich tot Burtig.

'En wat is de opvatting van Brogren?'

Burtig liet zijn pen tussen zijn duim en wijsvinger wippen.

'Niklas Brogren betwist de eis en eist dat hij onmiddellijk in vrijheid gesteld wordt. Hij ontkent de tenlastegelegde juni-moord te hebben begaan en hij bestrijdt de verdenking van de vermeende moord op 4 november. Ook bestrijdt hij de specifieke redenen voor de verlengde voorlopige hechtenis. Hij heeft echter geen bezwaar tegen de voortzetting van de behandeling van de verlenging van de voorlopige hechtenis achter gesloten deuren.'

'Goed,' zei de rechter. 'Dan besluit de rechtbank hierbij dat de deuren gesloten worden en dat alle toehoorders de zaal moeten verlaten.'

Niklas draaide zich niet om. Achter zich hoorde hij het geluid van ritselende, smiespelende mensen. Twee minuten later waren er geen toehoorders meer in de zaal. Nu kon het beginnen.

Christer Patriksson, de hoofdofficier, begon details van de moord op Rantzell voor te lezen. Hoe hij gevonden was, wat de doodsoorzaak was, wie hij geweest was. Hij ging door: beschreef Niklas' relatie met Rantzell. Wat naar voren was gekomen over de manier waarop Rantzell Catharina had behandeld. Ten slotte de informatie uit het verhoor met haar – waarin ze beweerde dat Niklas' alibi niet klopte. Waarom zei ze dat? Niklas begreep het niet. De agenten moesten haar er ingeluisd hebben.

Hij wachtte. Dacht aan Claes. De avonden in de kelder. Met het hockeyspel, mama's oude kleren en koffers. De avonden waarop Rantzell geslagen had. Verdrukt. Vernederd.

De advocaat begon te praten. Zaagde maar door over Niklas' bezigheden tijdens die bewuste avond, de videofilm die ze bij Benjamin Berg hadden gezien, de pizza's die ze bij de plaatselijke pizzeria hadden gehaald. Burtig voerde

argumenten aan, viel de zogenaamde bewijzen van de officier aan. En steeds liet hij zijn metalen balpen op en neer wippen. Zo dadelijk zouden ze hem vragen gaan stellen. Niklas luisterde niet.

Hij ademde in door zijn neus. Uit door zijn mond. Langzaam. Verzamelde zuurstof. Focuste zich op Burtigs pen.

Tanto Dori-gevoel. De pen. Alsof hij hem in zijn eigen hand hield.

Woog.

Ademde.

Ontspande.

Ademde.

Hij stond op. Rukte de pen uit Burtigs hand.

Sprintte naar de balie. De rechter stond op. Riep iets. Een bewaker probeerde Niklas te grijpen. Miste. Spurtte achter hem aan.

Niklas sprong op de verhoging. De griffier zag er doodsbang uit. De rechter deinsde achteruit. De bewaker greep Niklas vast. Zoals verwacht.

Hij ademde snel. De pen in zijn hand. De bewakers waren niet kwaadaardig – maar Niklas' opdracht was belangrijker.

Hij sloeg toe in een volmaakt rechte beweging. Uithalen en terug.

De bewaker met de pen als een pijl in zijn buik. Besefte wat er was gebeurd. Begon te schreeuwen. Deinsde achteruit.

Niklas tilde de stoel van de rechter op. Gooide hem naar het raam. Het geluid van het brekende glas deed hem denken aan Claes' flessen die hij meestal direct in de stortkoker aan de Gösta Ekmansväg smeet.

Niklas pakte het wetboek. Sloeg het tegen de scherpe randjes glas die nog uitstaken. Ze rinkelden. Zouden hem minder verwonden. Hij stapte de vensterbank op. Markko rende op hem af, schreeuwde iets. Niklas wilde hem eigenlijk geen pijn doen. Maar dit was oorlog. Hij trapte. Zag Markko achterovervallen.

Nu was het voorbij.

Hij sprong het raam uit. Niet meer dan drie meter. Soepele landing in de diepe sneeuw.

Ploeterde voorwaarts.

Zijn adem stoomde.

Op het wandelpad. Hij hijgde. Voelde de kou aan zijn voeten. Hij had alleen sokken aan. De gevangenissloffen zaten nog in de sneeuw.

Hij focuste zich. Wist waar hij heen moest.

Naar het metrostation.

Kou in zijn ademhaling.

Gericht op zijn doel.

Op zijn stappen.

Hij zag de ingang van het metrostation. Tot nu toe waren er geen agenten verschenen.

Morgen was het oudejaarsavond.

60

De sneeuw bleef vallen. De neerslag lag als een decimeterdikke laag watten op de vensterbanken. Het broeikaseffect had het nakijken, het gerucht over de dood van de winter was sterk overdreven.

Ze zaten weer bij Thomas thuis. De documenten overal op stapels. Speurden. Zochten naar tekens, sporen, gegevens die konden bevestigen wat Ballénius verteld had – betalingen aan Rantzell. Ze werkten koortsachtig. Vooronderzoeksmatig. Geen vergissing mocht ze ontglippen. De tijd vloeide weg – ze hadden Ballénius te pakken gekregen, maar de man kon klikken, de man die Thomas in de garage had aangevallen kon begrijpen dat ze iets op het spoor waren, de Palme-groep kon lucht krijgen van hun eigen parallelle onderzoekje. En vanavond zou het feest bij Bolinder zijn. Thomas had het nog steeds niet aan Hägerström verteld. Eigenlijk: als er geen reden was om naar dat feest te gaan, was er ook geen reden om het hem te vertellen. En tot nu toe zag hij niet wat ze ermee op zouden schieten als ze erheen gingen.

De uren verstreken. Thomas zou uiterlijk om zes uur met Åsa naar het oud-en-nieuwfeest van hun vrienden gaan. Eigenlijk zou hij de hele nacht door willen werken met Hägerström, ergens was een grens.

Ze spreidden alle papieren die ze de meeste verdachtheidspunten hadden gegeven en die met financiën te maken hadden, uit op de vloer. Het aantal was geslonken, maar het waren nog steeds meer dan vijfhonderd documenten. Ze kropen rond als twee grote baby's. De crux: hoe moesten ze weten wat er eigenlijk verdacht was? Er waren bevestigingen van uitbetalingen aan leveranciers en betalingen van klanten, bankafschriften met overboekingen van bedrijfsrekeningen naar spaarrekeningen en aandelendepots, facturen, offertes, declaraties, balansen, rekening-courantboeken. Ze zochten naar hoge bedragen. Het liefst in het voorjaar. Hägerström bepaalde een grens: boven de honderdduizend was het interessant. Ze zochten naar opnames van contanten en bedragen die op onbekende rekeningen waren gestort.

Het was vier uur. Ze bekeken een stuk of dertig betalingen nauwkeuriger. Een paar ervan bedroegen meer dan drie miljoen kronen, die door Revdraget in Upplands Väsby waren overgemaakt naar een privérekening bij Nordea. Maar het nummer van de bankrekening kwam niet overeen met Rantzells gegevens. Toch – het bedrag was direct van een bedrijf naar een persoon overgemaakt. Dat kon loon zijn, maar dat bleek nergens uit de verantwoording.

Bij veel bedragen stond alleen aangegeven dat ze contant waren opgenomen. Afschriften van vier verschillende rekeningen – bijvoorbeeld van Roaming GI AB, een miljoen kronen. Geen kwitanties, bewijsstukken of andere documenten waaruit bleek waar het bedrag voor bedoeld was. Verdacht. Maar er was niets wat er direct op wees dat de betalingen aan Rantzell gedaan waren. En niets bracht de opnames in verband met een andere persoon. Rantzell had de bedrijven immers officieel bestuurd, samen met andere katvangers.

Nog meer informatie: geldbedragen die waren overgemaakt op bankrekeningen zonder dat de ontvanger vermeld werd, bedragen die werden overgemaakt als terugbetalingen van leningen zonder dat er documenten waren die bevestigden dat er een lening bestond, dividenduitkeringen aan onbekende aandeelhouders zonder dat hier volgens de notulen van de aandeelhoudersvergadering toe besloten was. Er waren zoveel vreemde zaken. Hägerström zag dingen die Thomas niet eens begreep nadat hij Hägerströms uitleg had gehoord.

De tijd vloog om. Zou hij over Bolinders feest moeten vertellen? Misschien vond Hägerström dat er redenen waren om erheen te gaan die hij zelf niet zag. Maar nee, het was te ingewikkeld. Ze zouden morgen verdergaan. Åsa zou er niet blij mee zijn – maar er zat niks anders op.

Thomas liep naar de keuken om koffie te zetten. Toen hij terugkwam, was Hägerström weer op de bank gaan zitten. Een lege blik in zijn ogen.

'Alles goed H, begin je moe te worden? Ik heb hier koffie.'

'Je gaat over een halfuur toch weg.'

'Yep. En jij, wordt het weer de Half Way Inn vanavond?'

'Niet onmogelijk.'

Thomas keek hem aan. Niet normaal eigenlijk – het was halfzes 's middags op oudejaarsdag en ze hadden het tot nu toe niet eens gehad over hoe Hägerström de avond zou doorbrengen.

Hägerström glimlachte. Langzaam – zijn mondhoeken bewogen zich omhoog als bij een stripfiguur. Hij bleef een paar seconden zo zitten.

'Wat is er?'

'Ik heb zonet een heel merkwaardige betaling gevonden.'

Thomas keek naar het papier dat Hägerström in zijn hand had. 'Wat dan? Waar?'

Hägerström bleef rustig zitten. 'Het gaat om een bedrag van meer dan twee miljoen dat april dit jaar van een buitenlandse rekening naar Dolphin Leasing AB is overgemaakt. En daar is op zich niks raars aan, maar ik heb het IBAN-

nummer nagetrokken van de rekening vanwaar de betaling is gedaan.'

Thomas onderbrak hem: 'Wat is i-ban voor iets?'

Hägerström sprak langzaam, bijna alsof hij de spanning wilde bewaren. 'Eigenlijk heet het "International Bank Account Number", afgekort tot IBAN en het staat voor internationale bankrekeningnummers. Die nummers worden gebruikt om een bankrekening te identificeren bij transacties tussen verschillende landen.'

Hägerström frunnikte aan een papier in zijn hand. 'En het eerste dat me opviel, was dat het IBAN-nummer van deze betaling bij een rekening op het Isle of Man hoorde. Wat weet je over Man?'

'Niet veel, het ligt toch in de buurt van Engeland? Is het niet zo'n belastingparadijs?'

'Ja, en meer nog, het is ook een geheimhoudingsparadijs. Bedrijven met bankrekeningen op Man hebben over het algemeen iets te verbergen. Het is moeilijk om te achterhalen van wie die bankrekeningen zijn, want het bankgeheim is totaal.'

'Duidelijk verdacht dus.'

Hägerström bleef glimlachen. 'Dat kun je wel zeggen, ja. Maar tot op dit punt is het nauwelijks loucher dan veel andere dingen die we gezien hebben. Maar, Dolphin Leasing heeft vervolgens een factuur betaald aan het niet-bestaande Zweedse bedrijf Intelligal AB met exact hetzelfde bedrag als de uitbetaling van Man. Het bankrekeningnummer op die factuur is een rekening bij de Skandiabank. Ik herken dat soort rekeningen zo. Het is een rekening voor privépersonen.'

Hij liet het laatste woord in de lucht hangen.

Thomas draaide op volle toeren. Analyseerde, volgde de keten in zijn hoofd: een groot bedrag overgemaakt via een buitenlandse rekening die onder geheimhoudingsplicht viel, naar een bedrijf in Zweden dat een factuur betaalt aan een ander bedrijf waarvan de bankrekening eigenlijk van een privépersoon is.

Thomas' grote vraag: 'Van wie is die rekening bij de Skandiabank?'

'Raad eens.'

Twee uur later. Thomas belde Åsa om zich te verontschuldigen, het zou heel laat worden. Hij probeerde het uit te leggen. Er deed zich iets heel belangrijks voor op zijn werk. Ze begreep het, maar begreep het ook niet. Dat hoorde je aan haar stem.

Hägerström en hij hadden zoveel documenten doorzocht als ze maar konden. Hadden geprobeerd informatie te vinden van wie of welk bedrijf de rekening op Man was. Ze hadden niets gevonden. Moesten zich erbij neerleggen – die info was er niet. Ze zagen de betaling, het verband met Rantzell. Maar het essentiële ontbrak – wie had betaald.

'Eigenlijk zouden we een huiszoeking bij Bolinder moeten houden,' zei Hägerström.

Thomas zag er vragend uit. 'We hebben toch nog geen gerede aanwijzingen dat hij een misdrijf zou hebben begaan?'

'Nee, maar een van de boekhouders die ik een beetje bang heb gemaakt, zei dat Bolinder een controlefreak is. Hij schijnt thuis overal kopieën van te bewaren. En dan bedoelde hij ook echt alles: elk document dat is afgegeven, is volgens de boekhouder opgeslagen in Bolinders privéarchief. Die vent laat niets aan het toeval over.'

Thomas voelde kriebels in zijn buik. Hij wist wat hij moest doen.

Vanavond nog.

*

Expressen
30 december

Verdachte van de moord op Palme-getuige ontsnapt uit de rechtbank. De zitting in de rechtbank van Stockholm moest geschorst worden. De 29-jarige verdachte is vandaag op spectaculaire wijze ontsnapt door uit een raam te springen. De politie geeft een waarschuwing af aan de bevolking.

De 29-jarige zat al in hechtenis wegens verdenking van de moord op Claes Rantzell, voorheen Cederholm, een van de centrale getuigen in de Palme-rechtszaak tegen Christer Pettersson. Vandaag, 30 december, zou de 29-jarige voorkomen bij de rechtbank van Stockholm. Hij had al ongeveer vier weken in voorarrest gezeten en de rechter zou beslissen of hij in hechtenis moest blijven.

Geen handboeien
Om een of andere reden had de 29-jarige geen handboeien om in de rechtszaal. De zaak kwam voor op de eerste verdieping.

Toen de toehoorders de zaal hadden verlaten, sprong de 29-jarige op en sloeg een raam van de rechtszaal in. Toen de bewakers de man probeerden tegen te houden, stak hij een van hen met een stalen pen. Vervolgens verdween hij richting metrostation Rådhuset.

Het bewakingspersoneel verdedigt zich door erop te wijzen dat de handboeien van verdachten altijd af worden gedaan tijdens een rechtszaak en dat men geen redenen zag waarom er een uitzondering voor de 29-jarige gemaakt moest worden.

Expressen *heeft geprobeerd de rechtbank te bereiken voor commentaar op de vraag waarom ervoor gekozen is de zaak op de eerste verdieping te laten voorkomen.*

Waarschuwing van de politie
De Regionale Recherche heeft een waarschuwing aan de bevolking laten uitgaan.
De 29-jarige wordt ook verdacht van twee andere moorden. Volgens de politie
heeft hij veel ervaring met wapens en kan hij zeer gevaarlijk zijn.

Ulf Moberg
ulf.moberg@expressen.se

61

De flat leek stampvol met mensen. Maar eigenlijk waren alleen Mahmud, Robban, Javier, Babak en twee matties van Javier er. In de cd-speler: Akon met een monsterhit. Op televisie: MTV maar zonder geluid. Een sjampiefles in een ijsemmer, een doorzichtig plastic zakje vol met wiet en Rizla-vloei op tafel.

Mahmud zou zich dolgelukkig moeten voelen – de matties, de muziek, de marihuana, de champagne. De sfeer. Oudejaarsavond zou *top of the line* zijn. Later zouden ze de stad in, snorksel snorkelen, feest feesten, mities scoren – meiden verslinden als piranha's. Het nieuwe jaar zo hard in neuken dat de meiden tot Driekoningen of hoe dat ook heette niet konden lopen.

Toch: hij had die aanslag op de Joego's en hoerenneukers willen doen. Jorges verhaal had hem getriggerd. Niklas' planning was vet serieus geweest, als in een echte oorlog. Het zou een aanval geworden zijn, een massieve guerrilla-aanslag. Een kapot moeilijke rippartij: de buitenwijk tegen de Zwedo-mannetjes, op hun eigen terrein – op de voorwaarden van de buitenwijk-miljonairs.

Maar Niklas was weggebleven. Mahmud pissed. Die commandogozer kon de kanker krijgen – lafbek.

Hij liep de keuken in. Haalde champagneglazen.

Babak smilede. 'Wauw, man, het gaat goed met je. Niet alleen een ijsemmer, je hebt ook echte glazen gekocht, zie ik.'

Mahmud ontkurkte een fles. Het was nog maar zeven uur maar hij wou niet wachten met de bubbels.

Robert lachte. 'Je lijkt goed in de pegels te zitten, ouwe.'

Mahmud knikte. Schonk de jongens in.

'Ik werk dubbel. Maar niet zo fokking lang meer.'

'Wat nou? Je dealt, je doet de hoeren. Dat klinkt als een topcombinatie, Big-Mac & Co zegma.'

'Hou toch op, spillepoot. Ik wil stoppen met de hoeren. Het is niks. Alleen rans.'

Babak zette zijn glas neer. Keek hem aan.

'Ik snap er geen reet van, ashabi. Je mag elke dag met gewillige chicks werken.

Je kunt met ze doen wat je wilt. Sandwichen, gangbangen, hattrick.'

'Dat gelul kan ik niet horen. Het is zo sloeberig met hoertjes.'

Babak schudde zijn hoofd. Begon met Robert te praten. Mahmud deed alsof hij het niet hoorde – dacht aan Gabrielle, de meid die hij afgelopen herfst had gehad en waarmee het gênant was afgelopen. Nu zou hij het vergeten. Feesten. Hopelijk kunnen ballen. Met iemand die zin had.

De avond ging voort. Het was acht uur. Babak lulde aan één stuk door. Ouwehoerde over nieuwe cokezaakjes, ideeën voor waardetransportovervallen, uitsmijters die hij in de stad kende, die nieuwe superauto Audi R8 waarin hij vóór kerst een proefritje had gemaakt.

Robert lachte steeds harder. De bubbels begonnen hun werk te doen. Javier en zijn vrienden kletsten met elkaar, de helft van de tijd in het Spaans.

Mahmud hoorde een geluid dat hier niet paste. Niet de muziek. Niet iemands mobiel. Niet iets van buiten. Hij begreep wat het was: er werd aangebeld. Hij stond op.

De boxen knalden. Timbaland in topvorm.

Babak overschreeuwde het nummer: 'Wie is dat?'

Mahmud haalde zijn schouders op. 'Geen idee. Misschien een van al die meiden waarover jij zit te lullen.'

Hij keek door het spionnetje. Donker in het trappenhuis. Zag geen flikker.

Acht uur op oudejaarsavond – wie kwam er nu zonder het licht in de hal aan te doen? Hij herinnerde zich hoe Wisam Jibril die ochtend afgelopen zomer naar zijn vaders flat was gekomen.

Hij deed de deur open.

Een kerel. Nog steeds donker. Mahmud probeerde te zien wie het was. De man was vrij lang, geschoren kop.

Hij zei: 'Ik ben terug. Jalla, nu gaan we ervoor, Mahmud.'

Mahmud herkende de stem.

'Jezus man. Waar heb jij verdomme uitgehangen?'

Niklas stapte de flat binnen. Hij zag er anders uit dan anders. Geschoren schedel. Dun baardje. Donkerder wenkbrauwen dan de vorige keer dat ze elkaar gezien hadden.

Mahmud herhaalde de vraag.

'Waar ben je geweest? We zouden die actie toch zetten vanavond. Sukkel.'

'Niet zo'n toon tegen mij.' Niklas klonk kwaad. Daarna grijnsde hij. 'Hoorde je niet wat ik zei? Ik ben terug. We doen het. Nu. Jalla.'

Een halfuur later. De stemming totaal anders dan toen de bubbels op tafel hadden gestaan en de stereo de hele sfeer nog eens had opgejackt. Ernstig, rustig, gefocust. Tegelijkertijd: opgetogen, gretig, scherp. Mahmud had eerst niet begrepen waar Niklas het over had. Maar toen hij het snapte, voelde het

goed, supergoed. Ze zouden de aanval doorvoeren. Zolang de jongens het oké vonden – het werd echt kankergroots.

Javiers vrienden waren eruit gezet. Ze waren een beetje pissig, maar Mahmud had ze het zakje wiet gegeven. Ze zagen er nog steeds verongelijkt uit, maar ze accepteerden het. Er waren vanavond nog zat andere feesten in de stad.

Babak, Javier en Robert zaten op de bank. Niklas en Mahmud ieder op een stoel. Mahmud nog steeds een beetje droengoe. Maar over een paar uur zou zijn harses weer helder zijn. De Rizla-vloei, mobiele telefoons, champagne en de glazen weggehaald. In plaats daarvan: kaarten, luchtfoto's van internet, tekeningen, foto's van het huis. En de wapens – de AK4's, de Glock plus Niklas' eigen pistool, een Beretta. Superarsenaal.

Niklas nam het plan door met de jongens. Mahmud probeerde hem af en toe aan te vullen, vooral voor de vorm. Niklas was de man die alles wist.

Babak stak zijn vinger op, als het ijverige schooljongetje dat hij nooit was geweest. 'Die Joego's die die party houden, hebben ze wapens?'

Niklas keek naar Mahmud. 'Mahmud, jij werkt met die schoften.'

Mahmud kuchte. Vaag gevoel: hier met zijn homies serieuze aanvallen zitten doorspreken samen met een halfgestoorde legosoldaat die schijt leek te hebben aan het geld en alleen mensen wilde afstraffen. Als in een film of zoiets – Mahmud wist alleen niet welke ook alweer.

Hij probeerde Babaks vraag te beantwoorden. 'Weet ik eigenlijk niet goed. Maar ik heb nooit blaffers gezien. Ik denk dat sommigen van hun ze wel hebben, Ratko bijvoorbeeld. Maar waarom eigenlijk? Als de hoeren moeilijk lopen te doen dan is een klap genoeg. En de hoerenlopers houden zich natuurlijk wel koest. En ze verwachten natuurlijk niet direct dat de swat-allochtonen uit Alby hun entree zullen maken, ja toch?'

De jongens lachten. Babak grijnsde, zei: 'Shit man, de swat-allochtonen, dat zijn wij.' De stemming werd ontspannener. Robert zei: 'De Joego's gaan hun ondergang tegemoet, dat heb ik altijd al gezegd, of niet soms?' De jongens relaxten. Zelfs Niklas smilede.

Om een uur of tien kwamen ze overeind. Stopten een tas in Mahmuds auto: de wapens en de betonschaar. Ze verdeelden zich over de auto's. Niklas loodste ze naar de Gösta Ekmansväg in Axelsberg. Parkeerden daar. Geen mens op straat. Iedereen die op oudejaarsavond ergens om tien uur wilde zijn, had gezorgd dat hij daar al was.

Niklas zei tegen Mahmud: 'De kogelvrije vesten, kleding en andere spullen liggen binnen. Maar ik kan niet naar binnen gaan. Kunnen jij en een van je vrienden de spullen halen?'

'Hier woont je ma toch, waarom kun je er niet naar binnen? Wat doet je moeder vanavond? Is ze thuis?'

'Ik heb geen idee. En we gaan niet bij haar langs om het te vragen. Heb je de

kranten niet gelezen? Heb je niet begrepen in wat voor situatie ik zit?'

Mahmud las dat soort kranten niet. Hij keek Niklas aan. Hij zag er echt anders uit dan de vorige keer dat hij hem gezien had. Magerder, harder. Nog meer fanatisme in zijn ogen. En verder die geschoren kop en dat baardje. Hij zei: 'Nee, wat is er aan de hand?'

Niklas antwoordde: 'Wat niet weet, wat niet deert. Laat maar, ik vertel het je een andere keer wel. Maar ik kan niet naar binnen. Jullie moeten gaan.'

Mahmud liet een paar seconden verstrijken. Hij dacht: die gozer is echt een beetje gestoord. Maar toch oké ergens. Hij durft, hij slaat terug. Net als ik al tijden geleden had moeten doen.

Mahmud stapte uit. De sleutels in zijn hand. Babak kwam zijn auto uit. Hij had zijn muts ver naar beneden getrokken. Liep met zijn lichaam een beetje achterover, probeerde er ontspannen uit te zien.

Het was koud.

Ze gingen het portiek binnen. Naar de kelder. Op de stortkoker een briefje: HELP ONZE VUILNISMANNEN – SLUIT DE ZAK! Ze liepen een trap af. Een stalen deur. Een Assa Abloy-slot. Mahmud opende de deur. Deed het licht aan. Daar: kelderboxen op een rij. Hij zocht naar nummer twaalf. Eén minuut. Vond de box. Deed hem open. Twee zwarte vuilniszakken vol zacht spul. Hij checkte. Het waren de kogelvrije vesten, de kleren en de andere spullen.

Terug in de auto. Mahmud startte de motor. Javier op de passagiersstoel. Robert achterin. Niklas was samen met Babak in diens auto gaan zitten.

Hij startte. Volgde Babaks auto.

Robert boog zich voorover vanaf de achterbank.

'Effe serieus, redden we dit?'

Mahmud wist niet wat hij moest zeggen. Hij zei: 'Kijk eens goed naar die commandogozer. Die gast is zo koud als een gletsjer. Ik vertrouw hem.'

Robert stak zijn hand uit. Een luciferdoosje. Een dun sealtje. Hij draaide zich om naar Robert.

'Is dat wat wit dynamiet?'

Robert met een scheef glimlachje.

'Ik denk dat we vandaag wat extra kracht nodig hebben.'

Mahmud haalde een snuifbuisje uit zijn binnenzak. Stopte het in het sealtje. Zoog.

Buiten sneeuwde het krankzinnig.

Alsof de ijstijd terug was.

62

Niklas herhaalde voor zichzelf: si vis pacem, para bellum – als je vrede wilt, bereid je dan voor op oorlog. Zijn mantra, zijn levenstaak. Hij had zich voorbereid, zijn aanvallen gepland, de daders bewaakt, op de juiste manier toegeslagen, bij de juiste personen, op de juiste tijd. Toen kwamen de gebeurtenissen van afgelopen tijd: de hechtenis, de ontsnapping en nu – een stelletje clowns. BOG, *Boots On the Ground*: vijf personen – maar eigenlijk telden ze voor drie. Mahmud was nog wel oké, hij was hopelijk net zoveel waard als een soldaat, maar die andere figuren telden wat hem betreft voor één. Er waren dingen waar hij zich niet op had kunnen voorbereiden.

En in zekere zin was het zijn moeders schuld. Zíj had zijn alibi opgeblazen – de filmavond bij Benjamin naar de klote. Hij zou geen schijn van kans hebben gehad als er een rechtszaak van gekomen was, hoewel de advocaat geslepen leek.

De vlucht uit de rechtbank was haast nog soepeler verlopen dan hij had verwacht. Zodra Niklas in het metrostation was, richtte hij zich op een oudere man. Het was bijna nieuwjaar dus er waren veel mensen op de been. Toch: op het perron bijna alleen maar vrouwen met zwangerschapsverlof en bejaarden. De man behoorde tot de laatstgenoemde categorie. Niklas dwong hem tegen de grond, hoefde hem niet eens te slaan, pakte zijn schoenen en lange jas af. De mensen om hem heen vertrokken nauwelijks een spier – niemand probeerde hem tegen te houden. Symptomatisch: de losers stonden gewoon toe te kijken. Dat was een deel van het probleem. De maatschappij bestond uit omstanders. Er kwam een metro binnenrijden. Tot nu toe had hij geen politie gezien. Alles was snel gegaan, een paar seconden geleden was hij uit het raam van de rechtbank gesprongen. Zijn gedachten in oorlogsstand. Strategische overwegingen in fast forward. Deze metro nam hij niet. Toen hij wegreed uit het station sprong hij erachter op het spoor en liep in tegengestelde richting door de tunnel. Mensen die hem hadden gezien zouden hopelijk geloven dat hij was ingestapt, verdwenen was naar het volgende metrostation.

Een paar honderd meter in het donker. Het licht van het volgende station was als een witte stip zichtbaar in de verte. Aan de muren hingen blauwe seinlampen en dikke snoeren. Hij rende. De schoenen van die oude man zaten goed.

Hij had ze alleen maar nodig tot hij zijn eigen spullen te pakken kon krijgen. Tot nu toe waren er geen metro's langsgekomen, en die zouden hem ook niet tegenhouden – de ruimte tussen het spoor en de muur was meters breed. Wat hem wel kon tegenhouden: de ratten die in het grind renden.

Ratten.

Een paar seconden stilte. Het donker sloot zich. Het geluid van de kaken van de beesten.

Niklas bleef staan. Hij moest eruit.

De ratten bewogen zich over het spoor.

Hij herhaalde voor zichzelf: ik moet eruit.

De beelden kwamen terug. De kelderbox toen hij kind was. Alle ratten in de zandbunker.

De gedachte helder als het licht verderop in de tunnel: als ik hier nu niet uitkom en mijn taak volbreng, dan heb ik geen bestaansrecht meer. Ik ga ten onder. IK GA TEN ONDER.

Hij weigerde.

Weigerde een passieve toeschouwer van zijn eigen lot te zijn. Tot nu toe had hij zich laten leiden door de omstandigheden. Natuurlijk, hij maakte keuzes – maar altijd op basis van de situatie, gebaseerd op wat anderen deden, hoe hij zich voelde, wat mama vond. Externe feiten, bijgebeurtenissen die niet werkelijk voortkwamen uit hemzelf. Waarbij hij zichzelf niet transcendeerde. Waarbij hij niet zijn eigen weg bepaalde. Vandaag zou hij van richting veranderen. Hij was een levende kracht. Een tegenwicht voor alle anderen.

Hij zag andere lichten in de verte.

Het spoor vibreerde. Er kwam een metro de tunnel in.

Hij drukte zich tegen de muur aan. Probeerde te zien of de ratten er nog zaten.

Een lichte drukgolf in de tunnel. Alsof de lucht voor de metro uit werd gedrukt.

De metro raasde voorbij. Hij stond stil. Heel dicht tegen de muur.

Daarna rende hij. Naar het licht.

Hij hoorde de dieren niet. Hij bewoog zich alleen maar.

Klom op het perron.

Het was elf uur. Een moeder met kinderwagen nam hem op.

Niklas rende de roltrap op.

Hij zou het redden.

Terug in het heden. De auto, de sneeuw. De Arabier bij wie hij in de auto zat heette Babak.

Niklas vertelde over de villa. Gaf de routebeschrijving. Legde het plan van aanpak keer op keer uit. Babak knikte alleen maar. Hield het stuur stevig vast, alsof hij bang was het kwijt te raken.

Ze reden via de Nynäsvägen de stad uit. Nauwelijks auto's. Grijzige sneeuwhopen langs de weg. Diepe sporen in de sneeuw.

Niklas dacht aan Mahmud en zijn mannen. Ze hadden energie. Ze deden stoer. Maar dat was niet genoeg. Gozers als zij: wisten niet wat structuur, orders en samenwerking betekenden. Het waren individualisten die als ricochetpijlen door het leven stuiterden. Begrepen het belang van organisatie niet. Konden hopelijk met wapens omgaan – volgens Mahmud hadden ze geoefend. Misschien konden ze met de diepe sneeuw omgaan – voorthijgen door een pak van vijftig centimeter. Misschien zouden ze de aanval, de bestorming, de inbraak voor elkaar krijgen. Maar konden ze de situatie die daarop volgde aan? Niklas had niet genoeg tijd gehad. Hij voelde zich onzeker.

Hij belde Mahmud en beval hem iedereen te zeggen hun telefoon te doden.

Babak sloeg af naar Smådalarö. De duisternis buiten de autoruiten compact. Het sneeuwde niet meer.

Hij moest ophouden zich zorgen te maken. In de stemming komen. Aan battle rattle denken.

Zeven minuten later hielden de auto's halt. Eigenlijk zouden ze alleen voor vanavond auto's gestolen of gehuurd moeten hebben, maar dat ging nu natuurlijk niet, alles was zo snel gegaan. Ze parkeerden voor een groot wit huis. Niklas wist wat dit was: het clubhuis dat bij de golfbaan hoorde.

Niklas stapte uit. Deed de kofferbak open. Haalde een van de zwarte vuilniszakken eruit. Goed dat Mahmud ze uit zijn moeders box had kunnen halen. De smerissen bewaakten de flat gegarandeerd, wachtten tot ze hem weer op konden pakken. De kranten hadden het debat rondom de ontsnapping opgestookt.

Hij liep met de zak naar Mahmuds auto. De lucht was donker, het sneeuwde niet meer. De Arabier opende zijn portier. Niklas zei: 'Hier, trek aan in de auto. Dat is beter dan hier staan. We willen geen aandacht trekken als er iemand langskomt.' Mahmud pakte de zak aan. Niklas liep terug naar Babaks auto. Haalde de andere zak eruit. Nam hem mee de auto in.

Ze begonnen zich om te kleden.

Thermo-ondergoed dat Niklas bij Stadium had gekocht. Ze zouden een tijd in de kou lopen. Daaroverheen: het kogelvrije vest – de pantserstukken stevig vastgezet, naar het lichaam gevormd. Het draagsysteem was geïntegreerd in de pantserstukken zodat het gewicht gelijkmatig over het hele lichaam verdeeld werd. Misschien niet de beste spullen die je kon krijgen, maar ze waren goed genoeg. De vesten zouden in elk geval lichter lijken dan ze eigenlijk waren. Hart, longen, lever, nieren, milt en ruggengraat beschermen.

De zwarte waterafstotende broek aan. Krap om je in de auto om te kleden. Hij maakte de veters van zijn laarzen vast. Hoog, veertien gaatjes, leer, meer dan vierhonderd gram Thinsulate voering. Waterdichte, ademende membranen

voor winterkou, bewakerstaken en gewapende aanvallen. Hij trok zijn handschoenen aan: gevoerd, zwart leer. Daarna het dunne gewatteerde jack over zijn
vest. De warmte in de auto voelde haast vochtig aan.

Ten slotte: de bivakmuts – opgerold, klaar om over zijn gezicht getrokken te
worden.

Babak voorin: probeerde zich in zijn broek te wurmen.

Niklas zei: 'Het spijt me dat ik geen schoenen voor jullie geregeld heb. Ik had
er geen tijd meer voor.'

Babak grinnikte even.

'Dan moet ik het maar met mijn gewone winterschoenen doen.'

Niklas keek naar beneden. Babak had een paar witte sneakers aan zijn voeten.
Het zou koud en nat worden. Hoopte dat die jongen er tegen zou kunnen.

Ze stapten uit. De weg was donker. De lucht rook schoon. Verderop, achter
de golfbaan, zag hij de bomen. Niklas haalde een rugzak uit de kofferbak. Deed
hem open. Was zichzelf dankbaar dat hij zoveel voorbereid had. Haalde de Beretta eruit. Stopte hem in een van de voorzakken van zijn jas, de munitie in de
andere.

Hij liep naar Mahmuds auto toe. De Arabier draaide het raampje naar beneden. Het leek erop dat ze daarbinnen klaar waren met omkleden.

Niklas zei: 'Oké jongens, zo meteen is het zover. Vanaf nu gelden er militaire
regels. Begrijpen jullie?'

Mahmud knikte.

Niklas vervolgde: 'Ik zal heel eerlijk tegen jullie zijn. We hebben dit niet kunnen plannen zoals nodig was. Maar het moet vanavond gebeuren. Dus we zullen sommige dingen moeten improviseren. Er zijn een paar dingen waar jullie
aan moeten denken.'

De wind wakkerde aan. Niklas moest zijn stem verheffen om zich verstaanbaar te maken. 'We praten Engels met elkaar. Begrepen?'

De jongens in de auto en Babak knikten.

'Verder gebruiken we nooit elkaars naam. Zeg alleen een nummer. Ik ben
een, Mahmud is twee, Babak drie, Robert vier en Javier is vijf. Kunnen jullie dat
herhalen? Wie ben jij, Mahmud?'

Ze noemden de hun toebedeelde cijfers een paar keer, tot Niklas tevreden
was.

'Raak nooit iets aan zonder handschoenen. En tot slot – doe in geen geval je
bivakmuts af. Zelfs niet als je gewond raakt in je gezicht. Nooit. Is dat duidelijk?'

De jongens knikten.

Niklas zei: 'Ik wil dat jij, Javier, een keer herhaalt wat ik net gezegd heb.'

Javier opende het portier. Vertelde kort over de namen, de taal, de mutsen.

Niklas zei: 'Je vergeet de handschoenen. Doe nooit, in geen geval, je handschoenen uit. Is dat begrepen?'

De jongens knikten weer. Niklas vroeg Robert het te herhalen. Daarna Babak.

Na elke keer knikten ze. Niklas hoopte dat dat iets betekende.

Ze waren door het bos gelopen, tot de omheining. Hadden door de sneeuw geploeterd. Geen van de gozers had tot nu toe geklaagd. Niklas bleef staan. Deed zijn rugzak af. Wroette erin met zijn hand. Haalde vier handsets tevoorschijn.

'Ik heb vier walkietalkies. Ze zijn veel beter dan mobiele telefoons. Niemand kan achterhalen dat we deze hebben gebruikt. Twee ervan zullen Mahmud en ik gebruiken, wij gaan het huis in. De derde handset is voor jou, Robert, en de vierde is voor jou, Javier. Jullie blijven buiten het huis.'

Hij wees naar de lager gelegen weg. 'Nu gaan we naar beneden en checken de toegangshekken.'

Vijftig meter verderop zagen ze het licht van de weg. Langzaam kwam er een auto aanrijden. Ze kwamen dichterbij. Zagen het silhouet van het hek in het licht van de koplampen. De auto stopte: Range Rover, model extra large. Niklas zag het hek. Twee mannen liepen naar de auto toe. De raampjes werden naar beneden gedraaid. Een van de mannen stak zijn hoofd naar binnen. Zei iets. Daarna gebaarde hij de auto door te rijden.

Het hek schoof open. De auto reed naar binnen.

Het was twintig voor twaalf.

De maan was koud en groot. Niklas leidde de jongens weer langs de omheining. De sneeuw reflecteerde het weinige licht van het huis en de maan dat door de bomen viel. Het was genoeg, hij hoefde de nachtkijkers niet tevoorschijn te halen.

Hij kende dit gebied. Kende de gevel van het huis, de hoeken, de afstand tot de omheining. Hij wist waar de omheining liep, waar grotere stenen lagen en waar de bomen minder dicht op elkaar stonden.

Ze liepen nog dertig meter verder. Stil. Rustig. Gefocust.

Niklas bleef staan. 'Hier Robert, moet jij staan. Je weet wat je moet doen. Ga op die steen zitten wachten. Ik meld je via de walkietalkie als het tijd is om te beginnen. Rond twaalven is dat.'

Robert leek de ernst te beseffen. Knikte grimmig. Greep de AK4 met beide handen vast. Mahmud pakte zijn hand.

'Zie je later, ashabi. Dit wordt groots.'

Ze ploeterden verder.

Honderd meter. De achterkant van het huis was zichtbaar tussen de bomen. Er viel warm licht door de ramen.

Zelfde procedure met Javier. Ging op wacht staan met de AK4 in de aanslag. Paraat. Klaar voor zijn opdracht.

Het voelde goed. Tot nu toe.

Vijftien meter verder. Alleen Niklas, Mahmud en Babak. In het zwart ge-kleed, donker als de woestijnnacht. Niklas tastte naar de Beretta. Haalde hem voor de laatste keer uit zijn zak. Haalde het magazijn eruit. Inspecteerde het in het schijnsel van de maan. Hij kende deze blaffer als zijn broekzak. Hij dacht aan Mats Strömberg en Roger Jonsson. Schoften die hun doder hadden ont-moet. Nog even en er zou nog meer rechtvaardigheid heersen. Het nieuwe jaar zou goed beginnen.

Ze bleven staan bij het vooraf bepaalde punt bij de omheining. Hiervandaan was de afstand naar de achteringang van het huis het kortst. Niklas deed zijn rugzak af. Haalde de betonschaar eruit. Ging op zijn hurken bij de omheining zitten. Begon van onderen. Knipte in het dunne staal, simpel als papier.

Na vijf minuten: een gat van een meter hoog, vijftig centimeter breed.

Ze bukten. Gingen naar binnen. Achter de linies van de vijand.

Vijfentwintig meter. Langzaam. Niklas op kop. Bleef laag, militaire positie.

Weer vijf meter. Het huis kwam dichterbij.

Weer vijf meter. Niklas hield halt. Keek voor zich. Geen mensen buiten het huis voor zover hij kon zien. Zocht weer in zijn tas. Toch die *goggles* maar op. Mahmud en Babak gingen achter hem zitten. Hij scande de gevel. Raam na raam. Het licht van binnenuit werd versterkt door het effect van de nachtkijker, sneed in zijn ogen. Hij nam de deur op: niemand ervoor. Alles wees op groen licht.

Hij deed de kijker af. Draaide zich om naar Mahmud. De Arabier had zijn bivakmuts nog steeds niet naar beneden gerold. Niklas fluisterde: 'We gaan over tien minuten.'

Mahmud grijnsde breed. Stak zijn duim in de lucht.

Er was iets *fishy*. Mahmud zag er vreemd uit. Niklas liet hem niet los met zijn blik. Deed een stap in zijn richting.

'Laat me je mond nog eens zien.'

Mahmud grijnsde weer.

Zijn tanden waren donker, zagen er haast blauwachtig uit. Misschien was het het schijnsel van de maan.

'Wat heb je goddomme gegeten, man?'

Mahmud grinnikte. Antwoordde zachtjes: 'Rohypnol, natuurlijk. Dan wordt je mond een beetje blauw. Wist je dat niet, ouwe? Wil je wat?'

Niklas wist niet wat hij moest doen. Heel even wilde hij Mahmud in zijn gezicht schieten. Bolinder mocht hier komende lente best een ontdooid Arabie-renlijk vinden. Daarna voer er een andere gedachte door zijn hoofd: hij moest de aanval afblazen. Opstaan en wegsluipen via dezelfde weg als waarlangs ze gekomen waren. Dan konden deze twee amateurs verder doen wat ze wilden. Toch bleef hij staan in de sneeuw. Hurkend. Huiverend. Helemaal lamgeslagen. Zo mocht het niet aflopen. Hij had het zichzelf beloofd. Ik bepaal. Ik beslis. Ik geef niet op. Ik oefen invloed uit.

'Hoe lang geleden heb je die shit genomen?'

'Vlak voor we die Range Rover zagen. Ik wilde lekker op dreef zijn. Er is niks aan de hand Niklas, ik zweer het je. Ik neem altijd roofies voor een actie.'

'Je hebt je vergist. Maar nu moet het maar. Je neemt daar niks meer van. Begrepen?'

Mahmuds smile verdween. Hij keek naar de grond. Misschien begreep hij zijn blunder. Misschien had hij gewoon geen zin om tegen te sputteren.

Vijf minuten. Ze lagen op de grond. De sneeuw raakte hun kin. Het huis: vijftien meter verderop. De ingang van de keuken was goed te zien. Een houten deur – met negentig procent zekerheid: op slot. Niklas kon de muziek vanuit het huis horen. Mensen achter de gordijnen zien bewegen. Muziek, gelach. Hoerengeluiden.

Hij wroette in zijn rugzak. Zijn zelfgemaakte IED: *Improvised Explosive Device*. Zijn handgemaakte granaat. Hij zag eruit als een zwart bierblikje.

Mahmud en Babak lagen schuin achter hem.

Niklas hield de granaat in zijn rechterhand. Keek op zijn horloge. Het was vijf voor twaalf.

Bijna tijd om de hoerenlopers het nieuwe jaar in te knallen.

63

Van de verdieping boven hem kwam muziek. Gedreun op het plafond. Bassen. Gelach. Thomas dacht aan het gedicht van de oude lievelingsdichter van zijn vader, Nils Ferlin, dat een plafond andermans vloer is. Daarna dacht hij: er is in het Zweden van tegenwoordig geen ruimte meer voor dichters. Veel te weinig mensen die het Zweeds überhaupt goed genoeg beheersen om dat soort dingen te lezen. Bovendien – de mensen die dan misschien Zweeds kunnen lezen, geven niks om poëzie. Gemis. Niet alleen gemis van zijn vader. Hij miste het Zweden dat niet meer bestond.

Voor hem: hoge magazijnkasten van metaal. Alles bij elkaar dertig strekkende meter. Klassieke zwarte mappen met vilten ruggen, die klikten als je ze dichtsloeg. Sloten zich om de papieren. Om de boekhouding, de bewijsstukken, de documenten. Hopelijk dezelfde papieren als die Hägerström en Thomas onlangs hadden doorgenomen. Hopelijk ook meer. Bewijs.

Oudejaarsavond vloog om. Het weer was eindelijk rustiger geworden, net voor hij naar binnen was gegaan – Åsa zou een perfect uitzicht op het vuurwerk hebben. Thomas was binnen, in zijn eentje – alleen tegen de macht. Alleen tegen degenen die hem dwarszaten. Nu was het zijn beurt om te laten zien wie er de baas was.

Hägerström had er eerst onthutst uitgezien. 'Je klust dus bij op een stripclub?' Maar de verbazing was snel afgenomen – de case was belangrijker. Toch ontraadde hij het hem. Miepte dat ze tot morgen zouden moeten wachten, moesten proberen eens met een of andere chef te praten, of direct met een officier van justitie. De papieren laten zien, verslag uitbrengen van wat ze hadden. Het verband tussen Rantzell en de Palme-moord en het concern van Bolinder. Een formeel huiszoekingsbevel regelen.

Thomas was vooral geïrriteerd geweest. 'Jij weet net zo goed als ik dat wat we hebben absoluut niet genoeg is. Wat hebben we nou eigenlijk voor bewijs? Die ouwe lul van een Rantzell heeft verdachte bedragen overgemaakt gekregen. Het heeft met het wapen te maken, daar ben ik zeker van. Maar op welke manier verwijst onze informatie eigenlijk naar iemand die iets met de moord te maken

zou hebben? En het verwijst al helemaal niet naar de moord op Olof Palme. Maar als we wat Ballénius over Rantzell vertelde combineren met de overgemaakte bedragen die jij hebt gevonden, weten we dat we op het juiste spoor zijn.'

Hägerström kneep zijn ogen samen. Zag er gekweld uit. Hij wist ongetwijfeld dat Thomas gelijk had. Toch zei hij: 'Kom op zeg, Andrén. We hebben dit hele onderzoek er nu lang genoeg naast gedaan. We moeten nu terug naar de formele weg. De juiste dingen op de juiste wijze doen. Anders kan alles mislopen. Ja toch?'

Thomas keek hem even aan. 'Ik zal heel eerlijk tegen je zijn. Ik heb politiemannen die andere politiemannen tegenwerken niet bepaald hoog zitten. Zulke mensen zijn in mijn ogen geen echte politiemannen.'

Hägerström staarde terug.

Thomas vervolgde: 'Bovendien ben je een betwetertje dat het een beetje te hoog in de bol heeft. Je zanikt over onbeduidende dingen, je hebt geen idee van collegialiteit in het algemeen en ik vraag me af of je wel met een Sig-Sauer kunt omgaan.'

Hägerström bleef hem aanstaren.

'Maar, aan de andere kant' – Thomas laste een kunstmatige pauze in – 'ben je de beste, scherpzinnigste, snelste diender die ik ooit heb ontmoet. Je bent loyaal geweest aan dit privéonderzoek van ons. Je bent ondanks alles wat er gebeurd is loyaal geweest aan mij. Je hebt humor, ik moet lachen om elke grap die je maakt. Je bent vooruitziend en moedig. Ik kan het niet helpen – maar ik mag je ontzettend graag.'

Nog steeds stilte.

'Ik begrijp het,' zei Thomas. 'Je hebt aanzienlijk meer te verliezen dan ik. Ik heb mezelf al buiten het systeem geplaatst. Ik heb het aan mezelf te danken, terwijl jij je baan kunt kwijtraken. En praktisch gezien is er nog een punt. Jij wordt nooit binnengelaten bij dat feest. Maar ik wel. Ik ben van plan een eind aan deze zooi te maken. Vanavond. Met of zonder jou.'

Hägerström stond op. Zei niets. Thomas probeerde zijn gezichtsuitdrukking te duiden. Hägerström liep naar de hal. Draaide zich om. 'Nou, ik dacht zo. Mijn avond zal erop neerkomen dat ik naar huis ga en me omkleed, en daarna naar de Half Way Inn ga om daar de rest van de avond te hangen. Een heleboel bier te drinken en misschien een paar glazen champagne. Om een uur of twee ben ik waarschijnlijk zo bezopen dat ik middernacht al ben vergeten. Wat heb ik te verliezen? Zo'n oudejaarsavond is niks om over naar huis te schrijven. Ik ga mee. Je doet niks zonder mij.'

Ze zaten ieder in hun auto onderweg naar Dalarö. Nauwelijks verkeer. Het was haast gezellig. De hete lucht en de stoelverwarming. Het geluid van de motor als een deken van geborgenheid op de achtergrond. Het licht van de koplampen

werd gereflecteerd in de sneeuwhopen die als hoge wallen langs de weg lagen. Hägerström reed voorop, had het adres ingevoerd in zijn gps. Thomas vermoedde dat ze niet aan dezelfde dingen dachten, zo ieder in hun eigen auto.

Hij had Åsa gebeld en verteld dat hij de hele nacht moest werken. Ze was deze keer verdrietiger dan anders, begon te huilen, vroeg zich af hoe het allemaal moest als Sander er zou zijn. Zou Thomas zijn ouderschap wel serieus nemen? Begreep hij wel wat het betekende om een gezin te hebben? Wat vond hij nou eigenlijk belangrijk in het leven? Hij had geen antwoorden. Ze mocht op dit moment nog niets weten.

Wie was hij eigenlijk? Politiementaliteit vermengd met zelfrechtvaardiging zat diep in hem. Tegelijkertijd was hij de afgelopen maanden veranderd. Had de mensen die hij normaal gesproken inrekende van dichtbij meegemaakt. Een soort vriendschap gevoeld. Aan de schaduwzijde van de samenleving hadden mensen ook een leven, hadden ze ook een moraal. Het waren personen bij wie je dichtbij kon komen. Ze maakten keuzes die vanuit hun situatie gezien de enige juiste waren. Thomas had de grens overschreden. De stap die hij had genomen – een doodzonde. Maar daar, in het rijk van de dood, onder de mensen die hij geteisem en uitschot noemde, had hij mensen gevonden die als vrienden waren. En als zij zijn vrienden konden zijn en hun keuzes juiste keuzes waren – wie was hij dan als politieman?

Hij probeerde zijn gedachten te onderdrukken. Concludeerde bij zichzelf: vanavond was het andere koek.

Veertig minuten later hield Hägerströms auto halt bij een donkere bosweg op Smådalarö. Thomas parkeerde achter hem. Bleef in de auto zitten en belde Hägerström. Ze spraken af dat Hägerström zijn auto op de bosweg zou zetten. Thomas zou proberen binnen te komen. Ze zetten alles op deze kaart.

Hij reed langzaam over de weg tot hij de afslag zag. Het was volle maan. Een toegangshek van zwart metaal. Hij parkeerde zijn auto tien meter van het bord. Wachtte. Naast het toegangshek zaten een camera en een groot bord: PRIVÉTERREIN. BEWAAKT DOOR G4S.

Een kwartier later kwam er een auto. Niet zomaar een auto: een limousine. Vaag gevoel: een limo à la Las Vegas op een winters weggetje aan de scherenkust. De auto reed tot aan het hek. Thomas zag niet precies wat er gebeurde. Na dertig seconden gleed het hek open. De auto reed naar binnen.

Thomas dacht aan de man voor het raam van zijn huis en de kerel die hem had neergeslagen in de garage. Misschien was het dezelfde persoon. Hij dacht aan Cederholm alias Rantzell, Ballénius en Ballénius' dochter. De agenten die normaal gesproken als vrienden waren: Ljunggren en Hannu Lindberg. Hij zag voor zich: Adamsson, gerechtsarts Bengt Gantz, Jonas Nilsson. De reis naar de situatie waar hij nu voor stond, was lang geweest. Toch was het haast alsof het van begin af aan zo bedoeld was.

Hij schakelde in zijn één. Reed langzaam naar het hek toe. De uitlaatgassen van de auto walmden achter hem alsof hij een kleine thermische centrale was. Hij hield halt. Draaide zijn raampje omlaag. Keek naar de bewakingscamera. Een stem uit een luidspreker: 'Goedenavond. Wat kunnen we voor u doen?'

'Ik heet Thomas Andrén, kunt u me binnenlaten?'

Een zwak gonzen aan de andere kant.

'Zeg tegen Ratko of Bogdan of wie daar ook binnen is dat ik hier vanavond moet werken.'

Geritsel in de microfoon, daarna een andere stem: 'Hallo Thomas. Ik wist niet dat je zou werken vanavond. Niemand heeft me erover geïnformeerd.' Het klonk als Bogdan, een jongen die vaak meehielp op de club.

Het hek schoof open.

Hij reed naar binnen.

De buitenverlichting ging schuil in de bosjes langs de weg, verlichtte de sneeuw op de takken van de bomen. Honderd meter misschien, daarna opende het bos zich. Een enorm huis van drie verdiepingen, grote ramen, zuilen bij de entree. Zeker twintig auto's op de parkeerplaats. De limousine was aan het keren. Vanuit een paar kamers scheen licht naar buiten. Er waren zachte geluiden te horen. Thomas parkeerde naast een zwarte Audi Q7. Liep naar het huis. Dacht: in wat voor zieke zaak begeef ik me nu?

Hij kreeg de kans niet om aan te bellen. De deur gleed open. Een gast die hij herkende maar van wie hij de naam niet wist had opengedaan. Een mega-Joego. Kleerkast. Was een enkele keer met Ratko mee geweest naar de club. Glimlachte. 'Ha diendertje, ik wist niet dat je zou werken vanavond. Ratko en Bogdan zijn hier ergens. Wil je ze spreken?'

Thomas antwoordde beleefd dat hij zou werken. Hij hoefde Ratko en Bogdan niet te spreken. Hij wist wat er gedaan moest worden.

Hij liep naar binnen. Een hal. Er lag vaste vloerbedekking op de vloer. Meter na meter blakers, schilderijen en wandkleden aan de muren. De ruimte was groter dan de hele benedenverdieping van zijn huis in Tallkrogen. Aan de andere kant van de hal: een aantal mannen – ze moesten met de limousine zijn gekomen. Ze waren allemaal gekleed in smoking, luidruchtig, in een feeststemming. Voor ze – het leek een garderobe: jassen hingen op een rijtje. Een garderobemeisje nam hun lange jassen aan. Thomas had kunnen vermoeden hoe het zou zijn, maar toch was hij verbaasd. Een mini-mini-minirokje, het onderste gedeelte van haar billen was te zien. Stay-ups met een kanten rand halverwege haar bovenbeen, uitdagende huid, strak korset, zwarte, hooggehakte schoenen. Het bovenstuk zag er niet goedkoop uit, maar was laag genoeg uitgesneden om haar decolleté tot een onmiskenbare blikvanger voor de garderobeklanten te maken. Net als de stripmeiden op de club, maar op een of andere manier nog chiquer opgedirkt.

Hij moest snel handelen. Hij pakte zijn mobieltje, stuurde een sms'je naar

Hägerström: 'Ben binnen.' Daarna keek hij weer om zich heen. Drie deuren voor zich. De mannen die hun jas hadden afgegeven, verdwenen door een ervan. Thomas hoorde harde geluiden vanachter die deur. Niet de juiste keuze voor hem. Hij draaide zich om naar de portier. 'Zeg, waar zei je ook alweer dat Ratko was?'

De kleerkast lachte, maakte een hoofdbeweging naar een van de deuren: 'Waar hij altijd is bij dit soort events, in de keuken natuurlijk.' Thomas was goddomme een genie. De uitsluitingsmethode moest net zo oud zijn als het beroep van deze meiden. Hij liep naar de laatste deur. Deed hem open. Kon hem niet schelen als de enorme Joego verbaasd zou zijn.

Achter de deur was het halfdonker. Een eettafel van zeker zeven meter lang. Lichte rococostoelen, kristallen kroonluchter, kandelaars op tafel, parketvloer. Een eetzaal. Twee deuren. Allebei halfopen. Uit de ene zag hij licht komen en hoorde hij het geluid van pratende mannen. Dat moest de keuken zijn. Hij nam de andere deur.

Een ander soort kamer. Schaars gemeubileerd: een smalle bank langs een van de wanden. Aan de muren: schilderijen, schilderijen en nog meer schilderijen. Spotjes die overal bevestigd zaten, zorgden voor kleine eilandjes van licht. Hij wist niets van kunst – maar dit leek nog het meest op pastelkleurige strepen tegen een wazige achtergrond. Anderzijds: moeilijk stond blijkbaar gelijk aan duur.

Hij liep de volgende kamer binnen. Het geluid van muziek en gelach werd sterker. Als wat hij zocht daarbinnen of in de keuken lag, was het onmogelijk. Hij keek om zich heen. De kamer was klein. Weer schilderijen aan de muren. Kleurig behang. En nog iets: een reling met leer omwikkeld, een trap. Naar beneden. Het was te mooi om waar te zijn. Waar ergens bewaar je archiefmateriaal? Niet in de gezelschapsruimtes. Niet in de privéruimtes. In de kelder. Hoopte hij.

Liep naar beneden.

De trap kwam uit op een deur. Hij voelde aan de deurkruk – op slot. Zo dom was Bolinder toch ook weer niet. Maar zo dom was Thomas Andrén evenmin. Hij haalde zijn elektrische loper tevoorschijn. Een echte diender zoals hij: het belangrijkste gereedschap na de wapenstok. Hij stak hem in het slot. Dacht aan de kelderdeur aan de Gösta Ekmansväg. Hoe hij de kapot geslagen Rantzell had gevonden. Het einde van deze geschiedenis was nabij.

De vertrekken in de kelder: bubbelbadruimte, sauna, zwembad. Washok, een kamer vol schilderijen die duidelijk niet geschikt waren om boven aan de muren te hangen, een klein vertrek met een hometrainer, lopende band en krachttrainingsapparaat. Smalle ramen boven in de ruimte. Helemaal achterin bevond zich het archief. Metalen magazijnkasten. Meer dan honderd mappen met materiaal. Bingo.

Hij checkte het klokje van zijn mobiel: elf uur. Zijn telefoon had hier beneden geen bereik. Het was tijd om te gaan zoeken.

Bijna twaalf uur: hij had geen bal gevonden. Toch was hij thuis in het materiaal. Herkende firmanamen, namen van bestuursleden, de banken die de rekeningen ter beschikking stelden, de werkzaamheden. Hij zocht alleen in de mappen over Dolphin Leasing, Intelligal AB en Roaming GI AB.

Hij kon hier niet de hele nacht blijven. Vroeg of laat zou de portier of een van de anderen zich afvragen waar hij was gebleven. Als hij hier dan moest werken – waarom werkte hij dan niet? Hij keek weer op zijn mobiel. Drie minuten voor twaalf. Voelde dat hij gauw iets zou vinden. Hij bleef even stilstaan. Dacht: had hij het juiste gedaan? Åsa laten zitten, zich hierin begeven. Hij weigerde eraan te denken: misschien zou hij hier vanavond niet levend vandaan komen.

De geluiden boven hem leken te verstommen.

Daarna klonken de explosies. De mannen juichten. Thomas ging op een stoel staan en keek door het raampje naar buiten. De lucht werd verlicht door flitsen van het vuurwerk. De maan was als een bleke schijf zichtbaar naast de kleurenpracht. Het was mooi.

De mensen gilden nog harder. Thomas zag niemand. Misschien waren ze naar buiten gegaan maar stonden ze ergens waar hij ze niet kon zien. Misschien waren ze nog steeds binnen.

Daarna hoorde hij een andere explosie. Die was absoluut dichterbij. Harder. Klonk alsof er iets crashte. Hij wist zeker: dat was geen geluid van vuurwerk.

64

Het was de hardste knal die Mahmud ooit had gehoord. Niklas had de balaclava over zijn gezicht getrokken – deed Mahmud denken aan foto's van milities in de Irakese kranten van zijn vader. Was gebogen door het donker naar het huis gelopen. Had de granaat bij de achterdeur geplaatst. Was tien meter terugge-kropen. De granaat explodeerde. Keihard geluid. De drukgolf als een trap tegen zijn borst. Sneed door hem heen. Floot door zijn oren. Niklas brulde: 'We gaan!' De nacht werd verlicht door vuurwerk. Knetterende geluiden in de lucht. Het voelde als in een droom. Misschien was het alleen het effect van de roofies.

Niklas stormde naar voren. Als in slow motion.

Mahmud haalde adem. Rende achter hem aan, naar het huis. De Glock in zijn rechterhand. Shit wat was het koud. Hij voelde zijn voeten maar nauwelijks: koud, nat, verstijfd.

Er gaapte een gat waar de achterdeur had gezeten. Roetsporen op de muur. Hout, baksteen, pleisterwerk in stukken. Het interieur van de keuken was van buitenaf te zien. De nacht in kleuren: groen, rood, blauw.

Niklas voor het gat. Daarna kwam hij. Babak als laatste.

Onthutste stemmen. Geratel op de achtergrond. Dat moesten Robban en Javier zijn die de AK4's van het Zweedse leger losleten op het huis. Ha, ha, ha – de al-lochtonen sloegen terug. Jorge, het plan van de latinokill zou knettervet kicken.

Ze gingen door het gat naar binnen.

De keuken was gigantisch. Ouderwetse sfeer. Overdadig versierde keuken-kastdeurtjes, marmeren platen, klinkers op de vloer. Spotjes aan het plafond. Twee gootstenen, twee ovens, twee tafels, twee magnetrons. Twee van fok-king alles. Zelfs twee kerels die er geschokt uitzagen. Opstonden. Lang. Breed. Kwaaie Joego's.

Een van hen was Ratko. Die Mahmud vernederd had. Bovendien: een van de gasten die Jorge als Radovans man genoemd had. Die deel uitmaakte van de opdracht. Omleggen.

Mahmud hield halt. Keek naar Niklas. Die soldaat wist waar hij heen wilde, was al bezig door een deur te verdwijnen. Schreeuwde: *'Knock that motherfuc-ker out!'*

Mahmud was heel even van zijn stuk gebracht door het Engels. Dubbele gevoelens: verward, tegelijkertijd opgewonden. De kerels voor hem begonnen in het Servisch te schreeuwen. Daarna reageerde hij. De Glock voor zich. Richtte hem op Ratko. De Joego in een spijkerbroek, wit overhemd, opgerolde mouwen. Testosteronkaken, scheiding in zijn dunne, geblondeerde haar, verbazing in zijn ogen. Mahmud zag Wisam Jibril voor zich. Beelden in zijn hoofd: hoe ze de Libanees voor de snackbar in Tumba hadden opgepikt. Hoe Stefanovic hem mee uit eten had genomen naar restaurant Gondolen en de situatie had uitgelegd: we maken iedereen die tegenstribbelt koud. Hoe Ratko hem in zijn gezicht had uitgelachen toen hij wilde kappen met de coke. Hij voelde de effecten van de Rohypnol in zijn bloed. De Joego's zouden stront vreten vandaag.

Mahmud drukte de gun tegen Ratko's hoofd. Hij stopte. Zweeg. Babak achter hem. '*Come on.*' Hij zag Niklas niet. Het gezicht van de Joego: vertrokken. Paniekerig. In doodsangst.

Mahmud kwam dichterbij. Drukte langzaam de trekker in met zijn vinger. Ratko zag wat er aan het gebeuren was.

De beelden in zijn kop. Als het geknal van het vuurwerk buiten. Op de open plek in het bos met Gürhans gun in zijn muil. In de Bentley-winkel met de schijtbenauwde winkeljongen voor zich. Ten slotte: Beshar. Papa. Zijn stem in rustig Arabisch: 'Weet je wat de profeet – vrede en zegeningen zij met hem – zegt over het doden van onschuldigen?'

Het handvat van de Glock voelde zweterig aan. Het witte materiaal van de keuken deed zeer aan zijn ogen. Vuile klootzakken.

Ratko was geen onschuldige.

Hij schoot.

Bam-bam-bam.

Voor papa.

65

Het eerste POC – *Point Of Contact* – met de vijand. Ze waren in het huis. Niklas scande de kamer, wit, wit, wit. Twee hoerenwachters. Beval Mahmud SBF – *Support By Fire*. Leg die klootzak om. De vrouwenuitbuiter, mishandelaar, combattant.

Niklas voelde zich thuis in de situatie. Het was lang geleden dat hij de adrenaline zo hard door zijn lichaam had voelen razen. Hij haalde een keer diep adem door zijn neus, ademde uit door zijn mond. Mentaal voorbereid. Weer in oorlog. Niet alleen man tegen man, maar met soldaten – een veldslag.

Ging verder door de deur naar de vertrekken waar de mannen zich moesten bevinden. FEBA – *Forward Edge of Battle Area*. Een eetzaal. Mis. Hij liep naar een andere deur. Opende hem, keek. Een hal. Draaide zich om: zag Babak de andere bewaker in de keuken vasttapen. Mooi. Beval Babak en Mahmud hem te volgen.

Buiten: Javier en Robert vuurden geen schoten meer af op het huis. Maar iedereen binnen moest de boodschap begrepen hebben: *area controlled*. Zou iemand een voet buiten het huis zetten, dan zouden ze weer als dollemannen tekeergaan. Alles wat zich bewoog doorzeven.

De hal door. De Beretta veilig in zijn hand. Een grote man die begrepen leek te hebben dat er iets gaande was. Waarschijnlijk de vent die mensen binnenliet bij de voordeur.

'Jezus man, wat ben je aan het doen? Wie ben jij?'

Niklas schoot een kogel in de knie van de vent. Hij zakte in elkaar alsof hij dood was al jankte hij als een wilde hond. Niklas beval Mahmud: '*Put some tape on that asshole.*'

Ze tapeten de polsen en de mond van de bewaker. Niklas ging verder voorwaarts. Alleen.

Nam via de walkietalkie contact op met Robert. Een paar snelle opmerkingen: 'We hebben hier drie mensen uitgeschakeld, de meesten kunnen gevaarlijk zijn denk ik. Maar hou de grote kamer waar ik op wees in de gaten. Ik ga daar nu naar binnen.'

Een immense kamer. Rood behang. Kristallen kroonluchters en spotjes aan

het plafond. Grote ramen aan een van de lange wanden. Een vier meter lange toog aan de andere kant. Zeker vijftig mensen daarbinnen: de helft meisjes, de helft ouwe kerels. Maar het waren niet zomaar ouwe kerels. De mannen die Niklas bij de pizzeria had bespioneerd waren Zweden uit de middenklasse, Oost-Europese pooiers en kerels uit grofweg de landen waar hij had gevochten. Deze hoerennaaiers: welvarende Zweedse mannen in smoking. Ze waren hier om te feesten en nog iets meer. Mahmud had eerder verteld wat hij via zijn opdrachtgever te weten was gekomen: dit waren niet zomaar mannen – dit waren hoge omes uit het Zweedse bedrijfsleven. Industriëlen, beursbonzen, grootaandeelhouders. De Zweedse topmannen. Hier om meisjesvlees te neuken.

De kerels en vrouwen hadden zich bij het raam verzameld. Onder de indruk van de verlichte nieuwjaarsnacht. Champagneglazen in hun handen. De laatste fanfare van kruit en kleur schoot door de hemel. Ze hadden nog niet begrepen dat ze aangevallen werden. Hadden de klappen van zijn IED niet gehoord, of ze in elk geval niet onderscheiden van de vuurwerkgeluiden. Alles was volgens plan gegaan: het gat aan de achterkant zouden ze nooit kunnen afsluiten. Altijd een weg open voor de aftocht. *Assault tactics.*

Twee seconden was genoeg. Hij peilde de stemming in de kamer: alsof ze op een gewoon nieuwjaarsfeest waren waar toevallig een paar jonge single meisjes waren beland. Alsof er niets aan de hand was. Niets smerigs. Niets vernederends. Maar Niklas wist: vrouwenhandel betekende mishandeling. En het was zijn roeping om mishandeling uit te roeien.

De meesten waren nog steeds van hem afgewend. Keken naar buiten of naar elkaar. Behalve twee jonge gastjes achter de bar. Een van hen reageerde op Niklas in de deuropening: een man met een naar beneden getrokken bivakmuts trekt de aandacht. Niklas liep verder naar binnen. Mahmud kwam naast hem staan. Babak had het bevel gekregen om buiten te wachten, de ingang te bewaken, *cover their backs.*

De barjongen begon iets te schreeuwen. Niklas hief de Beretta met beide handen. Een vaste greep. Hij wist: dit is het cruciale moment – alles kon misgaan. Een keerpunt. Een bottleneck in de oefening. Hij zette zich schrap. Rende.

Het pistool nu in één hand. Eén stap. Twee stappen. Vloog vooruit. Herinnerde hem aan de vlucht uit de rechtbank.

Hij ademde één keer. Twee keer. Zeven meter. Vijf meter. Bij de jongen. Hief zijn pistool. Hoorde hem zeggen: 'Jezus christus.'

Klap-klap. De Beretta keihard tegen het voorhoofd van de jongen. De jongen klapte in elkaar. Niklas draaide zich om. Zag de gezichten van de kerels en de meisjes, zij hadden zich ook omgedraaid.

Het was alsof de tijd stilstond.

Stilte.

Iedereen had de aanval gezien.

Niklas en Mahmud hadden alles onder controle. Niklas had Robert laten weten: 'We hebben het feest gevonden, we beginnen nu. Schiet op alles wat zich buiten het huis beweegt.'

De mannen opgesteld in een rij langs de muur. De meiden ernaast. Mahmud met zijn Glock constant op de groep mensen gericht. De barjongen en zijn collega getapet op de grond. Er konden meer pooiers, hoerenwachters in het huis zijn. Of eigenlijk, er zouden er meer *moeten* zijn: iemand had dat vuurwerk buitenshuis toch afgestoken. De kracht van Niklas en zijn soldaten: vanwege hun bezigheden waren deze mannen niet zo snel geneigd de politie te bellen. Dat wisten de mannen ook. Toch was het zaak dit handig aan te pakken. Hij wilde de verantwoordelijken hebben.

Niklas deed een stap naar voren. In het Engels: 'Ik wil Bolinder.'

Geen beweging bij de mannen.

'Wie is Bolinder?'

Een stem in de mensenmassa, sterk Zweeds accent: 'Er is hier geen Bolinder.'

Niklas antwoordde op zijn manier. Schoot op een van de kristallen kroonluchters. Hoorde de kogel boven ricocheren. Trok zijn bivakmuts half omhoog, ontblootte zijn mond.

'*Don't fuck with me* want dan pak ik jullie een voor een. Voor de laatste keer. Wie is Bolinder?'

De stilte in de kamer klonk luider dan het schot.

Er stapte een man naar voren. Met iele stem: 'Ik ben Bolinder. Wat willen jullie?'

Hij was wat gezet, keurig gekamd grijs haar, het overhemd van zijn smoking opengeknoopt zodat er wat grijs borsthaar te zien was. Hij keek Niklas aan. De ogen van de man waren grijs.

Niklas keek terug. Zei niets. Dit was de man die alles regelde.

Bolinder moest midden op de parketvloer gaan staan. Het licht van een paar spotjes viel op zijn gezicht. Niklas zag het duidelijk: deze hoerenverslinder was doodsbang.

Mahmud pakte de tape. Bolinder moest zijn armen achter zijn rug houden. De Arabier omwikkelde ze zorgvuldig. Legde de man op de grond. De zilveren tape schitterde stil.

Mahmud liep naar hem toe. Het wapen op het hoopje kerel gericht. Bewoog de Glock langzaam van rechts naar links en weer terug. Als er gelazer ontstond zou hij er hopelijk vijf, zes neer kunnen maaien voor hij overmand werd. Instinctief wisten de mannen dat ook. Niemand wilde het risico nemen.

Niklas schreeuwde in het Engels: 'Alle klootzakken gaan op de grond liggen. Nu. Leg je handen op je hoofd. Wie zich beweegt...' Hij maakte twee schietbewegingen met zijn wapen. Ze begrepen het.

Niklas zocht in zijn rugzak. Het ogenblik waar hij op had gewacht. Hij pakte

de plastic zak die hij weken geleden al in orde had gemaakt. Zijn eigen project naast het schaduwen van de vrouwenmishandelaars. Hij woog vrij veel, zeker zes kilo. Aan de buitenkant zag het er onschuldig uit, een grijze zak met zwart isolatietape eromheen gewikkeld en een compacte massa erin. Vanbinnen was het uiterst dodelijk.

Alles was zo snel gegaan. Nog maar even geleden zat hij in een rechtszaal en zou hij in hechtenis worden genomen. En nu: *the final battle*. Hij dacht aan zijn moeder. Ze begreep er niets van. Dacht dat onderdrukking hoorde bij het leven. Een herinnering. Hij was misschien acht jaar oud, toch begreep hij meer dan ze dachten. De tasjes waar Claes mee thuiskwam, de sfeer als hij en Catharina de glazen achteroversloegen en snel weer bijvulden met de inhoud van de flessen. Ze zeiden tegen hem dat hij een uurtje naar de kelder moest gaan. Daar had hij zijn eigen leven, als een of andere suffe Michiel van de Hazelhoeve. Hij wist het niet meer precies, maar iets beangstigde hem. Misschien een geluid of iets wat hij zag. Hij was nog een kind. Dacht dat de angst daar beneden in de kelder het ergste was. Toen hij boven kwam, zag hij zijn moeder erger geslagen worden dan hij ooit eerder had meegemaakt. Ze moest naar het ziekenhuis. Bleef daar twee weken.

En naderhand had hij zijn moeder gevraagd of het eerlijk was. Of Claes echt weer bij hen thuis mocht komen. Zou dat echt zo zijn? Haar antwoord was eenvoudig maar beslist: 'Ik heb het hem vergeven. Hij is mijn man en hij kan het niet helpen dat hij soms kwaad wordt.'

Het was Niklas' taak om het evenwicht te herstellen.

Hij legde de bom op Bolinders borst. De vent trilde als een blaadje in de avondbries bij Fallujah. Niklas in contrast: een vaste hand.

66

Thomas kwam de trap op. Er was iets mis. Eerst de knallen tegelijk met het vuurwerk. Hij kon het verkeerd gehoord hebben. Maar daarna niet meer: het geratel parallel aan het geluid van de rest van het nieuwjaarsspektakel – dat herkende zelfs een simpele diender als hij die gewend was aan de kleine negen millimeter Sig-Sauer – dat was een snelvuurwapen. Volkomen duidelijk: er was iets gruwelijk mis.

Zodra zijn mobiel weer bereik had, belde hij Hägerström. De telefoon ging één keer over. Ging meerdere keren over. Wilde hij niet opnemen? Thomas keek om zich heen. De kamer met het felgekleurde behang was leeg. Hij keek om de hoek van de deur naar de schilderijenkamer. Leeg. Hij probeerde Hägerström weer te bellen. De telefoon ging vijf keer over. Daarna hoorde hij Hägerströms hijgende stem aan de andere kant: 'Fijn dat je leeft.'

Thomas fluisterde in de hoorn: 'Wat gebeurt er in godsnaam?'

'Ik weet het niet, maar ik heb versterking gevraagd. Ergens in het pand waar je bent werd enorm geschoten. Er klonk een knal alsof ze iets opbliezen.'

'Wanneer komt de versterking?'

'Je weet, oudejaarsavond, Smådalarö. Ze zijn hier pas over twintig minuten, op zijn vroegst.'

'Shit, man. Maar wat moet ik doen? Er is hierbinnen iets gaande.'

'Gewoon op de politiewagens wachten. Ik kom niet alleen door het toegangshek.'

'Nee, Hägerström, dat gaat niet. Dit is onze kans om doorslaggevend bewijs te bemachtigen. Ik moet kijken wat er is gebeurd. Het kan verband houden met onze case.'

Hägerström zweeg. Thomas voelde een zweetdruppel op zijn voorhoofd. Wachtte op Hägerströms antwoord. Zou hij hem hierin steunen of niet?

Hägerström schraapte zijn keel. 'Oké, neem snel een kijkje. Maar doe alsjeblieft niks stoms. Je zei het al – dit kan de oplossing van onze case betekenen. Dus verpest het nu niet.'

Thomas stopte zijn mobiel in zijn binnenzak. Pakte zijn pistool. Bekeek hem een seconde. Geladen. Pas schoongemaakt. Vergrendeld. 't Voelde goed.

Thomas liep terug naar de salon met alle schilderijen. Daarna naar de hal.

De eerste ontdekking verraste hem. De mega-Joego in elkaar gezakt op de grond. Om zijn voeten, onderarmen en mond: een heleboel zilvertape. Bloedplas op de vloer – de knieën van de vent waren gehakt met broekstof. De portier staarde versuft voor zich uit. Thomas bukte zich. Ratsj – trok de tape over zijn mond er met één ruk af.

Fluisterde: 'Wat is er gebeurd?'

De bewaker leek groggy. Misschien door het bloedverlies, misschien door de shock, misschien was hij het loodje aan het leggen. Thomas haalde de tape van zijn armen los. De bewaker: doodstil. Thomas luisterde naar zijn ademhaling. Die was er nog. Zacht maar toch duidelijk. Hij gebruikte de losgemaakte tape om de wond aan zijn knie te verbinden. Trok aan – probeerde het bloeden te stoppen. Beter dan niets. Checkte de rug, de buik en het hoofd van de gast – hij leek verder geen wonden te hebben. Thomas legde hem in een stabiele zijligging. De man zou het overleven.

Thomas sms'te Hägerström: 'Bel amb. iem schot in knie.'

Liep verder. Stilte in het huis. Het gedreun, de muziek, het gelach waren weggevallen. Het huis voelde als een graf, als de kelder waar hij Claes Rantzell gevonden had. Thomas dacht aan de ademhaling van de bewaker: zo dunnetjes. Net als de lucht hier in huis. Zoals dit hele onderzoek. Het kon nu naar de klote gaan – Bolinders bizarre feest, de betrokkenheid van de Joego's, de betalingen aan Rantzell, de centrale getuige in de belangrijkste rechtszaak van Zweden.

Alles was dunnetjes.

Thomas bleef staan.

Haalde diep adem. Wat was er mis met de lucht hier?

Het gevoel alsof hij minder zuurstof kreeg. Alsof hij dieper moest ademhalen. Alsof zijn longen meer nodig hadden.

Hij hief zijn pistool. Sloot zijn ogen. Zag een beeld voor zich. Een jongen. Een gezicht.

Sander.

Daarna deed hij zijn ogen open.

Het was tijd om verder te gaan.

Hij liep een aantal kamers door. Geen mensen. Kleurig behang, schilderijen, een enkel beeld, de juiste belichting, de juiste kleurzetting, de juiste designmeubels. Bankstellen, fauteuils, vaste vloerbedekking, harmonische indruk. Thomas dacht: dit soort kerels verbergt hun ware ik met kunst met een hoofdletter K die geen normaal mens begrijpt. Een klassieker in schurkenverband – hoe groter de boef, hoe groter de kunstenaars aan de muren. Lekker om even te ontspannen met wat gewone, bittere gedachten.

Hij liep door een gang. De verlichting kwam vanuit de vloer.

Hij pakte een deurkruk vast. Voorzichtig. Langzaam. Drukte hem naar be-

neden. De deur ging naar buiten toe open. Een kier. Hij hief zijn wapen. Ging voor de zekerheid door zijn knieën. Keek naar binnen.

Een grote ruimte. De kristallen kroonluchters aan het plafond waren het eerste wat hij zag. De kamer leek te licht. De lampen fonkelden. Meteen daarna zag hij de mensen. Minstens vijftig. Mannen en vrouwen. Op hun buik, handen op hun hoofd. Gezicht naar de grond. Thomas zag niet wie het waren. Kon er alleen naar raden.

Hij keek beter. Voor de groep lagen drie mensen. Vastgetapet, dubbelgevouwen. Een van hen zag er bewusteloos uit. De tweede staarde wezenloos voor zich uit. De derde: was ergens in gewikkeld. Op zijn buik een zwaar ogende plastic zak. Vanaf de plastic zak liep een snoer naar een grijs doosje.

Er waren nog twee personen in de ruimte. Twee mannen met verborgen gezichten. Naar beneden gerolde bivakmutsen, donkere kleren, ze leken er kogelvrije vesten onder te dragen. Misschien waren het profs. De een vrij slank, een Beretta in zijn hand en misschien ook iets in zijn andere hand. Op een afstandje van de mensen. Stabiel, rustig, gefocust op veiligheid. De ander was extreem potig. Hij verplaatste zich richting de mensen op de vloer, zei in beroerd Engels: 'Iedereen legt zijn horloges en portemonnees voor zich. Nu.' Thomas hoorde aan zijn Engels: een sterk buitenwijkaccent. Overduidelijk: dit was een Zweedse allochtoon.

Hij keek weer. Dit waren geen echte profs – de potige man droeg lichte sneakers.

Thomas analyseerde de situatie. Overwoog mogelijkheden. Beoordeelde handelingsalternatieven. Eigenlijk zou hij zich terug moeten trekken. Aan Hägerström rapporteren waar de gijzelnemers en de mensen zich bevonden. Wachten op de ME. De dingen hun gebruikelijke gang laten nemen.

Of hij kon afwachten wat er gebeurde. Hij leverde een bijdrage aan dit onderzoek. En dat onderzoek bevond zich immers buiten alle regels. Als het uit zou komen, zou hij het voor altijd kunnen shaken als politieman. Hägerström ook. Maar het idee de situatie in de kamer zelf op te lossen was ook verleidelijk: held worden – triomferend terugkeren naar Zuid – de eenzame agent die alleen naar binnen ging in plaats van versterking af te wachten. Ontzettend dom. Eigenwijs als een kleuter. Risicovol als een idioot – maar toch een held.

Exact dat voelde hij. En hij negeerde het. Hij bleef zitten. Er was per slot van rekening versterking onderweg.

De jongens daarbinnen verzamelden de spullen die de mannen voor zich op de vloer hadden gelegd.

De gast met de Beretta was duidelijk rustiger dan die met de sportschoenen. Bewoog zich routineus boven de hoofden van de mannen. Het wapen ontspannen maar toch volledig onder controle. 't Leek alsof hij dit soort dingen eerder had gedaan.

Hij opende zijn mond. Zijn Engels was aanzienlijk beter dan dat van de kleer-kast: 'Ik wil dat alle hoeren opstaan.'

Niemand leek het te begrijpen. Hij herhaalde: 'Ik wil dat alle vrouwen op-staan.'

Hij richtte zijn wapen op een van de mannen. Daarna schreeuwde hij: 'Nu!'

67

Mahmud begreep niet waar Niklas mee bezig was. Plotseling begon die com-
mandogast de hoeren te bevelen op te staan.

In zijn doorgewinterde Engels: 'Kan iedereen de vent aanwijzen die jullie het
laatst heeft gebruikt?'

Ze leken niet te begrijpen wat hij bedoelde. Mahmud begreep het ook niet.

Dit was geen deel van het plan.

De zak vol portemonnees en horloges. Mooie spullen, hij had meteen een
Rolex Submariner van echt goud gezien. Mahmud uit zijn hoofd, alleen dat
horloge al: zeker twee ton. De totale waarde: minstens vijf ton alleen al aan Rolex, Cartier, IWC, Baume & Mercier en de rest van de horloges. Plus: de credit-
cards. Zelfs als een aantal geblokkeerd zouden zijn, zou Tom Lehtimäki genoeg
systemen kunnen belazeren voor nog zo'n vijf-, zeshonderdduizend kronen.
Bovendien: Jorges uitgeloofde prijzengeld – hij had Ratko, een van Radovans
mannen, omgelegd. Zijn eigen vernedering gewroken. De opdracht van de latino vervuld: pak de Joegomaffia. Dit was zo kapot gruwelijk.

Tijd om terug te trekken nu.

Hij had de kerels trouwens nog niet samen met de hoertjes gefotografeerd.
Dat was Jorges idee geweest. De latino had breder gegrijnsd dan een smiley
toen hij het idee had uitgelegd: 'Neem een goeie camera mee, man. Je zult die
foto's jaren kunnen gebruiken. Ik zweer het je. Ik weet het.' Mahmud snapte het
idee. Afpersing was fantastisch.

Hij keek Niklas aan. Liet het Engels zitten.

'Jezus man, waar ben je mee bezig?'

Niklas gaf geen antwoord. Bleef tieren.

'Alle hoeren gaan nu staan. Anders laat ik deze vent in zoveel stukjes exploderen dat jullie de hele nacht bezig zijn hersensubstantie weg te poetsen.'

Een paar meisjes kwamen overeind. Een voor een. De meesten met een Oost-
Europees uiterlijk, een stuk of tien halfbloedjes of Aziaten, een enkele Zweedse.
Gekleed als de hoeren die ze waren, maar toch luxer. Korte rokjes, strakke spijkerbroeken, netkousen, laarzen, naaldhakken, laag uitgesneden topjes van dun
materiaal. Mahmud herkende Natasja en Juliana en nog een heel stel anderen

uit de caravans. Duidelijk dat ze waren opgepimpt vanavond. Meiden die hij door de hele stad had gereden.

Niklas schreeuwde naar ze. De soldaat leek de boel niet meer onder controle te hebben. De meisjes wilden zijn bevel niet opvolgen. Maar hij bleef ze commanderen.

'Het kan me niet schelen als jullie deze kerels niet herkennen. Maar ga gewoon naast eentje staan die jullie een keer vernederd heeft. Ga erbij staan verdomme!'

Mahmud probeerde het weer.

'Kappen nu. Ik ben klaar met de inzameling. We hebben gedaan waar we voor gekomen zijn.'

Niklas draaide zich naar hem toe. Zei in het Engels: 'Geen Zweeds zei ik toch. Ben je achterlijk of zo? Idioot!'

68

Niklas was vlak bij zijn doel. De vrouwen zouden de schuldigen aanwijzen. Hij zou de rechtvaardigheid scheppen waar de maatschappij op wachtte. Waarop zijn moeder haar hele leven had gewacht. Hij was een rondtrekkende rechtbank.

Hij hield de afstandsdetonator in zijn ene hand. De Beretta in de andere. Het offensief in de eindfase. Het vonnis binnen bereik. Over een paar minuten zou het tijd zijn *to pull back the forces*.

Maar eerst moest hij de Arabier die de boel liep te versjteren stil krijgen. Begreep Mahmud niet dat dit een WilCo was – een *Will Comply*. Bek houden en doen wat ik zeg.

Niklas verloor de hoerenlopers geen moment uit het oog.

De Arabier bleef zeuren. 'We nokken af. We zijn hier klaar.'

Hij probeerde Mahmud te kalmeren. Had hem misschien nodig om dit af te maken.

Mocht geen safu worden – *Situation All Fucked Up*. Hij probeerde het met een WO – *Warning Order*: 'Bek dicht nu. Volg mijn orders op anders loopt dit triest voor je af.'

Mahmud verhief zijn stem: 'Jezus Niklas, rustig nou. We gaan nu. Anders gaan Babak en ik zonder jou.'

Niklas kon niet wachten. Hij richtte zijn Beretta op een van de mannen. In volgorde van de ernst van hun misdrijf. De man keek op. Er waren drie prostituees bij hem gaan staan.

69

Had hij het goed gehoord? De situatie in de kamer was nu echt uit de klauwen aan het lopen. Het kon slecht aflopen. Heel slecht.

De mannen met de bivakmutsen waren met elkaar aan het bekvechten. De allochtoon was Zweeds gaan praten. Hij wilde blijkbaar weg. De prof wilde blijven. Iets afmaken wat met de opstelling van de hoeren te maken had. Thomas kon alleen maar vermoeden wat.

Maar had hij het goed gehoord? De allochtoon had de naam genoemd van de gozer die wilde blijven – Niklas. Hij had 'Niklas' gezegd.

Het was beangstigend. Een man met de naam Niklas die Bolinder aanviel.

Er kwam maar één enkele Niklas in zijn hoofd op. De gast die gisteren was ontsnapt uit de rechtbank. Die kerel over wie Hägerström en hij zo vaak hadden gediscussieerd. Misschien zaten ze op de verkeerde weg. Thomas had het van de hand gewezen – er was te veel dat op Adamsson, Bolinder en de anderen wees. Maar nu: wat betekenden de woordenwisseling en het gijzelingsdrama waar hij getuige van was?

Het kon geen toeval zijn. De man die daar in de kamer stond móést Niklas Brogren zijn. Bereid om alle hoerenlopers van het leven te beroven. Bovendien: bereid om Bolinder op te blazen.

Er was een verband tussen de man die verdacht was van de moord op Rantzell en Bolinder. Wederom: dit kon geen toeval zijn. Niklas Brogren moest iets van Bolinder.

Dat betekende twee dingen. Ten eerste: Thomas en Hägerström hadden het mis gehad – de jongen was niet onschuldig, hij had een rol in de moord. Ten tweede: Bolinder was evenmin onschuldig. Waarom was iemand met een rol in de moord anders hier, bij hem?

Er was geen tijd om na te denken. De allochtone gozer bleef onwillig staan. Brogren had alle meiden gedwongen bij verschillende mannen te gaan staan. Onduidelijk of ze daadwerkelijk seks met ze hadden gehad of dat ze zomaar ergens gingen staan uit angst en verwarring door Brogrens orders.

Wat kon hij doen? De versterking was er blijkbaar nog niet. Niet zijn fout – wat hier in deze kamer gebeurde, zou ook gebeurd zijn als hij niet uit de

kelder naar boven was gekomen. Nu was hij de enige politieman ter plaatse. Zijn plicht: wat hierbinnen gebeurde een halt toeroepen. Of niet? Niemand wist dat Hägerström en hij hier waren. Misschien moest hij gewoon wegsluipen uit dit godgeklaagde huis. De gijzelnemers voor de gijzelaars laten zorgen. Een moordenaar een aanstichter laten vermoorden. Bolinder zijn rechtmatige lot tegemoet laten gaan.

Toch niet. Hij had met zichzelf afgesproken deze zaak tot de bodem toe uit te zoeken. Hij bleef een agent, ondanks zijn gedachten onderweg hiernaartoe – dat sommige mensen die hij had leren kennen misschien vrienden waren. Een doodgewone diender – zoals hij zo vaak had gedacht: zeker niet de fatsoenlijkste. Maar desondanks, ongeveer zo fatsoenlijk als je van een agent als hij zou verwachten. Het kwam uiteindelijk toch neer op hetzelfde idee: hij zag de wet graag overwinnen. Het kon hem niet schelen zolang het om kleine dingen ging, zoals een grammetje hier en een grammetje daar. Maar hij wilde de wet het echte uitschot laten pakken. Want diep vanbinnen dacht hij te weten wie dat waren. In pak geklede, vermogende, extremistische mannen als Sven Bolinder zouden in dezelfde gevangeniscellen wegrotten als drankrijders, dealers en vrouwenmishandelaars. Dat was wat hij wilde. Zelfs als het zelden, misschien wel nooit zo ging. Hij kende eigenlijk geen enkele gelegenheid waar dat gebeurd was. Maar dat kon hem niet schelen, het was zijn doel. Dit was zijn mogelijkheid: verandering teweegbrengen – de wet zien winnen. Ze hadden Palme gepakt. Een arbeidersheld. Dit was zijn kans. Zweden veranderen. In elk geval voor één keer.

Een snelle alternatievenanalyse. Naar binnen rennen, de indringers proberen te pakken. Wachten tot de allochtoon misschien wegging en hem onderweg naar buiten overrompelen. De jongens van een afstandje neerschieten.

Naar binnen rennen was te gevaarlijk. Minstens zeven, acht meter. Niklas zou tijd hebben om de bom te laten detoneren en een heleboel mannen af te knallen voor hij er was. Wachten tot de allochtoon zou vertrekken – dat zou misschien nooit gebeuren. Dat zou niet werken.

Proberen te schieten? Ja, misschien – dat was Thomas' specialiteit. Hij was immers een van de beste scherpschutters van het korps.

Als hij zijn Strayer Voigt Infinity bij zich had gehad, zou het een makkie zijn geweest. Maar nu – het politiepistool was niet echt geschikt voor scherpschutterij. Aan de andere kant: acht meter zou moeten lukken. Eerst Brogren, dan dat zwartje.

Hij ging op één knie zitten. Rechtte zijn rug. Strekte zijn armen. Als ze hem maar niet zagen door de kier. Herinnerde zich zijn topschoten bij de Järfälla schietclub op de avond waarop Ljunggren hem had verteld dat ze Rantzells flat hadden gevonden. Hij hield zijn pistool zo stil als hij kon. Zocht de vizierkeep op. Die zat laag op de Sig-Sauer. Zag de korrel. Kleine trillingen. Ontspande. Trok zich niks aan van de slechte verlichting. Richtte op Niklas' been. Het had

geen zin om zijn borst te proberen – de jongen droeg een kogelvrij vest. Langzaam drukte Thomas de trekker in. De basisregel duidelijk: omhels, masseer, streel hem. Hij tuurde. Liet zijn bewustzijn los. Nog langzamer. Eén enkele beweging. Niklas' bovenbeen het enige wat hij zag. Het enige wat er op dit moment op de wereld was.

Het schot ging af. De werkelijkheid knalde binnen. Het geluid sneed door zijn oren.

Niklas wankelde. Maar viel niet.

Integendeel. Hij brulde. Deed een paar stappen in de richting van de man die hij af wilde maken.

Dit werkte niet. Hij moest iets anders doen.

Thomas hernam zijn positie.

Nam Niklas weer in het vizier.

De rechterkant van zijn borst deze keer. Het zou die gek niet al te zeer verwonden. Hij had immers een vest aan.

70

Fuck. Fuck. Fuck. Er was nog een klootzak over. Een rukker die Babak niet ontdekt had.

Niklas slingerde even. Maar viel niet.

'Ik ben geraakt!'

Mahmud wist niet wat hij moest doen. Dit hoorde niet bij hun plan. Wat was hij kankerstom geweest. Dit kon de skotoe zijn. De ME in aantocht.

Fuck.

Babak schreeuwde vanuit de kamer ernaast. 'Wat gebeurt er, ashabi?'

Mahmud antwoordde: 'We moeten gaan.'

Babak kwam naar Mahmud en de anderen toe rennen.

Niklas brulde: 'Wacht, ik wil het afmaken.'

Babak liep naar hem toe. Mahmud vroeg zich af waarom hij binnengekomen was. Ze zouden nu toch afnokken.

Babak pakte Niklas vast. Probeerde hem mee te krijgen.

Rukte aan zijn arm. Trok. Schreeuwde: 'Jezus man, we moeten hier weg.'

Er klonk nog een schot in de kamer.

Mahmud zag Niklas. Als in slow motion. Hij zakte in elkaar als een dweil.

Aan de linkerkant van zijn hoofd: zijn schedel naar de klote.

Iemand had weer op hem geschoten.

Chara. CHARA.

Niklas op de grond. Ze moesten weg.

'Kom op, man. Kun je opstaan?'

Niklas probeerde iets te zeggen.

Rochelde.

Babak brulde op de achtergrond.

Mahmud rende.

71

Het tweede schot kwam fout aan.

Niklas liet de Beretta vallen.

Maar hield de detonator nog in zijn hand.

Stevig.

Voelde het bloed over zijn wang en kin. Voelde het bloed niet. Voelde niets.

Zag beelden. Zag vele mensen, verhalen, gezichten.

Mama op de bank thuis. De mannen in de moskee die ze daarginds hadden verbrand. Collin.

De gezichten stroomden voorbij alsof hij ze in een spiegel zag.

Jamila. Benjamin. De smeris die hem had verhoord.

Hij zag niets meer.

Geen hoerenlopers, geen kerels.

Hij zag een kristallen kroonluchter boven zich zwaaien.

Zwaaide.

Alle mannen die mishandeld hadden.

Mats Strömberg, Roger Jonsson, Patric Ngono.

Claes. Herinnerde zich hem. De slagen.

Herinnerde zich Bolinder.

Niklas greep.

Kneep.

Stil.

De detonator.

Alles was zo stil.

Epiloog

Thomas zat met Ljunggren in de surveillancewagen. Ze staarden allebei naar het nieuwe politieradiosysteem. Rantzell heette het. De centrale meldkamer kon tegenwoordig zien waar alle auto's waren. Een groot nadeel: ze konden hun gewoonlijke excuses en uitwijkmanoeuvres niet gebruiken. Ze zouden gedwongen zijn om de kutklusjes te nemen die eigenlijk voor de aspiranten waren. Maar er was een voordeel. Thomas en Ljunggren hadden een nieuw gespreksonderwerp dat dagenlang stof zou bieden – zaniken over de leiding die hen niet vertrouwde. En een voordeel dat misschien groter was: ze zouden geen loze tijd hebben tijdens het werk. Minder tijd om na te denken. Te malen. Te piekeren. Spijt te hebben.

Er waren twee maanden verstreken.

Thomas had eerst volledig vrij gekregen van de politie, om uit te rusten, zoals ze zeiden. Eigenlijk zouden ze weer een onderzoek instellen. Hij kon goddomme niet nog een onderzoek hebben. Maar het kwam hem uitstekend uit. Sander was gekomen. Het was het geweldigste mensje dat Thomas ooit had ontmoet. Hij hield al meer van de jongen dan van wie of wat dan ook. Het was heerlijk en voelde ontzettend goed.

Niklas Brogren had de bom die hij op Bolinder had bevestigd laten ontploffen. De muren, de kroonluchters, de hoerenlopers, de hoeren: ze zaten onder de Bolinder-substantie. Thomas was de kamer binnengestormd, had geprobeerd de ouwe vent eerste hulp te verlenen. Maar het was te laat. Wat er over was van Bolinder was niet te redden.

Thomas ging naar Niklas. De jongen keek op, er zat geen leven in zijn blik. Hij reutelde. Rochelde. Hij had Bolinder met zich meegenomen naar de andere kant.

De allochtone jongens. Ze waren verdwenen.

De kerels en de hoertjes verkeerden in een shock. Er werd gesnotterd, gehuild, gegild. Hij was dat soort dingen gewend.

Het was niet de bedoeling geweest Niklas in zijn hoofd te raken. Hij had op zijn borst gericht. Maar toen die andere allochtoon tot zijn verrassing de kamer was

binnengekomen en geprobeerd had Niklas mee te trekken, was het misgegaan. Niklas' lichaam werd naar beneden getrokken. Genoeg voor een fatale misser.

Hij had de kamer misschien niet binnen moeten gaan om Bolinder te redden. Had er misschien net als de allochtonen vandoor moeten gaan. Een paar minuten later ging hij de kamer uit. Liep naar de hal. Zag de zwaailichten. Hoorde het geluid van agenten in het huis.

Hägerström kwam binnenstormen met een stuk of tien manschappen in zijn kielzog.

Hun hele case leek in rook op te gaan als een nieuwjaarsvuurpijl.

Twee weken na de gebeurtenis belde Stig H. Ronander, de hoofdrechercheur die de zaak-Rantzell had overgenomen van Hägerström.

Hij had een nasale stem.

'Goedemorgen, je spreekt met commissaris Stig H. Ronander.'

Thomas eerste gedachte: wat een sukkel dat hij zijn titel gebruikt. Ik weet toch heel goed wie hij is.

'Ik wil het met je hebben over het incident op Smådalarö.'

Thomas had wel verwacht dat er iemand zou bellen, maar hij wist niet wat hij van deze Ronander moest verwachten. Hij leidde immers eigenlijk het andere onderzoek.

'Dus je noemt het een incident?'

Ronander gaf geen antwoord.

'We moeten afspreken.'

Twee uur later zat Thomas tegenover Ronander op de kamer van de commissaris. Hij registreerde: ingelijste foto's van Ronanders vrouw en kleine kinderen in snoeperige kleertjes. Dat moesten kleinkinderen zijn. Thomas dacht aan Sander. Verlangde naar huis.

'Oké Andrén, ik zal het kort houden.'

Thomas tot het uiterste gespannen, klaar voor wat dan ook.

'Wat daarginds is gebeurd was een beetje te veel voor het kleine Zweden.'

Thomas bewaarde zijn kalmte.

'Het was vooral een beetje te veel voor jou.'

Een van de kleinkinderen op de foto's deed hem aan Sander denken.

'Je zult je baan verliezen, ook die halve, als blijkt dat je daar was in het kader van een privéonderzoek of dat jij die gestoorde gijzelnemer, Brogren, hebt neergeknald. Dan word je aangeklaagd voor ernstige dienstovertreding of iets anders vervelends.'

Thomas bleef zwijgen.

'Je hangt. Hägerström zal hangen. En een heleboel andere goede politiemannen lopen het risico te hangen. Dat begrijp je natuurlijk.'

Thomas leunde voorover op zijn stoel. 'Je hoeft me geen dingen te vertellen die ik al weet. En ik neem aan dat er niks aan te doen is?'

Ronander glimlachte. 'Misschien wel. Ik heb een voorstelletje. Zullen we gewoon vergeten dat jij hebt geschoten? De meeste mannen die daar waren zullen heel zwijgzaam zijn over wat er gebeurd is, er was tumult ontstaan en niemand zag de facto dat jij schoot, als ik het allemaal goed begrepen heb. Bovendien waren er twee onbekende daders die wisten te vluchten. Dus dat is wel hard te maken. Dat soort dingen is eerder hard gemaakt. En jij bent degene die er baat bij heeft. Mag je baan houden. Dat niet alleen, we zorgen ervoor dat je teruggaat naar Zuid, je oude betrekking. Hägerström zal ook gelukkig zijn – hij zal bij ons kunnen blijven werken.'

Thomas begreep dat er meer was. 'En de haken en ogen?'

Ronander glimlachte breder. 'Haken en ogen? Zo wil ik het niet noemen. Het is eerder een overeenkomst. Het vooronderzoek naar de moord op Rantzell is eigenlijk al afgerond. Brogrens alibi voor de avond van de moord was bluf. Bovendien heeft zijn moeder nu verklaard dat Brogren die avond aangeschoten thuiskwam en over Rantzell liep te kletsen. Verder hebben we alle films, foto's en andere documentatie geanalyseerd die we bij hem thuis hebben gevonden. Het staat als een paal boven water dat Brogren afgelopen herfst die andere mannen vermoord heeft, Mats Strömberg en Roger Jonsson. Het waren doodgewone, fatsoenlijke familievaders, onschuldig, die die gek van het leven heeft beroofd. En weet je wat hij in zijn vorige leven heeft gedaan?'

Thomas schudde zijn hoofd.

'Hij was legionair. Gecontracteerd door zo'n Amerikaans privéleger. Maar dat is misschien niet zo interessant. Hoe het ook zij, alles wijst erop dat Niklas Brogren Claes Rantzell heeft omgebracht. Tel daar Mats Strömberg, Roger Jonsson en Sven Bolinder bij op. Vier gewone Zweedse mannen. Alles bij elkaar zou het vooronderzoek tot een aanklacht hebben geleid die tot een veroordeling zou hebben geleid – nog een massamoordenaar in Zweden. Dus er zijn eigenlijk geen haken en ogen. Je hoeft niet verder te zoeken, je hoeft niet door te gaan met je eigen onderzoekje. De zaak is afgehandeld. *Case closed*, zoals ze zeggen. Je krijgt je baan terug, ontkomt aan de consequenties, Hägerström mag zijn baan houden. Je houdt op met wroeten, want er is niks meer om in te wroeten.'

Daar had je het – een haak, een oog.

Terug in de surveillancewagen. In gedachten probeerde hij alles te begrijpen. Rantzell moest gedreigd hebben de waarheid te onthullen. Dat zijn getuigenis over het Palme-wapen een leugen was geweest. En er zat iemand achter, iemand die ervoor gezorgd had dat hij dat verhaal over het wapen had verzonnen. Iemand die hem nu, zoveel jaar later, betaalde om het niet te vertellen. Maar Rantzell had misschien meer gewild, had op een of andere manier dwarsgelegen. Ze waren genoodzaakt hem uit de weg te ruimen. De link zat in de betaling – en juist dat papier had hij niet. Misschien lag het bij Bolinder. Maar Thomas wist zeker – dat papier bestond inmiddels niet meer. Dus hij had het voorstel geac-

cepteerd. Niet meteen, maar na een paar dagen. Niet zozeer voor zichzelf, als wel vanwege Åsa en Hägerström. Hij had zijn werk nodig om gelukkig te zijn, maar had toch zonder gekund. Hij was niet van plan om hierover een woord tegen Hägerström te zeggen – hij zou het nooit hoeven weten. Bovendien was er wat te zeggen voor Ronanders uitleg – alles wees er inderdaad op dat die Niklas Brogren Rantzell had koudgemaakt. Die gedachte landde na een paar weken – misschien zat er geen groep achter, geen samenzwering.

Zo moest het zijn.

Zo was de logica. Het voelde goed.

Thomas keek naar Ljunggren. Alles was bijna net als anders.

Hij deed de deur van hun huis open. Hoorde Sanders gebrabbel vanuit de woonkamer. Voelde het geluk. Er lag een envelop op de deurmat. Hij pakte hem op. Scheurde hem open met zijn vinger. Het was een foto van Sander. Die leek genomen te zijn door een van hun ramen. De jongen lag op een deken op de grond. Zijn hele gezicht straalde. Thomas draaide de foto om. Een kort bericht op de achterkant: STOP MET WROETEN.

*

Beshar was voor het eerst in Mahmuds flat. De zonnestralen speelden op de tafel in de keuken. Beshar maakte koffie. Hij had een pannetje meegenomen – geen gewoon Zweeds pannetje, maar een van koper. De gemalen koffie en een heleboel suiker erin. Roerde terwijl het aan de kook kwam. Altijd rechtsom. Beshar wilde altijd vertellen hoe hij koffie maakte. Zag het waarschijnlijk als een soort opvoeding.

Hij schonk de koffie in de minikopjes.

'Wacht Mahmud. Wacht altijd tot de prut op de bodem ligt.'

Aan de muur hing een foto van mama.

Mahmud dacht aan de aanval. Niklas was over de rooie gegaan. Was finaal geflipt, was begonnen de hoeren naast de mannen te zetten. Daarna kwam dat eerste schot. Hij had geen tijd om te begrijpen wat er gebeurde. Babak begon aan Niklas te trekken. Er klonk nog een schot. Niklas zakte in elkaar. Mahmud en Babak renden. Het huis door. Vreemde kamers. Schilderijen en tapijten als in een fokking museum. Hij hield de Glock stevig vast. Rende als een waanzinnige. Hoorde de klap. Hoopte dat dat niet de man was op wie Niklas zijn bom had gezet.

Kamer na kamer. Schilderijen van dikke wijven. Schilderijen van steden. Schilderijen die eruitzagen als niets met een paar zwarte strepen.

Ze kwamen in de keuken. Het gat in de muur zo zwart als de nacht erachter. Ze voelden de kou van buiten. Stapten naar buiten. Niklas bleef daarbinnen achter. Hij had het aan zichzelf te danken.

Mahmud hijgde als een idioot. Het gevoel alsof zijn schoenen van zijn poten zouden vallen.

Het kogelvrije vest woog honderd ton.

Hij zag Babak vier meter voor zich. In de sneeuw. Terug door zijn eigen sporen.

Het gat in de omheining. Ze kropen erdoor. Mahmud voorzichtig zodat hij geen bewijsmateriaal achterliet aan de doorgeknipte staaldraden.

Door de sneeuw aan de andere kant van het hek.

Naar de weg.

Mahmud zocht in zijn zak naar de walkietalkie.

Kreeg hem eruit.

Bleef rennen.

Hij schreeuwde haast naar Robert en Javier: 'We splitten 'm. We hebben de spullen maar het is fokking mis.'

Papa keek naar hem: 'Waar denk je aan?'

'Ik denk aan hoe ik Jamila zou kunnen helpen om het solarium te kopen. Ik heb de laatste tijd vrij veel verdiend.'

'Ik hoop via een legale weg.'

'Er hebben geen onschuldigen geleden, papa. Dat zweer ik je.'

Beshar zei niets. Schudde zijn hoofd alleen maar.

Ze dronken samen koffie. Mahmud vond de koffie te zoet, maar hij zei niets, papa zou het persoonlijk opvatten. Beshar vertelde dat hij overwoog een paar weken naar Irak te gaan om familie te bezoeken. Ze bespraken de reis. Misschien kon Mahmud meegaan. Een paar weken maar.

Mahmud stond op. 'Ik heb iets voor je papa, wacht even.'

Hij liep naar zijn slaapkamer.

Ging op zijn knieën zitten. Keek onder zijn bed. Strekte zijn arm uit.

Schoof een paar tassen aan de kant. Bekeek ze weer. Herkende ze. Het waren de tassen die hij uit die kelder had meegenomen toen hij naar sporen van Wisam Jibril had gezocht. Er zat alleen maar een hele zooi papier in. Financiële dingen, leek het. Hij wist niet eens waarom hij ze had bewaard. Schijt ook – als hij op een dag de puf had, zou hij opruimen. Alle troep eruit gooien.

Hij kroop verder onder het bed. Vond wat hij zocht: het groene doosje dat hij via een site met tweedehandsspullen had gekocht. In zilveren letters: SANTOS, CARTIER.

Het was een cadeau voor zijn vader.

Het horloge zou als nieuw zijn als het in het originele doosje zat.

Hij hield het een paar seconden in zijn hand.

Papa's idee was niet gek – het zou goed uitkomen om een tijdje naar zijn vaderland te verdwijnen.

*

445

Het kerkhof Skogskyrkogården was enorm. Catharina Brogren was te vroeg gekomen, nog voordat de kapel open was, dus ze maakte een wandeling.

Zoveel graven. Namen van mensen en gezinnen die hun leven hadden geleid. Sommigen misschien in chaos, maar de meesten in relatieve rust. Ze droegen geen vreselijke geheimen met zich mee. Niet zoals Niklas. Niet zoals zij.

De lucht was grijs maar achter de wolken kon je de zon bespeuren – als een lichte vlek op saaie bankbekleding. Ze wist niet of er iemand zou komen. Misschien Viveca en Eva van haar werk. Misschien de neven: Johan en Carl-Fredrik met hun vrouwen. Misschien een ander familielid. Misschien Niklas' oude schoolvriend, Benjamin. Maar ze had niks geregeld voor erna. Daarvoor was er niet genoeg geld.

Ze dacht aan de tijd die ze samen hadden gehad toen hij terug was gekomen. Hoewel de sfeer een paar maanden geleden een beetje vreemd was geworden, was ze toch blij dat hij niet daarginds was overleden, in de zandbak, zoals hij altijd zei.

Waarom was de dood het meest gevreesde in het leven? Mensen die zich in haar situatie hadden bevonden wisten dat dat niet juist was. Leven – overleven – was erger. Helemaal als je het gevoel had dat het je eigen schuld was dat alles zo was gelopen als het was gelopen.

Het was nog steeds onduidelijk hoe alles in elkaar stak. Een politieman, Stig H. Ronander heette hij, was bij haar thuis gekomen. Had geprobeerd te vertellen dat Niklas een soort inbraak had gepleegd en dat hij daar doodgeschoten was, waarschijnlijk door een van de andere inbrekers. De politieman vertelde ook dat Niklas zeker veroordeeld zou zijn voor de moord op Claes Rantzell. Hij condoleerde haar.

Diep vanbinnen had ze altijd al geweten dat het zou eindigen met geweld.

Catharina kwam in de buurt van de kapel. Uit de verte zag ze Viveca en Eva. Het was fijn dat ze toch gekomen waren. Ze trok haar mantel recht. Het was koud en het zou fijn zijn om naar binnen te gaan.

Een paar meter bij haar collega's vandaan stonden drie andere vrouwen. Catharina herkende ze niet. Ze kwam dichterbij. Waren het een paar verre familieleden? Nee, ze kende ze echt niet. Misschien waren het vrienden van Niklas.

Ze zagen er raar uit. Niet Zweeds. Stonden daar maar. Kwamen niet naar haar toe, zoals Viveca en Eva nu deden. Ze moesten verkeerd zitten. Want dat waren toch geen mensen die Niklas had gekend?

Het ging bijna zoals ze had verwacht, op die drie onbekende vrouwen na dan, en zonder Benjamin. Zij, Viveca, Eva, de neven met hun vrouwen. En de dominee natuurlijk.

De dominee sprak over de kwetsbaarheid van de mens. Hoe elke persoon toch iets toevoegt aan de wereld. Catharina dacht aan het laatste. Iets toevoegen

aan de wereld. Bijdragen. Ze wist niet wat Niklas had bijgedragen, maar ze wist zeker dat het iets was.

Ze wist wat ze zelf had gedaan. Het vreemde was dat het de politie maanden had gekost voor ze ook maar hadden begrepen dat de vermoorde man in de kelder Claes was. Ze had nooit begrepen waarom. Hij moest in hun registers voorkomen. De politieman Ronander had iets merkwaardigs gezegd: 'Onze excuses dat het zo lang heeft geduurd. Maar Claes Rantzell was heel moeilijk te identificeren, hij had geen tanden of vingerafdrukken meer.'

De beelden raasden door haar hoofd. Hoe ze die nacht naar beneden was gelopen om naar de wasruimte te gaan. Hoe hij daar plotseling in de hal had gestaan, bij de lift. Verschrikkelijk onder invloed van iets. Iets veel ergers dan alcohol. Meer alsof hij ziek was. Hij had haar om hulp gevraagd, gezegd dat iemand hem vergiftigd had. Iemand die niet wilde dat alles uit zou komen. Eigenlijk was het niet toegestaan om zo laat nog te wassen, maar daar trok ze zich niks van aan. Het gebouw was stil, op zijn gezeur na dan. Ze hadden elkaar al jaren niet gezien. Wat deed hij hier dan in godsnaam? Waarom kwam hij naar haar toe? Na alles wat hij gedaan had. Dit was de enige plek waar hij naartoe kon vluchten, zei hij. De enige plek waar ze hem niet zouden vinden. Het was ze gelukt iets bij hem te injecteren. Hij had haar hulp nodig. Het was te veel. Ze duwde hem naar de deur. Hij wankelde. Kotste. Viel van de trap naar de kelder. Ze deed de deur open. Probeerde hem voor zich uit te duwen. Hij leek niet te begrijpen wat er gebeurde. De deur sloeg achter ze dicht. De kelder – waar Niklas als kind zo vaak was geweest. Alles welde in haar op. De herinneringen, de pijn, de vernedering. Ze was haast gechoqueerd over alles wat ze voelde. Ze gaf hem weer een duw.

Waarom had hij geen tanden en vingerafdrukken gehad? Achteraf dacht ze dat 'ze', waarover hij het had gehad, hem uiteindelijk misschien gevonden hadden.

Hij had staan slingeren.

Ze schopte hem tegen zijn benen. Sloeg hem in zijn buik.

Hij klapte dubbel.

Ze schopte hem weer.

Sloeg, schopte.

De sequentie werd steeds maar weer afgedraaid in haar hoofd.

Zijn gezicht.

Haar woede.

Dank aan

Hedda, omdat je geweldig bent en voor alle onschatbare hulp.

Mama, omdat je iedereen altijd vertelt dat je mijn werk graag leest.

Papa en Jacob, mijn broer, voor alle tips en support – zonder jullie zou het niet gaan. We blijven elkaar stimuleren.

Al mijn vrienden en familie die hebben meegelezen en commentaar hebben geleverd. Lasse M. voor alle informatie over de politie. De jongens in het huis van bewaring voor de feiten. Mister Eriksson voor goede details.

Annika, Pontus en Anna-Karin van uitgeverij Wahlström en Widstrand voor de geweldige steun. Sorry dat ik soms gestrest ben – de advocatenplicht roept.

Pocketuitgever Månpocket voor een fantastisch product. Salomonsson Agency voor jullie magische werk – nu veroveren we de wereld.

Sören Bondesson omdat je me weer op gang hebt gebracht.

Alle anderen die mijn vorige boek hebben gelezen en me gestimuleerd hebben om er nog een te schrijven.

Jack, omdat je bestaat. De vreugde die je aan ons leven geeft is niet te beschrijven.